ROBERTO MELO MESQUITA

Licenciado em Letras pela PUC-SP
Licenciado em Pedagogia pela Unicastelo
Mestre em Língua Portuguesa pela PUC-SP

CLODER RIVAS MARTOS

Licenciado em Letras Clássicas pela PUC-SP
Licenciado em Pedagogia pela Faculdade de Filosofia Camilo Castelo Branco
Professor da rede oficial de ensino do estado de São Paulo

GRAMÁTICA PEDAGÓGICA

Editora Saraiva

ISBN 978-85-02-08467-4 (aluno)
ISBN 978-85-02-08468-1 (Livro do Professor)

Gramática Pedagógica (Ensino Fundamental II)
Roberto Melo Mesquita, Cloder Rivas Martos, 2009
Direitos desta edição:
SARAIVA S. A. – Livreiros Editores, São Paulo, 2009
Todos os direitos reservados

Gerente editorial	Marcelo Arantes
Editor	Maria Tavares de Lima Batista
Edição de texto	Temas e Variações Ltda.
Assessoria técnico-pedagógica	Vania Regina Gomes
Editor assistente	Sílvia Cunha
Coordenador de revisão	Camila Christi Gazzani
Revisores	Lucia Scoss Nicolai (enc.), Cesar G. Sacramento, Renata Palermo.
Assistente de produção editorial	Rachel Lopes Corradini
Coordenador de iconografia	Cristina Akisino
Pesquisa iconográfica	Cesar Augusto Atti, Priscila Garofalo
Gerente de arte	Nair de Medeiros Barbosa
Coordenador de arte	Vagner Castro dos Santos
Assistente de produção	Grace Alves
Projeto gráfico e capa	Commcepta Design
Imagens de capa	Brand X Pictures/Keydisc, Giral/Bsip/Keystock, Masterfile/ Radius Images/Other Images, Masterfile/Other Images
Ilustrações	Adolar, Alberto de Stefano, Cartoon Estúdio, Cibele Queiroz, Edde Wagner, Filipe Rocha, Henrique Kipper, Jorge Zaiba, Lúcia Hiratsuka, Márcia Szeliga, Marcos Guilherme, Mozart Couto, Nid Studio, Ricardo Dantas, Roberto Weigand, Rodval Matias, Viviane de Medeiros Guimarães
Diagramação	Commcepta Design/Walter Reinoso
Impressão e Acabamento	Prol Editora Gráfica

Dados Internacionais de Catalogação na Publicação (CIP)
(Câmara Brasileira do Livro, SP, Brasil)

Mesquita, Roberto Melo
    Gramática pedagógica : volume único / Roberto Melo Mesquita, Cloder Rivas Martos. -- 30. ed. --
São Paulo : Saraiva, 2009.

    Bibliografia.
    ISBN 978-85-02-08467-4 (aluno)
    ISBN 978-85-02-08468-1 (professor)

    1.Português - Gramática I. Martos, Cloder Rivas. II. Título.

09-08877   CDD-469.5

Índices para catálogo sistemático:
1. Gramática : Português :   Linguística   469.5

061.254.030.006

Editora Saraiva

SAC | 0800-0117875
De 2ª a 6ª, das 8h30 às 19h30
www.editorasaraiva.com.br/contato

Rua Henrique Schaumann, 270 – Cerqueira César – São Paulo/SP – 05413-909

Apresentação

Ouvir, falar, ler e escrever são atividades que executamos todos os dias e com tanta frequência que muitas vezes nem percebemos. Por meio delas, nós nos comunicamos com as outras pessoas e estabelecemos relações com o mundo a nossa volta: as músicas e as propagandas que **ouvimos** no rádio ou na televisão; os colegas e a família com quem **conversamos** a toda hora; os livros, as revistas, as placas de sinalização e os anúncios publicitários que **lemos** a todo instante; as cartas, os bilhetes, as mensagens eletrônicas e os trabalhos escolares que **escrevemos**.

O mundo vive em comunicação, o tempo todo. Para nos comunicarmos com as outras pessoas, para fazer parte e participar desse mundo — no qual as informações circulam incessante e vertiginosamente —, é necessário não só que nos expressemos com clareza, por escrito ou oralmente, mas que também possamos compreender as informações que recebemos de outras pessoas.

Este livro pretende fornecer-lhe os meios necessários para um bom desempenho no seu cotidiano, em suas atividades de ouvir, falar, ler e escrever. Para isso, utilizamos uma linguagem bem moderna e atual e selecionamos os mais variados instrumentos para servir de exemplo: manchetes de jornais e revistas, propagandas, histórias em quadrinhos, poemas, contos etc. Procuramos, também, trabalhar apenas com os aspectos elementares da Língua Portuguesa, pois sabemos que, conhecendo esses aspectos fundamentais, você será capaz de desempenhar, cada vez mais e melhor, as atividades do dia a dia que envolvem a comunicação entre as pessoas.

Os autores

Sumário

Morfologia

Sintaxe

Apêndice

Leia o texto:

Língua

Esta língua é como um elástico
que espicharam pelo mundo

No início era tensa,
de tão clássica.

Com o tempo, se foi amaciando,
foi-se tornando romântica,
incorporando os termos nativos
e amolecendo nas folhas de bananeira
as expressões mais sisudas.

Um elástico que já não se pode
mais trocar, de tão gasto;
nem se arrebenta mais, de tão forte.

Um elástico assim como é a vida
que nunca volta ao ponto de partida.

(*Os melhores poemas de Gilberto Mendonça Teles.*
Seleção de Luiz Busatto, p. 127.)

O poema refere-se à língua portuguesa e à sua origem clássica, o latim. A nossa língua foi "espichada" pelo mundo e foi-se modificando com o passar do tempo.

Neste capítulo, vamos estudar algumas noções sobre o funcionamento e as estruturas da língua portuguesa, exaltada no texto acima, assim como as da linguagem e da Gramática.

Linguagem, língua e Gramática

A todo momento, o ser humano está em comunicação. Para comunicar-se com os seus semelhantes, ele usa vários recursos, como palavras, gestos, desenhos, movimentos, imagens e sons.

A capacidade de usar tais recursos para comunicar-se chama-se **linguagem**. É por meio dela que o ser humano transmite as emoções e os pensamentos e consegue viver e trabalhar em comunidade.

Linguagem verbal e linguagem não verbal

A comunicação entre as pessoas ocorre de várias maneiras: por meio da fala, da escrita, dos sons e dos sinais de trânsito, por exemplo.

A linguagem não verbal é muito utilizada para transmitir informações rápidas e diretas.

Só a espécie humana fala. E os sons da nossa fala resultam de certas condições propriciadas pelos órgãos da fala, cujo conjunto recebe o nome de aparelho fonador. Ao falar, as pessoas usam a **linguagem verbal** e, com as palavras, comunicam-se, inclusive em situações complexas, como cirurgias, panes de aviões e viagens pelo espaço sideral.

A **linguagem não verbal** é a que não utiliza palavras; a comunicação é feita por elementos visuais ou sonoros, desenhos, gestos e imagens.

Na comunicação diária, as pessoas empregam ao mesmo tempo a linguagem verbal e a não verbal. Por exemplo: quando um professor explica a matéria para os seus alunos, além de utilizar palavras, ele gesticula, movimenta-se e usa até a expressão dos olhos e da face.

Quando alguém quer se comunicar, pode escolher, portanto, entre as diversas formas de linguagem, dependendo do que quer expressar (ideias, sentimentos, impressões) e daquele a quem se dirige (a um colega, a um familiar, a uma autoridade).

Todo processo de comunicação é concretizado com o uso do **código**.

A placa ao lado aparece em edifícios em geral e indica o caminho para uma saída de emergência, por meio do desenho de uma escada e uma pessoa correndo. Esse desenho é um sinal que pertence ao **código não verbal**. Para um sinal de código comunicar uma mensagem, é indispensável que ele apresente o mesmo sentido para quem o emite e para quem o recebe.

Para que você entenda melhor o significado do código na comunicação, pense na seguinte situação: quando o cliente de um banco digita a senha da sua conta em uma agência ou em um caixa eletrônico, ele recebe permissão de movimentar a conta porque os computadores do banco entenderam que é o correntista que a está acessando.

Nessa situação de comunicação, temos os seguintes elementos:

- o emissor ⟶ o cliente;
- o código ⟶ a senha digital;
- a mensagem ⟶ pedir permissão para movimentar a conta bancária;
- o receptor ⟶ os computadores do banco.

Observe um esquema que pode representar a relação entre esses elementos:

```
        emissor
           │
           ▼
        mensagem  - - - - - - - - - - - - - -  código
           │
           ▼
        receptor
```

> **Código** é, portanto, um sinal ou um conjunto de sinais por meio dos quais se concretiza a comunicação.

Veja como a mensagem "É proibido fumar" pode ser representada por vários códigos:

Ilustrações: Henrique Kipper

11

Língua

A **língua**, ou o **idioma**, que cada povo utiliza no seu cotidiano também é um código, um sistema de palavras organizado de forma a estabelecer a comunicação ou permitir, por exemplo, a expressão de um pensamento, uma ideia ou uma emoção.

A língua portuguesa é o nosso código de comunicação, aquele que empregamos diariamente para conversar com os colegas, comentar o último jogo do campeonato, anotar um recado, escrever uma carta ou um *e-mail* etc.

Para que a língua seja um código eficiente na comunicação, é necessário que tanto o emissor como o receptor a conheçam e a compreendam. Tente conversar, utilizando a língua portuguesa, com alguém que, por exemplo, só entende (e fala) inglês ou alemão: a comunicação não ocorrerá porque não está sendo usado o mesmo código.

Além disso, cada língua possui regras específicas, estabelecidas pela Gramática, que devem ser seguidas para tornar a comunicação mais clara e eficiente.

Gramática

A língua portuguesa é empregada em diversas regiões do mundo por milhões de falantes denominados **lusófonos**. É claro que essas pessoas a usam de maneiras diferentes e esse uso é válido dentro de algumas formas de comunicação diária, como vimos nos exemplos anteriores.

Entretanto, existe um conjunto de normas estabelecidas, há muito tempo, pelos estudiosos da língua portuguesa, que orienta o uso adequado em situações formais, como discursos, correspondências comerciais, documentos, aulas, trabalhos escolares, programas e noticiários de rádio e televisão etc. Esse conjunto de normas recebe o nome de **Gramática Normativa.**

Falar e escrever corretamente a língua portuguesa significa conhecer e saber usar as suas normas.

Leia os dois textos a seguir:

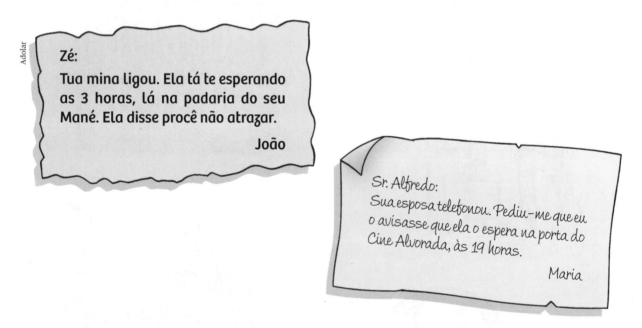

Trata-se de dois bilhetes que transmitem um recado e estão escritos na língua portuguesa. Ao mesmo tempo, são textos bem diferentes: o primeiro é bastante informal, apresenta alguns erros gramaticais e gírias; o segundo não apresenta erros gramaticais e é mais formal. É provável que o Zé não se ofenda com o "tom" do bilhete nem se incomode com os erros do João; mas não seria conveniente que Maria escrevesse um bilhete parecido com esse para o seu chefe.

Assim, a Gramática é um instrumento que pode ajudar você a se comunicar melhor — e da maneira mais adequada — com os seus amigos, com a(o) sua (seu) namorada(o), com o(a) seu (sua) chefe etc. Conhecendo e sabendo usar adequadamente as normas da língua portuguesa, você poderá expressar-se com clareza quando precisar reivindicar os seus direitos ou expor o seu ponto de vista sobre um assunto, por exemplo. O conhecimento da Gramática é importante para que você seja um elemento participante da sociedade brasileira.

Como a Gramática ocupa-se, basicamente, dos fonemas, das palavras e das frases, esta *Gramática Pedagógica* divide-se em três partes: **Fonética**, **Morfologia** e **Sintaxe**.

Fonética

É a parte da Gramática que estuda os sons da fala. Pode ser descritiva, histórica e sintática.

A **fonética descritiva** estuda a produção dos fonemas e a sua classificação.

A **fonética histórica** estuda a transformação dos fonemas nos vocábulos de uma língua através do tempo.

A **fonética sintática** estuda a transformação fonética dos vocábulos em decorrência do lugar ocupado na frase.

amar + o **>** amá-lo

Morfologia

É a parte da Gramática que trata das palavras:
• quanto à sua classificação;
• quanto às suas flexões;
• quanto à sua estrutura e à sua formação.

Sintaxe

É a parte da Gramática que estuda a relação entre as palavras e a função que cada uma exerce na frase. Ela trata, então, da função das palavras na oração e da função das orações no período e, ainda, das relações de concordância, regência e colocação que se estabelecem entre as palavras.

Além do conteúdo gramatical propriamente dito, neste livro apresentamos um **Apêndice** com noções sobre o sentido das palavras e as figuras de linguagem.

Fonética

Fonemas

Leia com atenção este poema do poeta Ulisses Tavares:

A criação do mundo
(revista e diminuída)

e no princípio era o verbo
depois o advérbio e o composto
veio então a raiz quadrada
povoar de teoremas as águas
do cérebro
com toda ciência — e muita, mas
muita paciência — criou
toda matéria que há
separando a geografia o mar
da terra
lá pela hora do recreio

vieram a arte e a história
dar seus palpites
e foi depois da sétima aula
que o Professor descansou
não sem antes passar dois
mil anos de lição de casa
para que todos aprendessem
um pouco de tudo que há no mundo
e não levassem bomba no fim do ano.

(Ulisses Tavares. *Viva a poesia viva*, São Paulo, Saraiva, 1997, p. 48.)

Observe, nas palavras destacadas no poema, a letra r. Quando pronunciamos essas palavras em voz alta, emitimos um som diferente para cada uma delas. Veja:

cérebro   raiz   passar

Ao lermos o texto em voz alta, emitimos sons capazes de formar palavras. Por exemplo, consideremos a palavra mar, formada por uma sequência de três sons representados na escrita pelas letras **m**, **a** e **r**. Se trocarmos o primeiro som por outros, formaremos palavras diferentes, como estas:

lar   par   bar

Cada um dos sons que produzimos quando pronunciamos as palavras chama-se **fonema**.

> **Fonema** é a menor unidade sonora de uma língua. Ele estabelece a diferença de significado entre as palavras.

Observe outros exemplos:

pouco   louco   rouco

Os fonemas — ou seja, os sons dessas palavras — são assim representados:

/p/ /o/ /u/ /k/ /o/   /l/ /o/ /u/ /k/ /o/   /R/ /o/ /u/ /k/o/

Cada fonema é escrito entre barras paralelas (/ /), com símbolos que formam um **alfabeto fonético**. É usada essa representação quando é preciso escrever os fonemas.

Em /p/ /o/ /u/ /k/ /o/, observe que a troca do fonema /p/ pelos fonemas /l/ e /R/ forma /l/ /o/ /u/ /k/ /o/ e /R/ /o/ /u/ /k/ /o/ e, assim, marca a diferença de significado. O **fonema** é, portanto, uma **unidade distintiva**, pois é capaz de estabelecer uma distinção entre palavras, isto é, de diferenciá-las.

Observe as palavras destacadas no trava-língua a seguir:

Sapo no saco

Olha o sapo dentro do saco
O saco com o sapo dentro
O sapo batendo papo
E o papo soltando vento.

(http://www.qdivertido.com.br/verfolclore.php?codigo=22>, acessado em 4 jan. 2009.)

Ilustrações: Jorge Zaiba

A diferenciação de significado é dada pelos fonemas destacados a seguir:

saco ⟶ sapo   sapo ⟶ papo

É importante compreender que nem todo som é fonema. Leia em voz alta os sons que representam ruídos nos quadrinhos a seguir:

Os sons que aparecem representados nos balões não constituem palavras, apenas imitam barulhos, ruídos, portanto não são fonemas. Isso quer dizer que, isolados, os fonemas não têm significado algum. Mas, inseridos nas palavras, são os responsáveis por diferenciar umas das outras.
Observe:

ruídos

fonemas

rato	rei	rumo
pato	lei	sumo
gato		

ruídos

fonemas

graça	grama
praça	trama
traça	

Fonema e letra

É preciso cuidado para não confundir fonema com letra.

> **Fonema** é som. **Letra** é o sinal gráfico que representa o som.

Observe os versos com a palavra destacada:

"e foi depois da sétima aula
que o Professor descansou"

A palavra Professor tem 9 letras e 8 fonemas. Veja:

Quando falamos ou lemos a palavra Professor, as letras dobradas **ss** só possuem um som; logo, representam **um único** fonema: **/s/**.

Observe, a seguir, outros casos.

- Duas letras representam um só fonema, como estas, destacadas dos versos de Ulisses Tavares.

"não sem antes passar dois
mil anos de lição de casa
para que todos aprendessem
um pouco de tudo que há no mundo
e não levassem bomba no fim do ano."

- As letras **m** e **n**, em **final de sílaba**, algumas vezes não representam fonemas, conforme se pode observar neste trecho do poema *A criação do mundo*.

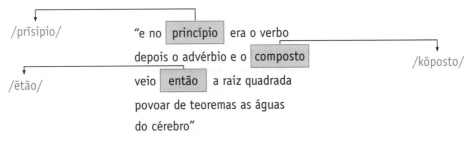

/prĩsipio/

"e no princípio era o verbo

depois o advérbio e o composto

/kõposto/

/ẽtão/

veio então a raiz quadrada

povoar de teoremas as águas

do cérebro"

- A mesma letra pode representar vários fonemas, como nos exemplos abaixo.

OBSERVAÇÕES

1. A letra **h** não corresponde a nenhum som. É apenas um símbolo no nosso alfabeto por força da etimologia e da tradição, como nestes exemplos: hora, hotel, horta.
2. O sistema fonético do português falado no Brasil registra um número aproximado de 33 fonemas. Já o alfabeto português é constituído de 26 letras.

Veja, em alguns dos exemplos mencionados, como fica a distribuição de letras e fonemas:

passar ⟶ /p/ /a/ /s/ /a/ /r/ = 6 letras e 5 fonemas
composto ⟶ /k/ /õ/ /p/ /o/ /s/ /t/ /o/ = 8 letras e 7 fonemas
fixo ⟶ /f/ /i/ /k/ /s/ /o/ = 4 letras e 5 fonemas
hora ⟶ /o/ /r/ /a/ = 4 letras e 3 fonemas

Classificação dos fonemas

Os fonemas são classificados em **vogais**, **semivogais** e **consoantes**.

Vogais

A palavra descansou é formada pelos fonemas:

/d/ /e/ /s/ /k/ /ã/ /s/ /o/ /u/

Ao pronunciá-la em voz alta, você pode perceber que na emissão dos fonemas /e/, /ã/, /o/ e /u/ a corrente de ar que vem dos pulmões passa livremente pela boca. As letras **a**, **e**, **i**, **o**, **u** representam as **vogais** em português e são fonemas produzidos sem obstáculos à passagem de ar pela boca.

> **Vogais** são fonemas produzidos livremente, isto é, sem obstáculos que se oponham à passagem da corrente de ar.

Dependendo da maneira como são pronunciadas, as vogais podem ser **orais** ou **nasais**, **abertas** ou **fechadas**, **tônicas** ou **átonas**.

Vogais orais ou nasais

Leia o texto a seguir:

A múmia que dançava *rock'n'roll*

Quando anunciaram na escola que, na semana seguinte, a turma faria uma visita ao museu arqueológico, todo mundo ficou animado. Tinham mil histórias na cabeça. Queriam ver estatuetas de deuses esquecidos, múmias assombradas, urnas com símbolos lançando maldições em quem as desenterrasse de suas tumbas.

E, quem sabe, ficando de olho bem aberto, desvendassem um desses segredos antigos que levam a descobrir civilizações perdidas e tesouros?

Só que a escola contratou um guia com cara de aipim para conduzir a visita. Durão e chato. Ia parando em cada vitrine do museu, não deixando ninguém chegar perto, nem pegar em nada. E falava, falava... A data em que cada coisa havia sido achada, a idade dela, quem havia encontrado, pesos e medidas.

História mesmo, de arrepiar e deixar com vontade de saber mais, ele não sabia contar.

(Luiz Antonio Aguiar. *A múmia que dançava rock'n'roll e outras histórias*, São Paulo, Formato, 1997, p. 7.)

... 1500 a.C...
... 380 anos...
... 230 kg...

Cibele Queiroz

Na palavra **visita**, o som das vogais (com destaque colorido) é emitido apenas pela boca; portanto, elas são **orais**. Na palavra **contratou**, uma parte do som vocálico é emitida também pelo nariz, ou seja, ocorre ressonância nasal; nesse caso, a vogal (com destaque colorido) é **nasal**.

Veja estes exemplos:

> **Vogais**
> — orais: **a, é, ê, i, ó, ô, u** ⟶ sabe, época, escola, olho, ficou
> — nasais: **ã, ẽ, ĩ, õ, ũ** ⟶ durão, encontrado, aipim, civilizações, um

A ressonância nasal das vogais é representada na grafia pelo til ˜ , ou pelas letras **m** e **n** em final de sílaba. Como você já sabe, em alguns casos, essas letras, não representam fonemas, apenas indicam a nasalização das vogais.

Vogais abertas ou fechadas

As **vogais abertas** são proferidas com a abertura máxima da boca; as **vogais fechadas**, com a abertura mínima. Observe os exemplos:

> **Vogais**
> — abertas: **a, é, ó** ⟶ cara, aberto, arqueológico
> — fechadas: **ê, ô, i, u** ⟶ museu, olho, visita, ondulação

Leia as frases a seguir e preste atenção nas palavras destacadas. Você perceberá claramente a diferença entre as vogais abertas e as fechadas.

E le chega sempre atrasado.

↓
som fechado

A tecla e le do computador está com defeito.

↓
som aberto

Veja outros exemplos:

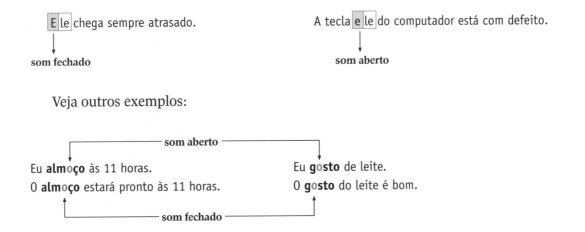

Vogais tônicas ou átonas

As **vogais tônicas** são pronunciadas com intensidade máxima; e as **vogais átonas**, com intensidade mínima.

Observe:

> **Vogais**
> — tônicas: **a, e, i, o, u** em sílabas tônicas ⟶ idade, ninguém, vitrine, histórias, urnas
> — átonas: **a, e, i, o, u** em sílabas átonas ⟶ escola, perdidas, animado, aberto, museu

Cada vogal pode receber essas três classificações ao mesmo tempo. Observe as palavras retiradas do texto que você leu:

- mundo
  u: vogal nasal, fechada, tônica
  o: vogal oral, fechada, átona

- vontade
  o: vogal nasal, fechada, átona
  a: vogal oral, aberta, tônica

Semivogais

Pronuncie em voz alta, com atenção, as palavras seguintes, que foram retiradas do texto:

história   museu

No destaque da primeira palavra, o fonema /a/ soa com mais força que o /i/, pronunciado de maneira mais fraca. Na segunda palavra, o fonema /e/ é pronunciado com mais intensidade que o /u/.

Agora vamos analisar estas formas verbais de cair e sair:

cai — caí   sai — saí

Em cai e sai, o fonema /i/ é pronunciado fracamente e forma uma única sílaba com o /a/, pronunciado fortemente. Nessas palavras, o fonema /i/ é uma **semivogal** e não constitui sílaba sozinho.

Em caí e saí, o /i/ é uma **vogal**, pois é pronunciado fortemente e constitui sílaba sozinho.

> **Semivogais** são fonemas que se juntam a uma vogal para formar uma única sílaba.

Na língua portuguesa, as semivogais são representadas geralmente pelas letras **i**, **u**, **y** e **w**; mas, em alguns casos, as letras **o** e **e** também podem representá-las. Observe as palavras abaixo:

civilização — durão   alemães — anões

Ao pronunciá-las, a letra **o** soa como /u/ e a letra **e**, como /i/. Portanto, nessas palavras, o **o** e o **e** em destaque são semivogais.

Nestes exemplos, observe as letras destacadas:

múmia   histórias   tesouros   coisa   windsurfe   Yasmim

semivogais

Para distinguir a vogal da semivogal, observe as seguintes diferenças:

Vogal	Semivogal
• É a base da sílaba • Soa fortemente. • Só há uma em cada sílaba; não há sílaba com duas vogais.	• Nunca é a base da sílaba. • Soa fracamente. • Sempre acompanha uma vogal, nunca aparece sozinha.

Consoantes

Releia, a seguir, a frase do conto de Luiz Antonio Aguiar e pronuncie, em voz alta, as palavras destacadas:

"História mesmo, de arrepiar e deixar com vontade de saber mais, ele não sabia contar."

Henrique Kipper

Ao contrário do que acontece com os sons vocálicos, que passam livremente pela boca, os lábios se fecham por um breve momento quando pronunciamos os sons /R/, /p/, /v/, /t/ e /d/, impedindo que a corrente de ar passe. Esses sons produzidos com algum tipo de obstáculo são chamados de **consoantes**:

> **Consoantes** são fonemas que se produzem depois que a corrente de ar vence um obstáculo que se opõe aos sons.

Leia as palavras abaixo, do texto *A múmia que dançava rock'n'roll*, e observe as letras destacadas, que são consoantes.

escola	semana	símbolos	ficou
pegar	arqueológico	deixar	visita

Além dos exemplos acima, completam o alfabeto da língua portuguesa estas consoantes:

j: jornal   **z:** zelo   **k:** kiwi   **w:** Wagner

Como as consoantes só formam sílabas quando aparecem junto das vogais, são chamadas **fonemas assilábicos**.

OBSERVAÇÃO

Não incluímos a letra **h** entre as consoantes porque ela não é considerada um fonema, uma vez que não possui som.

1 Estudamos neste capítulo, entre outros assuntos, as diferenças entre letra e fonema. Leia o texto a seguir e faça o que se pede:

O rato roeu

O rato roeu a roupa do rei de Roma,
o rato roeu a roupa do rei da Rússia,
o rato roeu a roupa do Rodovalho...
o rato a roer roía.

E a Rosa Rita Ramalho
do rato a roer se ria.
A rata roeu a rolha
da garrafa da rainha.

(Trava-língua popular.)

Adolar

a) Explique o que é fonema a partir da diferença entre as palavras **rato** e **rata**.

b) Quais são as diferenças de fonemas entre as palavras **Rita** e **rata**?

c) Com base na resposta do item anterior, explique o que é letra.

d) Explique o emprego da letra **r** e do fonema correspondente nas palavras **garrafa** e **rainha**.

2 Leia a tira:

www.laerte.com.br

Laerte

a) O personagem pronuncia várias vezes a palavra **criei**. Do ponto de vista fonético, qual é a diferença entre o primeiro e o segundo fonema /i/ dessa palavra?

b) No último quadrinho, o personagem diz a palavra **hei**. Quantos fonemas ela possui? Explique a sua resposta.

c) Há, no segundo quadrinho, uma palavra com número de letras diferente do número de fonemas. Qual é essa palavra? Quantas letras e quantos fonemas ela possui?

3 Leia o texto e depois faça o que se pede:

Tintim já é vovô!

No mundo dos quadrinhos, os heróis são geralmente retratados como fortões dotados de superpoderes ou, no mínimo, um bom gancho de esquerda.

Não é o caso de Tintim, um adolescente franzino (mas bom de briga) que, com seu inseparável cãozinho Milu, vive se metendo em perigosas aventuras. Seu *hobby* é desvendar crimes e combater todos os tipos de criminosos, seja nos escaldantes desertos do Egito, nas montanhas geladas do Tibete ou até mesmo na Lua!

E hoje esse "jovem" aventureiro completa 80 anos: um verdadeiro vovô dos quadrinhos.

Tintim e Milu.

Vale saber que Tintim é um repórter fictício do real *Petit Vingtième*, uma espécie de *Estadinho* da Bélgica dos anos 20, suplemento infantil do *Le Vingtième Siècle*, jornal em que trabalhava o criador de Tintim, Georges Remi, conhecido como Hergé.

(Marcos Müller. Em: *O Estado de S. Paulo*, Estadinho, 10 jan. 2009, p. 6.)

a) Dê o número de fonemas e de letras das palavras destacadas no texto.

b) Indique quais são as vogais e as semivogais nas seguintes palavras do texto: **fortões, seu, cãozinho, aventureiro, verdadeiro, fictício, espécie**.

c) Quais letras, na língua portuguesa, indicam a nasalização da vogal anterior? Em qual (quais) palavra(s) do primeiro parágrafo do texto isso ocorre?

d) Observe os fonemas e as letras que formam as palavras **quadrinhos** e **esquerda** e aponte uma diferença significativa entre elas.

DESAFIO

4 Leia atentamente o texto ao lado e, em seguida, faça o que se pede:

a) Retire do texto duas palavras que contenham semivogal e duas que contenham a vogal nasal **a**.

b) Há outros exemplos de vogal nasal no texto?

c) Em **milhares** e **cadentes**, as letras **h** e **n** representam fonemas? Por quê?

Asteroides, cometas, meteoritos e estrelas cadentes

ASTEROIDES

São pequenos corpos celestes que giram ao redor do sol. Contam-se aos milhares, sendo o maior deles descoberto em 1801.

(*O Estado de S. Paulo*, Estadinho, n. 348.)

Leia, a seguir, a história de Hagar, um personagem de história em quadrinhos criado por Dik Browne:

Hagar

No início dos anos 1970, o cartunista Dik Browne reuniu a família e anunciou que estava indo para o porão de sua casa, de onde não sairia até criar um bom personagem para uma tira de quadrinhos. Em 5 de fevereiro de 1973, o *viking* Hagar, o Horrível, estreava nos jornais americanos.

As histórias de Hagar misturam o cotidiano dos lendários guerreiros nórdicos com o dia a dia de uma família classe média moderna. A ideia de Hagar surgiu das lendas nórdicas que o cartunista ouvia de sua tia sueca e, para criar o personagem e toda a família *viking*, Browne inspirou-se em si mesmo, na mulher, nos filhos, no médico, no advogado e por aí afora. O rosto e corpo de Hagar são inspirados no próprio Dik Browne e até mesmo o nome do simpático *viking* surgiu de um apelido do autor, dado por seu filho caçula. "Meus três filhos me acorda-vam e eu costumava fingir que estava furioso e saía correndo atrás deles. O mais novo sempre fugia aterrorizado, gritando: corram, corram, aí vem Hagar, o terrível", contava o autor.

Cartoon Studio

(http://hq.cosmo.com.br/textos/quadrindex/qhagar.shtm, acessado em 20 dez. 2008. Texto adaptado.)

Observe a palavra personagem no início do texto. Pronuncie-a bem devagar, como:

per – so – na – gem

Os fonemas se agrupam nas palavras segundo a emissão de voz. Observe outros casos:

co – ti – di – a – no   car – tu – nis – ta
ad – vo – ga – do   gri – tan – do

Cada um desses grupos de fonemas forma uma **sílaba**. Há sílabas compostas por vários fonemas e outras por um único fonema. No grupo de palavras acima, por exemplo, temos a sílaba car (de cartunista) e a sílaba a (de cotidiano).

Sílaba é o fonema ou grupo de fonemas pronunciado em uma só emissão de voz.

Em cada sílaba, há apenas uma vogal, uma vez que na língua portuguesa não existem palavras sem vogal ou com duas ou mais vogais na mesma sílaba.

As palavras podem ser classificadas de acordo com o número de sílabas que tenham. Observe os exemplos retirados do texto:

não ⟶ **uma** sílaba = **mono**ssílaba
po – rão ⟶ **duas** sílabas = **di**ssílaba
nór – di – cos ⟶ **três** sílabas = **tri**ssílaba
a – cor – da – vam ⟶ **quatro** sílabas = **poli**ssílaba
a – me – ri – ca – nos ⟶ **cinco** sílabas (**mais de quatro** sílabas) = **poli**ssílaba

Encontros vocálico e consonantal

Ao se agruparem formando as sílabas, os fonemas podem dar origem a dois tipos de encontro: o **vocálico** e o **consonantal**.

Encontro vocálico

Leia algumas palavras retiradas da história do Hagar. Preste atenção nas letras destacadas, que apresentam **encontros vocálicos**:

reuniu   família   porão   cotidiano
próprio   saía   aí   quadrinhos

Encontro vocálico é o agrupamento de vogais e semivogais.

O encontro vocálico pode ser de três tipos: **ditongo**, **tritongo** e **hiato**.

Ditongo

Ditongo é o agrupamento de uma vogal e uma semivogal, ou de uma semivogal e uma vogal, em uma única emissão de voz, ou seja, em uma única sílaba.

Ditongo
vogal + semivogal
ou
semivogal + vogal

Observe:

Conforme a posição da semivogal em relação à vogal, os ditongos podem ser:

• **crescentes** — quando a semivogal vem antes da vogal, como nos exemplos a seguir.

• **decrescentes** — quando a vogal vem antes da semivogal, como nos exemplos abaixo.

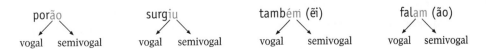

Tritongo

> **Tritongo** é o encontro de uma semivogal com uma vogal e uma semivogal numa mesma sílaba.

Observe:

Tritongo
semivogal + vogal + semivogal

Paraguai
semivogal — vogal — semivogal
em uma única sílaba

Na língua portuguesa, são poucas as palavras com tritongo. Veja outros exemplos de tritongo:

saguão   iguais   averiguam (uão)   enxáguem (uẽi)

OBSERVAÇÃO

Quando as letras **am (ão)** e **em (ẽi)** estiverem no final da palavra, serão consideradas encontros vocálicos (ditongos e tritongos), uma vez que representam dois fonemas vocálicos.

Hiato

Leia esta descrição do personagem Hagar:

> Gordo, nariz de batata e barba extremamente vermelha, Hagar é, na definição de seu autor, um pai de família que tenta ganhar a vida e que por acaso é *viking*. "Ele é um executivo do ramo de saque e pilhagem", troçava Dik Browne. Hagar é amante da cerveja, pouco higiênico, adorador de guerras e praticamente invencível em um duelo (só perde para a mulher, Helga).
>
> (http://hq.cosmo.com.br/textos/quadrindex/qhagar.shtm, acessado em 20 dez. 2008.)

2009 King Features Syndicate/Ipress

Agora leia pausadamente as palavras retiradas do texto. Preste atenção na pronúncia de cada uma delas:

higiênico   duelo

Ao pronunciar essas palavras, percebe-se que as vogais destacadas possuem igual intensidade. Por esse motivo, elas devem estar em sílabas diferentes. Observe:

hi – gi – ê – ni – co   du – e – lo

> **Hiato** é o encontro de duas vogais pronunciadas em sílabas diferentes.

LEMBRE-SE!

Na língua portuguesa, não há duas vogais em uma mesma sílaba.

O hiato aparece em muitas palavras da língua portuguesa. Observe mais estes exemplos:

saúde (sa-ú-de)   voo (vo-o)   leem (le-em)
ciúme (ci-ú-me)   sabia (sa-bi-a)   apreender (a-pre-en-der)
saída (sa-í-da)   ruim (ru-im)   caatinga (ca-a-tin-ga)

Encontro consonantal

Agora conheça melhor Helga, a personagem que é companheira de Hagar:

Helga, dona de casa e mãe dedicada, é uma *viking* de origem nobre — vem de Oslo, capital da Noruega — e foi inspirada na mulher de Dik Browne, Joan. Inteligente, sensível e sensata, às vezes sofre com o companheiro, mas sempre tem a palavra final.

(http://hq.cosmo.com.br/textos/quadrindex/qhagar.shtm, acessado em 20 dez. 2008.)

Observe as palavras nobre e sofre. As consoantes **br** e **fr** agrupam-se em uma única sílaba, sem que haja uma vogal entre elas.

Encontro consonantal é o agrupamento de duas ou mais consoantes em uma mesma palavra.

O encontro consonantal pode aparecer na mesma sílaba ou em sílabas diferentes. Observe:

• na mesma sílaba:

pa – la – vra   sem – pre

• em sílabas diferentes:

Hel – ga   Os – lo

Outros exemplos de encontro consonantal:

crédito   cobra   bíceps   morte   adjetivo
grama   obstáculo   tributo   pasto   decepção

Dígrafos

Em algumas palavras da língua portuguesa, um conjunto de duas letras representa **um único fonema**.

A seguir, na descrição do restante da família de Hagar, dos seus filhos e dos respectivos namorados, encontramos várias dessas palavras.

Hamlet e **Hérnia:** Hamlet, o filho de Hagar, é sensível, estudioso e sonha em ser dentista. Resumindo: o pior pesadelo de um pai *viking*. Hérnia, sua namorada (por escolha dela mesmo), é o contrário do garoto: espevitada, turrona, violenta, o sonho de um pai *viking*... para um menino.

Honi e **Lute:** Honi é a filha mais velha de Hagar. Ela surgiu na tira já com 16 anos e lamentava o tempo todo não ter um marido "nesta idade avançada". Independente demais para uma garota *viking*, Honi constantemente briga com o pai por não poder fazer "coisas de homem". Dispensou vários pretendentes até que surgiu Lute, um menestrel errante e folgado, meio "bicho-grilo", com quem Honi vive um daqueles noivados eternos.

(http://hq.cosmo.com.br/textos/ quadrindex/qhagar.shtm, acessado em 20 dez. 2008.)

Agora, leia as palavras destacadas no texto:

filho	sonha	escolha	turrona	sonho	filha
velha	errante	bicho	quem	daqueles	

Nessas palavras, os conjuntos de letras **lh**, **rr**, **nh**, **ch** e **qu** representam um único fonema. A esse tipo de encontro dá-se o nome de **dígrafo**.

> **Dígrafo** é o conjunto de duas letras que representam apenas um fonema.

Nas palavras em que ocorrem dígrafos, o número de fonemas nunca é igual ao de letras. Veja outros exemplos de dígrafos:

ch: chamar, chuva   **qu:** que, naquele
lh: calha, mulher   **gu:** guepardo, conseguiu
nh: tinha, nenhuma   **sc:** piscina, nascer
ss: assim, fosse   **sç:** desço, cresço
rr: terríveis, arranjar   **xc:** exceção, excelente

OBSERVAÇÃO

Os grupos **qu** e **gu** são dígrafos apenas quando o **u** não é pronunciado e as duas letras representam um único som, como nas palavras quero e águia.

Em palavras como quando e água, o **u** é pronunciado. Nesses casos, ele é uma semivogal que, ao lado do **a**, forma um ditongo. Não se trata de dígrafo, portanto.

Veja outros exemplos em que o **u** é pronunciado:

linguiça   quadro   aguentar   guaraná

Leia estas palavras retiradas do texto:

avançada   tempo   independente   resumindo   com   contrário

Observe que nelas as letras **m** e **n** não representam fonemas, apenas indicam que a vogal anterior tem som nasal. Por isso, nessas palavras, também ocorre **dígrafo**.

Veja outros exemplos desse tipo de dígrafo:

am: p**am**pa /ã/ **an**: err**an**te /ã/
em: t**em**pero /ẽ/ **en**: s**en**sível /ẽ/
im: **im**possível /ĩ/ **in**: v**in**king /ĩ/
om: b**om**ba /õ/ **on**: c**on**tar /õ/
um: pen**um**bra /ũ/ **un**: m**un**do /ũ/

OBSERVAÇÃO

Nas palavras em que as letras **m** e **n** não representam fonemas, por causa da ocorrência do dígrafo, o número de fonemas nunca será igual ao de letras.

Divisão silábica

Agora que você já conhece os encontros que podem ocorrer nas palavras da língua portuguesa, fica mais fácil saber como dividi-las quando isso for necessário.

Observe, no texto a seguir, como foi feita a separação das sílabas das palavras, quando houve necessidade.

Nem criança nem adolescente

Um belo dia, pode ser que você entre no quarto de sua filha e descubra, entre ursinhos de pelúcia e bonecas, tubos de *gloss*, estojos de sombra e vidros de esmalte. Ou perceba que seu garoto vive na internet, sabe usar o computador melhor do que você e fala com desenvoltura de coisas como *cards*, *chat*, *blog* e MP3. Um e outro torcem o nariz para seus palpites, considerados caretas, na hora de fazer compras. E não dão a menor bola para aqueles programas em família que costumavam garantir a diversão dos fins de sema-na. Para desespero de pais e mães, eles só querem sair sozinhos com os amigos. Apertem os cintos, papai e mamãe. Seu bebê gorducho e rosado está prestes a se transformar em uma criaturinha cheia de opiniões e vontades, lindamente desengonçada. Já não acha tão importante agradar aos adultos que o

Lucia Hiratsuka

cercam: quer mesmo é se sentir aceito por sua própria turma.

Ele acaba de ingressar na fase cinzenta da pré-adolescência, o período espremido entre a infância e a adolescência propriamente dita, ali entre os 9 e os 13 anos. "Ainda brinco com meus bonecos, mas já gosto de garotas. Isso começou há pouco tempo", diz Philippe Cunha Ferrari, 11 anos. "Acho que sou meio criança e meio adolescente", analisa Nicole Bressane, da mesma idade. "Gosto de brincar, mas acho que já sei encarar os problemas de uma forma mais madura."

(Lívia de Almeida e Fátima Sá. *Veja-Rio*, 8 out. 2003.)

1 Separam-se as letras:

• dos hiatos.

sa-ir   cri-a-tu-ri-nha   chei-a

• dos dígrafos **rr**, **ss**, **sc**, **sç** e **xc**.

a-do-les-cen-te   in-gres-sar

2 Não se separam as letras:

• dos dígrafos **ch**, **nh**, **lh**, **gu** e **qu**.

ur-si-nhos   me-lhor   que-rem   gor-du-cho

• dos ditongos e dos tritongos.

coi-sas   dão   pais   a-cei-to   sa-guões

• dos encontros consonantais em que a segunda letra é **l** ou **r**.

cri-an-ça   en-tre   des-cu-bra   pro-ble-mas

3 As consoantes que não são seguidas de vogal devem ficar na sílaba anterior:

quar-to   ur-si-nhos   de-sen-vol-tu-ra   ab-so-lu-to

OBSERVAÇÕES

1. Ao passar de uma linha para outra, deve-se evitar deixar uma letra isolada no início ou no fim da linha:

a-   a-   chei-   mei-
queles   migos   a   o

2. A partir do novo acordo ortográfico (1990), no caso das palavras compostas ou de uma combinação de palavra em que há hífen, é necessário repetir o hífen quando a divisão coincidir com o final de um dos seus elementos:

porta-   guarda-   pré-   aguardá-   conte-
-retrato   -roupa   -adolescência   -los   -me

Tonicidade da sílaba

Leia pausadamente a frase a seguir, retirada do texto sobre a pré-adolescência.

"Apertem os cintos, papai e mamãe."

Nas palavras com mais de uma sílaba, uma sempre é pronunciada com mais intensidade:

"Apertem os cintos, papai e mamãe."

Como essas sílabas são pronunciadas mais fortemente, elas são chamadas **sílabas tônicas**. As que são pronunciadas com menos força se chamam **sílabas átonas**. Veja:

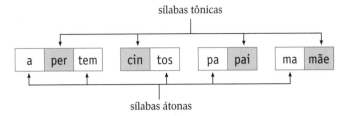

> O **acento tônico** indica, em uma palavra, a maior itensidade na pronúncia de uma sílaba.
> **Sílaba tônica** é aquela que se pronuncia com maior intensidade.
> **Sílaba átona** é aquela que se pronuncia com menor intensidade.

OBSERVAÇÃO

A sílaba tônica pode ser ou não acentuada. Não se deve confundir **acento tônico** com **acento gráfico**. O estudo da acentuação gráfica das palavras é assunto do Capítulo 5.

A posição da sílaba tônica é observada da direita para a esquerda. Veja o quadro:

		Antepenúltima	Penúltima	Última
diversão		di	ver	são
bebê			be	bê
computador	com	pu	ta	dor
belo			be	lo
família		fa	mí	lia
ursinhos		ur	si	nhos
sílaba		sí	la	ba
átona		á	to	na
tônica		tô	ni	ca

Observe como o acento tônico pode recair na última, na penúltima ou na antepenúltima sílaba, mesmo nas palavras que tenham mais de três sílabas. Por isso dizemos que, conforme a posição da sílaba tônica, as palavras se classificam em:

- **oxítonas** — a última sílaba é tônica.

  diversão   bebê   computador

- **paroxítonas** — a penúltima sílaba é tônica.

  belo   família   ursinhos

- **proparoxítona**s — a antepenúltima sílaba é tônica.

  sílaba   átona   tônica

Família.

31

Todos os exemplos de oxítonas, paroxítonas e proparoxítonas da página anterior têm pelo menos duas sílabas. Como classificar, então, as palavras a seguir?

ser	que	na	já	mas	dão

Como têm uma única sílaba, os **monossílabos** recebem uma classificação diferente: são chamados simplesmente de **tônicos** ou **átonos**, conforme sejam pronunciados com mais ou menos intensidade.

Veja os monossílabos destacados na frase a seguir.

"Para desespero de pais e mães, eles só querem sair sozinhos com os amigos."

Os monossílabos pronunciados com menos intensidade são chamados de **átonos**. Foneticamente, eles precisam sempre se apoiar em outras palavras.

de   e   com   os

Os monossílabos pronunciados com mais intensidade são chamados de **tônicos**. Foneticamente, são palavras independentes.

pais   mães   só

Observe, no texto a seguir, alguns exemplos de monossílabos átonos e tônicos.

Aviso

Um carteiro chegou na casa de dona Filó para deixar uma carta e viu uma placa dizendo "Cuidado com o papagaio!".

— Só pode ser gozação. Quem vai ter medo de um papagaio?

Então o carteiro entrou no quintal para deixar a carta.

Foi quando o papagaio gritou:

— Pega, Rex! Pega, Rex!

(http://criancas.uol.com.br/piadas/piadas_bichos.jhtm, acessado em 20 dez. 2008.)

Tônicos	Átonos
viu	um
só	na, no
ser	de
vai	e
ter	com
foi	o, a
Rex	

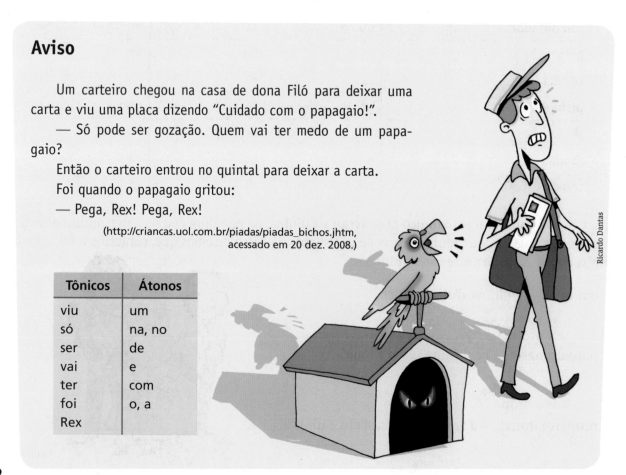

Ricardo Dantas

Prosódia e ortoépia

Prosódia

Muitas palavras da língua portuguesa podem gerar dúvidas quanto à pronúncia correta. Leia o texto a seguir e preste atenção na palavra destacada.

Camaleão

Stockxpert/Image Plus

O camaleão é um réptil conhecido por mudar de cor para se adaptar a um ambiente ou a alguma situação. Essa mudança de cor se dá devido à alteração de humor, da luz ou da temperatura do animal, também pode indicar se o animal está assustado ou furioso.

É um animal que se movimenta com lentidão e captura suas presas pela língua pegajosa que pode ser estendida até um metro, o movimento é muito rápido. Alimenta-se de folhas verdes, frutos e insetos. (...)

(http://www.brasilescola.com/animais/
camaleao.htm, acessado em 4 jan. 2009.)

Você já ouviu a palavra réptil (paroxítona, com acento tônico em rép) sendo pronunciada como reptil (oxítona, com acento tônico em til)? Esse é um caso em que ambas as pronúncias são consideradas corretas.

Em outras palavras, porém, é difícil identificar a sílaba na qual recai o acento tônico. Rubrica, por exemplo, é paroxítona (a sílaba tônica é bri), mas com frequência é pronunciada erroneamente com o acento tônico na sílaba ru, como se fosse proparoxítona. Essa troca de posição da sílaba tônica de uma palavra é chamada de **silabada**.

A parte da Gramática que estuda a pronúncia correta das palavras é a **prosódia**.

> **Prosódia** é a parte da Fonética que estuda a acentuação tônica das palavras.

LEMBRE-SE!

> Consulte um dicionário sempre que tiver dúvida a respeito da pronúncia ou do significado de qualquer palavra.

Observe a posição correta da sílaba tônica nas palavras a seguir. Leia-as pausadamente para treinar a acentuação.

• **Palavras oxítonas** (com acento tônico na última sílaba)

condor	harém	recém	ruim
Gibraltar	Nobel	refém	sutil

- **Palavras paroxítonas** (com acento tônico na penúltima sílaba)

âmbar	caracteres	estalido	gratuito (úi)	misantropo
avaro	clímax	estratégia	néctar	sinonímia
batavo	cromossomo	filantropo	ibero	Normandia
boêmia	erudito	fortuito (úi)	látex	ônix
cânon	esquilo	fluido (úi)	têxtil	pegada

- **Palavras proparoxítonas** (com acento tônico na antepenúltima sílaba)

aeródromo	âmago	êmbolo	horóscopo	ínterim
álcool	arquétipo	êxodo	idólatra	leucócito
alcoólatra	bígamo	fagócito	íngreme	Niágara
álibi	cáfila	ômega	protótipo	vândalo

Na língua portuguesa, há alguns poucos vocábulos que podem ser pronunciados de duas maneiras e que admitem dupla prosódia: você pode escolher uma delas. Veja os exemplos:

acrobata ou acróbata	réptil ou reptil	hieroglifo ou hieróglifo
projétil ou projetil	ortoépia ou ortoepia	zangão ou zângão

Ortoépia

Leia uma pequena história do Bichinho da Maçã, personagem criado pelo escritor Ziraldo:

Na aula de catecismo, a professora tentava ensinar aos alunos lá do cafundó dos judas como se fazia o pelo--sinal. Ensinou a fazer a cruzinha na testa, na boca, no peito. Ensinou, ensinou, mas não teve muito êxito.

Um dia, resolveu testar se tinham aprendido. E um dos meninos disse:

— Óia, fessora, fazê as cruizinha nóis já sabe. Nóis não sabe ainda é ispaiá elas na cara.

(Ziraldo. *As últimas anedotinhas do Bichinho da Maçã*, p. 44.)

A fala do menino, no último parágrafo, reproduz um jeito de falar característico, que representa a linguagem regional de algumas populações do interior do Brasil, que é diferente da norma-padrão. Ao falar, o menino modificou os fonemas de algumas palavras. Veja algumas dessas diferenças e observe qual seria a norma-padrão, recomendada pela Gramática:

óia ⟶ olha	fazê ⟶ fazer	nóis ⟶ nós
fessora ⟶ professora	cruizinha ⟶ cruzinhas	ispaiá ⟶ espalhar

A parte da Gramática que estuda a pronúncia dos fonemas, conforme a norma-padrão, é a **ortoépia** ou **ortoepia**.

> **Ortoépia** ou **ortoepia** é a parte da Gramática que se preocupa com a pronúncia dos fonemas, de acordo com a norma-padrão.

Leia a frase a seguir e pronuncie com atenção as palavras destacadas.

A mulher não podia adivinhar o problema pelo qual a sua vizinha estava passando.

Pronúncia-padrão	Pronúncia que deve ser evitada (variante)
adivinhar problema	advinhar pobrema / probema

Veja exemplos de outros vocábulos que provocam, muitas vezes, dúvidas quanto à ortoépia:

absoluto	beneficente	estoura	meteorologia	próprio
advogado	caderneta	frear	mortadela	rouba
aeroporto	caranguejo	lagarto	pneu	superstição
bandeja	doze	mendigo	prazerosamente	tóxico

Exercícios

Para as questões de **1** a **4**, leia este trecho da reportagem sobre uma visitação noturna ao zoológico da cidade de São Paulo.

As luzes estão apagadas. Os caminhos são iluminados por tochas fixadas nas árvores e as jaulas, com holofotes vermelhos (por ser considerada a cor que menos agride os animais). O biólogo Guilherme Domenichelli pede que crianças e adultos fechem os olhos por um instante, para sentir os cheiros e escutar os barulhos da mata ao redor. Começa o passeio noturno no Zoológico de São Paulo. O *Estadinho* participou desse *tour*, que começa às 18h30.

O passeio foi criado para mostrar às pessoas a vida noturna de alguns bichos, como os felinos, que passam a maior parte do dia dormindo ou descansando. No início, algumas ficam com medo do escuro, mas o susto logo passa.

G. M. C. M., de 8 anos, no início um pouco amedrontada, se encanta com a pouca luz, quando vê o "tapete" de vaga-lumes sobre a grama. "Parecem estrelinhas no chão."

(Lúcia Helena Camargo. Em: *O Estado de S. Paulo,* Estadinho, 18 out. 2003, p. 4.)

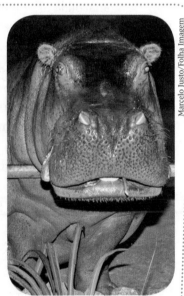

Marcelo Justo/Folha Imagem

Um dos hipopótamos do Zoológico de São Paulo, fotografado durante passeio noturno.

1 Nesse trecho, encontramos palavras com quantidade diferente de sílabas. Escolha algumas delas, de acordo com o que se pede:

a) três palavras monossílabas;

b) três palavras dissílabas;

c) três palavras trissílabas;

d) três palavras polissílabas.

2 Faça a divisão silábica adequada. Depois, classifique em ditongo ou em hiato os encontros vocálicos das palavras retiradas do texto.

a) são

b) jaulas

c) biólogo

d) crianças

e) cheiros

f) passeio

g) Zoológico

h) participou

3 Localize no texto uma palavra com ditongo crescente e uma com ditongo decrescente.

4 Copie as palavras e classifique os encontros destacados em dígrafo (D) ou em encontro consonantal (EC).

cami**nh**os	to**ch**as	verme**lh**os	**qu**e
a**gr**ide	**Gu**ilherme	cri**an**ças	fe**ch**em
o**lh**os	**ch**eios	baru**lh**os	pa**ss**eio
criado	mos**tr**ar	pe**ss**oas	bi**ch**os
amed**ro**ntada	enc**an**ta	**gr**ama	

Para as questões de **5** a **7**, leia a continuação do texto sobre o passeio noturno no zoológico.

Quando chegamos à Casa das Serpentes Gigantes, L. N. O., de 10 anos, pergunta: "Tem anaconda aí?". Inaugurada em setembro, a casa abriga duas pítons-reticuladas, a maior espécie de serpente do mundo.

O biólogo explica que cobras como a do filme "Anaconda" não existem. "Anaconda é o nome em inglês da nossa sucuri", diz. Essas serpentes podem até matar grandes animais por constrição (esmagando os ossos), mas não perseguem pessoas. As duas pítons mostradas aos visitantes são o macho Mofino, com quase 4 metros e 50 kg, e a fêmea Medusa, com pouco mais de 5 metros e 70 kg. A espécie pode chegar a até 10 metros, e é originária da Ásia.

Cobra píton-reticulada.

(Lúcia Helena Camargo. Em: *O Estado de S. Paulo*, Estadinho, 18 out. 2003, p. 4.)

5 Você reparou que algumas palavras do texto sofreram divisão silábica. Verifique se ela foi feita corretamente. Depois justifique a sua resposta

6 Separe as palavras a seguir e classifique-as quanto ao número de sílabas:

a) anaconda

b) serpentes

c) anos

d) esmagando

e) ossos

f) perseguem

g) barulhos

h) descansando

i) estrelinhas

j) fêmea

7 Identifique, dentre as palavras abaixo, as oxítonas, as paroxítonas e as proparoxítonas.

a) serpentes

b) biólogo

c) até

d) inglês

e) cobras

f) zoológico

g) matar

h) Medusa

i) explica

j) chegar

k) setembro

l) sucuri

8 Leia o poema de Ulisses Tavares e copie as palavras monossílabas. Identifique quais são as átonas e as tônicas.

> **Túnel**
>
> já não dá pra ser criança
> falta muito pra ser adulto.
> a gente vai levando.

9 Já que estamos falando de animais, vamos conhecer um pouco mais sobre o orangotango, um dos "parentes" mais próximos dos humanos, lendo este texto:

Um primo simpático

Você acha o orangotango esquisito? Pois saiba que ele é um dos primos mais próximos dos humanos. Só perde para o chimpanzé e o gorila. Há muitos milhões de anos, os humanos e essas três espécies de macacos tinham um parente comum. Depois, cada um começou a se diferenciar e formar espécies diferentes.

O orangotango se transformou em um bicho de pelos longos e avermelhados. Alguns povos da Indonésia acham que ele é sagrado e representa o espírito ancestral da humanidade. Em malaio, numa das línguas faladas por lá, orangotango quer dizer "homem do mato". Achavam que ele era um humano peludo que morava nas árvores.

Os orangotangos se movem lentamente. Suas pernas pequenas são fracas, mas eles têm muita força nas mãos e nos braços. Por isso, ficam pendurados nos galhos nas posições mais malucas. (...)

(*Recreio*, ano 4, n. 207, p. 20.)

Orangotango no Parque Nacional Tanjung Puting, Ilha de Bornéu.

DUILLC/Corbis/LatinStock

Agora, retire do texto:

a) todas as palavras proparoxítonas;

b) duas palavras paroxítonas acentuadas;

c) uma palavra oxítona;

d) uma palavra trissílaba com dois dígrafos;

e) uma palavra trissílaba com encontro consonantal na mesma sílaba;

f) duas palavras com ditongo decrescente.

10 Entre os pares de palavras a seguir, identifique a forma mais adequada, de acordo com a norma-padrão. Depois, escreva uma frase com cada uma delas.

a) Advogado ou adevogado?

b) Caderneta ou cardeneta?

c) Mortandela ou mortadela?

d) Aeroporto ou areoporto?

e) Beneficente ou Beneficiente?

f) Própio ou próprio?

g) Superstição ou supertição?

h) Freiar ou frear?

Leia um trecho desta reportagem da *Folha de S.Paulo*:

Língua cifrada

Nem precisa ser poliglota para falar várias línguas. Só com o português já dá para se comunicar de um monte de jeitos diferentes. Afinal, o modo como a gente fala com pessoas da família já é diferente daquele que se usa com o desconhecido na rua ou com o diretor do colégio.

Para escrever é a mesma coisa. Só que, em tempos de internet, isso radicalizou. "Engolir" algumas letras, pontuação, acentuação gráfica e colocar vogais de acordo com a entonação que se quer dar à palavra ficaram muito comuns. No princípio, era por conta do programa mIRC, que permitia o bate-papo bem antes de os *chats* se espalharem pela internet. A falta de acentos e a agilidade da conversa produziram, a partir dali, uma série de alterações na linguagem usada na rede.

ColorBlind Images/Getty Images

(Ricardo Lisbôa. Em: *Folha de S.Paulo*, Folhateen, 19 set. 2003.)

Este texto faz menção a alterações na maneira de grafar algumas palavras. Isso vem ocorrendo por causa da necessidade de tornar a escrita mais rápida na internet.

Vale ressaltar que essa "nova" maneira de escrever não é guiada pela norma-padrão, que estabelece uma série de regras que devem ser seguidas pelos falantes da língua portuguesa para que eles possam se entender na sua comunicação formal.

Para saber como essas regras funcionam, observe as palavras abaixo:

    radicalizou   usada

Nessas palavras, as letras **s** e **z** representam o mesmo som, isto é, ambas representam o fonema /z/.

    radicalizou   usada
         ↓   ↓
    letra z = fonema /z/   letra s = fonema /z/
        letras diferentes, mas um único fonema

Veja agora mais três palavras:

    princípio   pontuação   conversa

Nelas, as letras destacadas representam o mesmo fonema: /s/.

Há, na língua portuguesa, vários outros casos como esses, o que pode, às vezes, gerar dúvida quanto à grafia das palavras.

Observe alguns desses casos:

1 O fonema /z/ pode ser representado pelas letras:

- **z:** radicalizar   produzido
- **s:** meses   usuários
- **x:** exame   exigência

2 O fonema /s/ pode ser representado pelas letras:

- **s:** ser   diferentes
- **ss:** pessoas   isso
- **c:** oficial   cebola
- **ç:** poço   preguiça
- **sc:** piscina   discernir
- **x:** expor   texto
- **xc:** exceto   excelência
- **z:** diz   avidez

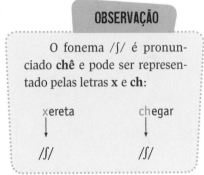

OBSERVAÇÃO

O fonema /ʃ/ é pronunciado **chê** e pode ser representado pelas letras **x** e **ch**:

xereta   chegar

/ʃ/   /ʃ/

Também há casos em que uma mesma letra pode representar fonemas diferentes. Observe:

1 A letra **s** pode representar os fonemas:

- **/s/:** conseguir   falsidade
- **/z/:** usual   desabafar

2 A letra **x** pode representar os fonemas:

- **/k/ /s/:** paradoxo   táxi
- **/z/:** executar   êxodo
- **/ʃ/:** xarope   enxuto
- **/s/:** trouxe   extensão

Essas diferenças de grafia ocorrem porque as palavras da língua portuguesa, escritas de acordo com a sua origem histórica (etimologia), nem sempre obedecem à lógica dos sons. A parte da Gramática que trata da correção gráfica das palavras é a **Ortografia**.

Ortografia é a parte da Gramática que trata da grafia correta das letras e dos sinais gráficos.

Para escrever, usamos um conjunto de letras que permitem milhares de combinações e que fornecem a enorme quantidade de palavras do nosso idioma. Essas letras são as vogais e as consoantes, que você já conhece. O conjunto delas recebe o nome de **alfabeto**.

O alfabeto

O **alfabeto** da língua portuguesa — também conhecido como **abecê** ou **abecedário** — é composto de vinte e seis letras.

Alfabeto					
Letra	**Pronúncia**	**Letra**	**Pronúncia**	**Letra**	**Pronúncia**
A a	á	J j	jota	S s	esse
B b	bê	K k	cá	T t	tê
C c	cê	L l	ele	U u	u
D d	dê	M m	eme	V v	vê
E e	é	N n	ene	W w	dáblio
F f	efe	O o	ó	X x	xis
G g	gê	P p	pê	Y y	ípsilon
H h	agá	Q q	quê	Z z	zê
I i	i	R r	erre		

Emprego de algumas letras

Devido às muitas possibilidades de combinação das letras para representar os fonemas da língua portuguesa, a grafia de algumas palavras pode causar dúvidas. A seguir, veremos as principais dificuldades no emprego de algumas letras.

Emprego de *k, w* e *y*

Leia o texto observando as letras **k**, **w** e **y** nas palavras destacadas:

Novo "Harry Potter" está mais próximo de uma "comédia romântica", diz Emma Watson

Ela tem apenas 18 anos, mas seu rosto é conhecido em vários lugares do mundo no papel de Hermione Granger, a inteligente aprendiz de bruxa de "Harry Potter".

Emma Watson, atriz que vive em Londres, na Inglaterra, participou de uma entrevista coletiva em Los Angeles (EUA) para promover seu novo trabalho: ela dubla a Princesa Pea na animação "O Corajoso Ratinho Despereaux", que estreia em 19 de dezembro nos EUA. "É ótimo falar sobre outra coisa", diz, referindo-se à nova experiência no cinema, que nada tem a ver com "Harry Potter".

Como esperado, no entanto, o famoso bruxo entrou na conversa e Emma, bem-humorada, fez comentários sobre "Enigma do Príncipe", filme com estreia prevista para julho de 2009. "Está mais próximo de uma comédia romântica", comenta. Além do trabalho, a atriz também falou sobre a vontade de estudar nos EUA, das músicas que gosta e sobre o amigo Daniel Radcliffe (o Harry Potter). "Ele é um 'workaholic'", brincou. (...)

Emma Watson aparece com "orelhas de rato" na pré-estreia de "O Corajoso Ratinho Despereaux", em Los Angeles.

Kevin Winter/Getty Images

(http://criancas.uol.com.br:80/novidades/ult2367u344.jhtm, acessado em 13 dez. 2008.)

As letras **k**, **w** e **y** fazem parte do nosso alfabeto, mas são empregadas em poucas situações:

• em abreviaturas e símbolos:

K = potássio   Y = ítrio
kW = quilowatt   km = quilômetro
kg = quilograma

• em palavras estrangeiras na sua forma original:

workaholic   smoking
sexy   megabyte
black-out   show
download

• em nomes próprios estrangeiros e seus derivados:

Harry   Franklin   Washington   Darwin   darwinismo   Taylor

Emprego do *h*

Como não representa som algum, a letra **h** não é um fonema. Ela adquire maior importância quando aparece formando os dígrafos **ch**, **lh** e **nh**, como se vê no poema abaixo.

Maluquices do H

O H é letra incrível,
muda tudo de repente.
Onde ele se intromete,
tudo fica diferente...
Se você vem para cá,
vamos juntos tomar chá.
Se o **sono** aparece,
tem um sonho e adormece.
Se sai **galo** do poleiro,
pousa no galho ligeiro.
Se a velha quiser ler,
vai a **vela** acender.
Se na fila está a avó,
vira filha, veja só!

Se da bolha ele escapar,
uma **bola** vai virar.
Se o bicho perde o H,
com um **bico** vai ficar.
Hoje com H se fala,
sem H é uma falha.
Hora escrita sem H,
ora bolas vai virar.
O H é letra incrível,
muda tudo de repente.
Onde ele se intromete,
tudo fica diferente...

(Pedro Bandeira. *Mais respeito, eu sou criança!*, São Paulo, Moderna, 2002, p. 46.)

Henrique Kipper

Emprega-se o **h**:

• no início das palavras, por razão histórica.

haver   hélice   hábito   herói   hidrogênio   homem

• no interior das palavras, como parte dos dígrafos **ch**, **lh** e **nh**.

chuva   brecha   boliche   alho   palheiro
banha   pamonha   testemunha   molho   folha

• no interior das palavras compostas com hífen, quando o segundo elemento já se inicia com **h**.

anti-higiênico   pré-histórico   sobre-humano   super-homem

• no final de algumas interjeições.

ah!   eh!   ih!   oh!

• no meio do substantivo próprio **Bahia** (estado), por tradição histórica. Porém, os derivados e compostos de **Bahia** escrevem-se sem **h**.

baiano   baião   laranja-da-baía

Emprego de *e* e *i*

Observe o uso da letra **i** na forma verbal em destaque:

Quem casa quer casa

É ave bem conhecida. Em árvores, postes, vemos o ninho em forma de forno, que o casal constrói na época do acasalamento. Usam, junto com barro, filamentos vegetais para reforçar a estrutura. (...)

O joão-de-barro habita cerrados, campos com árvores esparsas, áreas abertas pelo homem, onde encontra alimento e material para construção. Alimenta-se sobretudo de insetos, aranhas, escorpiões, centopeias.

(Haroldo Palo Jr. *Almanaque Brasil de cultura popular*, jan. 2004, p. 29.)

Casal de joões-de-barro em seu ninho.

Constrói é uma forma do verbo construir, terminado em **uir**. Nos verbos terminados em **air** e **oer** também se usa a letra **i**. Veja:

sair ⟶ sai   doer ⟶ dói   substituir ⟶ substitui
trair ⟶ trai   roer ⟶ rói   possuir ⟶ possui

Além das orientações acima, existem outras para o uso das letras **e** e **i**. Confira-as a seguir:

1. Usa-se o **i** no prefixo **anti-**, que significa "em frente de, de encontro a, contra, em lugar de, em oposição a".

antigripal   antinuclear

2 Usa-se a letra **e**:

• em algumas formas de verbos terminados em **oar** e **uar**.

abençoar ⟶ abençoe   pontuar ⟶ pontue   continuar ⟶ continue

perdoar ⟶ perdoe   magoar ⟶ magoe   atuar ⟶ atue

• no prefixo **ante-**, que significa "em frente de, antes de".

antebraço   antevéspera

• nos ditongos nasais **ãe** e **õe**.

cirurgiães   pães
casarões   aldeões

3 Há palavras na língua portuguesa em que se usa o **e** ou o **i**, semelhantes na escrita e na pronúncia, porém de significados diferentes. Cuidado ao escrevê-las.
Veja alguns exemplos:

Com e	Com i
área – espaço	*ária* – trecho de ópera
delatar – denunciar	*dilatar* – aumentar de volume
descrição – ato de descrever	*discrição* – qualidade de ser discreto
descriminar – absolver de crime	*discriminar* – distinguir
despensa – lugar onde se guardam alimentos	*dispensa* – licença ou permissão
destratar – tratar mal	*distratar* – desfazer o trato
emergir – voltar à superfície da água	*imergir* – mergulhar, afundar
emigrante – aquele que emigra	*imigrante* – aquele que imigra
emigrar – deixar o país de origem	*imigrar* – entrar em um país estranho
eminente – importante	*iminente* – que está para acontecer
peão – trabalhador rural	*pião* – brinquedo que gira

Emprego de *o* e *u*

Leia estas manchetes do *Diário do Commercio* de Pernambuco:

MERCADO DE TRABALHO
Biólogo é uma carreira em alta

TURISMO
Novos voos colocam Pernambuco na rota do turista estrangeiro

(http://Jc.uol.com.br/jornal, acessado em 24 jan. 2009.)

Nas manchetes acima, há algumas palavras que podem causar dúvidas quanto à grafia. É o caso de Pernambuco e biólogo. Isso acontece porque, no Brasil, temos a tendência de pronunciar a vogal átona **o** como se fosse **u**.

LEMBRE-SE!

Por terem sons parecidos, as letras **o** e **u** podem deixá-lo com dúvidas no momento da escrita. Caso isso aconteça, não deixe de consultar um dicionário.

Veja alguns exemplos de palavras que podem causar confusão:

com o			
abolição	cochicho	nódoa	encobrir
bobina	cortiço	névoa	focinho
caçoar	goela	poleiro	tossir
cobrir	mágoa	polenta	toada

com u			
acudir	entupir	bulir	escapulir
bueiro	jabuti	curtume	tabuada
cuspir	tábua	cutia	tabuleiro

Veja alguns exemplos de parônimos com **o** e **u**:

Com o	Com u
comprido – extenso	cumprido – feito
comprimento – extensão	cumprimento – saudação
insolar – expor ao sol	insular – referente a ilha
soar – fazer som	suar – transpirar
sortido – variado	surtido – causado
sortir – variar	surtir – provocar efeito

OBSERVAÇÃO

As palavras que apresentam semelhança na pronúncia e na escrita, mas que têm sentidos diferentes, são chamadas **parônimas**.

Emprego de *g* e *j*

Vimos que as letras **s** e **z**, em algumas situações, podem representar o mesmo fonema /z/. Isso também acontece com as letras **g** e **j**, quando aparecem diante de **e** e **i**.

Observe as palavras destacadas em outras manchetes do *Diário do Commercio* de Pernambuco:

15H ÀS 18H
Segundo Jardim interditado hoje

EMPRESARIAL
Vídeo: terapia para dirigentes

TRABALHO
Agência tem mais de 400 vagas

A ERA DA MUDANÇA
Os Estados Unidos elegem o primeiro presidente negro

SERTÃO
Chuva forte alaga casas no Pajeú

(http://jc.uol.com.br/jornal, acessado em 24 jan. 2009.)

Vamos agora comparar foneticamente as palavras destacadas, grafadas com a letra **g** ou com a letra **j**: agência, hoje, elegem, dirigentes e Pajeú. Nessas palavras, as letras **g** e **j** representam o mesmo som. Veja:

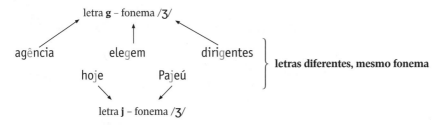

A mesma situação ocorre com as palavras surgia, com **g**, e lojistas, com **j**. Observe:

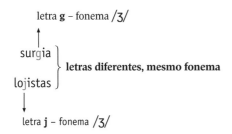

Diante das letras **a**, **o** e **u** esse problema não ocorre, pois, nesses casos, as letras **g** e **j** representam fonemas distintos. Veja:

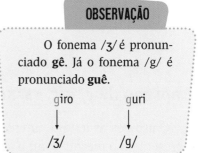

> **OBSERVAÇÃO**
>
> O fonema /ʒ/ é pronunciado **gê**. Já o fonema /g/ é pronunciado **guê**.
>
> giro   guri
>
> ↓   ↓
>
> /ʒ/   /g/

vaga – jardim ⎫
agouro – jota ⎬ **letras diferentes, fonemas diferentes**
guri – júri ⎭

Confira a seguir algumas orientações para o uso do **g** e do **j**.

1 Escrevem-se com **g**:

• as palavras com terminações em **agem**, **igem**, **ugem**.

malandragem   vertigem   ferrugem   selvagem

Exceções: lajem, pajem.

• as palavras com terminações em **ágio**, **égio**, **ígio**, **ógio**, **úgio**.

estágio   egrégio   prodígio   relógio   refúgio

• as palavras derivadas de outras já grafadas com **g**.

faringe ⟶ faringite
ferrugem ⟶ ferrugento
gesso ⟶ engessar
massagem ⟶ massagista
vertigem ⟶ vertiginoso

2 Escrevem-se com **j**:

• as palavras de origem árabe, tupi-guarani ou africana.

Mojica.

alforje ——————— árabe

mojica
jê ——————— tupi-guarani
jiboia
acarajé ——————— africana

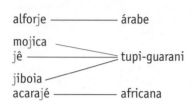

Alforje.

Acarajé.

• as palavras derivadas de outras já grafadas com **j**.

laranja ——→ laranjeira   rijo ——→ rijeza
loja ——→ lojista   viajar ——→ viaje

• as palavras derivadas dos verbos terminados em **jar** ou **jear**.

arranjar ——→ arranje   sujar ——→ suje   gorjear ——→ gorjeio
esbanjar ——→ esbanje   despejar ——→ despeje   lisonjear ——→ lisonjeie

• as palavras terminadas em **aje** (não confundir com as terminadas em **agem**).

laje   traje   ultraje

Emprego de *c, ç, s, ss, sc, sç, x* e *xc*

O uso dessas letras é uma das grandes dificuldades da nossa língua. Em inúmeras palavras, elas representam o mesmo som: o fonema /s/. Leia a tira a seguir e observe as letras destacadas em algumas palavras:

Como você pode perceber pelas letras destacadas nesse texto, o fonema /s/ pode ser representado por diversas letras. Para saber qual letra usar, a melhor maneira é, sempre que possível, escrever essas palavras e, quando houver dúvida, não deixar de consultar o dicionário.

Veja, a seguir, algumas orientações que podem ajudá-lo a escrever segundo a norma culta:

1 Depois de ditongo, geralmente aparecem as letras **c** e **ç**.

foice   refeição   afeição   toicinho

2 Substantivos formados a partir de verbos com terminações **nder** e **ndir** geralmente se escrevem com **s**.

suspender ⟶ suspensão   pretender ⟶ pretensão
repreender ⟶ repreensão   expandir ⟶ expansão

OBSERVAÇÃO

O uso das letras **c, ç, s, ss, sc, sç, x** e **xc,** em diferentes ocasiões, dá origem a palavras muito parecidas entre si na grafia e com pronúncia igual, já que o fonema é o mesmo. Entretanto, o significado é bem diferente.

As palavras que apresentam a mesma pronúncia, mas que têm significados diferentes são chamadas **homônimas**.

Leia as frases a seguir em voz alta:

O ônibus está com o assento rasgado.

poltrona, lugar onde se senta

A palavra ônibus tem acento.

sinal gráfico

Você viu no quadro acima o que são **homônimos**, agora veja alguns exemplos de homônimos com **c, ç, s, sc, ss**:

acento – sinal gráfico	assento – lugar onde se senta
acessório – não essencial	assessório – relativo a assessor, aquele que ajuda
apreçar – perguntar o preço de; dar valor	apressar – impor maior pressa
caçar – matar um animal	cassar – tirar direitos
cegar – tirar a visão	segar – cortar
cela – quarto pequeno	sela – instrumento de montaria
celeiro – galpão	seleiro – aquele que faz selas
censo – levantamento do número de habitantes	senso – inteligência, raciocínio
cerração – nevoeiro	serração – ato de serrar
cerrar – fechar	serrar – cortar
cervo – animal quadrúpede	servo – empregado, escravo
cessão – ato de ceder	sessão – espaço de tempo
	seção (secção) – parte de um todo
cesta – utensílio de vime	sexta – referente a seis
círio – tipo de vela	sírio – aquele que nasce na Síria
concertar – dar concerto	consertar – arrumar
concerto – apresentação artística	conserto – reparo
empoçar – fazer poças	empossar – dar posse
incerto – duvidoso	inserto – introduzido
incipiente – iniciante	insipiente – ignorante
intercessão – ato de interceder; ação	interseção (intersecção) – ato de cortar; cruzamento

Emprego de s e z

Veja as palavras destacadas nestes exemplos:

"Os tristes dizem que os ventos gemem.
Os alegres, que eles cantam."

(Fernando Pessoa)

"Fazer poesia para o povo começaria por usar formas populares."

(João Cabral de Mello Neto)

(Revista *Língua Portuguesa*, n. 19, maio 2007, p. 7.)

Lucia Hiratsuka

Nessas palavras destacadas, encontramos letras diferentes com a mesma pronúncia, ou seja, as duas primeiras são grafadas com a letra **z** e a duas últimas são grafadas com a letra **s**, todas representando o mesmo fonema: o fonema /z/.

Então:

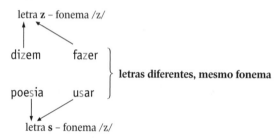

letra **z** – fonema /z/

dizem   fazer
}
poesia   usar
letras diferentes, mesmo fonema

letra **s** – fonema /z/

Observe a seguir algumas orientações para o uso das letras **s** e **z**.

1 As palavras derivadas seguem a grafia daquela que lhes deu origem:

S → S	
análise	→ analisar, analisado
aviso	→ avisar, avisado
liso	→ alisar, alisamento
preso	→ presidiário
paralisia	→ paralisado, paralisar

Z → Z	
Amazônia	→ amazônico
baliza	→ balizar, balizamento, abalizar
deslizar	→ deslize, deslizamento
prazer	→ prazeroso, aprazível
vazio	→ esvaziar, esvaziamento, vazar

2 Escrevem-se com **s**:

• substantivos e adjetivos terminados em **ês**, **esa**.

freguês ⟶ freguesa   burguês ⟶ burguesa   japonês ⟶ japonesa

- adjetivos com sufixos -**oso**, -**osa**.

amoroso ⟶ amorosa   famoso ⟶ famosa   gostoso ⟶ gostosa   formoso ⟶ formosa

- substantivos terminados em sufixos gregos -**ase**, -**ese**, -**isa**, -**ise**, -**ose**.

prófase   catequese   pitonisa   próclise   metamorfose

- algumas formas dos verbos **pôr** e **querer** e dos seus compostos.

pus   compus   compuser   quis   bem-quis   quiser

- alguns nomes próprios.

Ambrósio   Ásia   Baltasar   Brasil   César   Esaú   Heloísa
Inês   Isabel   Luís   Luísa   Susana   Teresa   Tomás

3 Escrevem-se com **z**:

- substantivos e sufixos -**ez**, -**eza**, cujo radical é um adjetivo.

adjetivo ⟶ substantivo	**adjetivo ⟶ substantivo**
altivo ⟶ altivez	belo ⟶ beleza
macio ⟶ maciez	rico ⟶ riqueza
surdo ⟶ surdez	singelo ⟶ singeleza
viúvo ⟶ viuvez	limpo ⟶ limpeza

- palavras com sufixos -**izar**, -**ização**.

civilizar   colonizar   divinizar   civilização   colonização   divinização

- palavras com terminações em **az**, **ez**, **iz**, **oz**, **uz**.

capaz   dez   feliz   feroz   luz

4 Os verbos com final **isar** e **izar** obedecem às seguintes orientações:

- escrevem-se com **s** os verbos que derivam de palavras grafadas com **s**.

friso ⟶ frisar   parafuso ⟶ parafusar

Exceção: catequizar, palavra derivada de catequese.

- escrevem-se com **z** os verbos que derivam de palavras que não apresentam **s**.

canal ⟶ canalizar   legal ⟶ legalizar

Veja outros exemplos:

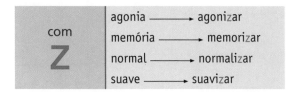

com **Z**
agonia ⟶ agonizar
memória ⟶ memorizar
normal ⟶ normalizar
suave ⟶ suavizar

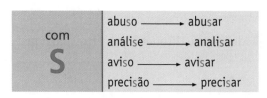

com **S**
abuso ⟶ abusar
análise ⟶ analisar
aviso ⟶ avisar
precisão ⟶ precisar

Emprego de *x* e *ch*

Somente a história da língua explica por que usamos letras diferentes para representar o mesmo fonema.

Em algumas palavras, a consoante **x** e o dígrafo **ch** podem representar o mesmo som: o fonema /ʃ/ (pronuncia-se chê).

Na tira acima, as palavras deixa e chateado são grafadas com letras diferentes, mas estas representam o mesmo fonema. Veja:

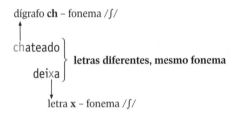

dígrafo **ch** – fonema /ʃ/

chateado
deixa
} **letras diferentes, mesmo fonema**

letra **x** – fonema /ʃ/

A letra **x** pode representar também outros fonemas, além do /ʃ/, como o fonema /z/ (**exame**), o fonema /s/ (**máximo**) e os fonemas /k/ e /s/ (**fixo**). Por ora, veremos apenas as orientações para o uso da letra **x** representando o fonema /ʃ/.

Emprega-se a letra **x**:

1 em palavras de origem indígena e africana.

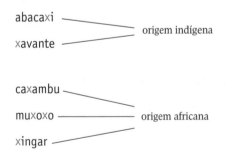

abacaxi
xavante ⟶ origem indígena

caxambu
muxoxo ⟶ origem africana
xingar

2 depois de ditongo, em certas palavras.

baixo　　caixa　　feixe　　peixe

3 depois da sílaba inicial **en**, em algumas palavras.

enxada   enxugar   enxame   enxurrada

Exceções: encher, enchova, encharcar, enchumaçar.

4 depois de **me** inicial de certas palavras.

mexer   mexilhão   mexicano

Exceções: mecha e seus derivados.

Veja alguns exemplos:

Com ch	Com x
brocha – prego curto	broxa – pincel grande
bucho – estômago	buxo – arbusto, pequena árvore
chá – bebida	xá – antigo soberano do Irã
cheque – documento bancário	xeque – nobre árabe
cocho – recipiente em que come o gado	coxo – aquele que manca
tacha – prego pequeno	taxa – imposto
tachar – pregar tachas	taxar – cobrar imposto

Exercícios

Para as questões de **1** a **5**, leia o texto abaixo, sobre alfabetos antigos.

1 Escreva as palavras destacadas, substituindo a ★ pelas letras **s**, **ss**, **c** ou **x**.

LEMBRE-SE!

Caso tenha dúvidas quanto à grafia das palavras solicitadas nos exercícios seguintes, consulte o dicionário. Todo tipo de dúvida relacionada à escrita das palavras deve ser resolvida com o dicionário.

Como se decifra um alfabeto antigo?

Não há uma regra geral, cada caso é um caso e dá um trabalhão danado. "O primeiro **pa★o** é tentar identificar e contar os **★inais** e saber com que **frequên★ia** eles se repetem", diz o egiptólogo Antonio Brancaglion Junior, da Universidade de São Paulo. Há três tipos de alfabeto: o fonético (em que cada letra representa um som, como o alfabeto da nossa língua), o silábico (em que cada letra é uma sílaba, como o chinês) e o icônico ou logográfico (em que os sinais representam ideias ou coisas, como o japonês antigo). Mas, só para complicar, há alfabetos que misturam os três tipos.

Depois, trata-se de montar um quebra-cabeça. Os filólogos comparam **te★tos** na língua antiga com línguas modernas **influen★iadas** por ela, para identificar palavras **pró★imas**. Aí, vão substituindo sinais novos pelos antigos e isolando unidades de significado.

A fala de certas línguas mortas é irrecuperável, pois não se sabe mais como soavam. Mas isso não impede a sua tradução, pelo menos em parte, como **aconte★e** com o alfabeto maia, do México.

Ladislav Janicek/Corbis/LatinStock

Hieroglifos no Templo da Morte de Ramsés III, em Luxor, Egito.

Os hieroglifos **egíp★ios** foram um mistério até 1821, quando o **fran★ês** Jean-François Champollion **de★ifrou** a Pedra de Roseta, que estava no Museu Britânico, em Londres. Ela apresentava um mesmo documento escrito em duas línguas e três alfabetos: grego, **egíp★io** demótico (uma simplificação dos hieroglifos) e hieroglifo. Após muitas tentativas, o arqueólogo conseguiu desvendar e escrever uma gramática da língua **egíp★ia** antiga, embora ainda existam hieroglifos **inde★ifrados**. Várias escritas ainda não foram desvendadas, como a rúnica, dos *vikings*, e a etrusca, da Itália pré-romana.

(*Superinteressante*, maio 1998.)

2 Retire do texto:

a) duas palavras grafadas com a letra **s**, representando o fonema /z/;

b) uma palavra grafada com **x**, representando o fonema /z/.

3 Observe os conjuntos de palavras a seguir. Qual é a regra que justifica a grafia dessas palavras?

a) **s**ílaba – **s**ilábico

b) egíp**c**io – egíp**c**ia

c) de**c**ifra – inde**c**ifrado

4 Justifique o emprego da letra **h** nas palavras a seguir:

a) trabal**h**ão

c) **ch**inês

b) **h**á

d) **h**ieroglifos

5 Agora, explique por que a letra **h** não é considerada consoante.

6 Leia a história em quadrinhos do Hagar:

© 2009 United Media/Ipress

Retire do texto:

a) todas as palavras com a letra **s**, representando o fonema /z/;

b) uma palavra com outra letra, também representando o /z/;

c) palavras com letras diversas, representando o fonema /s/;

d) uma palavra com **ch**, representando o fonema /ʃ/.

Para as questões de **7** a **10**, leia o texto a seguir sobre o hábito irresistível de bocejar.

Isto pega!
Gostou deste bebê? Então, cuidado: você pode bocejar a qualquer momento

Stockxpert/Image Plus

Não é novidade: bocejar é contagioso. Mas agora cientistas descobriram que as pessoas gentis são mais suscetíveis à transmissão.

O psicólogo Steven Platek, da Universidade Drexel, na Filadélfia (EUA), e seus colegas da Universidade do Estado de Nova York mostraram um vídeo com uma pessoa bocejando a um grupo de 65 estudantes. Os que abriram a boca diante da tela apresentaram maior pontuação num teste psicológico medindo a empatia. Os estudantes imunes ao contágio eram, por outro lado, menos predispostos a reconhecer que um insulto pode ofender outra pessoa.

O bocejo é uma forma de comunicação, diz o professor de Neurofisiologia da Universidade Federal de São Paulo (Unifesp) Luiz Eugênio Mello. "Ele pode até ter uma função fisiológica – a de mandar mais oxigênio para o corpo – mas, inegavelmente, serve para sinalizar o tédio." Mello compara: ao ver pessoas gargalhando, você também começará a sorrir. "É uma tendência natural do ser humano imitar, agir como outra pessoa."

Outra hipótese: segundo Mello, se alguém vir um político de quem gosta bocejando, fará o mesmo. Se for um político que não aprecia, ficará impassível. Ou seja, a tendência é copiar pessoas com quem nos identificamos, como uma expressão de solidariedade. A teoria confirma porque autistas e esquizofrênicos não bocejam: por viverem em um mundo psíquico isolado e distante do contato com outras pessoas.

(Fabíola Tarapanoff. Em: *Os Caminhos da Terra*, out. 2003, p. 25.)

7 Identifique o fonema representado pelas letras destacadas nas palavras a seguir:

a) boce**j**ar

b) conta**g**ioso

c) psicólo**g**o

d) psicoló**g**ico

e) cole**g**as

f) a**g**ir

g) **g**entis

h) neurofisiolo**g**ia

i) Eu**g**ênio

j) oxi**g**ênio

8 Justifique a grafia de cada grupo de palavras a seguir:

a) bocejar – bocejo

b) contagioso – contágio

9 Retire do texto duas palavras com as letras **k** e **y** e justifique o seu uso.

10 Leia a frase a seguir, retirada do texto:

> "(...) segundo Mello, se alguém vir um político de quem gosta bocejando, fará o mesmo. Se for um político que não aprecia, ficará impassível."

a) Justifique o emprego da letra **u** na palavra alguém. Por que ela é necessária nessa palavra?

b) Retire dessa frase outras palavras em que aparecem o fonema /ʒ/ e o fonema /g/.

11 Neste exercício, vamos treinar a grafia de verbos terminados em **isar** e **izar**. Reveja a orientação para esse caso, na página 49. Escreva, para cada palavra dada abaixo, o verbo correspondente:

a) formal

b) friso

c) concreto

d) análise

e) fantasia

f) normal

g) canal

h) aviso

i) fraco

j) ameno

k) batismo

l) catequese

12 Entre parênteses, há duas palavras homônimas ou parônimas, mas apenas uma delas completa a frase corretamente. Copie as frases, substituindo a ★ pela palavra adequada. Se tiver dúvida, não hesite: use um dicionário.

a) Fujamos, pois o perigo está ★. (iminente/ eminente)

b) A ★ a ser paga é mínima. (tacha/ taxa)

c) O político ★ a todos. (cumprimentou/ comprimentou)

d) O estabelecimento comercial estava bem ★. (surtido/ sortido)

e) O sapateiro consertou meu sapato com apenas uma ★. (broxa/ brocha)

Notações léxicas

Para escrever bem, é preciso usar as letras do alfabeto corretamente na representação dos fonemas. Além disso, há também alguns sinais extras que auxiliam na escrita e indicam como deve ser o som de algumas letras.

Leia este texto a respeito da criação do mundo segundo a mitologia grega. Preste atenção nas palavras destacadas:

A criação do mundo

Na origem, nada tinha forma no universo. Tudo se confundia, e não era possível distinguir a terra do céu nem do mar. Esse abismo nebuloso se chamava Caos. Quanto tempo durou? Até hoje não se sabe.

Uma força misteriosa, talvez um deus, resolveu pôr ordem nisso. Começou reunindo o material para moldar o disco terrestre, depois o pendurou no vazio. Em cima, cavou a abóbada celeste, que encheu de ar e de luz. Planícies verdejantes se estenderam então na superfície da terra, e montanhas rochosas se ergueram acima dos vales. A água dos mares veio rodear as terras. Obedecendo à ordem divina, as águas penetraram nas bacias para formar lagos, torrentes desceram das encostas, e rios serpearam entre os barrancos.

Filipe Rocha

Assim, foram criadas as partes essenciais de nosso mundo. Elas só esperavam seus habitantes. Os astros e os deuses logo iriam ocupar o céu, depois, no fundo do mar, os peixes de escamas luzidias estabeleceriam domicílio, o ar seria reservado aos pássaros e a terra a todos os outros animais, ainda selvagens.

Era necessário um casal de divindades para gerar novos deuses. Foram Urano, o Céu, e Gaia, a Terra, que puseram no mundo uma porção de seres estranhos.

(Claude Pouzadoux. *Contos e lendas da mitologia grega*, Cia. das Letras, 2001.)

Todas as palavras destacadas no texto têm, além das letras, alguns sinais. Veja alguns desses exemplos:

- **ent**ã**o** – o sinal ~ indica que a letra **a** tem som nasal.
- **p**ô**r** – o sinal ^ indica que a letra **o** tem som fechado.
- **at**é – o sinal ´ indica que a letra **e** tem som aberto.

Esses sinais são chamados **notações léxicas** e se situam fora da linha de escrita, na maior parte das vezes acima das palavras.

> **Notações léxicas** são os sinais gráficos que conferem às letras valor fonético especial.

Veja, a seguir, alguns exemplos de palavras em que se empregam notações léxicas:

1 **Acento agudo** ´ — é empregado para marcar o som aberto da vogal tônica.

    possível   céu   abóbada   planícies   superfície   água

2 **Acento circunflexo** ^ — é empregado para marcar o som fechado da vogal tônica.

    pôr   Posêidon   três

3 **Acento grave** ` — é empregado para marcar a fusão de dois **as** (**a** + **a**).

"Obedecendo à ordem divina, as águas penetraram nas bacias para formar lagos, torrentes desceram das encostas, e rios serpearam entre os barrancos."

4 **Apóstrofo** ' — indica que algum fonema foi omitido.

    queda-d'água (de água)   'tá (está)   pau-d'arco (de arco)

5 **Cedilha** ç — é empregada no **c** antes de **a**, **o** ou **u**, e indica o fonema /s/.

    criação   força   começou   porção

6 **Til** ~ — é empregado nas vogais **a** e **o**, e indica som nasal.

    não   então   porção   criação

7 **Hífen ou traço de união** - — é um sinal de ligação que pode ser empregado nos seguintes casos:

• em substantivos e adjetivos compostos.

    amor-perfeito   arco-íris   couve-flor   verde-claro

• para ligar pronomes a uma forma verbal.

    moldá-lo   estenderam-se   esperá-los   puseram-nos

- em substantivos próprios usados como comuns.

Não sou nenhum são-tomé.

O doce de que ele mais gosta é maria-mole.

- para separar sílabas.

Eu disse "Ma-te-má-ti-ca".

A palavra é "mi-to-lo-gi-a"; significa o conjunto de mitos de determinado povo.

- para separar sílabas em quebra de palavras no final da linha.

"Na origem, nada tinha forma no universo. Tudo se confundia e não era possível distinguir a terra do céu nem do mar."
"Obedecendo à ordem divina, as águas penetraram nas bacias para formar lagos, torrentes desceram das encostas, e rios serpearam entre os barrancos."

OBSERVAÇÕES

1. Quando o hífen coincidir com o final de uma linha na separação de palavras, não será necessário repetir esse sinal na linha seguinte.

comunica-
ção

2. Se a translineação coincidir com o hífen, será necessário repeti-lo na linha seguinte.

segui-
-lo

- nos compostos com os elementos **além-**, **aquém-**, **recém-** e **sem-**.

além-mar   além-fronteiras   aquém-oceano
recém-casados   sem-número   sem-teto

- nos compostos com os advérbios **mal** e **bem**, quando estes formam uma unidade sintagmática e semântica e o segundo elemento começa por vogal ou **h**.

bem-aventurado   bem-estar   bem-humorado
mal-educado   mal-humorado   mal-assombrado

ATENÇÃO!

Nem sempre os compostos com o advérbio **bem** escrevem-se sem hífen, quando este elemento é seguido por um elemento iniciado por consoante. Por exemplo: bem-nascido, bem-criado, bem-visto (ao contrário de **mal-criado, malnascido, malvisto**).

Uso das letras maiúsculas

Leia o texto a seguir:

Dia das Bruxas

Transformando homens em porcos ou ajudando heróis da mitologia, bruxas e feiticeiras fazem parte de histórias de diversos povos

Bruxa tem nariz pontudo com verruga vermelha na ponta? Ou será que ela é linda e fica se admirando o dia inteiro no espelho?

Histórias como a da Branca de Neve mostram mulheres más, com poderes mágicos, habilidosas na arte da transformação. Mas, em outras histórias, as mulheres com poderes extraordinários são chamadas de feiticeiras e praticam o bem.

Qual seria a diferença entre bruxa e feiticeira?

A bruxa seria uma praticante de magia maligna. É um personagem dotado de poderes mágicos. E ela usa esses poderes para obter vantagens pessoais e vinganças, para si ou outros, se for bem paga para isso.

A feiticeira seria uma conhecedora das ervas mágicas, detentora de poderes de cura. Ela usaria seus poderes só para ajudar as outras pessoas, jamais em proveito próprio.

A bruxa seria detestada e temida em sua comunidade, ao passo que a feiticeira seria amada e valorizada.

(...)

A primeira aparição de uma bruxa voando numa vassoura foi na ilustração do manuscrito "O Campeão das Damas", do escritor suíço Martin Le Franc, no século 15. Assim como o cajado para o mago, a vassoura mágica empresta poderes às bruxas. Mas como essa história toda começou? Na Antiga Roma, antes do nascimento de um bebê, era preciso varrer as soleiras das casas para espantar os maus-espíritos da mãe. Em certas regiões da Inglaterra, as mulheres deixavam suas vassouras do lado de fora da casa, como proteção contra assombrações. No País de Gales, durante festas de casamento, os noivos deviam saltar sobre uma vassoura colocada na entrada da casa, de modo a ter sorte e felicidade.

("Galeria de feitiços". Heloisa Prieto (especial para a Folha), 11 out. 2008. Disponível em: http://www1.folha.uol.com.br/folhinha/dicas/di11100803.htm, acessado em 11 dez. 2008.)

Nesse texto, foi usada letra maiúscula em três situações bastante comuns:

• no início dos parágrafos:

"Bruxa tem nariz pontudo com verruga vermelha na ponta?"
"Qual seria a diferença entre bruxa e feiticeira?"

- após ponto:

"(...) uma conhecedora das ervas mágicas, detentora de poderes de cura. Ela usaria seus poderes só para ajudar as outras pessoas, jamais em proveito próprio.

- em nomes próprios:

Branca de Neve   Inglaterra   Martin Le Franc

Além dessas situações que ocorrem com grande frequência, há casos em que pode haver dúvidas quanto ao emprego da letra inicial maiúscula. As orientações a seguir podem ajudá-lo.

Também usa-se a letra inicial maiúscula:

- em nomes de épocas e fatos históricos, datas notáveis, atos solenes e grandes empreendimentos.

Romantismo   Idade Média   Independência do Brasil   Natal

- em nomes que designam altos cargos, dignidades ou postos.

Ministro de Estado   Papa   Presidente da República   Embaixador

- em nomes que designam artes, ciências ou disciplinas.

Arquitetura   Direito   Matemática   Linguística   Medicina

- em nomes de ruas, praças, edifícios, estabelecimentos, agremiações.

Rua Direita   Edifício Órion   Centro Acadêmico XI de Agosto
Praça da Sé   Colégio Pandiá Calógeras   Editora Saraiva

- em títulos de livros, revistas e jornais.

O Campeão das Damas
Vidas Secas
Veja
Diário de Pernambuco
Memórias Póstumas de Brás Cubas
O Estado de S. Paulo

OBSERVAÇÃO

Modernamente, existe uma tendência a usar letra maiúscula somente na palavra inicial de títulos de livros, a não ser que nele haja nome próprio. Veja:
A hora e a vez de Augusto Matraga
A hora da estrela

- em expressões de tratamento.

Vossa Eminência
Excelentíssimo Senhor
Excelentíssimo Senhor Ministro
Vossa Majestade
Presidente da República

ATENÇÃO!

1. Não se usa letra inicial maiúscula na grafia dos nomes de meses e de dias da semana.

janeiro   outubro   dezembro
segunda-feira   sexta-feira   domingo

2. Em datas religiosas consagradas, admite-se o uso de maiúsculas nos dias da semana.

Sexta-feira Santa   Quarta-feira de Cinzas

Abreviaturas e siglas

As abreviaturas e siglas são recursos muito utilizados na comunicação, principalmente em revistas e jornais, pois permitem economia de tempo e espaço. Observe:

Abreviaturas	Siglas
R. Borges Lagoa, 650 Tel.: 573-3774 / 549-1744 SOMENTE 13 A 16 DE OUT. ALTURA DO Nº 3000 DA AV. GIOVANNI GRONCHI. 60 km	Mercosul Os EUA e a Alca TRE ONU

Abreviaturas

Veja estes exemplos de abreviaturas:

subst. ⟶ substantivo   30 m ⟶ 30 metros
séc. XII ⟶ século doze   Dr. Luís ⟶ Doutor Luís

> **Abreviatura** é um recurso convencional da língua escrita que consiste em representar de forma reduzida uma palavra ou expressão.

Veja como utilizá-la:

1 As abreviaturas **terminam geralmente por consoante** seguida de ponto.

    pág. (página)   cap. (capítulo)   Gov. (governador)   Pref. (prefeito)

2 As abreviaturas das **unidades de medida** devem ser escritas sempre no singular, sem ponto e com letra minúscula, a não ser quando forem derivadas de nomes próprios.

12 m (metros)
369 km (quilômetros)
10 h (horas)
30 min (minutos)
180 N (newtons)
212 ºF (fahrenheit)

OBSERVAÇÃO

A maneira mais adequada e aceita de grafar as horas, no Brasil, é a seguinte:

10 **h** 30 **min** ⟶ representa os minutos
      ⟶ representa as horas

LEMBRE-SE!

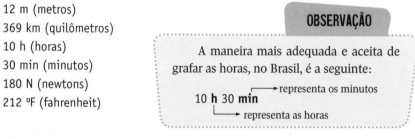

Se escritas por extenso, as abreviaturas das unidades de medida devem ser grafadas com letra inicial minúscula, mesmo se forem derivadas de nomes próprios. Veja:

Os carros na Fórmula 1 alcançam mais de 200 quilômetros por hora.
O aluno errou o terceiro exercício: o correto eram 180 newtons, mas ele colocou 160.

3 Há abreviaturas que **terminam em vogal**.

Il.ᵐᵒ (Ilustríssimo)   Cia. (Companhia)
Ex.ª (Excelência)   Ltda. (Limitada)

Siglas

Também é possível, em alguns casos, usar a **sigla**, que é um tipo especial de abreviatura. Observe:

Produto Interno Bruto ⟶ PIB

Abreviar apenas cada palavra que compõe a expressão representaria uma economia pequena; então, escrevem-se apenas as letras iniciais dos termos principais, formando a sigla PIB.

> **Sigla** é o nome que se dá ao conjunto de letras ou à palavra formada pelas letras iniciais das palavras que compõem o nome de uma organização, uma autarquia, um programa, um tratado etc.

Veja quais são os tipos de siglas e como utilizá-las:

1 **Siglas impronunciáveis** — são aquelas que, por não formarem uma palavra, são pronunciadas letra por letra. São escritas com letras maiúsculas.

BNDES   FGTS   CPMF

2 **Siglas pronunciáveis** — são aquelas que, por formarem uma palavra, podem ser pronunciadas inteiras. São escritas com:

• todas as letras maiúsculas, se a sigla contiver até três letras.

USP (Universidade de São Paulo)
PIS (Programa de Integração Social)
CPF (Cadastro de Pessoa Física)

• a primeira letra maiúscula e as outras minúsculas, se a sigla contiver quatro ou mais letras.

Sudene (Superintendência do Desenvolvimento do Nordeste)
Dersa (Desenvolvimento Rodoviário S. A.)
Opep (Organização dos Países Exportadores de Petróleo)

OBSERVAÇÃO

Nos dois primeiros exemplos, Sudene e Dersa, as siglas não correspondem somente às letras iniciais das palavras que as compõem. Isso também acontece com a sigla Ibama, órgão do Ministério do Meio Ambiente (MMA), que significa Instituto Brasileiro do Meio Ambiente e dos Recursos Naturais Renováveis.

Siglas e abreviaturas mais utilizadas

Veja, a seguir, algumas das siglas e abreviaturas mais utilizadas:

A
ABL — Academia Brasileira de Letras
abrev. — abreviatura
a.C. — antes de Cristo
AC — Acre (Estado do)
A/C — ao(s) cuidado(s)
Aids — *Acquired Immune Deficiency Syndrome* (Síndrome de Imunodeficiência Adquirida)
AL — Alagoas (Estado de)
Alca — Área de Livre Comércio das Américas
a.m. — *ante meridiem* (antes do meio--dia)
AM — Amazonas (Estado do)
AP — Amapá (Estado do)
ass. — assinatura
Av. — Avenida

B
BA — Bahia (Estado da)
BB — Banco do Brasil
BC — Banco Central

C
°C — grau Celsius
cap. — capítulo
CBF — Confederação Brasileira de Futebol
c/c — conta corrente
CE — Ceará (Estado do)
Ceasa — Centrais de Abastecimento S.A.
CEP — Código de Endereçamento Postal
Cia. — Companhia (comercial ou militar)
CIC — Cartão de Identificação do Contribuinte
cm — centímetro(s)
CPF — Cadastro de Pessoa Física
CUT — Central Única dos Trabalhadores

D
D. — Dom, Dona
Da. — Dona
d.C. — depois de Cristo
DDD — Discagem Direta a Distância
Dersa — Desenvolvimento Rodoviário S.A.
DF — Distrito Federal
DNER — Departamento Nacional de Estradas de Rodagem
Dr. — Doutor
Dra. — Doutora
Drs. — Doutores

E
ECT — Empresa Brasileira de Correios e Telégrafos
ed. — edição
Embraer — Empresa Brasileira Aeronáutica
Embratel — Empresa Brasileira de Telecomunicações
ES — Espírito Santo (Estado do)
etc. — *et cetera* (e outros)
ex. — exemplo

F
FAB — Força Aérea Brasileira
fem. — feminino
FIFA — Federação Internacional do Football Association
fl. — folha
fls. — folhas
Funai — Fundação Nacional do Índio
Funarte — Fundação Nacional de Arte

G
g — grama(s)
GO — Goiás (Estado de)

I
Ibama — Instituto Brasileiro do Meio Ambiente e dos Recursos Naturais Renováveis
IBGE — Instituto Brasileiro de Geografia e Estatística
ibid. — ibidem (no mesmo lugar)
ICMS — Imposto sobre Circulação de Mercadorias e Serviços
id — idem (o mesmo; do mesmo autor)
Inpe — Instituto de Pesquisas Espaciais
INSS — Instituto Nacional do Seguro Social
IPTU — Imposto Predial e Territorial Urbano
IPVA — Imposto sobre a Propriedade de Veículos Automotores

J
Jr. — Júnior

K
kg — quilograma(s)
km — quilômetro(s)
kW — quilowatt(s)

L
L — litro(s)
L ou E — Leste (Este)
Ltda. — Limitada (comercialmente)

M
m — metro(s)
MA — Maranhão (Estado do)
MAM — Museu de Arte Moderna
masc. — masculino
Masp — Museu de Arte de São Paulo
Mercosul — Mercado Comum do Sul
MG — Minas Gerais (Estado de)
min — minuto(s)
mL — mililitro(s)
mm — milímetro(s)
MS — Mato Grosso do Sul (Estado de)
MT — Mato Grosso (Estado de)

N
N — Norte
NE — Nordeste
NO ou NW — Noroeste

O
O ou W — Oeste
obs. — observação
OMS — Organização Mundial de Saúde
ONU — Organização das Nações Unidas
op. cit. — *opus citatum* (obra citada)

P
PA — Pará (Estado do)
pág. ou p. — página
págs. ou pp. — páginas
PE — Pernambuco (Estado de)
PI — Piauí (Estado do)
PR — Paraná (Estado do)
Prof. — Professor
Profa. — Professora
PUC — Pontifícia Universidade Católica

Q
ql. — quilate(s)

R
R. — Rua
Remte. — Remetente
RJ — Rio de Janeiro (Estado do)
RN — Rio Grande do Norte (Estado do)
RO — Rondônia (Estado de)
RR — Roraima (Estado de)
RS — Rio Grande do Sul (Estado do)

S
S — Sul
S. — Santo; São
S.A. — Sociedade Anônima
S.C. — Sociedade Civil
SC — Santa Catarina (Estado de)
SE — Sergipe (Estado de)
séc. — século
sécs. — séculos
seg. — segundo(s)
seg. — seguinte
segs. — seguintes
SO ou SW — Sudoeste
SP — São Paulo (Estado de)

T
t — tonelada(s)
TO — Tocantins (Estado de)
TRE — Tribunal Regional Eleitoral
TV — televisão

U
UnB — Universidade de Brasília
Unesco — United Nations Educational, Scientific and Cultural Organization (Organização Educacional, Científica e Cultural das Nações Unidas)
Unicamp — Universidade de Campinas
USP — Universidade de São Paulo

W
W ou O — Oeste
W.C. — *water-closet* (sanitário, banheiro)

Exercícios

Para resolver as questões **1** e **2**, leia o texto a seguir, do qual foram retiradas as notações léxicas necessárias:

1 Observe o quadro e escreva corretamente as palavras com as notações léxicas necessárias.

Cheios de graca

Os pinguins sao aves muito diferentes da maioria das que conhecemos, como os papagaios e os beija flores. Eles tem asas, penas e bico, mas, em vez de voar, passam a maior parte do tempo nadando nos mares gelados do hemisferio sul do planeta.

Para viver nesse ambiente tao dificil, todas as 17 especies contam com muitas adaptacoes especiais. Eles tem o corpo rolico e penas impermeaveis para diminuir o atrito com a agua. As asas achatadas funcionam como nadadeiras e as pernas curtas com pes que possuem membranas sao usadas para mudar de direcao durante a natacao.

A protecao contra o frio e garantida pelas penas e por duas camadas, uma de ar e outra de gordura, localizadas abaixo da pele.

Com todo esse equipamento, os pinguins podem mergulhar centenas de metros de profundidade e atingir grandes velocidades. Essa incrivel agilidade submarina permite que eles capturem lulas e pequenos crustaceos para se alimentar e tambem os ajuda a fugir de seus principais predadores no mar: a baleia orca e a foca leopardo.

Grande escavador

O pinguim de magalhaes ganhou esse nome ao ser visto por marinheiros da esquadra do navegador Fernao de Magalhaes, no seculo 16, na Patagonia, regiao fria localizada no sul da Argentina e norte do Chile.

Essa especie nao constroi ninhos sobre o solo como as outras. Prefere ficar em tuneis que cava, protegendo as crias de predadores da regiao, como as raposas. Quando os bebes crescem, a familia deixa a Patagonia e passa o inverno alimentando se em alto mar, na altura do Sul do Brasil. As vezes, alguns mais fracos e debilitados acabam parando em praias brasileiras para descansar.

Konrad Wothe/Minden Pictures/LatinStock

O maior de todos

O pinguim imperador, que vive apenas na Antartida, chega a 1 metro de altura e 40 quilos de peso. E a maior especie de todas. E tambem o unico que se reproduz sobre o gelo durante a estacao mais fria. A femea bota o ovo no inverno, sai para o mar para comer e volta na primavera, trazendo alimento para os bebes. Enquanto isso, o macho e quem cuida do ovo, protegendo o sobre os pes e abaixo da barriga.

Essa especie conta com excelentes mergulhadores, que ficam embaixo da agua por ate 20 minutos e descem ate 500 metros de profundidade.

(Luciano Candisani/Editora Abril.)

2 Escreva, na forma abreviada, as expressões a seguir que aparecem por extenso no texto:

a) século 16

b) 20 minutos

c) 1 metro

d) 40 quilos

e) Norte

f) Sul

g) 500 metros

Para as questões de **3** a **6**, leia os dois textos a seguir e faça o que se pede.

Texto A

Qual é o maior túnel do mundo?

É o túnel Seikan, que fica no Japão e atinge 53,8 quilômetros de extensão. Ele é seguido de perto pelo bem mais famoso Eurotúnel, que liga a França e a Inglaterra sob o Canal da Mancha. Mas a classificação dos maiores túneis do mundo é meio polêmica. Algumas listas não incluem, por exemplo, linhas de metrô porque as estações representariam quebras na continuidade dos túneis. (...) Existem também túneis que superam o Seikan em outros quesitos que não a extensão. O túnel rodoviário com maior diâmetro do mundo é o Yerba Buena, que fica em São Francisco, nos Estados Unidos, e tem 24 metros de largura e 17 metros de altura.

Construção do túnel ferroviário Seikan, em Yoshioka.

(Victor Bianchin. Em: http://mundoestranho.abril.uol.com.br/cotidiano/pergunta_407153.shtml, acessado em 6 jan. 2009.)

Texto B

Qual é o líquido mais caro do mundo?

As gotas mais caras do mundo são as do veneno de cobra-coral-verdadeira: 1 mililitro dele chega a custar quase 60 mil reais! Para chegar ao campeão dos líquidos, procuramos líquidos de todos os tipos, de compostos orgânicos (como sangue, venenos e sêmen) a combustíveis (gasolina), além de líquidos que usamos no nosso dia a dia (tinta de impressora, mercúrio, perfume e bebidas). Para comparar os preços, usamos como medida padrão uma lata de refrigerante, que contém 350 mililitros, e convertemos o preço de líquidos que são vendidos em litros ou galões para essa quantidade. Algumas das substâncias desta lista nem são vendidas no Brasil, e os valores podem variar muito, pois dependem da forma como serão utilizadas. Por exemplo, se descobrirem que um dos venenos cura a Aids, o preço dele aumenta. Mas, na verdade, os venenos nem podem ser comercializados. O preço dos venenos que publicamos é o do mercado ilegal, segundo o relatório da Rede Nacional de Combate ao Tráfico de Animais Silvestres (Renctas).

Extração de veneno de uma jararaca em laboratório do Instituto Butantan, em São Paulo.

(Gabriela Portilho. Em: http://mundoestranho.abril.uol.com.br/cotidiano/pergunta_398277.shtml, acessado em 6 jan. 2009.)

3 Do texto **A**, copie as palavras que apresentam letras iniciais maiúsculas. Justifique o emprego dessas letras.

4 Retire dos textos:

    a) uma sigla e dê o seu significado;

    b) unidades de medidas e as suas abreviaturas.

5 Identifique as notações léxicas usadas nas palavras a seguir. Justifique o seu emprego.

    a) é, relatório

    b) campeão, padrão

    c) estações, preços

    d) quilômetros, metrô

6 Retire dos textos:

    a) duas palavras em que a letra **z** represente o fonema /z/;

    b) duas palavras em que a letra **x** represente o fonema /z/;

    c) duas palavras em que a letra **s** represente o fonema /z/;

    d) uma palavra em que a letra **x** represente o fonema /s/;

    e) duas palavras em que a letra **g** represente o fonema /ʒ/;

    f) uma palavra com encontro consonantal, ditongo, dígrafo, cinco sílabas, oxítona.

DESAFIO

Para responder às questões de **7** a **10**, leia com atenção um trecho da obra *Iracema*, de José de Alencar.

Além, muito além daquela serra, que ainda azula no horizonte, nasceu Iracema.

Iracema, a virgem dos lábios de mel, que tinha os cabelos mais negros que a asa da graúna, e mais longos que seu talhe de palmeira.

O favo da jati não era doce como seu sorriso; nem a baunilha recendia no bosque como seu hálito perfumado.

Mais rápida que a ema selvagem, a morena virgem corria o sertão e as matas do Ipu, onde campeava sua guerreira tribo, da grande nação tabajara. O pé grácil e nu, mal roçando, alisava apenas a verde pelúcia que vestia a terra com as primeiras águas.

Um dia, ao pino do Sol, ela repousava em um claro da floresta. Banhava-lhe o corpo a sombra da oiticica, mais fresca do que o orvalho da noite. Os ramos da acácia silvestre esparziam flores sobre os úmidos cabelos. Escondidos na folhagem os pássaros ameigavam o canto.

Lucia Hiratsuka

7 Copie do texto:

a) duas palavras em que o **ç** represente o fonema /s/;

b) uma palavra em que o dígrafo **ss** represente o fonema /s/;

c) três palavras em que o **c** represente o fonema /s/;

d) uma palavra em que a letra **g** representa o fonema /ʒ/ e uma em que essa mesma letra represente o fonema /g/;

e) uma palavra em que a letra **s** represente o fonema /z/.

8 A palavra **graça** se escreve com **ç**. No entanto, as palavras grá**c**il (que aparece no texto), gra**c**iosa e gra**c**inha são escritas com **c**. Responda:

a) Qual fonema as letras **ç** e **c** estão representando?

b) Por que essas palavras são escritas de modo diferente?

9 Na língua portuguesa, em que situação o **ç** nunca aparece?

10 Reescreva as frases a seguir, abreviando as palavras destacadas.

a) O espetáculo começa às 19 **horas**, no Teatro Municipal, **Praça** Ramos de Azevedo, **sem número**, **telefone** 222-8698.

b) Os alunos devem fazer os exercícios da **página** 15, **capítulo** 20, do **volume** III.

c) O ônibus sai às **14 horas e 20 minutos** da **Avenida** Lineu Prestes, em direção à **Alameda** das Acácias; são 22 **quilômetros** de percurso.

d) O **Prefeito** Nélson da Silva encontrou-se com o **Doutor** Eliseu e com o **Professor** Peres na Prefeitura. **Sua Excelência**, o **Governador** Paulo Dantas, não pôde comparecer.

e) Carlos Augusto Lima **Júnior** mora no **apartamento número** 106, **bloco** D, do **edifício** Flor-de-Lis.

Leia com atenção o texto a seguir e observe as palavras destacadas:

Não cola nada

Uma "olhadinha" na prova do colega nem sempre garante uma boa nota na escola

Se eu perguntasse quais as principais funções de um celular, você diria que são fazer e receber ligações. Mas algumas crianças arrumaram outra utilidade para o aparelho: colar nas provas.

O envio de fotos pela tecnologia Bluetooth e por torpedos (SMS) tem ajudado alunos a quebrar uma velha regra: é proibido colar.

"O aluno com dúvida tira uma foto com o celular e manda para o colega via Bluetooth. Se ele sabe a resposta, envia por mensagem ou tira uma outra foto da resposta", explica Caio, 11.

Marcos Guilherme

Aviãozinho

Há quem cole à moda antiga. "Numa prova, um colega escreveu a dúvida, fez um aviãozinho com a folha e a jogou", diz Guilherme, 8. Deu certo? "O avião não foi para o lado que ele queria, e a professora pegou."

O risco não está só na professora. Nem sempre a resposta do colega está certa. "Combinei com meu amigo de trocarmos as respostas por bilhetes. A minha estava certa, mas a dele estava errada. Eu me dei mal", conta Giovanni, 9.

Uma lição que Letícia, 8, aprendeu foi confiar mais no que estudou. "Uma vez copiei a resposta do meu amigo e percebi que ela estava errada. Apaguei e fiz como eu lembrava. Se eu tivesse colado, iria errar."

Ana Maria Falcão de Aragão Fadalla, doutora em educação pela Unicamp, aconselha: "A gente não pode falar que quem cola é uma pessoa ruim, afinal, todos temos o direito de errar". Mas ela dá um último toque: "Desconfie do que chega muito fácil até você e estude. Você vai se sentir bem mais confiante".

(Carolina Salvatore. *Folha de S.Paulo.* Disponível em: http://www1.folha.uol.com.br/folhinha/dicas/di27090810.htm, acessado em 1º out. 2008.)

Releia, pausadamente, as seguintes palavras:

celular   Letícia   tecnologia   fácil

Todas têm uma sílaba que é pronunciada mais fortemente. Isso ocorre porque, na língua portuguesa, todas as palavras com mais de uma sílaba possuem uma tonicidade percebida na fala. A sílaba que recebe o acento tônico chama-se **sílaba tônica**; as demais são chamadas de **sílabas átonas**.

LEMBRE-SE!

O **acento tônico** indica a maior intensidade na pronúncia de uma sílaba. A **sílaba tônica** é aquela que se pronuncia com maior intensidade.

Todas as palavras, portanto, **com mais de uma sílaba**, possuem sílaba tônica. No entanto, ao serem escritas, algumas palavras recebem também um **acento gráfico** para indicar a leitura correta em casos que podem gerar dúvida. Observe esta palavra retirada do texto:

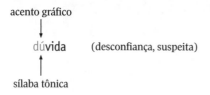

acento gráfico

dúvida   (desconfiança, suspeita)

sílaba tônica

Agora, leia esta palavra:

duvida   (forma verbal de **duvidar**, como na frase: "Beth duvida que Matheus cumpra sua palavra")

sílaba tônica

Leia a frase a seguir, retirada do texto *Não cola nada*:

"'Desconfie do que chega muito fácil até você e estude'."

Observe duas palavras que recebem acento gráfico sobre a letra **e**: até e você. Apesar de recaírem sobre a mesma letra, são acentos diferentes e indicam que se trata de fonemas distintos que devem ser pronunciados de maneira diferente. Veja:

até   você

som aberto   som fechado

Na língua portuguesa, são utilizados três tipos de acento. São eles:

1 **Acento agudo** ´ — indica o acento tônico para as vogais **a**, **i**, **u** e indica o som aberto das vogais tônicas **o** e **e**.

fácil   Letícia   dúvida   até   só

2 **Acento circunflexo** ^ — indica o som fechado das vogais tônicas **a**, **e**, **o**.

botânica   você   freguês   crônica   astronômico

3 **Acento grave** ` — indica a ocorrência de crase, que é a fusão de duas vogais (**a** + **a** = **à**).

"Há quem cole à moda antiga."

No texto que inicia o capítulo, aparecem as palavras são, lição, ligações, aviãozinho, funções, não, avião, Falcão, Aragão e educação. Nelas, usa-se o **til ~**, um sinal gráfico que indica a nasalização da vogal. É importante destacar que o til não é um acento, pois os acentos indicam a tonicidade das palavras.

Observe o exemplo:

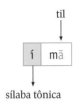

til

í | mã

sílaba tônica

> **LEMBRE-SE!**
>
> 1. Nenhuma palavra da língua portuguesa possui dois acentos gráficos. Por essa razão, o til não é considerado acento.
> 2. Vale lembrar que nem todas as palavras da língua portuguesa são acentuadas graficamente.

Essa é uma palavra paroxítona (sílaba tônica **í**), embora o til esteja presente na última sílaba.

Leia devagar as palavras das três listas a seguir, observando a sílaba tônica de cada uma.

LISTA 1
SOFÁ, AMAPÁ, MARQUÊS, BUQUÊ, TUPI, SACI, CIPÓ, TRICÔ, BAURU, BAMBUS

LISTA 2
MESAS, ÁLBUM, BALDE, INCRÍVEL, TÁXI, BÊNÇÃO, COLO, ÍMÃ, VÍRUS, LÁPIS

LISTA 3
LÂMPADA, ATLÂNTICO, GÊNERO, CENTÉSIMO, TÍMIDO, SÍSMICO, GEOLÓGICA, ARQUEÓLOGO, JÚPITER, MÚLTIPLO

Cartoon Estúdio

Na **Lista 1**, há apenas palavras oxítonas; na **Lista 2**, somente palavras paroxítonas. Todas têm acento tônico (a sílaba mais forte), mas só algumas recebem acento gráfico. Na **Lista 3**, há apenas palavras proparoxítonas e todas recebem acento gráfico.

Para acentuar corretamente as palavras, leia as regras de acentuação gráfica indicadas a seguir.

Acentuação das oxítonas

Quanto às oxítonas, na **Lista 1** observe que se acentuam as que terminam em **a(s)**, **e(s)**, **o(s)**, mas não se acentuam as que terminam em **i(s)** e **u(s)**.

Veja outros exemplos de oxítonas acentuadas graficamente quando terminam em:

a	→	maracujá, Araxá, vatapá
as	→	atrás, estás
e	→	bebê, café, maré
es	→	convés, vocês
o	→	esquimó, vovô, alô
os	→	jilós, bibelôs
em	→	alguém, porém, armazém
ens	→	parabéns, vinténs

Cartoon Estúdio

A palavra bebê é uma oxítona terminada em **e**.

A palavra bebês é uma oxítona terminada em **e** seguida de **s**.

Acentuam-se também as oxítonas terminadas em **em**. Assim como as vogais, a terminação **em** pode estar ou não seguida de **s**, transformando-se, assim, na terminação **ens**. O acento permanece.

Observe a sílaba tônica das palavras terminadas em **em** nas tirinhas a seguir.

Maurício de Sousa Produções - Brasil/2009

Maurício de Sousa Produções - Brasil/2009

A palavra também da primeira tirinha recebe acento gráfico porque é uma **oxítona** terminada em **em**, enquanto a palavra "colagem" (coragem), da segunda tirinha, embora tenha a mesma terminação, não recebe acento gráfico porque é uma **paroxítona**, e as paroxítonas terminadas em **em** não recebem acento gráfico.

ATENÇÃO!

1. Incluem-se nesta regra os acentos que recaem nas formas verbais que, combinadas com pronomes oblíquos, acabam compondo uma palavra oxítona.

   amá-lo   perdê-la   guardá-las   compô-las

2. Recebe acento circunflexo a 3ª pessoa do plural do presente do indicativo dos verbos derivados de **ter** e **vir**.

   contêm   obtêm   intervêm   provêm

Acentuam-se as **oxítonas** terminadas em **a, e, o, em**, seguidas ou não de **s**.

Acentuação das paroxítonas

A maioria das palavras da língua portuguesa é paroxítona e a maior parte delas não é acentuada.

Leia, novamente, a **Lista 2**, ao lado.

LISTA 2
MESAS, ÁLBUM,
BALDE, INCRÍVEL,
TÁXI, BÊNÇÃO, COLO,
ÍMÃ, VÍRUS, LÁPIS

Cibele Queiroz

As paroxítonas terminadas em **a, e** e **o** não recebem acento gráfico, mas as que terminam em **i, is** e **us** são acentuadas.

Além disso, as paroxítonas recebem acento gráfico agudo ou circunflexo quando terminam em:

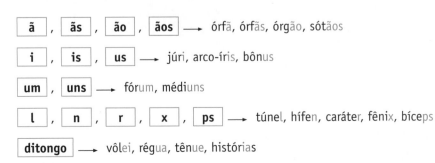

ã , ãs , ão , ãos	→ órfã, órfãs, órgão, sótãos
i , is , us	→ júri, arco-íris, bônus
um , uns	→ fórum, médiuns
l , n , r , x , ps	→ túnel, hífen, caráter, fênix, bíceps
ditongo	→ vôlei, régua, tênue, histórias

No texto abaixo, foram destacadas as palavras paroxítonas terminadas em ditongo. Leia-o:

"Você sabia?

As peças mais antigas que o homem criou para proteger seus pés foram as sandálias. Os egípcios as inventaram há mais de cinco mil anos."

(Marcelo Duarte. *Almanaque Saraiva*, ano 3, n. 27, jul. 2008, p. 18.)

Acentuam-se as **paroxítonas** terminadas em **ã, ão, i, um** e **ditongo**, seguidas ou não de **s** e, também, as terminadas em **us, l, r, n, x** e **ps**.

Acentuação das proparoxítonas

Agora, vamos voltar às palavras da **Lista 3**, ao lado, observando a sílaba tônica na sua leitura.

A sílaba tônica é sempre a antepenúltima em todas essas palavras que são proparoxítonas. E todas as proparoxítonas, sem exceção, devem ser acentuadas, qualquer que seja a sua terminação.

Observe, a seguir, o emprego que o escritor Elias José fez das palavras proparoxítonas ao escrever o seu poema:

LISTA 3
LÂMPADA, ATLÂNTICO, GÊNERO, CENTÉSIMO, TÍMIDO, SÍSMICO, GEOLÓGICA, ARQUEÓLOGO, JÚPITER, MÚLTIPLO

As ciências do amor

Com você eu vivo:

uma perfeita reação química,
uma estranha equação matemática,
uma lógica construção sintática,
alguns mágicos acidentes geográficos,
os maiores lances históricos,
a paixão de todos os estilos de época,
as metáforas mais afetivas,
as fascinantes descobertas biológicas,
a beleza das formas geométricas,
toda a linguagem da informática.

Você e eu somos a ciência
do amor.

(Elias José. *Amor adolescente*, 5. ed., São Paulo, Atual, 2003, p. 26.)

Acentuam-se **todas** as palavras proparoxítonas.

Acentuação dos monossílabos

Você já sabe que os monossílabos podem ser **tônicos** ou **átonos**. Os monossílabos átonos não são acentuados. Vamos verificar agora, entre os tônicos, quais devem ser acentuados graficamente.

Observe a **Lista 4** ao lado, com exemplos de monossílabos tônicos.

Entre os monossílabos tônicos, todos os que terminam em **a**, **e**, **o** são acentuados, e os que terminam em **i**, **u** ou **consoante** não devem ser acentuados.

LISTA 4
SAL, DÁ, PÉ, COR
COM, VI, PÓ, NU

Cibele Queiroz

ATENÇÃO!

Recebe acento circunflexo a 3ª pessoa do plural do presente do indicativo dos verbos **ter** e **vir**.

eles têm   eles vêm

Fernando Gonsales

Observe que lá e dê, no primeiro quadrinho, recebem acento gráfico, pois são monossílabos tônicos terminados em **a** e **e**, respectivamente.

Veja, então, qual é a regra para a **acentuação dos monossílabos tônicos**:

1 Devem ser acentuados aqueles terminados em:

| a |, | as | ⟶ já, pás | e |, | es | ⟶ fé, mês | o |, | os | ⟶ nó, pôs

2 Não devem ser acentuados aqueles terminados em:

| i | ⟶ li, ri | u |, | us | ⟶ eu, tu, cru, crus

| consoante | ⟶ mel, tom, bar, mar, dor

ATENÇÃO!

Recebem acento gráfico as formas verbais que, combinadas com pronomes oblíquos, acabam compondo um monossílabo tônico.

dá-los ↓ monossílabo tônico terminado em **a**

tê-las ↓ monossílabo tônico terminado em **e**

pô-los ↓ monossílabo tônico terminado em **o**

Acentuação de hiatos e ditongos

Vamos ver como proceder com a acentuação nos casos de palavras com **hiato**, em que duas vogais aparecem lado a lado, e com **ditongo**, em que aparecem vogais e semivogais.

Observe:

sa	í

hiato
(vogal + vogal)

sai

ditongo
(vogal + semivogal)

Observe que, em saí, a vogal **i**, que faz parte do hiato, é tônica, está isolada e é acentuada graficamente. Já na palavra sai, há um ditongo, sem acento gráfico.

Leia, a seguir, outras palavras em que há também hiatos e ditongos. Observe que nem todas são acentuadas graficamente:

Lista 5 — Ditongos
rai-va
á-reas
flau-ta
di-re-to-ria
gra-tui-to
ge-rais
tro-féu
ne-ces-sá-rio

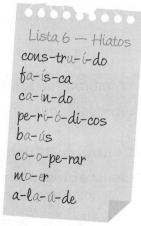

Lista 6 — Hiatos
cons-tru-í-do
fa-ís-ca
ca-in-do
pe-rí-ó-di-cos
ba-ús
co-o-pe-rar
mo-er
a-la-ú-de

Ilustrações: Marcos Guilherme

Os hiatos das palavras construído e alaúde são acentuados porque o **i** e o **u**, respectivamente, formam sílabas sozinhos. Veja:

cons-tru-í-do   a-la-ú-de

Ainda na **Lista 6**, temos as palavras faísca e baús. Em ambos os casos, também se trata das letras **i** e **u** formando sílabas sozinhas, mas agora seguidas de **s**.

fa-ís-ca   ba-ús

> Acentuam-se o **i** e o **u** tônicos dos hiatos quando sozinhos na sílaba ou seguidos de **s**.

OBSERVAÇÃO

O **i** e o **u** tônicos dos hiatos não são acentuados:

1. quando a sílaba seguinte possui o dígrafo **nh**.

ra-i-**nh**a   ba-i-**nh**a   mo-i-**nh**o

2. quando seguidos de **l**, **m**, **n**, **r**, **z**, na mesma sílaba.

pa**ul**   ru**im**   contribu**in**te   retribu**ir**   ju**iz**

3. nas palavras paroxítonas precedidas de ditongo decrescente.

f**ei**-u-ra   b**ai**-u-ca

A respeito da acentuação do ditongo, pronuncie separadamente as palavras das colunas das duas listas a seguir e observe as diferenças.

Lista 7

coluna 1	coluna 2
lençóis	foi
céu	meu
pastéis	meia

Lista 8

coluna 1	coluna 2
a-néis	as-sem-blei-a
he-rói	he-roí-co
sóis	pa-ra-noi-co

Ilustrações: Marcos Guilherme

Comparando os ditongos das duas colunas da **Lista 7**, constatamos que, na primeira, os ditongos têm som aberto e, na segunda, têm som fechado. Essa diferença é marcada pelo acento gráfico agudo nos vocábulos com ditongo aberto.

Veja outros exemplos:

chapéu   fiéis   constrói

Agora observe a diferença entre as palavras das duas colunas da **Lista 8**. Em ambas as colunas, os ditongos são abertos e tônicos, mas, na primeira, encontramos palavras oxítonas ou monossílabas tônicas e, na segunda, paroxítonas. Segundo o Acordo Ortográfico de 1990, só se acentuam os ditongos abertos em palavras oxítonas ou monossílabas tônicas.

Leia a frase:

O fato de ele ter agido heroicamente hoje não o torna, necessariamente, um eterno herói.

O ditongo aberto **ói** aparece nas duas palavras em destaque, mas apenas herói é acentuada graficamente por ser oxítona.

> Acentuam-se os ditongos tônicos abertos **ói**, **éu**, **éi** nas palavras oxítonas e monossílabas tônicas.

Acento diferencial

O acento diferencial existe em algumas palavras da língua portuguesa e não se justifica pelas regras de acentuação gráfica comuns. Antigamente, ele era usado, de modo geral, para marcar uma diferença de pronúncia entre vogais abertas e fechadas.

Segundo o novo Acordo Ortográfico, o acento diferencial permanece apenas em duas formas verbais:

- **pôde** (pretérito perfeito do indicativo do verbo **poder**) recebe acento circunflexo para diferenciar-se de **pode** (presente do indicativo);
- **pôr** (forma verbal) em oposição a **por** (preposição).

75

1 No texto a seguir, foram omitidos os acentos gráficos. Escreva-o corretamente, acentuando graficamente as palavras quando for necessário:

Show de bola

Exposição sobre a carreira de Pelé no Museu do Futebol.

O estadio do Pacaembu, em São Paulo, ganha atração dedicada a paixão nacional

O primeiro museu futebolistico do Brasil poderia ter o adjetivo "tecnologico" no nome. Seus visitantes terão a oportunidade de percorrer atrações interativas, assistir a seis horas de videos e ver 1.442 fotos (...) no Estadio do Pacaembu.

O Museu do Futebol tambem se diferencia dos demais por outras caracteristicas peculiares. Sua arquitetura e incomum: ele e o primeiro museu a ser feito embaixo da arquibancada de um estadio. Além disso, "como ele não e um museu de objetos, mas de instalações multimidia, esse conteudo pode ser trocado", explica o diretor de arte Jair de Souza.

A forma como a tecnologia e empregada tambem merece destaque, como ressalta Peter Lindiquist, coordenador e consultor do projeto tecnologico. "O sincronismo entre as telas e os projetores faz com que uma imagem fale com a outra", diz. Segundo ele, todo o conteudo relaciona esporte e o contexto brasileiro. "Nenhum outro museu de futebol associa seu conteudo com a vida e a cultura. Aqui, isso e muito unido", diz.

(Revista *Galileu*, out. 2008, p. 13.)

Para responder às questões **2** e **3**, leia o texto a seguir sobre a criação coletiva de uma história na internet.

Criação coletiva

O escritor José Roberto Torero costurou uma historia engraçada com a ajuda de muitos alunos. Juntos, eles fizeram Lobo Mau e sua turma pegar firme no batente. Logo depois da estreia do *blog* Escrevendo com... no *site* de NOVA ESCOLA (www.novaescola.org.br), no inicio de junho, uma sugestão foi enviada e a ela se seguiram mais de 800, divertidissimas e recheadas de ideias mirabolantes, a fim de ajudar Torero a escrever a historia dos vilões da R.U.I.M. A participação dos leitores foi decisiva para determinar o rumo do conto, desenvolvido durante pouco mais de um mes, semanalmente, em tres partes intermediarias mais uma final. "No começo, eu pensava que a disputa das eleições seria

Marcos Guilherme

com politicos reais, mas alguns internautas sugeriram que os herois entrassem na historia. A invenção deles era tão divertida que ai apareceram Chapeuzinho Vermelho e os outros mocinhos", diz Torero, que viu a historia caminhar livremente com o auxilio das crianças. Elas sugeriram o assalto ao Banco Central para angariar fundos eleitorais, mas o plano foi substituido por muitos outros, mais honestos e engraçados: os vilões foram trabalhar — e quase todas as ocupações foram pensadas pelos alunos. Juan Carrilho, da 5ª serie da EE Ministro Alcindo Bueno de Assis, em Bragança Paulista, a 90 quilometros de São Paulo, por exemplo, enviou varias ideias, prontamente incorporadas ao conto: Freddy Krueger venderia sonhos, a madrasta da Branca de Neve, maçãs, e o Coringa, dentaduras tamanho GGG. Ja o papel de chofer de taxi para Dick Vigarista foi sugerido por Luiz Guilherme de Miranda Carneiro Neto e Nicollas de Almeida Araciro, alunos do 4º ano do Instituto de Aplicação Fernando Rodrigues da Silveira, em Nova Iguaçu, na Baixada Fluminense. A colaboração foi fruto de uma atividade desenvolvida pela professora Marliza Bodê de Moraes, que trabalhou leitura, produção textual coletiva e revisão com a turma. "Todos soltaram a imaginação e aprenderam a construir textos sem repetir palavras, por exemplo. Mesmo com o final da historia publicado, vamos seguir desenvolvendo nosso texto", afirma Marliza.

(José Roberto Torero. Revista *Nova Escola*, ago. 2008, p. 69.)

2 Foram retirados os acentos gráficos de algumas palavras do texto. Distribua essas palavras nos grupos abaixo, acentue-as corretamente e justifique cada acentuação.

a) oxítonas

b) proparoxítonas

c) paroxítonas

d) monossílabos

e) hiatos

3 Neste capítulo, foi usada a expressão **acentuação gráfica** e não simplesmente "acentuação", pois todas as palavras com mais de uma sílaba possuem uma sílaba tônica. Em vista disso, justifique por que as palavras abaixo, retiradas do texto, não são acentuadas graficamente.

a) ideias

b) conto

c) final

d) diz

4 Pronuncie pausadamente as seguintes palavras: **sábia**, **sabia** e **sabiá**. Copie o quadro abaixo, preencha-o com o significado de cada uma e dê a regra aplicada na sua acentuação gráfica.

	Significado	Regra de acentuação
sábia		
sabia		
sabiá		

Marcos Guilherme

5 Encontre, no caça-palavras, as cinco palavras que deveriam ter sido acentuadas de acordo com a regra abaixo. Depois, copie-as, fazendo a correção.

Acentuam-se o **i** e o **u** tônicos dos hiatos quando sozinhos na sílaba ou seguidos de **s**.

```
A  C  R  O  D  B  I  C  I  C  L  E  T  A  E
D  C  I  J  U  O  L  E  S  A  J  U  I  Z  A
G  I  A  J  N  I  M  R  A  M  A  C  H  O  A  N
T  R  C  U  R  T  T  B  I  A  V  O  L  P  N  V
U  U  H  I  E  E  O  A  D  R  R  L  U  I  Z
B  S  O  Z  U  B  L  R  A  I  N  H  A  O  O
I  A  T  E  O  V  N  I  C  A  I  P  I  R  A  A
L  R  F  S  P  I  U  D  T  A  L  I  T  A  C
O  E  E  N  G  J  L  I  N  D  A  Z  U  M  O
S  C  V  M  H  G  S  U  I  S  Q  U  E  A  R
R  M  A  U  R  O  T  C  J  U  I  Z  L  C  O
R  J  M  I  N  H  O  C  A  N  D  A  E  I  I
N  M  E  L  A  N  C  I  A  M  I  R  I  A  N
A  J  R  E  I  H  A  E  X  E  T  H  T  X  H
U  L  I  G  R  A  U  D  O  B  S  U  E  C  A
```

6 Na tira ao lado, falta o acento gráfico em algumas palavras. Localize-as e faça a correção, explicando a regra de acentuação que se aplica a cada caso.

Adão Iturrusgarai

7 Leia com atenção o texto abaixo:

A loira do banheiro

Não há lugar mais assustador do que o banheiro da escola para uma assombração se esconder. Pois é lá mesmo que mora a loira do banheiro; daí seu nome esquisito.

A loira é uma mulher de aspecto fantasmagórico, que tem algodão na boca e no nariz e está sempre vestida de branco.

É mais comum aparecer no banheiro das meninas; porém, apenas se uma delas entrar ali sozinha.

Além disso, dizem que para vê-la é preciso chamá-la, dizendo: "loira um, loira dois, loira três!" ou apertando a descarga três vezes — mas tem que ser na última cabine.

Sua imagem surge presa no espelho, e corre um boato de que é para lá que ela leva os alunos. (Porém, é mesmo só um boato... Sabe como é, assombrações gostam de exagerar.)

(Luciana Garcia. *O mais misterioso do folclore*, 3. ed., São Paulo, Caramelo, 2004, p. 26.)

Cibele Queiroz

Com base nas regras de acentuação gráfica estudadas neste capítulo, localize as palavras pedidas:

a) proparoxítona trissílaba

b) oxítona que possui dígrafo

c) monossílabo tônico terminado em **a**

d) paroxítona que tem encontro consonantal formado por **r**

e) oxítona terminada em hiato com **i** tônico

f) proparoxítona polissílaba

g) monossílabo tônico terminado em **e** ou **es**

h) oxítona terminada em **a**, seguida de pronome átono

i) paroxítona que possui dígrafo

j) oxítona terminada em **em**

k) oxítona terminada em vogal nasal

l) paroxítona com ditongo

8 Leia as resenhas dos livros a seguir, conforme aparecem no catálogo da Editora Saraiva. Retirou-se o acento gráfico de algumas palavras que seguem a mesma regra de acentuação. Encontre essas palavras, corrija-as e explique por que elas devem ser acentuadas.

O ENIGMA DOS 7 DRAGÕES DOURADOS

Alberto Beuttenmüller
Ilustrações: Cecília Iwashita

Misterio e aventura envolvendo
as antigas culturas oriental
e maia e os valores ocidentais

Um velho sabio japonês, pertencente a uma sociedade secreta, desaparece misteriosamente de sua casa, no bairro paulistano da Liberdade. Para desvendar o misterio, entra em cena um jovem detetive de 15 anos, Eric Majestic, que, depois de uma longa aventura, descobre um antigo segredo da civilização maia, em Uxmal, México.

SENDO O QUE SE É

Roberto Jenkins de Lemos
Ilustrações: Marcelo Martins

Meninos de realidades sociais
diferentes se unem para escapar
de sequestro

Geraldo tem pais ricos e nenhuma preocupação financeira ou quanto a seu proprio futuro. Tudo vai bem até que alguns bandidos tentam sequestrá-lo. Nessa hora, o acaso coloca Rogerio, um garoto que trabalha na quitanda da familia, e Neco, que vive nas ruas, a seu lado. Juntos, os três fogem dos bandidos.

NA MESMA SINTONIA

Diana Noronha
Ilustrações: César Landucci e Paula Delecave

De ferias no Brasil, Silvia descobre que
outras coisas além da música
tocam seu coração

Silvia é alemã, filha de mãe gaúcha. Quando vem passar as ferias no Brasil, entra em contato com uma cultura diferente. No período de transformações naturais caracterizado pela adolescencia, Silvia, que toca saxofone e é amante da música, aprende a escutar mais seu coração.

(*Catálogo de Literatura Juvenil*, Saraiva, 2009, p. 57, 63, 71.)

9 Em cada frase a seguir, há algumas palavras em destaque com a mesma terminação. Entretanto, só uma delas deve ser acentuada. Escreva corretamente a palavra que recebe acento gráfico e justifique a sua resposta.

a) **Ninguem** viu a **nuvem** negra que se aproximava.

b) Naquela cidade **reina** a maior desordem; ela é agora uma **ruina** do que foi.

c) Trouxe esse livro **por** causa do seu aniversário. Você pode **por** esse presente na sua estante?

d) O homem tirou o **chapeu** e olhou para o **meu** tio interrogativamente.

e) A sua **paciencia** se **evidencia** no trato com as crianças.

10 Leia estas palavras:

anel   papel   lençol   carretel

a) Passe-as para o plural.

b) Explique a alteração que ocorre nessas palavras no que se refere à acentuação gráfica.

11 Agora responda:

a) A palavra **raiz** não é acentuada, mas **raízes** leva acento. Por quê?

b) Que outra palavra apresenta característica semelhante à de **raiz**?

c) Na cidade de São Paulo, existe uma grande avenida chamada Pacaembu. Em algumas placas, essa palavra aparece erroneamente acentuada (**Pacaembú**). Qual é o problema com essas placas?

d) A palavra **baú** leva acento. Pensando no termo **Pacaembu**, justifique a diferença.

e) Há situações em que se usa a palavra **secretária**, e outras em que se usa **secretaria**. Explique a diferença entre elas.

f) Dê mais dois exemplos semelhantes ao item **e**.

Morfologia

Estrutura das palavras

Elementos mórficos

As palavras podem ser divididas em pequenas partes que têm significados. Assim como os **fonemas** — que são a menor parte sonora capaz de estabelecer significado —, a palavra escrita também tem a sua divisão.

Leia este texto que fala sobre a quase extinção de uma língua:

Para salvar um idioma
O ensino bilíngue incentivou a produção do dicionário cultural mỹky

Depois de séculos de influência dos brancos — desde a chegada dos portugueses, em 1500 —, a cultura e os costumes indígenas encontram grande dificuldade para sobreviver. A necessidade crescente de atuar no mundo civilizado provocou a entrada da língua portuguesa nas aldeias e, muitas vezes, a redução do uso de seus próprios idiomas, que, pela falta de registro, podem desaparecer. Na tentativa de contribuir para a não extinção da língua *mỹky*, falada por uma pequena tribo do noroeste do Mato Grosso, missionários e linguistas iniciaram um processo de transformação da linguagem oral em escrita. Junto ao trabalho educacional, os índios recebem apoio em outras áreas, como saúde e economia.

Rodval Matias

O primeiro contato do povo *Mỹky* com a civilização ocorreu em 1971. Naquela época, eram apenas 23 pessoas vivendo em uma aldeia totalmente isolada da cidade. Atualmente, a tribo, que fica a 53 quilômetros de Brasnorte — pequeno município de madeireiras com cerca de 10 mil habitantes —, tem 47 mil hectares de área demarcada e já possui acesso aos aparatos da vida moderna. Em trinta anos, o povo passou por uma brusca mudança: saiu do uso do machado de pedra lascada para a era dos carros e armas de fogo.

(Thais Fernandes. *Ciência Hoje*, n. 183, p. 60.)

Observe a palavra língua destacada no texto. Ela aparece duas vezes, acompanhada das palavras **portuguesa** e *mỹky*.

No Capítulo 4, que trata de Ortografia, vimos que muitas palavras se formam a partir de outras. Essas palavras são chamadas **cognatas**, porque têm a mesma raiz. Veja que, no texto de abertura do capítulo, há palavras cognatas de língua:

bilíngue   linguistas   linguagem

Nessas palavras, há uma parte que não se modifica e que é a base do significado delas. Observe:

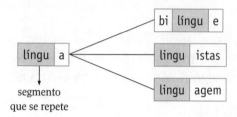

A esta parte que se repete — chamada radical — acrescentam-se outros elementos que permitirão formar novas palavras. Em uma família de palavras, o radical sempre está presente e se repete.

Os demais elementos podem indicar, por exemplo, gênero, número, quantidade, origem e negação e, também, participar da formação de verbos. Eles são denominados **morfemas**. Tanto os morfemas como o radical se relacionam com a estrutura das palavras, ou seja, com a maneira pela qual elas se formam.

Veja a estrutura, por exemplo, de linguistas:

Portanto, linguistas são as pessoas que trabalham com a língua, com o idioma. Relendo o texto, podemos nos certificar de que essa definição se encaixa perfeitamente:

"Na tentativa de contribuir para a não extinção da língua *mỹky*, falada por uma pequena tribo do noroeste do Mato Grosso, missionários e linguistas iniciaram um processo de transformação da linguagem oral em escrita."

> **Morfemas** são os elementos que formam uma palavra e lhe conferem um significado.

Classificação dos morfemas

Os **principais morfemas** que constituem uma palavra são: **radical**, **afixo**, **desinência** e **vogal temática**.

Radical

É a base do significado da palavra. Veja este exemplo do texto:

"Atualmente, a tribo (...) fica a 53 quilômetros de Brasnorte — pequeno município de madeireiras com cerca de 10 mil habitantes (...)"

empresa ou estabelecimento comercial
que se dedica à exploração industrial ou
comercial da madeira

Observe algumas palavras que se formam a partir do radical madeir-:

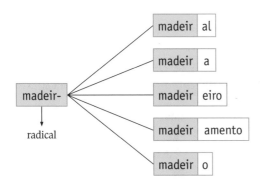

Madeiramento: estrutura ou armação de madeira.

A parte das palavras que se repete — isto é, o radical — constitui a sua base de significação e mostra que essas palavras pertencem à mesma família.

Afixo

É o elemento que se junta a um radical para formar outra palavra. O afixo classifica-se em:

• **prefixo** — quando aparece antes do radical.

bilíngue	influência	transformação
desaparecer	sobreviver	prever

• **sufixo** — quando aparece depois do radical.

crescente	vivendo	falada
atualmente	padeiro	sozinho

O prefixo e o sufixo podem aparecer ao mesmo tempo em uma palavra. Observe:

prefixo   radical   sufixo

OBSERVAÇÃO

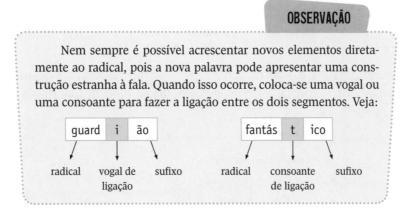

Nem sempre é possível acrescentar novos elementos diretamente ao radical, pois a nova palavra pode apresentar uma construção estranha à fala. Quando isso ocorre, coloca-se uma vogal ou uma consoante para fazer a ligação entre os dois segmentos. Veja:

85

Desinência

É o nome dado ao morfema que indica características gramaticais da palavra. A desinência pode ser:

- **nominal** — indica o gênero e o número nos substantivos, nos adjetivos e em certos pronomes. Observe as palavras retiradas do texto do início deste capítulo:

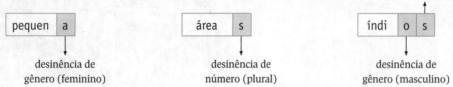

desinência de número (plural)

| pequen | a | | área | s | | índi | o | s |

desinência de gênero (feminino)   desinência de número (plural)   desinência de gênero (masculino)

- **verbal** — indica a flexão do verbo. Quando indica o número e a pessoa, é chamada de **desinência número-pessoal**; quando indica o modo e o tempo, é chamada de **desinência modo-temporal**. Veja o exemplo:

"(...) missionários e linguistas iniciaram um processo de transformação da língua oral em escrita."

inicia | ra | m → desinência número-pessoal (3ª pessoa do plural)

desinência modo-temporal
(pretérito perfeito do indicativo)

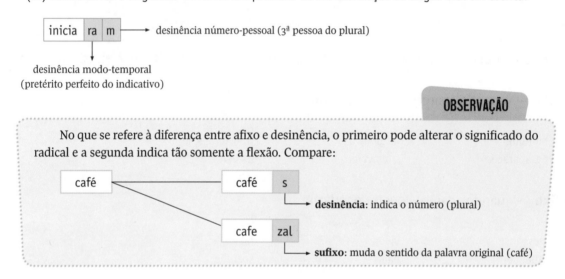

OBSERVAÇÃO

No que se refere à diferença entre afixo e desinência, o primeiro pode alterar o significado do radical e a segunda indica tão somente a flexão. Compare:

café ⟶ café | s

desinência: indica o número (plural)

cafe | zal

sufixo: muda o sentido da palavra original (café)

Vogal temática

É o elemento que prepara o radical de uma palavra para receber as desinências. A vogal temática aparece em verbos, substantivos e adjetivos. Observe:

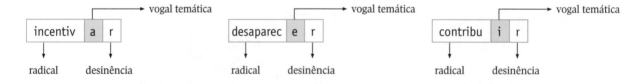

vogal temática

| incentiv | a | r |

radical   desinência

vogal temática

| desaparec | e | r |

radical   desinência

vogal temática

| contribu | i | r |

radical   desinência

Nesses exemplos, as vogais **a**, **e**, **i** permitem a ligação entre o radical e a desinência verbal **r**.

Para a construção de outras formas verbais, a desinência é modificada, mas a vogal temática e o radical permanecem. Veja:

vogal temática

| incentiv | a | ram |

radical   desinência verbal

vogal temática

| desaparec | e | ndo |

radical   desinência verbal

vogal temática

| contribu | í | ste |

radical   desinência verbal

Nos verbos, portanto, é a vogal temática que caracteriza a conjugação verbal. Veja:

incentiv**ar**
us**ar**
tent**ar**
inici**ar**
} vogal temática **a**

cresc**er**
pod**er**
desaparec**er**
sobreviv**er**
} vogal temática **e**

contribu**ir**
reduz**ir**
extingu**ir**
possu**ir**
} vogal temática **i**

Na língua portuguesa, temos três conjugações:

- **1ª conjugação** — verbos com vogal temática **a**;
- **2ª conjugação** — verbos com vogal temática **e**;
- **3ª conjugação** — verbos com vogal temática **i**.

Nos nomes, a vogal temática ocorre em substantivos e adjetivos terminados em **a**, **e**, **o** átonos e em derivados de verbo. Observe os exemplos:

OBSERVAÇÃO

Existe uma exceção no que se refere às vogais temáticas e às respectivas conjugações verbais: trata-se do verbo pôr e de seus derivados (antepor, repor, transpor etc.), que pertencem à 2ª conjugação. Isso acontece porque esses verbos derivam de **poer** — antiga forma verbal cuja vogal temática era **e**.

| escrit | **a** | | noroest | **e** | | sécul | **o** | | ext | **i** | nção |

vogal temática · vogal temática · vogal temática · vogal temática

O conjunto formado pelo radical mais a vogal temática é chamado **tema**. Observe:

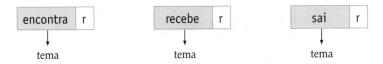

| encontra | r | | recebe | r | | sai | r |

tema · tema · tema

Para encontrarmos o tema de um verbo, é preciso eliminar o **r** da forma infinitiva. Agora observe estas palavras analisadas em toda a sua estrutura:

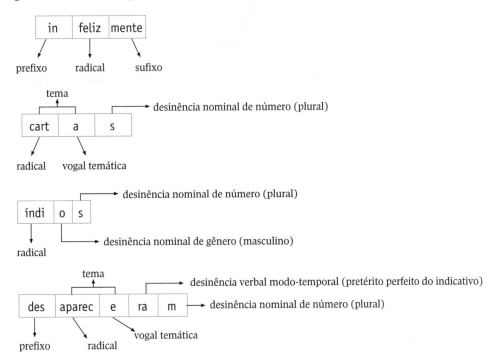

| in | feliz | mente |

prefixo · radical · sufixo

tema

desinência nominal de número (plural)

| cart | a | s |

radical · vogal temática

desinência nominal de número (plural)

| índi | o | s |

desinência nominal de gênero (masculino)

radical

tema

desinência verbal modo-temporal (pretérito perfeito do indicativo)

| des | aparec | e | ra | m |

desinência nominal de número (plural)

prefixo · radical · vogal temática

Radicais

A significação básica de uma palavra está no radical. A origem da maior parte dos radicais da língua portuguesa é grega ou latina. O latim era falado pelos romanos, quando conquistaram, entre outras, a região em que hoje se localiza Portugal.

Com o passar dos séculos, os vocábulos latinos sofreram grandes modificações até chegarem a nós, e, muitas vezes, é difícil conhecer a sua procedência. A "história" de uma palavra, bem como as transformações por ela sofridas ao longo do tempo, é estudada pela **Etimologia**. Essa ciência apoia-se em pesquisas cuidadosas e procura estabelecer a origem das palavras, sempre que isso é possível.

É importante conhecer o significado de alguns radicais de origem grega e latina, pois eles aparecem com frequência em diversas palavras da língua portuguesa, principalmente na linguagem científica.

Leia os exemplos abaixo:

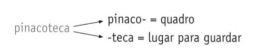

Após o roubo, a Pinacoteca de SP abre nova exposição

Com o calor, pediatra alerta para o risco de insolação

As palavras pinacoteca e pediatra são formadas por radicais gregos. Veja:

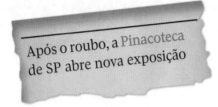

Delfim Martins/Pulsar Imagens

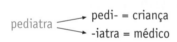

Jose L. Pelaez/Corbis/LatinStock

Assim como as palavras acima, muitas outras foram criadas a partir dos radicais gregos e latinos. Esses radicais também podem ser combinados com outros elementos, como **sufixos** e **prefixos**.

Veja, a seguir, como os radicais são usados na formação de palavras.

1 Podem ser o primeiro elemento da palavra:

2 Podem ser o segundo elemento da palavra:

Vamos conhecer alguns radicais gregos e latinos e os seus significados.

Radicais gregos (1º elemento)

Radical	Sentido	Exemplos
acro-	alto	acrobata, acrofobia
aero-	ar	aeronauta, aeronave
agro-	campo	agronomia
alo-	outro	alomorfe (outra forma)
andro-	homem	androfobia
anemo-	vento, sopro	anemômetro
antropo-	homem	antropófago
aritmo-	número	aritmética
aristo-	melhor	aristocracia
arqueo-	antigo	arqueologia
artro-	articulação	artrose
astro-	astro	astronomia
atmo-	ar	atmosfera
auto-	próprio	autobiografia
baro-	peso, pressão	barômetro
biblio-	livro	biblioteca
bio-	vida	biografia
bleno-	muco	blenorragia
bromato-	alimento	bromatólogo
bronto-	trovão	brontofobia
caco-	mau	cacografia, cacófato
cardio-	coração	cardiologia
cefalo-	cabeça	cefalgia, acéfalo
ciste-	bexiga	cistite (inflação da bexiga)
cito-	célula	citologia
coreo-	dança	coreografia (arte da dança)
cosmo-	mundo	cosmologia
cranio-	crânio	craniometria
cromo-	cor	cromofobia (estado ou condição do que é refratário ao tingimento)
crono-	tempo	cronômetro
datilo-	dedo	datilografia
deca-	dez	decálogo, décuplo
demo-	povo	democracia
dermato-	pele	dermatologia
dico-	em duas partes	dicotomia
dinamo-	força	dinamômetro, dinâmico
dolico-	comprido	dolicocéfalo (que tem cabeça comprida)
enea-	nove	eneassílabo
eno-	vinho	enólogo
entero-	intestino	enterologia
ergo-	trabalho	ergofobia
eroto-	amor	erotofobia
esteto-	peito	estetoscópio
etno-	povo	etnografia

Astronomia (*astro* = astro; *nomia* = lei, regra): ciência que trata da constituição, da posição e dos movimentos dos astros.

Cronômetro (*crono* = tempo; *metro* = que mede): instrumento usado para medir intervalos de tempo com precisão.

Radical	Sentido	Exemplos
filo-	folha	filófago
filo-	amigo, amante	filósofo
fisio-	natureza	fisiologia
fito-	planta	fitologia
flebo-	veia	flebite
fono-	som, voz	fonologia
foto-	luz	fotografia
freno-	mente	frenologia
gamo-	casamento, união	gamologia
gastro-	estômago	gastronomia
geneo-	origem	genética
geo-	terra	geologia
geronto-	velho	gerontologia
gineco-	mulher	ginecologia
glico-	doce	glicose
gloto-	língua	glotologia
helio-	sol	heliografia
hemo-	sangue	hemograma
hendeca-	onze	hendecágono (de onze ângulos)
hepta-	sete	heptassílabo
hetero-	outro	heterogêneo
hexa-	seis	hexágono
hidro-	água	hidrografia
hiero-	sagrado	hierografia (descrição das coisas sagradas)
higro-	úmido	higrômetro
hipno-	sono	hipnotismo (sono provocado)
hipo-	cavalo	hipopótamo
histo-	tecido	histologia
homo-	igual	homófono
icono-	figura, imagem	iconoclasta (que destrói imagens)
icosa-	vinte	icoságono
ictio-	peixe	ictiologia
idio-	próprio	idiossincrasia
idolo-	imagem	idolatria
lexico-	palavra	lexicógrafo (autor de dicionário)
lito-	pedra	litografia
macro-	grande	macróbio
megalo-	grande	megalomaníaco
melo-	canto	melodrama
meso-	meio	mesóclise
metro-	medida	metrônomo
micro-	pequeno	micróbio
mio-	músculo	miotomia
mito-	fábula, mentira	mitologia
mnemo-	memória	mnemônica (arte de educar a memória)
mono-	um	monarca, monólogo

Filófago (*filo* = folha; *fago* = que come): que se alimenta de folhas.

Ictiologia (*ictio* = peixe; *logia* = estudo): parte da zoologia que estuda os peixes.

Mitologia (*mito* = fábula, mentira; *logia* = estudo): conjunto das fábulas ou lendas específicas de um povo ou uma civilização.

Radical	Sentido	Exemplos
necro-	morto	necrotério
nefro-	rim	nefrite
neo-	novo	neologia
neuro-	nervo	neurologia
nevro-	nervo	nevralgia
noso-	doença	nosomania
octo-	oito	octaedro
odonto-	dente	odontologia
ofio-	cobra	ofiofagia (hábito de se alimentar de serpentes)
oftalmo-	olho	oftalmologia
oligo-	pouco	oligarquia (governo de poucas pessoas)
oniro-	sonho	oniromancia (adivinhação pela interpretação dos sonhos)
ornito-	pássaro	ornitologia
orto-	correto	ortografia
oto-	ouvido	otite
paleo-	antigo	paleontologia
pato-	sofrimento	patologia
pedi-	criança	pediatra, pedagogo
penta-	cinco	pentágono
pinaco-	quadro	pinacoteca
piro-	fogo	pirotecnia
pleuro-	pulmão (costas)	pleurisia
pluto-	riqueza	plutocracia (governo de homens ricos)
pneumo-	pulmão	pneumologia
poli-	muito	poligamia
proto-	primeiro, principal	protótipo, protagonista
pseudo-	falso	pseudônimo
psico-	alma	psicologia
quiro-	mão	quiromancia
rino-	nariz	rinoceronte, rinite
rizo-	raiz	rizotônico
sacaro-	açúcar	sacarologia
sarco-	carne	sarcófago
seleno-	lua	selenomancia
semio-	sinal	semiologia
sismo-	abalo	sismógrafo
somato-	corpo	somatologia
tafo-	sepulcro	tafofobia (medo de ser sepultado vivo)
tanato-	morte	tanatofobia (horror à morte)
tecno-	arte	tecnologia
tele-	longe	telefone
teo-	deus	teologia

Filipe Rocha

Ornitologia (*ornito* = pássaro; *logia* = estudo): parte da zoologia que estuda as aves.

Radical	Sentido	Exemplos
termo-	calor	termômetro
tetra-	quatro	tetracampeonato
tipo-	figura	tipografia
topo-	lugar	topografia
traumato-	ferimento	traumatologia
tri-	três	trissílabo
trico-	pelo, cabelo	tricologia
urano-	céu	uranografia
uro-	urina	urologia
xeno-	estrangeiro	xenofobia
xilo-	madeira	xilogravura
zoo-	animal	zoologia

Filipe Rocha

Uranografia (*urano* = céu; *grafia* = escrita): parte da astronomia que trata das descrições do céu por meio de mapas celestes.

Radicais gregos (2º elemento)

Radical	Sentido	Exemplos
-agogo	condutor	pedagogo (antigamente, escravo que acompanhava as crianças à escola)
-algia	dor	nevralgia
-arca	que comanda	monarca
-artria	articulação	disartria
-clasta	destruidor	iconoclasta
-cômio	habitação	manicômio
-cracia	poder	burocracia
-doxo	que opina	ortodoxo
-dromo	lugar para correr	hipódromo
-edro	face	poliedro
-fago	que come	antropófago
-filia	amizade	bibliofilia
-fobia	temor	hidrofobia
-foro	que conduz	fósforo
-gamia	casamento	poligamia
-gêneo	que gera	heterogêneo
-gono	ângulo	polígono
-grafia	escrita	ortografia
-grama	escrito	telegrama
-grama	peso	quilograma
-iatra	médico	pediatra
-latria	culto	idolatria
-logia	estudo	teologia
-mancia	adivinhação	quiromancia
-mano	louco	bibliômano (que sofre de bibliomania, mania de comprar ou colecionar livros)

Filipe Rocha

Bibliofilia (*biblio* = livro; *filia* = amizade): amor aos livros; costume de colecionar livros.

Filipe Rocha

Pediatra (*pedi* = criança; *atra* = médico): médico especialista no atendimento a crianças.

Radical	Sentido	Exemplos
-metro	que mede	hidrômetro
-morfo	com a forma de	polimorfo
-nomia	lei, regra	agronomia
-ônimo	nome	homônimo
-opia	vista	disopia
-orama	visão	panorama
-peia	elaboração	farmacopeia
-pepsia	digestão	dispepsia
-plastia	modelagem	rinoplastia
-pneia	respiração	dispneia
-polis (pole)	cidade	metrópole
-ptero	asa	helicóptero
-ragia	derramamento	hemorragia
-reia	fluxo	piorreia (escoamento de pus)
-scopia	ato de ver	microscopia
-sofia	sabedoria	filosofia
-stico	verso	acróstico
-teca	lugar para guardar	discoteca
-terapia	cura	fisioterapia
-tomia	divisão	dicotomia
-tono	tom	monótono

Radicais latinos (1º elemento)

Radical	Sentido	Exemplos
agri-	campo	agricultura
ali-	asa	alípede (que tem asas nos pés)
api-	abelha	apicultor
arbori-	árvore	arborícola
armi-	arma	armífero
avi-	ave	avicultura
beli-	guerra	beligerância
bene-	bem	benefício
calori-	calor	calorífero
carni-	carne	carnívoro
centri-	centro	centrífugo
cruci-	cruz	crucifixo
cunei-	cunha	cuneiforme
denti-	dente	dentiforme
equi-	igual	equidistante
fili-	filho	filiação
fili-	fio	filiforme
horri-	horrível	horríssono (que faz um som pavoroso)
igni-	fogo	ignívomo
infanti-	criança	infantilidade
magni-	grande	magnificência

Filipe Rocha

Apicultor (*api* = abelha; *cultor* = que cria ou cultiva): aquele que cria abelhas.

Radical	Sentido	Exemplos
matri-	mãe	madrinha
multi-	muito	multiforme
nocti-	noite	noctívago
olei-, oleo-	óleo	oleígeno, oleoduto
oni-	todo	onipotência
pedi-	pé	pedilúvio (banho dos pés com fins terapêuticos)
pisci-	peixe	piscicultura
pluri-	mais	pluriforme
quadri-, quadru-	quatro	quadrimotor, quadrúpede
reti-	direito	retilíneo
reti-	rede	retiforme
sui-	a si mesmo	suicídio
tri-	três	tricampeonato
uni-	um	uníssono
uxori-	esposa	uxorilocalidade (costume segundo o qual, após o matrimônio, os cônjuges vão viver na casa da mulher, ou na mesma povoação)
vermi-	verme	vermífugo
vini-	vinho	vinicultura

Oleoduto (*oleo* = óleo; *ducto* = duto, estrutura tubular): tubulações para conduzir petróleo ou seus derivados líquidos a grandes distâncias.

Radicais latinos (2º elemento)

Radical	Sentido	Exemplos
-cida	que mata	herbicida
-cola	que cultiva ou habita	arborícola
-cultura	ato de cultivar	apicultura
-fero	que contém ou produz	aurífero
-fico	que faz ou produz	benéfico
-forme	em forma de	aciforme (em forma de agulha)
-fugo	que foge ou faz fugir	vermífugo
-gena	nascido em	alienígena
-gero	que contém ou produz	calorígero
-loquo	falante com	ventríloquo
-paro	que produz	ovíparo
-pede	pé	velocípede
-sono	que soa	uníssono
-vago	que vaga	altívago (que vaga no espaço)
-vomo	que expele	fumívomo
-voro	que come	carnívoro

Fumívomo (*fumi(o)* = fumaça; *vomo* = que expele): que lança fumaça.

Prefixos

O estudo da estrutura das palavras completa-se com o exame dos prefixos e sufixos que contri-buem para a formação de palavras. Temos, na língua portuguesa, prefixos tanto de origem grega como latina, e cada um deles tem um significado próprio. Observe:

prefixo grego que indica "excesso" ← | hiper | mercado |

prefixo latino que indica "negação" ← | im | perfeito |

Conheça alguns desses prefixos e a sua significação.

Prefixos gregos

Prefixo	Sentido	Exemplos
a-, an-	privação, negação	anarquia, ateísmo
ana-	repetição, separação	anáfora, anatomia
anfi-	ao redor de, duplicidade	anfiteatro, anfíbio
anti-	contra	antiaéreo, anti-higiênico
apo-	afastamento	apogeu
arce-, arqui-	superior a	arcebispo, arquidiocese
cata-	para baixo	cataplasma
di-	duplicidade	ditongo
dia-	através de	diagonal, diafragma
dis-	dificuldade, afecção	disenteria, disartria (dificuldade na produção de fonemas)
endo-	posição interior	endoderma
epi-	posição superior, final	epiderme, epílogo
eu-	bem, perfeição	eufonia, eucaristia
ex-, exo-, ec-	movimento para fora	exportar, êxodo, ecletismo
hemi-	metade	hemisfério
hiper-	sobre, demais	hipertrofia
hipo-	sob, deficiência	hipotensão
meta-	além de, mudança	metafísica, metamorfose
para-	ao lado de	parapsicologia
peri-	ao redor de	perímetro
pro-	diante de	prólogo
sin-	reunião, combinação	sinfonia, sincrônico

Filipe Rocha

Hemisfério (*hemi* = metade; *fério* = esfera): metade de uma esfera, de qualquer corpo arredondado.

Prefixos latinos

Prefixo	Sentido	Exemplos
a-, ab-, abs-	afastamento	aversão, abdicar, abster
ad-, a-	para perto de	adjunto, abeirar
ambi-	duplicidade	ambidestro
ante-	anterioridade	antepor
bene-, ben-, bem-	bem	benemérito, benfeitor, bem-vindo
bis-, bi-	duas vezes	bisavô, bípede
circum-, circun-	ao redor	circum-adjacente, circunvagar
cis-	posição aquém	cisplatino
com-, con-, co-	companhia	compor, cooperar
contra-	oposição	contradizer
de-	movimento para baixo	decrescer
des-	afastamento	desviar
dis-, di-	separação	dissidente, dilacerar
ex-, es-, e-	movimento para fora	exportar, escorrer, emigrar
extra-	posição exterior	extraoficial
in-, im-, i-	negação	inerme, imperfeito, ilegal
in-, im-, i-, em-, en-	movimento para dentro	ingerir, importar, imigrar, embarcar, enterrar
inter-, entre-	posição intermediária	internacional, entreabrir
intra-	dentro de	intravenoso
intro-	movimento para dentro	introduzir
justa-	ao lado de	justaposição
ob-, o-	oposição	obstar, oponente
per-	movimento através	percorrer
post-, pos-	posteridade	postônico, pospor
pre-	anterioridade	prefácio, pré-colombiana
preter-	além de	preterir
pro-	movimento para a frente	prosseguir
re-	repetição, movimento para trás	rever, reverter
retro-	para trás	retroceder
semi-	metade	semicírculo
sesqui-	um e meio	sesquicentenário
soto-, sota-	posição inferior	sotopor, sotavento
sub-, sus-, su-, sob, so-	inferioridade	subdelegado, suster, supor, sobpor, soterrar
super-, sobre-	posição superior	superprodução, sobrepor, superpopulação
supra-	posição acima	supracitado
trans-, tras-, tra-, tres-	posição além	transpor, traslado, traduzir, trespassar
ultra-	além de	ultramarino
vice-, vis-	substituição, em lugar de	vice-rei, visconde

Filipe Rocha

Bípede (*bi* = duas vezes; *pede* = pé): que tem ou anda com dois pés.

Os prefixos e o uso do hífen

Muitos prefixos ligam-se diretamente à palavra que os acompanha, mas outros exigem o uso do hífen.

O **Acordo Ortográfico da Língua Portuguesa**, que entrou em vigor em 2009, estabeleceu algumas regras para o emprego do hífen nas palavras formadas por prefixos e elementos de composição. Já estudamos alguns casos dos usos do hífen na página 56.

Veja, a seguir, outras orientações estabelecidas pelo Acordo Ortográfico.

1 Emprega-se o hífen:

- com os prefixos **ex-** e **vice-**.

  ex-: ex-aluno

  vice-: vice-presidente

- após os prefixos **ante-**, **anti-**, **contra-**, **entre-**, **extra-**, **infra-**, **intra-**, **sobre-**, **sub-**, **supra-**, **ultra-** (e de alguns elementos terminados por vogal, como **aero-**, **arqui-**, **auto-**, **maxi-**, **micro-**, **mini-**, **neo-**, **pseudo-**, **semi-**), antes de palavras iniciadas por **h** ou por **vogal** igual à última do prefixo.

ante-: ante-histórico	**intra-:** intra-abdominal	**aero-:** aero-hidroterapia
anti-: anti-inflamatório	**pseudo-:** pseudo-hexagonal	**arqui-:** arqui-inimigo
contra-: contra-apelo	**semi-:** semi-intensivo	**auto-:** auto-ônibus
entre-: entre-estadual	**sobre-:** sobre-humano	**micro-:** micro-onda
extra-: extra-humano	**supra-:** supra-auricular	**neo-:** neo-ortodoxo
infra-: infra-assinado	**ultra-:** ultra-apressado	

- após os prefixos **hiper-**, **inter-**, **super-**, antes de palavras iniciadas por **h** e **r**.

  hiper-: hiper-realista
  super-: super-hidratação
  inter-: inter-hemisférico

- após os prefixos **pan-** e **circum-**, antes de palavras iniciadas por **vogal, m, n** e **h**.

  circum-: circum-oral
  circum-hospitalar
  pan-: pan-americano

- com os prefixos tônicos, acentuados graficamente, **pós-**, **pré-**, **pró-**.

  pós-: pós-doutorado
  pré-: pré-adolescência
  pró-: pró-paz

- após os prefixos terminados por **b** (**ab-**, **ob-**, **sob-**, **sub-**) ou **d** (**ad-**), e o segundo elemento iniciado por **b** e **r**.

  ab-: ab-rogar
  ad-: ad-renal
  ob-: ob-reptício
  sob-: sob-roda
  sub-: sub-base

2 **Não** se emprega o hífen após os prefixos:

• antes de palavras iniciadas pelas consoantes **r** e **s**, que devem ser duplicadas.

ante-: antessala, antessacristia
anti-: antirruído, antirrugas, antissocial
ultra-: ultrarromântico, ultrassonografia
arqui-: arquirrivalidade, arquissacerdote

micro-: microssistema, microssaia
mini-: minissaia, minissubmarino
contra-:contrassenha, contrarregra
supra-: suprarrenal, suprarradical

• antes de palavras iniciadas por **vogal** diferente da última vogal do prefixo.

auto-: autoestrada
contra-: contraoferta
anti-: antiaéreo
infra-: infraestrutura

extra-: extraoficial
ultra-: ultraelevado
aero-: aeroespacial
agro-: agroindustrial

• antes de palavras iniciadas pelos prefixos **co-**, **pro-**, **pre-** e **re-**.

co-: coautor
pro-: procônsul

pre-: predispor
re-: reeditar

ATENÇÃO!

> Os prefixos **co-**, **pro-**, **pre-** e **re-** são átonos e se aglutinam, em geral, com o segundo elemento. Veja estes exemplos:
>
> coautor   coedição   preeleito   reeleição   reescrever

Sufixos

A maioria dos sufixos da língua portuguesa provém do grego e do latim. Eles são classificados somente de acordo com a sua função. Observe:

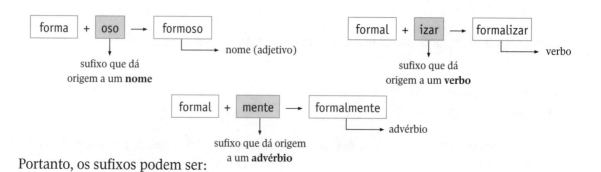

Portanto, os sufixos podem ser:

• **nominais** — formam substantivos e adjetivos;
• **verbais** — formam verbos;
• **adverbiais** — formam advérbios.

Sufixos nominais

Com valor de aumentativo	
-aça: barcaça, barbaça	*-alha*: muralha
-aço: copaço, ricaço	*-alhão*: grandalhão, vagalhão
-ão: caldeirão, paredão	*-anzil*: corpanzil
-rão: casarão	*-ázio*: copázio
-arra: naviarra, bocarra	*-uça*: dentuça
-arrão: gatarrão, santarrão	*-az*: fatacaz
-zarrão: homenzarrão, canzarrão	*-ola*: beiçola
-eirão: vozeirão, asneirão	*-orra*: cabeçorra, beiçorra
-astro: medicastro, poetastro	

Com valor de diminutivo	
-inho(a): livrinho, plantinha	*-ote*: caixote
-zinho(a): cãozinho, florzinha	*-ota*: velhota
-ito(a): copito, casita	*-ejo*: lugarejo
-zito: jardinzito	*-acho*: riacho
-ico: namorico, burrico	*-ela*: ruela, magricela
-isco: chuvisco	*-ebre*: casebre
-ete: lembrete	*-ulo(a)*: glóbulo, nótula
-eto(a): livreto, saleta	*-im*: flautim
-eco(a): livreco, soneca	

Que formam substantivos com noção de agrupamento	
-ada: papelada	*-edo*: passaredo
-agem: folhagem	*-eiro*: formigueiro
-al: laranjal	*-ia*: cavalaria
-alha: gentalha	*-io*: mulherio
-ama: dinheirama	*-ume*: cardume
-ame: vasilhame	

Que formam substantivos que indicam ofício, profissão ou estabelecimento	
-aria: sapataria	*-eria*: leiteria
-ário: secretário	*-ia*: advocacia, chefia
-eiro: garimpeiro	

Que formam substantivos que indicam qualidade ou estado	
-dade: humildade	*-ia*: cortesia
-dão: escuridão	*-ice*: velhice
-ez: altivez	*-ície*: imundície
-eza: pureza	*-mento*: ferimento

Que formam substantivos que indicam ciência, doutrina, sistema político ou religioso	
-ano: anglicano	*-ismo*: cristianismo, romantismo
-ia: astronomia	*-ista*: socialista

Que formam adjetivos pátrios	
-ano: cubano	*-esa*: portuguesa

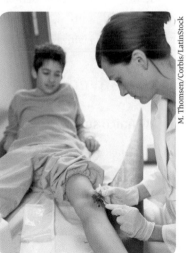

Ferimento: efeito de ferir ou machucar.

Que formam adjetivos pátrios	
-ão: alemão	*-ino*: bragantino
-eiro: brasileiro	*-ista*: paulista
-ense: cearense	*-ol*: espanhol
-ês: francês	*-oto*: visigoto
Que indicam transformação ou resultado de ação	
-ada: pincelada	*-dura*: dobradura
-ado: acelerado	*-iço*: quebradiço
-agem: rapinagem	*-ível*: perecível

Daniel J. Cox/Corbis/LatinStock

Rapinagem: ação de certas aves caçadoras.

OBSERVAÇÃO

Muitas palavras, ao receberem um sufixo, podem assumir um sentido pejorativo. Veja:

Todo mundo se admirou ao ver a dentuça chorando.

Casou com uma louraça de quem a família não gostava.

Há programas na televisão repletos de baixarias.

Sufixos verbais

Sufixo	Exemplos
-ar	analisar, furar
-ear	cabecear, basear
-ecer	emagrecer, anoitecer
-ejar	almejar, apedrejar
-entar	amamentar, afugentar
-escer	florescer, enrubescer
-ficar	falsificar, purificar
-iscar	chuviscar, beliscar
-itar	saltitar, dormitar
-izar	civilizar, colonizar

Everett Kennedy Brown/epa/Corbis/LatinStock

Florescer: ato de produzir flores; florir.

Sufixo adverbial

O único sufixo que participa da formação de advérbios em português é **-mente**. Veja:

clara**mente**   simples**mente**   independente**mente**

Esse sufixo junta-se ao adjetivo na forma feminina, quando houver:

lindo		linda		linda	mente
adjetivo masculino		adjetivo feminino		advérbio	
rápido		rápida		rapida	mente
adjetivo masculino		adjetivo feminino		advérbio	

Exercícios

Para os exercícios de **1** a **5**, leia o texto a seguir sobre os irmãos Villas Boas, desbravadores do sertão do Brasil.

Irmãos Villas Boas

Sertanistas paulistas, fizeram as primeiras expedições para o Centro-Oeste brasileiro

Orlando Villas Boas nasceu em 1914, na cidade de Santa Cruz do Rio Pardo, em São Paulo. Seu pai era advogado e fazendeiro, e por isso o garoto e seus irmãos passaram a infância em locais tranquilos, rodeados por matas e rios. A família se mudou para São Paulo quando eles já eram adolescentes.

Em 1943, Orlando e seus irmãos Cláudio e Leonardo deixaram a cidade grande para participar da expedição Roncador-Xingu, que tinha o objetivo de chegar a regiões desconhecidas do Centro-Oeste brasileiro e da Amazônia e ali escolher lugares onde novas cidades poderiam ser fundadas. A expedição durou 17 anos!

Naquele período, eles entraram em contato com diversas tribos indígenas, entre elas os xavantes, os jurunas, os caiabis, os txucarramães e os suiás.

Em 1961, Orlando conseguiu oficializar a criação do Parque Nacional do Xingu, que dirigiu até 1967. Também ajudou a negociar a convivência pacífica das 18 nações indígenas lá instaladas.

Aposentou-se em 1975, mas continuou a trabalhar e a defender o direito dos índios de viverem de acordo com a sua cultura.

Publicou diversos livros, entre eles *A Marcha para o Oeste*, com a história da expedição Roncador-Xingu. Em 1997 lançou o livro *Almanaque do Sertão*, em que narra seus 45 anos de viagens. Foi assessor para assuntos indígenas na Escola Paulista de Medicina da Universidade Federal de São Paulo. Morreu em 2002, em São Paulo.

(*Almanaque Recreio*. São Paulo, abr. 2003, p. 112.)

1 **a)** Procure, no texto Irmãos Villas Boas, uma palavra que tenha o mesmo radical de **índio**.

b) Agora, pesquise mais algumas palavras cognatas de **índio**.

2 **a)** Classifique os elementos das formas verbais abaixo. Observe o modelo:

deixaram		
	deix-	radical
	-a-	vogal temática
	-ra-	desinência verbal (tempo)
	-m	desinência verbal (pessoa)

- conseguiu
- nasceu
- poderiam
- oficializar

b) Observe novamente a palavra **nasceu**.

- Identifique o tempo e o modo dessa forma verbal.
- O que indica a desinência número-pessoal?

101

3 Destaque o sufixo de **sertanistas**, **paulistas**, **brasileiro** e **fazendeiro** e identifique qual é a sua função nessas palavras.

4 Na palavra **enfraquecido**, o que indica o prefixo **en-**?

5 **a)** Nas palavras a seguir, retiradas do texto, identifique o radical, o prefixo e o sufixo, se houver. Observe o modelo:

renovador	**re-**	prefixo
	nov-	radical
	-ador	sufixo

- desconhecidas
- convivência
- fundadas
- criação

DESAFIO

b) Dê o significado dos prefixos do item **a**.

c) Escreva duas outras palavras com os prefixos do item **b**, mantendo o seu significado.

6 Relacione os radicais a seguir com os significados dados:

Radicais			
acro-	oligo-	coreo-	fono-
agro-	biblio-	poli-	idolo-
arqueo-	cefalo-	demo-	

Significados			
dança —	alto —	povo —	antigo
campo —	livro —	muito —	som
pouco —	imagem —	cabeça	

7 Forme uma palavra com cada um dos radicais do exercício **6**.

8 Com base no significado dos radicais gregos, tente descobrir o significado das palavras a seguir:

a) acrofobia

b) aeróbio

c) agromania

d) cardialgia

e) biblioclasta

f) melodia

g) hidrofobia

h) enterite

9 Dê uma palavra para cada um dos prefixos gregos a seguir:

a) peri-

b) anti-

c) hiper-

d) meta-

e) pro-

f) arqui-

10 Dê uma palavra para cada um dos prefixos latinos a seguir:

a) semi-   c) intra-   e) sub-

b) retro-   d) circun-   f) contra-

11 Forme palavras com os sufixos a seguir:

a) -ão   f) -este

b) -ismo   g) -douro

c) -zinho   h) -mente

d) -ano   i) -dade

e) -eiro   j) -izar

12 Retome as palavras que você formou nos exercícios **9**, **10** e **11** e escreva um pequeno texto, utilizando no mínimo duas palavras de cada grupo.

13 Leia o texto a seguir e resolva as questões:

Dan Guravich/Corbis/LatinStock

Uma vida inteira em voo:

biólogos suíços acreditam que a gaivota-negra só desce ao solo para procriar.

(Superinteressante)

a) Quais são as três palavras do texto que estão no plural?

b) Quais são as desinências que indicam o plural nessas palavras?

c) Qual é a diferença entre essas desinências?

d) Há no texto uma palavra que apresenta dois radicais gregos. Qual é ela?

e) Usando a palavra que você deu como resposta ao item **d**, substitua o primeiro radical por outros, criando diferentes palavras.

f) Se o radical **-logia** significa "estudo", qual é o significado do radical **-logo**?

g) Retire do texto acima uma palavra com prefixo.

h) Substitua o prefixo da resposta do item **g** por outro, criando uma palavra.

14 Observe o uso do prefixo **pre-**, na frase a seguir:

> Há máquinas que preenchem e pré-datam cheques automaticamente, em segundos.

a) Agora responda: por que na palavra **preenchem** não se usa hífen e na palavra **pré--datam** ele é usado?

b) Em que situações o prefixo **auto-** deve ser usado com hífen? Dê exemplos.

Formação das palavras

Com os conhecimentos adquiridos no estudo da estrutura das palavras (prefixos, sufixos e radicais), podemos entender melhor como novas palavras são formadas na língua portuguesa.

E por que há necessidade de novas palavras? Porque o mundo se modifica e é preciso nomear as novas descobertas e invenções que surgem a todo o momento. Essas descobertas e invenções dão origem a novos objetos, produtos e atividades, que também precisam ser nomeados.

Veja, no texto abaixo, como o desenvolvimento da tecnologia influencia a criação de novas palavras.

Dicionário de termos blogueiros

A pedido de uma simpática mãe e leitora do nosso *blog*, Lucilia Medina, garimpei na blogosfera um pequeno dicionário com os termos mais usados por nós blogueiros. Utilizei a Wikipedia e meu próprio HD mental.

BLOG — É uma página da Web cujas atualizações (chamadas *posts*) são organizadas cronologicamente de forma inversa (como um diário). Estes *posts* podem ou não pertencer ao mesmo gênero de escrita, referir-se ao mesmo assunto ou ter sido escritos pela mesma pessoa.

BLOGUEIRO — A pessoa que cria um *blog*.

BLOGOSFERA — É o universo virtual dos blogueiros.

BLOGGER — A ferramenta mais simples para se criar e manter um *blog*.

POST/POSTAGEM — Sua forma substantivada, "postagem", refere-se a uma entrada de um texto num *blog*.

PROBLOGGER — Blogueiro que ganha dinheiro com o seu *blog*.

TEMPLATE — Documento sem conteúdo, com apenas a apresentação visual (apenas cabeçalhos, por exemplo) e instruções sobre onde e qual tipo de conteúdo deve entrar a cada parcela da apresentação. É o modelo, layout do *blog*.

WIDGETS — São os brinquedinhos dos blogueiros. Coisinhas que a gente coloca na barra lateral.

Henrique Kipper

(http://dicasblogger.blogspot.com/2008/01/dicionario-de-termos-blogueiros.html, acessado em 13 nov. 2008. Texto adaptado.)

Observe que o texto foi escrito para atender ao pedido da mãe de uma jovem leitora do *blog*. Essa senhora tem dificuldades para entender algumas palavras que são relativamente novas, ou seja, criadas em decorrência do crescimento da popularidade do uso de computadores e da internet.

Vejamos outras palavras que foram acrescentadas ao nosso vocabulário com o surgimento da internet:

- Internet: palavra de origem inglesa, formada por ***inter-*** (abreviação de **internacional**) mais ***net*** ("rede", em inglês). Trata-se da rede mundial de computadores, interligados e conectados em rede.
- Internautas: nome que se dá às pessoas que fazem uso da internet.
- *Site*: endereço eletrônico de empresas, instituições etc. cujas páginas são publicadas na internet.

Agora leia esta frase, extraída do texto da página anterior, e observe as palavras em destaque:

"A pedido de uma simpática mãe e leitora do nosso *blog*, Lucilia Medina, garimpei na blogosfera um pequeno dicionário com os termos mais usados por nós blogueiros".

A palavra blogosfera foi formada pela junção do radical inglês blog- e do radical grego -sfera. Assim, como resultado da união desses dois radicais já existentes, criou-se uma nova palavra. Já a palavra blogueiros surgiu da união de um radical (blog-) e de um sufixo (-eiro). Como podemos perceber, nessas palavras ocorreram processos de formação diferentes.

Existem, na língua portuguesa, dois processos básicos de formação de palavras: a **derivação** e a **composição**.

Derivação

A derivação dá origem a palavras tendo por base uma outra já existente na língua, que, por isso, é chamada **palavra primitiva**, como é o caso de *blog*. A ela são acrescentados prefixos e sufixos para formar o que se chama de **palavra derivada**.

Leia, a seguir, um poema de Carlos Drummond de Andrade:

A lebre

Apareceu não sei como.
Queria por toda lei
desaparecer num relâmpago.
Foi encurralada
e é recolhida,
orelhas em pânico,
ao pátio dos pavões estupefatos.
Lá está, infeliz, roendo o tempo.
Eu faço o mesmo.

(Carlos Drummond de Andrade.
Esquecer para lembrar, p. 102.)
Carlos Drummond de Andrade
© Graña Drummond
www.carlosdrummond.com.br

Filipe Rocha

No texto, há duas palavras destacadas. Veja como foi que se deu a formação delas:

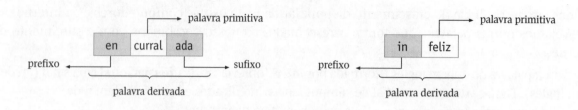

> **Derivação** é o processo de formação de palavras que tem como base uma outra já existente.

Como as palavras derivadas podem formar-se pelo acréscimo de sufixos ou de prefixos à palavra primitiva, a formação de **palavras por derivação** pode ocorrer de várias formas: por **prefixação**, por **sufixação**, por **parassíntese**, por **prefixação e sufixação**, por **derivação imprópria** e por **derivação regressiva**.

Derivação por prefixação

Releia estes três versos do poema A lebre:

"Apareceu não sei como.
Queria por toda lei
desaparecer num relâmpago."

A palavra desaparecer é derivada de aparecer. Veja:

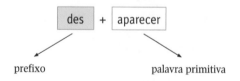

Na formação de desaparecer ocorreu **prefixação**. No texto, infeliz também foi formada pelo mesmo processo.

> **Derivação por prefixação** ocorre com o acréscimo de prefixos à palavra primitiva.

Veja outros exemplos:

arcanjo	super-reportagem	anti-inflação	indiferente
refazer	infraestrutura	ultrassom	benfeitor

Derivação por sufixação

Leia este anúncio de evento cultural:

Pocket show com Raquel Koehler para lançamento do CD *Pilhagem*, Trama

Repleto de influências vindas da música negra, Raquel Koehler faz questão de mostrar que seu estilo é o brasileiro. Em *Pilhagem*, a cantora faz regravações de Jorge Benjor, *Sangue Latino*, do grupo Secos e Molhados, e *Volte para o Seu Lar*, de Arnaldo Antunes, entre outras.

(*Almanaque Saraiva*, n. 26, jun. 2008, p. 54.)

Filipe Rocha

Observe as palavras retiradas do texto:

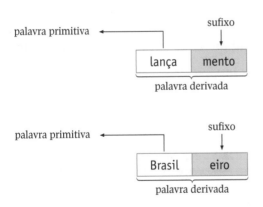

As palavras acima foram formadas por meio da derivação por sufixação.

> **Derivação por sufixação** ocorre com o acréscimo de sufixos à palavra primitiva.

Veja outros exemplos:

poético	livraria	escolar	casebre
durável	colorido	aviário	saleta

Derivação parassintética ou parassíntese

Leia o anúncio publicitário ao lado:

Nele, há a palavra apaixonados, que foi formada pelo acréscimo simultâneo de um prefixo e de um sufixo ao radical paix-:

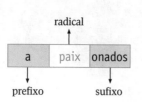

```
         radical
           ↑
  a  | paix | onados
  ↓              ↓
prefixo       sufixo
```

(*Almanaque Saraiva*, n. 26, jun. 2008, p. 8.)

Observe que, nesse caso, não se forma uma palavra derivada apenas com o prefixo ou o sufixo:

```
| a | paix |       | paix | onados |
```

> **Parassíntese** ocorre quando são acrescentados um prefixo e um sufixo, ao mesmo tempo, à palavra primitiva.

Veja outros exemplos de parassíntese:

en**dur**ecer	en**garraf**amento	en**surd**ecer	es**quent**ar
des**alm**ado	a**fug**entar	des**camp**ado	a**bot**oar

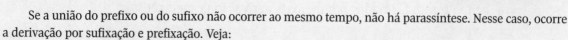
IMPORTANTE!

Se a união do prefixo ou do sufixo não ocorrer ao mesmo tempo, não há parassíntese. Nesse caso, ocorre a derivação por sufixação e prefixação. Veja:

```
        in | util | izar                          des | nivel | ar

 in | útil  →  util | izar              des | nível  ←  nivel | ar
 ↓                      ↓                ↓                       ↓
prefixo              sufixo            prefixo               sufixo
```

As palavras inútil e utilizar, como desnível e nivelar, são formas possíveis. Isso comprova que os processos de prefixação e sufixação podem acontecer separadamente. Portanto, nesses casos, tem-se uma **derivação por prefixação e sufixação** e não uma parassíntese.

Derivação imprópria

Leia este poema de Vinicius de Moraes:

O anjo das pernas tortas

A um passe de Didi, Garrincha avança
Colado o couro aos pés, o olhar atento
Dribla um, dribla dois, depois descansa
Como a medir o lance do momento.

Vem-lhe o pressentimento; ele se lança
Mais rápido que o próprio pensamento
Dribla mais um, mais dois; a bola trança
Feliz, entre seus pés — um pé de vento!

Num só transporte a multidão contrita
Em ato de morte se levanta e grita
Seu uníssono canto de esperança.

Garrincha, o anjo, escuta e atende: — Goooool!
É pura imagem: um G que chuta um o
Dentro da meta, um l. É pura dança!

(Vinicius de Moraes. *Livro de sonetos*, p. 71.
Coordenação editorial Eucanaã Ferraz, São Paulo,
Cia. das Letras, Editora Schwarcz Ltda., 2009,
autorizados pela VM Empreendimentos Artísticos e
Culturais Ltda. © VM e © Cia. das Letras (Editora Schwarcz).)

Garrincha disputa a bola com Hilário em amistoso no Pacaembu, São Paulo (1962).

Observe o uso das palavras destacadas no texto:

verbo usado como substantivo

"Colado o couro aos pés, o olhar atento"

verbo no particípio usado como adjetivo

"(...) ele se lança Mais rápido que o próprio pensamento"

adjetivo usado como advérbio

No contexto do poema, houve derivação imprópria, pois as palavras colado, olhar e rápido sofreram mudança de classe gramatical, sem ter alterada a sua forma primitiva.

> **Derivação imprópria** ocorre quando, em um texto, uma palavra é empregada em classe diferente da habitual.

A **derivação imprópria** ocorre nos seguintes casos:

- verbo no particípio empregado como adjetivo ou substantivo:

    O resultado das vendas no semestre foi bem melhor que o estimado.
    Um filme bastante aguardado e premiado em várias categorias estreia hoje.

- substantivo empregado como adjetivo:

> Você estava deslumbrante no baile de formatura com o seu vestido vinho.
> A pedido da prefeitura, a polícia localizou o funcionário fantasma José Guimarães, que recebeu indevidamente três anos de salário.

- adjetivo empregado como advérbio:

> Não fale alto depois das 22 horas: pode incomodar os vizinhos.
> Ande devagar, senão você irá se cansar rápido.

- adjetivo empregado como substantivo:

As palavras rosa, bege e marrom são adjetivos e indicam cores. No último quadrinho, ao explicar cada cor a personagem as transforma em substantivos. São palavras substantivadas, que passaram pelo processo de derivação imprópria.

- palavras invariáveis empregadas como substantivo:

> o não   o porquê   o nada   um quê

- verbo no infinitivo empregado como substantivo:

> o sofrer   o amar   o viver

O uso do artigo **o** diante do infinitivo de verbos também constitui derivação imprópria. Assim, os verbos passam a ser substantivos.

- substantivo próprio empregado como substantivo comum:

nome próprio
↑
A cidade de Damasco, na Síria, abriga construções arquitetônicas belíssimas.

nome comum
↑
Frutas secas, como tâmaras e damascos, são mais consumidas nas festas de final de ano.

Mesquita na cidade de Damasco, Síria.

• substantivo comum usado como substantivo próprio:

nome comum
↑
Algumas bebidas alcoólicas são envelhecidas em tonéis de carvalho.

nome próprio
↑
O contato da cantora carioca Beth Carvalho com a música foi incentivado pela família ainda na infância.

Tonéis de carvalho para envelhecimento de bebida alcoólica.

Derivação regressiva

Leia os trechos do poema de Cora Coralina e preste atenção nas palavras destacadas:

Pouso de boiadas

Pouso de boiadas...
— a espaço.
Nas dobras,
nas voltas,
no retorcido das estradas.

Pouso das boiadas,
à s´tância
das marchas calculadas.
Porteira a cadeado.
Xiringa de contagem.

O gado cansado
recanteado, esmorecido,
espera.
Um mar de rebuliços misturados,
de ancas, de patas, de dorsos e de chifres,
vai entrando engarrafado
na xiringa da contagem.

Janta. Café. Golada...
Descanso nas redes,
nos pelegos, pelo chão.
Morre o fogo do cozinheiro.
Conversa à toa,
rede a rede.
Lume de cigarro.
Faísca de isqueiro.
Longe, retardado,
buzina um caminhão.

(Cora Coralina. *Poemas dos becos de Goiás e estórias mais*, São Paulo, Global, 1987, p. 101-103.)

Agora, observe:

pousar: verbo / pouso: substantivo
↑
"Pouso de boiadas..."

jantar: verbo / janta: substantivo
↑
"Janta. Café. Golada..."

conversar: verbo / conversa: substantivo
↑
"Conversa à toa,"

voltar: verbo / voltas: substantivo
↑
"Nas voltas,"

descansar: verbo / descanso: substantivo
↑
"Descanso nas redes,"

Nesses exemplos, ocorreu **derivação regressiva** nas palavras destacadas: os verbos foram alterados e passaram a substantivos.

> **Derivação regressiva** ocorre quando a terminação do verbo é substituída pelas desinências **a**, **e** ou **o**, dando origem a um substantivo.

OBSERVAÇÃO

Para saber se um substantivo é palavra primitiva ou se é derivada de algum verbo, pode-se adotar este critério do filólogo Mário Barreto:

"(...) se o substantivo denota ação, será palavra derivada, e o verbo palavra primitiva; mas se o nome denota algum objeto ou substância, se verificará o contrário. Portanto, os substantivos **briga**, **grito** e **ataque**, por exemplo, são formas derivadas, pois denotam respectivamente as ações de **brigar**, **gritar** e **atacar**. Já as formas **planta**, **âncora**, **alfinete**, **pincel**, **escudo** são formas primitivas que dão origem aos verbos **plantar, ancorar, alfinetar, pincelar** e **escudar**."

Palavras cognatas e famílias de palavras

Palavras formadas por derivação têm como base um mesmo radical, uma mesma base de significado. São chamadas de **cognatos** e dão origem a uma **família** de palavras.

Palavras de uma mesma família geralmente têm grafia semelhante. Veja:

digit**ar**
digit**ação**
digit**al**
digit**ador**
digit**ado**
dígit**o**

As palavras dessa família são escritas com **g**, como o radical digit- que deu origem a elas, por derivação.

ATENÇÃO!

Nem todas as palavras semelhantes na forma e na grafia são cognatas. É preciso que elas tenham a mesma raiz de significado. Observe o texto:

Ultrapássaro

(...)
E depois a nuvem se alongar
Até onde a terra se arredonda
E onde nenhum pássaro ultrapassará
Ultrapássaro no céu sobre o sertão
Do meu sertão. (...)

(Dante Ozetti. *Ultrapássaro*. Eldorado, 2001.)

Repare que as duas palavras destacadas, apesar de bastante parecidas, não têm a mesma raiz de significado. Ultrapassará consiste na 3ª pessoa do singular do futuro do presente do indicativo do verbo ultrapassar, e ultrapássaro trata-se de um neologismo criado para designar algo que é mais do que um pássaro. Para formar essa palavra, o autor usou a palavra primitiva pássaro e acrescentou o prefixo ultra-.

Composição

A composição, outro processo de formação de novos termos, ocorre quando se juntam duas ou mais palavras (ou os seus radicais) para formar uma nova, de significado diferente. Esses radicais podem ou não sofrer transformações na sua estrutura.

Leia o texto:

O pavão

Eu considerei a glória de um pavão ostentando o esplendor de suas cores; é um luxo imperial. Mas andei lendo livros, e descobri que aquelas cores todas não existem na pena do pavão. Não há pigmentos. O que há são minúsculas bolhas d'água em que a luz se fragmenta, como em um prisma. O pavão é um arco-íris de plumas.

Eu considerei que este é o luxo do grande artista, atingir o máximo de matizes com o mínimo de elementos. De água e luz ele faz seu esplendor; seu grande mistério é a simplicidade.

(...)

(Rubem Braga. *200 crônicas escolhidas*, Rio de Janeiro, Record, 1977, p. 237.)

Minden Pictures/LatinStock

No texto O pavão, observe a palavra arco-íris. Veja como ela é formada:
- arco — aro, anel, colar; designação de qualquer objeto que aproximadamente sugira a forma de um arco, círculo ou semicírculo;
- íris — membrana circular, retrátil, colorida, que ocupa o centro anterior do globo ocular;
- arco-íris — fenômeno resultante da dispersão de luz solar em gotículas de água suspensas na atmosfera e que é observado como um conjunto de arcos coloridos de circunferência.

A união das duas palavras originou uma terceira, com sentido diferente do daquelas que a formaram.

> **Composição** é o processo de formação de palavras pela reunião de outras já existentes. Palavras compostas têm mais de um radical.

A formação de palavras por **composição** pode ocorrer de duas formas: por **justaposição** e por **aglutinação**.

Composição por justaposição

> **Composição por justaposição** ocorre quando há a união de dois ou mais radicais, sem que a estrutura das palavras primitivas seja alterada.

É o que acontece com a palavra arco-íris, em que ambas as palavras primitivas não foram modificadas.

Leia o texto:

Em 2002, o sabiá-laranjeira foi escolhido como símbolo nacional do Brasil, devido a sua imensa popularidade no país. Seu canto marca o fim do inverno e o início da primavera, estação das flores e do amor.

Sabiá-laranjeira.

Observe a palavra composta por justaposição:

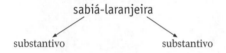

sabiá-laranjeira

substantivo   substantivo

Formou-se uma palavra por composição com um novo significado, designando um tipo específico de sabiá.

As palavras compostas por justaposição podem aparecer de três maneiras:

• ligadas normalmente:

micróbio   pontapé   passaporte   vaivém

• ligadas por hífen:

sempre-viva   roda-gigante   obra-prima

• ligadas por preposição e hífen:

cão-do-mato   água-de-colônia

Leia o texto a seguir, em que ficamos conhecendo a origem de uma expressão popular no Brasil: mão de vaca.

Mão de vaca é uma pessoa pão-duro, que faz de tudo para não gastar nada. A expressão surgiu porque o formato da pata do animal lembra o de uma mão bem fechada, que não se abre para nada.

(*Recreio*, n. 226, ano 5, jul. 2004, p. 13.)

Observe:

mão de vaca

substantivo   preposição   substantivo

pão-duro

substantivo   adjetivo

Composição por aglutinação

Aglutinação ocorre quando é formada uma palavra pela união de duas ou mais palavras e há modificação na estrutura das palavras primitivas.

Leia o trecho de letra de música a seguir:

Tocando em frente

(...)
Conhecer as manhas e as manhãs,
O sabor das massas e das maçãs,
É preciso amor pra poder pulsar,
É preciso paz pra poder seguir,
É preciso a chuva para florir

Todo mundo ama um dia todo mundo chora,
Um dia a gente chega, no outro vai embora
Cada um de nós compõe a sua história
Cada ser em si carrega o dom de ser capaz
E ser feliz
(...)

(Almir Sater e Renato Teixeira. Em:
http://letras.terra.com.br/almir-sater/44082,
acessado em 15 jan. 2009.)

Lucia Hiratsuka

A palavra destacada no texto é composta por aglutinação. Veja como se deu essa composição:

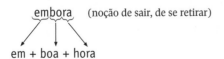

embora   (noção de sair, de se retirar)

em + boa + hora

Veja outros exemplos de palavras compostas por aglutinação:

planalto   pernilongo

plano + alto   perna + longa

115

Outros processos de formação de palavras

Além da derivação e da composição, há outros processos de formação de palavras na língua portuguesa: **redução**, **onomatopeia**, **hibridismo** e **neologismo**.

Redução

Leia a tira:

Jean Galvão

O personagem apelidado de "Japonês" afirma que passará em Odonto e Fisio, no vestibular. Ele está se referindo às carreiras de Odontologia e Fisioterapia, mas reduziu-as ao pronunciá-las numa linguagem própria dos estudantes:

"Esse ano vou passar em Odonto e Fisio."

Leia outro exemplo de abreviação vocabular ou redução, em que se usa a palavra micro no lugar de microcomputador:

A internet gratuita se expandiu para bairros onde a população não tem micro em casa.

> **Redução** ou **abreviação** é a forma simplificada de algumas palavras.

Veja estes exemplos:

Palavra	Redução	Palavra	Redução
cinema	cine	extraordinário	extra
automóvel	auto	poliomielite	pólio
pneumático	pneu	metropolitano	metrô
quilograma	quilo	zoológico	zoo
motocicleta	moto	televisão	tevê
fotografia	foto		

Onomatopeia

No cartum ao lado, o som produzido pelos veículos em trânsito é representado por onomatopeias.

> **Onomatopeia** é a palavra que reproduz de modo aproximado determinados sons ou ruídos.

As **onomatopeias** podem aparecer:

• como substantivo:

    bem-te-vi   pife-pafe   pingue-pongue

• como verbo:

    arrulhar   latir   miar   mugir   tinir   zumbir

• como interjeição:

    zás! catapimba!   pá!   abrum!

Hibridismo

Veja estas palavras compostas de elementos que provêm de línguas diferentes:

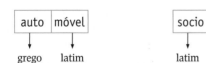

auto	móvel
grego	latim

socio	logia
latim	grego

> **Hibridismo** é a palavra composta de elementos que provêm de línguas diferentes, normalmente do grego e do latim.

Leia outros exemplos de hibridismo:

decímetro → *deci*: latim / *metro*: grego
televisão → *tele*: grego / *visão*: latim
auriverde → *auri*: latim / *verde*: português

abreugrafia → *abreu*: português / *grafia*: grego
endovenoso → *endo*: grego / *venoso*: latim

Neologismo

Leia o trecho de um texto sobre a linguagem de Guimarães Rosa:

As invenções de Rosa

Enxadachim.

Rosa empregou o termo para designar um trabalhador do campo, que luta para sobreviver. A palavra é formada por enxada e espadachim.

Imitaricar.

Significa arremedar, fazer trejeitos imitativos. Provém da junção do verbo imitar com o sufixo diminutivo "icar", que indica a repetição de pequenos atos.

Embriagatinhar.

Neologismo de conotação humorística. Serve para indicar qualquer um que esteja engatinhando de tão bêbado. Origina-se da fusão de embriagado e gatinhar.

(http://veja.abril.com.br/060601/p_162.html, acessado em 27 jan. 2009.)

Conhecido como o "pai dos neologismos" no Brasil, grande conhecedor de idiomas, Guimarães Rosa resolveu criar palavras de modo a trazer características da linguagem do sertanejo de Minas Gerais para os seus textos.

> **Neologismo** é a palavra nova formada para expressar o desenvolvimento das tecnologias próprias das várias áreas de atuação do ser humano ou para dar ênfase a expressões, fatos, sentimentos etc.

Leia o título da reportagem abaixo:

A popularização do internetês

A expansão da internet acentua o uso da grafia cifrada, que já não assusta tanto os pais e professores

(Revista *Língua*. n. 40, fev. 2009. 1ª capa.)

Para designar a linguagem própria, específica de quem usa esse meio moderno de comunicação (a internet), inventou-se a palavra internetês, por analogia a **português**, **inglês**, **francês** etc., que designam idiomas.

Leia outros exemplos:

Políticos envolvidos no "mensalão" estão sob a mira da Polícia Federal.

Artistas de televisão não gostam de ver sua imagem "linkadas" a determinados produtos que aparecem durante a exibição de seus programas.

Exercícios

Para responder às questões de **1** a **3**, leia o texto a seguir.

Ferida fechada

Obra-prima de Rembrandt sofre restauração e recupera as cores e o brilho do século XVII

O ladrão holandês Aris Kindt perdeu a vida para entrar na história da arte. Em 1632, depois de furtar um casaco e ser enforcado, o meliante teve seu corpo doado ao cirurgião Nicolaes Tulp. Foi Tulp quem contratou Rembrandt Harmensz van Rijn (1606--1669), então um jovem retratista, para pintar a autópsia. Agora, quase quatro séculos depois de ser dissecado pelos pincéis de Rembrandt, o cadáver

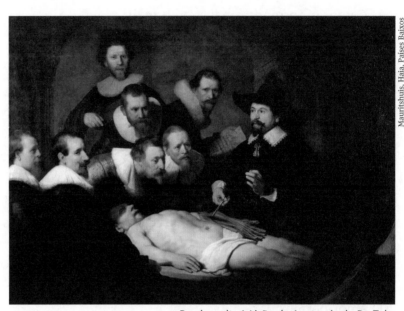

Rembrandt. *A Lição de Anatomia do Dr. Tulp.*

do larápio está de novo em bom estado. A um custo de 100 000 dólares, a tela *A Lição de Anatomia do Dr. Tulp* acaba de ser restaurada. Junto com o quadro, o museu Mauritshuis, de Haia, exibe até o dia 10 de janeiro de 1999 uma exposição que documenta o trabalho da dupla de restauradores, a australiana Petria Noble e o dinamarquês Jorgen Wadum. Depois da faxina, a mudança mais visível é a cor do corpo de Kindt, que recuperou a lividez típica do *rigor mortis* pintado por Rembrandt. "Nos últimos três séculos, os restauradores repintaram o corpo, que ficou amarelado e ganhou ares naturalistas", explicou Wadum a *Veja*.

(Veja)

1 Indique o processo de formação das palavras destacadas do texto.

2 Observe as palavras **holandês**, **dinamarquês** e **australiana**, formadas por derivação por sufixação.

a) Identifique o sufixo de cada uma delas.

b) O que esses sufixos indicam?

c) Forme outras palavras com esses sufixos.

3 A palavra **visível**, no texto, quer dizer "o que se pode ver".

a) Explique como essa palavra é formada.

b) Usando um prefixo que indique negação, forme uma palavra com o sentido de "o que não se poder ver" e a utilize em uma frase.

4 Leia os títulos de dois livros de Telma Guimarães de Castro, indicados para adolescentes, e responda às questões

> *Rita-você-é-um-doce*
> *O sumiço do chantili*

a) Como foi formada a palavra do primeiro título?

b) Como foi formada a palavra **chantili**?

5 Leia a frase e resolva as questões:

> O erro mais comum é achar que uma bela paisagem resulta sempre numa bela foto.
>
> *(Os caminhos da Terra)*

a) Quais são os processos de formação das palavras destacadas na frase?

b) Escreva uma frase em que apareçam palavras formadas por esses dois processos.

6 Separe as palavras a seguir em duas colunas: na primeira, coloque as palavras compostas por justaposição; na segunda, coloque as compostas por aglutinação:

a) amor-perfeito

b) aguardente

c) passatempo

d) pernilongo

e) verde-amarelo

f) beija-flor

g) planalto

h) vaivém

i) embora

j) surdo-mudo

7 Leia a tira:

Glauco/Folha Imagem

a) Na tira da página anterior, há uma palavra que reproduz similarmente um som. Qual é ela?

b) Identifique o processo pelo qual a palavra do item **a** se formou.

c) Que som ela tenta reproduzir?

d) Há, no terceiro quadrinho, uma palavra que sofreu um processo de derivação. Indique qual é a palavra, qual o tipo de derivação e qual a palavra primitiva.

8 Identifique e explique cada um dos processos de formação das palavras destacadas no texto abaixo e do seu título. (Use o dicionário, se precisar.)

Sapo-jururu

O sapo foi se consultar com uma cartomante. Depois de jogar as cartas, ela profetizou:
– Vejo uma moça loira, muito bonita e inteligente querendo saber tudo sobre você!
– Croac! E quando eu vou conhecer essa princesa? – perguntou o sapo.
– Semestre que vem... na aula de biologia!

(http://criancas.uol.com.br/piadas/piadas_bichos.jhtm, acessado em 20 dez. 2008.)

9 Leia as tiras do gato Garfield e identifique o processo de formação das palavras destacadas:

Tira A

Tira B

10 O escritor Guimarães Rosa, como vimos, fez nas suas obras uso constante da criação e da recriação de vocábulos. Leia os trechos a seguir, extraídos do livro *Manuelzão e Miguilim*, observe os neologismos destacados e identifique os respectivos significados.

a) "(...) O gato somente vivia na cozinha, na ruma de sabucos ou no borralho, outra hora andava no quintal e na horta. Lá os cachorros deixavam. Mas quando ele queria sair para o pátio, na frente da casa, aí a cachorrama se ajuntava, o esperto do gato repulava em qualquer parte, subia escarreirado no esteio, mas braviado também, gadanhava se arredobrando e repufando, a raiva dele punha um atraso nos cachorros. (...)"

b) "Ali mesmo, para cima do curral, vez pegaram um tatu-peba — como roncou! — o tatu-pevinha é que é o que ronca mais, quando os cachorros o encantoam. Os cachorros estreitam com ele, rodeavam — era tatúa-fêmea — ela encapota, fala choraminguda; peleja para furar buraco, os cachorros não deixam. Os cachorros viravam com ela no chão, ela tornava a se desvirar, ligeiro. A gente via que ela podia correr muito, se os cachorros deixassem. E tinha pelinhos brancos entremeados no casco, feito as pontas mais finas, mais últimas, de raizinhas."

c) "Comia muito, se empanzinava, queria deitar no chão, depois do almoço. — 'Levanta, Miguilim! Vai catar gravetos para a Rosa!' Lá ia Miguilim, retardoso; tinha medo de cobra. Medo de morrer, tinha; mesmo a vida sendo triste. Só que não recebia mais medo das pessoas."

d) "Seo Aristeu, quando deu de vir, trazia um favo grande de mel de oropa, enrolado nas folhas verdes. — 'Miguilim, você sara! Sara, que já estão longe as chuvas janeiras e fevereiras... Miguilim, você carece de ficar alegre. Tristeza é agouria...' (...)"

(Guimarães Rosa. *Manuelzão e Miguilim*, 26. ed., Rio de Janeiro, Nova Fronteira, s/d, p. 26, 58-59, 116, 136.)

Leia o texto postado por Pirata, na internet, ao inaugurar seu *blog*, ou seja, o seu diário virtual:

O *blog* da família entra em cena

Oi, gente! Aqui é o Pirata, que resolveu colocar um *blog* no ar para falar da família muito louca que habita esta caverna, com um monte de filhos, coisa que não se encontra fácil hoje em dia. Quanto tempo o *blog* vai durar? Depende de ter o que postar. Enquanto der, vai.

O Pai de Todos é arquiteto; foi ele quem bolou esta caverna – como por aqui tem mais garotos do que laranja madura em banca de feira, ele fez muitas tocas para colocar os pimpolhos. Eu, Pirata maior, ganhei uma toca só para mim; com o passar do tempo e as circunstâncias, precisei dividir minha amada

Adolar

toca com um irmão menor, o Urso, e perdi a privacidade. Mas, dentro do azar, tive sorte, porque o cara não dorme, hiberna, daí o apelido. Então dá sossego.

A Mãe de Todos, eu considero uma santa; faltam só o altar e a auréola. Pudera, além de aguentar o marido, que é tipo general em tempo de guerra, ainda tem que administrar esta caverna, o que, convenhamos, não é para qualquer uma. Sai de perto.

Além de mim, o Pirata, e do Urso roncador, ainda tem mais cinco guris habitando a caverna: a Gata Manhosa, que é toda melindrosa, qualquer coisa já abre o berreiro; a Gata Tinhosa, que é justamente o contrário: facilitou, vem chumbo grosso; os Digo-Digo, na verdade gêmeos idênticos, o que dá uma confusão dos diabos; e a BEBÊ, que nasceu no ano passado e fechou o número de filhos em sete.

(Giselda Laporta Nicolelis. *O blog da família*, São Paulo, Atual, 2007, p. 9-10.)

Nesse texto escrito pelo jovem narrador que se intitula Pirata, as palavras exercem funções diferentes. Por exemplo, algumas dão nome para coisas ou para pessoas; outras indicam uma ação ou um estado; há aquelas que indicam qualidade; e, ainda, as que indicam quantidade.

Veja alguns exemplos retirados do texto de Giselda Laporta Nicolelis:

• Nome para coisas

blog   pimpolhos   banca   feira   tocas   apelido

- Nome para pessoas

    Pirata   Pai de Todos   Urso   Mãe de Todos

- Ação

    resolveu   bolou   ganhei   dividir   habitando   nasceu

- Estado

    é   foi

- Qualidade

    madura   amada   melindrosa   grosso   idênticos

- Quantidade

    cinco   sete

Na língua portuguesa, as palavras podem ser agrupadas em classes, de acordo com a sua função. Nos exemplos anteriores, temos as seguintes classes:

- **substantivos** — que dão nome a coisas, a pessoas etc.;
- **verbos** — que indicam ação ou estado;
- **adjetivos** — que indicam qualidade e jeito de ser;
- **numerais** — que indicam quantidade.

Ao todo, são dez grupos de palavras, ou seja, na nossa língua, as palavras são agrupadas em dez **classes gramaticais**, também chamadas de **categorias gramaticais**.

Classes gramaticais

Veja como algumas palavras do texto lido podem ser classificadas de acordo com as suas classes gramaticais:

1. **Substantivo:** família, caverna, filhos, dia, Pai de Todos, Pirata, garotos, laranja.
2. **Artigo:** um, o, uma, as.
3. **Adjetivo:** louca, madura, amada, menor, roncador, melindrosa, grosso, idênticos.
4. **Numeral:** cinco, sete.
5. **Pronome:** que, se, quanto, quem, mais, muitas, mim, minha, eu, qualquer.
6. **Verbo:** é, resolveu, colocar, falar, habita, encontra, vai, durar, ter, postar.
7. **Advérbio:** aqui, muito, hoje, não, além, perto, já.
8. **Conjunção:** enquanto, como, que, mas, porque, e.
9. **Preposição:** para, com, por, de, em.
10. **Interjeição:** oi.

As **classes gramaticais** subdividem-se em: **variáveis** e **invariáveis**.

Variáveis

São palavras que se flexionam e se modificam conforme o contexto. Elas podem ser:

• Substantivo

    filho — filhos — filha — filhinho — filhote   caverna — cavernas

• Artigo

    o — os — a — as   um — uns — uma — umas

• Adjetivo

    louca — louco — loucas — loucos   melindroso — melindrosos — melindrosa

• Numeral

    dois — duas   metade — metades

• Pronome

    ela — elas   aquele — aquela — aquelas   esse — essa — essas

• Verbo

    é — são   resolveu — resolveram   ganhei — ganhamos

Invariáveis

São palavras que não se modificam nem se flexionam, independentemente do contexto. Elas podem ser:

• Advérbio

    sempre   ontem   perto

• Conjunção

    e   mas   contudo   se

• Preposição

    sem   contra   por   para

• Interjeição

    hein?   psiu!   ui!

Flexões gramaticais

Somente as palavras variáveis podem sofrer flexão. Leia a continuação da descrição dos parentes de Pirata, frequentadores da "caverna", e observe as várias palavras que podem ser flexionadas.

> Visitas costumeiras da caverna: a Vó de Todos, que é francesa, e o Vô de Todos, que é inglês — eles se conheceram numas férias em Madri, resolveram casar e emigrar para o Brasil, onde se naturalizaram (a Mãe de Todos, filha deles, já nasceu trilíngue e virou uma secretária executiva eficientíSSIMA, como ela própria se define). Há também a mãe do Pai de Todos, que tem um detalhe que vale ressaltar: se algum neto a chamar de "Vó", a caverna cai, então a gente a apelidou de Madrinha. Ela é viúva e nem aparenta a idade que tem porque se cuida muito: já fez tudo que foi plástica, lipoaspiração, colocou botox, e tem cremes e perfumes de dar inveja a estrelas de Hollywood.
>
> (Giselda Laporta Nicolelis. *O blog da família,* São Paulo, Atual, 2007, p. 10.)

Se o Pai de Todos fosse filho da Vó de Todos e do Vô de Todos, teríamos:

> (o Pai de Todos, filho deles, já nasceu trilíngue e virou um secretário executivo eficientíSSIMO, como ele próprio se define)

Nessa frase, o substantivo filha sofreu uma variação para o masculino filho. Essa mudança determinou a alteração de outras palavras:

- os artigos   a ⟶ o

  uma ⟶ um

- o substantivo secretária ⟶ secretário

- os adjetivos   executiva ⟶ executivo; eficientíssima ⟶ eficientíssimo

- os pronomes   ela ⟶ ele

  própria ⟶ próprio

Artigos, substantivos, adjetivos e alguns pronomes são, portanto, palavras variáveis, isto é, que são flexionadas gramaticalmente.

Se ambas as avós de Pirata fossem viúvas, teríamos:

> Elas são viúvas e nem aparentam a idade que têm porque se cuidam muito.

Como o pronome passou do singular (ela) para o plural (elas), o adjetivo e alguns verbos também se alteraram.

Assim, é possível perceber que vários tipos de flexão podem ocorrer com as palavras, como: **de gênero**, **de número**, **de tempo**, **modo e pessoa** e **de grau**.

Flexão de gênero

As palavras podem ser do gênero masculino ou feminino. As classes gramaticais que sofrem flexão de gênero são substantivos, adjetivos, artigos, pronomes e numerais.

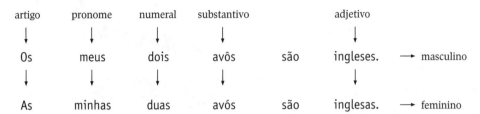

Flexão de número

Os verbos, os substantivos, os artigos, os adjetivos, os pronomes e os numerais podem apresentar formas no singular ou no plural. Veja os exemplos:

artigo	pronome	substantivo	verbo	adjetivo	
↓	↓	↓	↓	↓	
O	meu	avô	é	inglês.	→ singular
↓	↓	↓	↓	↓	
Os	meus	avôs	são	ingleses.	→ plural

Flexão de tempo, modo e pessoa

Somente os verbos apresentam flexão de tempo, modo e pessoa.

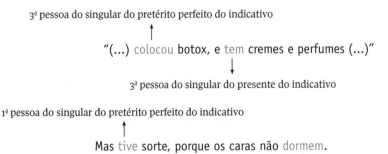

Flexão de grau

Geralmente, os substantivos e os adjetivos apresentam flexão de grau para indicar tamanho, intensidade, afetividade ou sentido pejorativo.

"(...) virou uma secretária executiva eficientíSSIMA, como ela própria se define."

↓

adjetivo no grau superlativo absoluto

127

Exercícios

Leia o final dessa postagem do Pirata no seu *blog* e resolva as questões:

Finalmente, mas não de menor importância, tem a Ágata, que recebeu esse nome porque a Mãe de Todos curte muito aquela autora inglesa de livros de mistério, Agatha Christie. Dizem que a Agatha mandava o mordomo comprar maçãs e depois preparar um banho quente. Daí ela ficava na banheira comendo as maçãs... Os talinhos das maçãs, na borda da banheira, eram os capítulos do próximo livro que ela já trazia na imaginação. Brincadeira! Cabeça de escritor deve ser um vulcão sempre em erupção...

Jorge Zaiba

A nossa Ágata também é inglesa: uma buldogue albina de olhos verdes e de aparência te--ne-bro-sa. Outro dia, vieram uns caras entregar a máquina de lavar roupa que a Mãe de Todos tinha comprado. De repente, a Ágata, que estava presa no corredor, deu uma patada na porta e, curiosa, sentou bem no meio do caminho, com aquela cara de "vou pular no seu pescoço". Os coitados dos entregadores entraram em pânico e foi um custo para a Sonhadora explicar que a cachorra é mansa, ao que um deles replicou entre dentes: "Sei. Mas, se você não prender essa fera, vou dar no pé agora mesmo".

De certa forma, o cara estava coberto de razão: adiantava dizer para ele que a Ágata é tão preguiçosa que só abre um olho de cada vez? Se botarem uma preguiça e a Ágata para disputar uma corrida, é capaz de a preguiça ganhar. Depois, convenhamos, tem *serial killer* que nem parece assassino – pedaços de gente guardados na geladeira, e ele com aquela cara de anjo barroco...

Bem, pessoal, por hoje é só. Entrem e comentem. Volto assim que puder. Fui.

Escrito por Pirata, à 00:30

(Giselda Laporta Nicolelis. *O blog da família*, São Paulo, Atual, 2007, p. 10-11.)

1 Identifique a classe gramatical das palavras destacadas nesse trecho.

2 Quais dessas palavras são invariáveis?

3 Siga as orientações e faça as flexões necessárias:

a) Troque o substantivo **entregadores** por **entregador**:

"Os coitados dos entregadores entraram em pânico (...)."

b) Coloque o substantivo **talinhos** no singular e no grau normal:

"Os talinhos das maçãs, na borda da banheira, eram os capítulos do próximo livro (...)."

c) Passe o substantivo destacado para o plural:

"De certa forma, o **cara** estava coberto de razão (...)."

Substantivo

Conceito

Leia o início desta história de Alexandre Azevedo:

O telegrama

Toca a campainha:

— Aqui é o 934?

— Sim.

— Por favor, assine aqui.

O carteiro entrega o telegrama ao morador. Quando se vira para ir embora, o morador grita para ele:

— Ei, espera aí um pouquinho! O senhor se enganou, este telegrama não é para mim.

— Como não é?

— Ora, e desde quando eu me chamo Filomena?

— Sei lá, talvez sua esposa, filha ou coisa parecida.

— Não, senhor, eu moro sozinho.

— Mas não é aqui o 934?

— Já te disse que é.

— Então pronto, ora bolas. Se aí tá escrito 934 e se aqui é o 934, então não tem nada de errado. É aqui e pronto.

— Mas houve um engano. Eu não posso ficar com uma correspondência que não me pertence.

— E que é que eu posso fazer? Meu trabalho é esse. Eu não posso entregar um telegrama no 935 se é no 934, ou posso?

— Não, não pode. Mas se o senhor devolver para o correio, tá resolvido. Eu é que não tenho nada a ver com isso!

— Como não? O senhor não mora no 934?

— Moro.

— O telegrama não é para o 934?

— É.

(...)

Filipe Rocha

(Alexandre Azevedo. *Que azar, Godofredo!*, 19. ed., São Paulo, Atual, p. 41-42.)

Saber o nome das coisas é muito importante para a comunicação. Ao longo da nossa história, as pessoas deram nomes a seres para que, assim, pudessem se comunicar.

Em Gramática, a palavra que nomeia os seres é chamada de **substantivo**. O conceito de seres inclui os nomes de pessoas, lugares, indivíduos, instituições, grupos. Além disso, incluem-se os nomes de ações, estados, qualidades, sensações, sentimentos e entes de natureza espiritual e mitológica.

Veja alguns exemplos extraídos do texto:

campainha	telegrama	carteiro	morador
Filomena	trabalho	esposa	

> **Substantivo** é a palavra que dá nome a seres em geral, sejam eles visíveis ou invisíveis, e a ações, estados, qualidades, sensações, sentimentos, desejos e ideias.

Classificação do substantivo

Os substantivos podem ser classificados em:

- **próprios** e **comuns** — conforme o tipo de seres a que se referem;
- **concretos** e **abstratos** — conforme a existência dos seres a que se referem;
- **simples** e **compostos**, **primitivos** e **derivados** — conforme a sua estrutura gramatical.

Para que essa classificação seja bem entendida, vamos analisá-la por partes.

Substantivos próprios e comuns

No texto que abre este capítulo, você percebeu que o carteiro quer entregar um telegrama, mas não consegue localizar o destinatário. Vamos terminar a leitura dessa crônica para saber qual solução será dada ao caso.

Filipe Rocha

(...)
— Então o senhor vai ter que ficar com isso. Que culpa tenho eu se não mora nenhuma Filomena aqui?
— E se for algo importante? Alguma coisa urgente?
— O senhor se vira, eu só cumpri o meu trabalho.
— Então eu vou abrir.
— Ah, mas isso é crime! Violação de correspondência!
— Como crime? O telegrama não é para o 934?
— É, uai!
— E onde é o 934?
— É aqui, uai!
— Então pronto. O senhor mesmo não tá querendo que eu fique com ele?
— É, nesse ponto o senhor tem razão. Então vamos ler o que está escrito aí.
O morador lê em voz alta:
— "QUERIDA SOBRINHA MANDO DINHEIRO HERANÇA VOVÔ."
E, com o rosto triste, continuou:
— Puxa vida, o vovô morreu!
— Vovô? Mas como? Que negócio é esse? — disse o carteiro, sem nada entender.
— Ora, rapaz, numa hora dessas o senhor me vem com perguntas cretinas! Não respeita o sofrimento dos outros?! Passar bem!
E o morador entra na casa, falando em voz alta:
— Pobre vovô! Pobre vovô!

(Alexandre Azevedo. *Que azar, Godofredo!*, 19. ed., São Paulo, Atual, p. 41-42.)

Observe as palavras destacadas no trecho da página anterior: senhor, morador, vovô, carteiro e rapaz. Elas indicam pessoas, mas não as especificam, isto é, não sabemos o nome dessas pessoas. Sabemos, no entanto, qual é o nome do destinatário do telegrama: Filomena.

Essas palavras são substantivos porque dão nome aos seres. Porém, há uma diferença quanto à classificação delas. Veja as definições a seguir:

- senhor — tratamento cerimonioso ou respeitoso destinado a um homem;
- morador — aquele que mora em determinado local;
- vovô — o pai do pai (avô paterno) ou da mãe (avô materno) de um indivíduo;
- carteiro — mensageiro de empresa postal, encarregado de distribuir cartas e outras correspondências;
- rapaz — homem adulto, mas ainda jovem.

Essas definições são bastante genéricas, comuns, porque não especificam ninguém. Esse tipo de substantivo é **comum** e é escrito sempre com a letra inicial minúscula.

Agora, veja um substantivo que designa uma pessoa específica, um ser entre tantos outros que existem:

- Filomena — personagem, no texto, a quem se destina o telegrama trazido pelo carteiro.

Esse tipo de substantivo é **próprio** e é escrito sempre com a letra inicial maiúscula.

Observe outros exemplos:

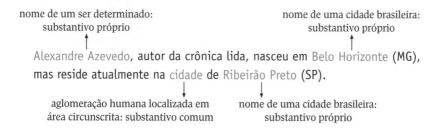

nome de um ser determinado: substantivo próprio

nome de uma cidade brasileira: substantivo próprio

Alexandre Azevedo, autor da crônica lida, nasceu em Belo Horizonte (MG), mas reside atualmente na cidade de Ribeirão Preto (SP).

aglomeração humana localizada em área circunscrita: substantivo comum

nome de uma cidade brasileira: substantivo próprio

> **Substantivo comum** é aquele que dá nome a todos os seres da mesma espécie, de forma genérica.
> **Substantivo próprio** é aquele que dá nome a um ser específico da espécie.

Entre os substantivos comuns, há um tipo que merece destaque por apresentar características especiais: é chamado de **coletivo**, pois indica uma coleção. Observe:

> Biblioteca: (s.f.) Coleção de livros, dispostos de modo ordenado e em estantes, para estudo, leitura e consulta.
>
> (*Minidicionário Soares Amora*. São Paulo, Saraiva.)

> **Substantivo coletivo** é aquele que, no singular, representa um conjunto de elementos de uma mesma espécie.

Veja outros exemplos de coletivos:

acervo	de coisas em geral, bens patrimoniais
alameda	de árvores (em linha)
alfabeto	de letras (em ordem)
antologia	de textos literários
arquipélago	de ilhas
atlas	de mapas
banda	de músicos
biblioteca	de livros
cardume	de peixes em geral
colmeia	de abelhas
constelação	de estrelas
elenco	de atores
exército	de soldados
fauna	de animais de uma região
flora	de plantas de uma região
folclore	de tradições e crenças populares
manada	de bois, búfalos, elefantes
multidão	de pessoas
ninhada	de filhotes
orquestra	de músicos
penca	de frutas, chaves
plateia	de espectadores
pomar	de árvores frutíferas
quadrilha	de ladrões, bandidos
ramalhete	de flores
rebanho	de ovelhas
turma	de pessoas, trabalhadores, estudantes

Colmeia.

Ramalhete.

Substantivos concretos e abstratos

Leia esta tira e observe os substantivos destacados:

As palavras montanha, emoção e pedrinha, destacadas nessa tira, são substantivos, mas existe uma diferença entre elas. Observe:

• montanha — elevação significativamente alta e de base extensa em um terreno;
• emoção — agitação de sentimentos, abalo afetivo ou moral, comoção;
• pedrinha — matéria mineral sólida, dura, constituída da natureza das rochas.

Os substantivos montanha e pedrinha designam coisas, seres que não dependem de outros seres para existir; são chamados de **substantivos concretos**. Já o substantivo emoção, para existir, depende de algo que o provoque, isto é, depende de outro ser. É chamado de **substantivo abstrato** e se refere a qualidades, ações, sentimentos e estados dos seres.

Substantivo abstrato é aquele que indica seres com existência dependente de outros seres.

Substantivo concreto é aquele que indica seres (reais ou não) que não dependem de outros seres para existir.

Substantivos simples e compostos

Nos Capítulos 6 e 7, referentes à estrutura e à formação de palavras, vimos que algumas palavras são formadas por um único radical, e outras, por mais de um radical. Se o substantivo apresentar apenas um radical ou elemento, ele é um substantivo **simples**; se tiver mais de um radical ou elemento, ele é **composto**.

Leia a tira a seguir e observe o substantivo destacado:

Fernando Gonsales

tatus-bolinha

mais de um radical:
substantivo composto

Substantivo simples é aquele formado por um só elemento (radical).
Substantivo composto é aquele formado por mais de um elemento (radical).

OBSERVAÇÃO

Há substantivos compostos que não são ligados por hífen. Veja estes exemplos:

petróleo	passatempo	fotonovela
↓	↓	↓
pedra + óleo	passa + tempo	foto + novela

Substantivos primitivos e derivados

Leia este trecho:

Ninguém esquece um episódio de "Os Simpsons"

Aquela estupidez memorável do Homer não sai da sua cabeça?
Você não é o único. Seriado foi o mais lembrado em um
estudo sobre memória

Agora é científico: os criadores de "Os Simpsons"
já podem dizer que sua série de desenhos animados é
mesmo memorável. A verificação vem de um estudo
conduzido por cientistas dos Estados Unidos e de
Israel, que ajudou a entender exatamente como a
memória humana funciona — e a coisa não é tão
diferente assim da memória de um computador.

(Salvador Nogueira. Em: Revista *Galileu*, ed. 207, out. 2008, p. 29.)

20TH CENTURY FOX/Album/LatinStock

As palavras estupidez e cientistas são substantivos formados a partir de outras palavras; são chamados de **substantivos derivados**. Observe:

estupidez
↓
substantivo formado de estúpido + sufixo -ez

cientistas
↓
substantivo formado de ciência + sufixo -ista(s)

Já a palavra cabeça não é derivada de nenhuma outra; por isso, é chamada de **substantivo primitivo**. Assim como estúpido e ciência, cabeça pode dar origem a outros substantivos. Veja:

cabeçada
↓
substantivo formado de cabeça+ sufixo –ada

cabeçudo
↓
substantivo formado de cabeça + sufixo –udo

> **Substantivo primitivo** é o que não deriva de outra palavra na língua portuguesa.
> **Substantivo derivado** é o que se forma a partir de outra palavra na língua portuguesa.

Naturalmente, um mesmo substantivo pode receber várias classificações ao mesmo tempo. Veja exemplos a partir do substantivo pedra:

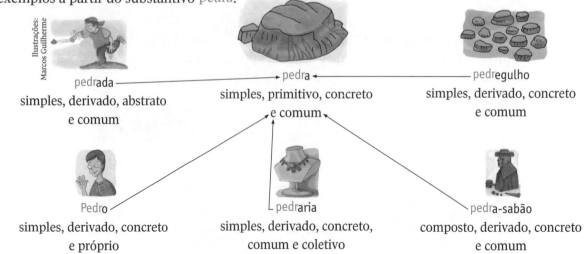

Ilustrações: Marcos Guilherme

pedrada
simples, derivado, abstrato
e comum

pedra
simples, primitivo, concreto
e comum

pedregulho
simples, derivado, concreto
e comum

Pedro
simples, derivado, concreto
e próprio

pedraria
simples, derivado, concreto,
comum e coletivo

pedra-sabão
composto, derivado, concreto
e comum

Exercícios

1 Leia a relação dos livros mais vendidos na semana de 12 de novembro de 2008, publicada na revista *Veja*, e indique todos os substantivos dos títulos destacados que não sejam nomes próprios.

FICÇÃO	
A Cabana William Young [2	11] SEXTANTE	1
O Vendedor de Sonhos Augusto Cury [1	19] ACADEMIA DE INTELIGÊNCIA	2
Crepúsculo Stephenie Meyer [5	25#] INTRÍNSECA	3
Lua Nova Stephenie Meyer [3	6] INTRÍNSECA	4
O Jogo do Anjo Carlos Ruiz Zafón [6	4] OBJETIVA/SUMA DE LETRAS	5
A Menina que Roubava Livros Markus Zusak [7	86] INTRÍNSECA	6
O Pequeno Príncipe Antoine Saint-Exupéry [4	7#] AGIR	7
Ensaio sobre a Cegueira José Saramago [9	25#] COMPANHIA DAS LETRAS	8
O Caçador de Pipas Khaled Hosseini [0	155#] NOVA FRONTEIRA	9
A Sombra do Vento Carlos Ruiz Zafón [0	67#] OBJETIVA/SUMA DE LETRAS	10

NÃO FICÇÃO	
Comer, Rezar, Amar Elizabeth Gilbert [2	33] OBJETIVA	1
1808 Laurentino Gomes [1	58] PLANETA	2
Uma Breve História do Mundo Geoffrey Blainey [4	43#] FUNDAMENTO	3
Dewey Vicki Myron e Bret Witter [5	4] GLOBO	4
Marley & Eu John Grogan [3	110] PRESTÍGIO	5
O País dos Petralhas Reinaldo Azevedo [6	7] RECORD	6
Doidas e Santas Martha Medeiros [9	8#] L&PM	7
Guinness World Records 2009 Guinness [0	1] EDIOURO	8
Mentes Perigosas Ana Beatriz Barbosa Silva [0	1] FONTAMAR	9
O Mundo É Bárbaro Luis Fernando Verissimo [10	12] OBJETIVA	10

AUTOAJUDA E ESOTERISMO	
Eles Continuam entre Nós Zibia Gasparetto [3	12] VIDA & CONSCIÊNCIA	1
O Segredo Rhonda Byrne [2	78] EDIOURO	2
Casais Inteligentes Enriquecem Juntos Gustavo Cerbasi [8	133#] GENTE	3
O Código da Inteligência Augusto Cury [0	1] THOMAS NELSON BRASIL	4
O Monge e o Executivo James Hunter [6	197] SEXTANTE	5
A Arte da Guerra Sun Tzu [1	37#] VÁRIAS EDITORAS	6
Nunca Desista de Seus Sonhos Augusto Cury [10	170#] SEXTANTE	7
Os Segredos da Mente Milionária T. Harv Eker [0	91#] SEXTANTE	8
Só por Amor Mônica de Castro [0	5#] VIDA & CONSCIÊNCIA	9
A Lição Final Randy Pausch e Jeffrey Zaslow [4	18#] AGIR	10

(http://veja.abril.uol.com.br/121108/veja_recomenda.shtml, acessado em 12 jan. 2009.)

2 Leia o texto a seguir:

Fernando de Noronha
O parque marinho torna o arquipélago um destino "eco" por excelência

Ainda que muitos (como eu) possam ver em Noronha o nosso pedacinho de Caribe, as autoridades, os ecologistas e os mergulhadores veem Noronha como o parque nacional marinho que é. E isso faz de Noronha um destino "eco", mesmo sem muitas atividades, afora mergulhar e assistir a palestras de ecologistas e biólogos. A visita ao aquário natural da Praia da Atalaia agora é limitada a quem chegue a pé. Podem-se avistar golfinhos de manhã cedo e nadar próximo a tartarugas na Praia do Sueste (com os monitores do Tamar). A grande

Baía dos Porcos, em Fernando de Noronha.

ameaça ao equilíbrio da ilha está na entrada de Noronha, na rota dos cruzeiros. A liberação de pousadas de charme até hoje não foi bem recebida pela população local. Mas a chegada do conforto e do charme fez bem à ilha, que aos poucos vai perdendo o ar militar de outros tempos.

(Revista *Época*, 27 out. 2008, p. 84-85.)

Agora identifique, no texto, pelo menos um substantivo:

a) próprio

b) coletivo

c) derivado

d) composto

3 Resolva as charadas, descobrindo os substantivos abstratos que dão nome às cidades. Siga o exemplo.

a) Qual é a cidade selvagem? *Ferocidade*.

b) Qual é a cidade venturosa?

c) Qual é a cidade mais apressada?

d) Qual é a cidade verdadeira?

e) Qual é a cidade genuína?

f) Qual é a cidade rústica?

g) Qual é a cidade maldosa?

(Donaldo Buchweitz (org.). *Charadas: O que é, o que é?*: Português, s/p.)

4 No exercício anterior, identifique e explique o processo de formação dos substantivos abstratos.

5 Identifique os substantivos abstratos no texto a seguir:

Intromissão

Minha amiga,
deixa de choro,
deixa de desespero,
deixa de drama.

A mais eterna das paixões
dura apenas uma semana.

(Elias José. *Amor adolescente*,
5. ed., São Paulo, Atual,
1999, p. 14.)

Lucia Hiratsuka

6 Leia o texto para resolver as questões a seguir:

Biólogos da Universidade da Geórgia fizeram o primeiro censo demográfico de bactérias.

Existem na Terra 5 milhões de trilhões de trilhões delas. Ou seja, o número 5 seguido de trinta zeros. Só para dar uma ideia, se cada bactéria tivesse a espessura de uma moeda de 10 centavos, e se fossem colocadas umas sobre as outras, a pilha teria 1 trilhão de anos-luz, ou seja, seria pelo menos mil vezes mais extensa do que o Universo.

(*Superinteressante*)

a) Em "Existem na Terra 5 milhões de trilhões de trilhões delas", há um substantivo próprio. Reescreva este trecho substituindo o substantivo próprio por um substantivo comum.

b) **Espessura** é um substantivo abstrato. Por que ele tem essa classificação?

c) No texto há um substantivo composto. Retire-o e dê sua classificação geral.

Flexão do substantivo

A flexão indica a variação (ou variações) que uma palavra pode apresentar para expressar determinadas categorias gramaticais.

O substantivo apresenta flexão de **gênero**, **número** e **grau**. Vamos estudá-las separadamente.

Flexão de gênero

Leia o artigo abaixo:

Letras em movimento

Um jogo de fácil realização pode ajudar a ampliar o vocabulário das crianças

O jogo é de uma simplicidade cristalina, mas eficiente.

Um jogador ou um grupo desfaz uma palavra e, com suas letras, forma outros vocábulos.

A partir do termo "congratulações", por exemplo, podem vir "ações", "congo", "grato", "rato", "ato", "nela", "asa", "estouro", "graça", "traça", e muitas outras.

Edde Wagner

A atividade pode dar à criança maior noção de materialidade do idioma, enquanto aumenta seu vocabulário.

Como jogar:

Com mais de uma criança em jogo, pode-se:

• Comparar as palavras que os jogadores conseguiram formar, ao fim de cada rodada. O vencedor será o primeiro a conseguir 50 pontos.

• Em outra forma para o mesmo jogo, cortar palavras repetidas no grupo. Só se ganha 1 ponto pela palavra que nenhum outro jogador encontrou.

• Uma terceira maneira de jogar é não cortar palavras repetidas, mas atribuir pontos para cada termo:

1 ponto = Palavras com duas ou três letras;

2 pontos = Palavras com quatro letras;

3 pontos = Palavras com cinco letras;

5 pontos = Palavras com mais de cinco letras.

• Ou, então, cronometrar a partida para ver quem faz mais rápido. Ganha quem, num tempo estipulado, tiver o maior número de palavras, independentemente de mais de um jogador escrever a mesma palavra.

(Revista *Língua Portuguesa*, set. 2008, p. 61.)

Observe, inicialmente, as palavras a seguir, retiradas do texto da página anterior:

jogo   jogador   simplicidade
vocábulos   crianças   letras

Na língua portuguesa, os substantivos apresentam dois gêneros: o feminino e o masculino. Das palavras acima, são femininos os substantivos simplicidade, crianças e letras, e são masculinos os substantivos jogo, jogador e vocábulos.

Alguns substantivos podem flexionar-se, mudando de gênero. É o caso de jogador, cuja forma feminina correspondente é jogadora.

Outros substantivos pertencem ao gênero gramatical masculino ou feminino e não têm flexão correspondente. Veja alguns exemplos extraídos do texto:

• **substantivos masculinos** — vocabulário, grupo, vocábulos, termo, exemplo, congo, rato, ato, estouro;

• **substantivos femininos** — realização, palavra, congratulações, ações, asa, graça, traça.

Compare agora os dois grupos de palavras:

Grupo 1: o jogador — a jogadora

Grupo 2: o jogo
as crianças

Os substantivos do Grupo 1 têm duas formas: uma para o gênero masculino e outra para o gênero feminino. Os do Grupo 2 têm apenas uma forma, já que apresentam um só gênero. Portanto, podemos chamar os substantivos do Grupo 1 de **biformes** e os do Grupo 2, de **uniformes**.

> **Substantivos biformes** são aqueles que apresentam duas formas para indicar o gênero: uma masculina e uma feminina.
>
> **Substantivos uniformes** são aqueles que apresentam o gênero em uma única forma: ou no masculino ou no feminino.

Substantivos biformes

Os substantivos biformes podem flexionar-se em gênero:

• pela troca da terminação:

garoto ⟶ garota   mestre ⟶ mestra
poeta ⟶ poetisa   namorador ⟶ namoradeira

• pelo acréscimo de terminação:

camponês ⟶ camponesa   autor ⟶ autora

• pela troca de radicais:

genro ⟶ nora   cavalo ⟶ égua

Ilustrações: Adolar

Além desses casos, há também algumas formações especiais, por exemplo:

ator — atriz

Observe, neste quadro-resumo, a formação do gênero feminino a partir das terminações mais usadas:

Terminação	Exemplos
a	menino ⟶ menina
	elefante ⟶ elefanta
ã	cidadão ⟶ cidadã
eira	cantador ⟶ cantadeira
esa, essa, isa	barão ⟶ baronesa
	conde ⟶ condessa
	diácono ⟶ diaconisa
oa	patrão ⟶ patroa
ona, ina	solteirão ⟶ solteirona
	czar ⟶ czarina
ora	cantor ⟶ cantora
triz	imperador ⟶ imperatriz
radicais diferentes	cavalo ⟶ égua
	zangão ⟶ abelha
casos especiais	rei ⟶ rainha
	avô ⟶ avó
	ladrão ⟶ ladra

OBSERVAÇÃO

A palavra embaixador admite duas formas de feminino com significados diferentes:
• embaixadora — indica a mulher que ocupa o cargo em embaixadas;
• embaixatriz — indica a esposa do embaixador.

Substantivos uniformes

Quanto ao gênero, os substantivos uniformes podem ser de três tipos: **comuns de dois gêneros**, **sobrecomuns** e **epicenos**. Cada um deles forma o feminino de modo diferente, pois, como têm uma única forma, são necessárias certas indicações para identificar o gênero do ser a quem se referem.

❶ Comuns de dois gêneros

Estes substantivos apresentam apenas uma forma para os dois gêneros, e a distinção entre masculino e feminino é feita por meio de artigos, pronomes e adjetivos.

Observe nesta tira a palavra destacada:

uma massagista   essa massagista   ótima massagista
↓   ↓   ↓
artigo   pronome   adjetivo
↓   ↓   ↓
um massagista   esse massagista   ótimo massagista

Outros exemplos de substantivos comuns de dois gêneros:

agente
colega
colegial
cliente
estudante
agiota
conferencista
diplomata
paciente
gerente
imigrante
indígena
intérprete
jornalista
servente
pianista
democrata

| um |
| uma |

| muito esperto |
| muito esperta |

2 Sobrecomuns

Os substantivos sobrecomuns têm uma única forma para indicar os dois gêneros. Não há distinção entre masculino e feminino porque as palavras que os acompanham também não variam.

Observe esta tira de Níquel Náusea:

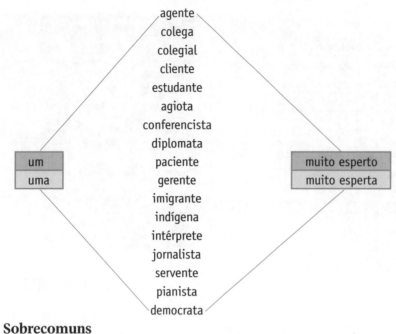

Fernando Gonsales

Do ponto de vista gramatical, a palavra criança é sempre do gênero feminino. Trata-se de um substantivo **sobrecomum**.

Veja outros exemplos de substantivos sobrecomuns:

o algoz   o apóstolo
o carrasco   o monstro
o cônjuge   o indivíduo
o guia   o manequim
o animal   a vítima
o defunto   o verdugo
o ente   o sujeito
a criatura   o tipo
o elemento   o ser
a criança   a presa
a testemunha   o ídolo
o membro   o alvo

OBSERVAÇÃO

Não se deve confundir **sexo** com **gênero**. O gênero, em relação às palavras, é uma classificação gramatical, enquanto o sexo é uma classificação biológica.

criança
gênero: feminino
sexo: masculino ou feminino

medo
gênero: masculino
sexo: não tem

família
gênero: feminino
sexo: não tem

cadeado
gênero: masculino
sexo: não tem

3 **Epicenos**

Leia, a seguir, a tira de Fernando Gonsales:

No primeiro quadrinho, pode-se identificar com facilidade o gênero da palavra destacada:

pássaros ⟶ gênero masculino

Mas, para determinar o sexo desse animal, é preciso acrescentar ao substantivo as palavras **macho** ou **fêmea**. Observe:

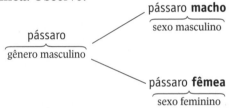

pássaro
gênero masculino

pássaro **macho**
sexo masculino

pássaro **fêmea**
sexo feminino

No texto da tira, o autor referiu-se aos pássaros machos e aos pássaros fêmeas porque era importante, para o contexto, diferenciar o sexo desses animais. No entanto, esse tipo de substantivo nem sempre exige tal distinção nos textos.

Veja a tira a seguir:

No primeiro quadrinho, aparece a palavra coruja, que é um substantivo feminino. Nesse contexto, não interessa saber se o animal é macho ou fêmea.

Esse tipo de substantivo é chamado de **epiceno** — designa animais e tem apenas um gênero. Pode aparecer no gênero feminino ou masculino, independentemente do sexo do animal.

Veja outros exemplos de substantivos epicenos:

a águia	a onça	o crocodilo	o jacaré	o peixe	o pardal
a baleia	a aranha	o gavião	a borboleta	a capivara	o condor
a cobra	a cutia	o urubu	a formiga	a cascavel	a pantera

141

Outros casos

1 Gênero e sentido

Alguns substantivos são masculinos ou femininos, conforme o sentido em que se acham empregados. Veja alguns deles:

Masculino
o bando — grupo de pássaros ou de bandidos
o cabeça — chefe
o capital — valores disponíveis
o estepe — pneu sobressalente
o grama — unidade de medida
o moral — ânimo, disposição
o nascente — ponto cardeal leste
o rádio — osso; aparelho receptor

Feminino
a banda — de músicos
a cabeça — parte do corpo
a capital — principal cidade de um país, estado, província etc., onde se aloja a administração
a estepe — tipo de vegetação
a grama — tipo de vegetação
a moral — conjunto de regras de conduta
a nascente — fonte de água
a rádio — estação de rádio

2 Gênero incerto

Alguns substantivos uniformes geram dúvidas quanto ao gênero. Veja estes exemplos:

Masculinos
o champanha — vinho espumante
o eclipse — fenômeno astronômico
o estratagema — ardil, armadilha engenhosa
o gengibre — raiz alimentícia
o guaraná — planta de cujo fruto se faz bebida refrigerante
o magma — massa natural fluida, ígnea, expelida durante a erupção de vulcões

Femininos
a alface — hortaliça consumida em forma de salada, com inúmeras variedades de folhas
a cal — substância branca resultante da calcinação de pedras calcárias
a comichão — coceira
a derme — camada da pele
a faringe — cavidade posterior às fossas nasais
a hélice — peça propulsora de navios e aviões
a libido — instinto ou desejo sexual
a sentinela — soldado armado que vigia ou guarda

Masculinos ou femininos
o agravante / a agravante — circunstância que torna mais grave um problema ou uma situação
o cataplasma / a cataplasma — mistura de medicamentos
o cólera / a cólera — doença
o dengue / a dengue — doença
o diabete(s) / a diabete(s) — doença
o laringe / a laringe — conduto que faz parte da fonação
o personagem / a personagem — cada um dos papéis representados em peça de teatro, filme

Guaraná: substantivo masculino.

Silvestre Silva/SambaPhoto

Flexão de número

Leia o texto a seguir:

Cacho da discórdia

Tudo começou por causa de um inofensivo cacho de bananas. Steve Thoburn, quitandeiro de Sunderland, cidadezinha no extremo norte da Inglaterra, vendeu as frutas do jeito que sempre fazia — pesando o cacho numa balança que media em libras, a medida britânica de peso que equivale a pouco menos de 0,5 quilo. Pois esse ato lhe custou uma multa — Thoburn desobedeceu à nova lei da União Europeia que determina que todos os países membros devem utilizar o sistema métrico. Ou seja, ele deveria ter vendido as bananas em quilos. Esse incidente besta tomou proporções nacionais e transformou o quitandeiro do interior em herói na luta pelas tradições nacionais britânicas. Mas comecemos de onde se deve — do começo.

Indignado com a multa, Thoburn juntou-se a outros quatro comerciantes que tinham o mesmo problema e entrou na Justiça para poder continuar a vender seus produtos da maneira tradicional. Juntos, ficaram conhecidos como "os cinco mártires do metro" e acirraram a briga entre prós e anti-União Europeia. O processo foi ganhando força e publicidade. (...) A última fase do julgamento aconteceu no dia 18 de fevereiro, quando os "mártires" perderam e foram condenados na Suprema Corte. Um dos comerciantes, arrasado, chegou a declarar que a sentença marcava o fim da democracia inglesa.

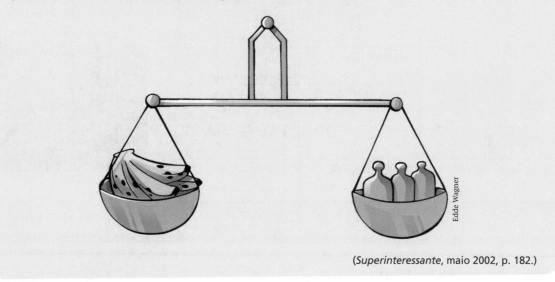

(*Superinteressante*, maio 2002, p. 182.)

Observe os substantivos destacados no texto:

bananas   países   proporções   mártires

Eles estão no plural. Veja a forma singular de cada um e observe a terminação das palavras:

banan**a**	pa**ís**	proporç**ão**	márti**r**
↓	↓	↓	↓
vogal	**s**	**ão**	**r**

Quando são flexionados em número, os substantivos formam o plural de acordo com a sua terminação.

Conheça, a seguir, algumas regras que orientam a flexão de número dos substantivos.

Plural dos substantivos simples

1 Regras gerais

O quadro-resumo abaixo mostra a formação do plural dos substantivos simples, a partir da terminação no singular.

Terminação no singular	Regra	Exemplos
vogal, ditongo oral	acrescenta-se **s**	livr**o** → livros p**ai** → pais
m	troca-se por **ns**	ite**m** → itens bandoli**m** → bandolins bombo**m** → bombons atu**m** → atuns
ão	troca-se por **ões**, **ães**, **ãos**	le**ão** → leões p**ão** → pães m**ão** → mãos
r, z	acrescenta-se **es**	mulhe**r** → mulheres cru**z** → cruzes
s (oxítonos ou monossílabos tônicos)	acrescenta-se **es**	burguê**s** → burgueses gá**s** → gases
s (paroxítonos)	invariáveis	pire**s** → pires víru**s** → vírus
x	invariáveis	tóra**x** → tórax clíma**x** → clímax
l	troca-se o **l** por **is**	jorna**l** → jornais ane**l** → anéis anzo**l** → anzóis pau**l** → pauis
il (oxítonos)	troca-se por **is**	barri**l** → barris canti**l** → cantis
il (paroxítonos)	troca-se por **eis**	fóssi**l** → fósseis répti**l** → répteis

Leão.

Leões.

2 Plural dos nomes próprios

Alguns nomes próprios, quando empregados como nomes comuns, flexionam-se no plural, de acordo com as regras gerais.

César → os Césares   Matos → os Matos   Mesquita → os Mesquitas

3 Plural em *o* aberto

Certos substantivos, que têm o **o** tônico com som fechado (**ô**) no singular, apresentam esse **o** tônico com som aberto (**ó**) quando passam para o plural. Compare:

o aeroporto

os aeroportos

o tônico com som fechado (**ô**)   o tônico com som aberto (**ó**)

Veja a seguir alguns substantivos em que isso ocorre:

Singular (ô)	Plural (ó)	Singular (ô)	Plural (ó)	Singular (ô)	Plural (ó)
caroço	caroços	imposto	impostos	porco	porcos
corpo	corpos	jogo	jogos	posto	postos
corvo	corvos	miolo	miolos	povo	povos
destroço	destroços	olho	olhos	pronto-socorro	pronto-socorros
esforço	esforços	osso	ossos	reforço	reforços
fogo	fogos	ovo	ovos	tijolo	tijolos
forno	fornos	poço	poços	entreposto	entrepostos

4 Plural em *o* fechado

Certos substantivos, que têm o **o** tônico com som fechado (**ô**) no singular, também apresentam esse **o** tônico com som fechado (**ô**) quando passam para o plural. Compare:

o bolo
↓
o tônico com som fechado (**ô**)

os bolos
↓
o tônico com som fechado (**ô**)

Veja alguns substantivos em que esse caso ocorre:

Singular (ô)	Plural (ô)	Singular (ô)	Plural (ô)	Singular (ô)	Plural (ô)
acordo	acordos	dorso	dorsos	morro	morros
almoço	almoços	esboço	esboços	polvo	polvos
bolso	bolsos	esgoto	esgotos	repolho	repolhos
cachorro	cachorros	esposo	esposos	rolo	rolos
coco	cocos	estojo	estojos	sopro	sopros
colosso	colossos	globo	globos	soro	soros
conforto	confortos	gosto	gostos	topo	topos
contorno	contornos	molho	molhos	transtorno	transtornos

Plural dos substantivos compostos

Os substantivos compostos por aglutinação ou justaposição que não são escritos com hífen, em geral, não apresentam dificuldades para a formação do plural: eles seguem as regras dos substantivos simples. Veja os exemplos:

claraboia ⟶ claraboias   vaivém ⟶ vaivéns   passatempo ⟶ passatempos

Entretanto, aqueles que são escritos com hífen obedecem a algumas regras especiais, descritas a seguir.

1 Verbo ou palavra invariável + substantivo ou adjetivo — o segundo elemento vai para o plural.

para-brisa ⟶ para-brisas
↓ ↓
verbo substantivo

guarda-chuva ⟶ guarda-chuvas   abaixo-assinado ⟶ abaixo-assinados

2 **Substantivo + substantivo determinante específico** — o primeiro elemento vai para o plural.

caneta-tinteiro ⟶ canetas-tinteiro

substantivo ⟍ substantivo determinante

salário-família — salários-família   cavalo-vapor — cavalos-vapor

3 **Substantivo + adjetivo** ou **adjetivo + substantivo** — os dois elementos vão para o plural.

amor-perfeito ⟶ amores-perfeitos

substantivo ⟍ adjetivo

gentil-homem — gentis-homens   terça-feira — terças-feiras

Amores-perfeitos.

4 **Verbo + palavra invariável** — ficam invariáveis.

o bota-fora ⟶ os bota-fora

verbo ⟍ advérbio (palavra invariável)

o cola-tudo — os cola-tudo   o topa-tudo — os topa-tudo

5 **Palavras repetidas ou semelhantes** — o segundo elemento vai para o plural.

o tique-taque ⟶ os tique-taques

palavras semelhantes

o tico-tico — os tico-ticos   o reco-reco — os reco-recos

Reco-reco.

Outros casos

1 **Substantivos no singular** — Alguns substantivos são empregados apenas no singular. Por exemplo:

a fé   o norte   o leste   o sul

2 **Substantivos no plural** — Muitos substantivos são empregados apenas no plural. Por exemplo:

arredores	óculos	víveres	pêsames
cócegas	olheiras	bodas	escombros

3 **Substantivos terminados em *ão*** — Alguns substantivos que terminam em **ão** apresentam mais de uma forma aceitável para o plural. Por exemplo:

ancião ⟶ anciões, anciães, anciãos
vilão ⟶ vilões, vilães, vilãos

4 **Número e sentido** — Alguns substantivos têm um sentido no singular e outro no plural. Por exemplo:

Singular	Plural
bem — virtude, benefício	*bens* — propriedades
cobre — metal	*cobres* — dinheiro
copa — taça, copo	*copas* — um dos naipes do baralho
costa — litoral	*costas* — dorso
féria —renda, salário	*férias* — dias de descanso
haver — ter, possuir	*haveres* — bens
honra — dignidade	*honras* — honraria

Flexão de grau

O substantivo pode ser flexionado também em grau, indicando aumento ou diminuição.

Leia o trecho do poema a seguir, observando as expressões destacadas:

Funeral de um lavrador

— Essa cova em que estás,
com palmos medida,
é a conta menor
que tiraste em vida.
— É de bom tamanho,
nem largo nem fundo,
é a parte que te cabe
deste latifúndio.
— Não é cova grande,
é cova medida,
é a terra que querias
ver dividida.
— É uma cova grande
para teu pouco defunto,

mas estarás mais ancho
que estavas no mundo.
— É uma cova grande
para teu defunto parco,
porém mais que no mundo
te sentirás largo.
— É uma cova grande
para tua carne pouca,
mas a terra dada
não se abre a boca.
(...)

(Chico Buarque e João Cabral de
Melo Neto. © 1967 by
Editora Musical Arlequim Ltda.)

Filipe Rocha

As palavras grande e menor indicam, respectivamente, aumento e diminuição do substantivo a que se referem. Veja:

cova grande

conta menor

indica aumento de tamanho

indica diminuição de tamanho

A mudança no grau do substantivo pode ser feita de duas maneiras, **analiticamente** ou **sinteticamente**, como veremos a seguir.

Flexão de grau pelo processo analítico

Nesse processo, o substantivo aparece na sua forma normal e o grau (aumentativo ou diminutivo) é indicado pelos adjetivos que acompanham o substantivo.

Observe os seguintes exemplos:

cova grande   defunto parco

substantivo adjetivo   substantivo adjetivo

Nesses exemplos, há um adjetivo relacionado ao substantivo e que lhe confere a noção do grau aumentativo e do grau diminutivo.

Para que se perceba isso, às vezes, é necessário **analisar** as palavras que circundam os substantivos em uma frase ou expressão. Por isso, essa forma de flexão de grau é chamada de **processo analítico** ou **forma analítica**.

Veja outros exemplos de forma analítica para esses substantivos:

cova enorme   cova imensa   cova descomunal

Em todos os exemplos acima, o adjetivo indica o aumento do grau do substantivo. Nos exemplos a seguir, os adjetivos indicam a diminuição do tamanho do substantivo cova.

cova pequena   cova ínfima   cova imperceptível

Flexão de grau pelo processo sintético

Nesse processo, o substantivo sofre flexão, recebendo um sufixo que indica o seu aumento ou a sua diminuição.

Observe como poderiam ficar os versos, com algumas alterações:

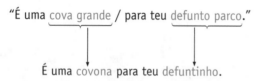

"É uma cova grande / para teu defunto parco."

É uma covona para teu defuntinho.

O acréscimo do sufixo -ona ao substantivo cova resulta em um substantivo no grau aumentativo. Da mesma forma, o grau diminutivo do substantivo defunto foi obtido com o sufixo -inho: defuntinho.

Observe o mesmo recurso empregado nesta tira:

Maurício de Sousa Produções - Brasil/2009

© MAURICIO DE SOUSA PRODUÇÕES - BRASIL / 2009

Veja outros exemplos de substantivos flexionados sinteticamente:

Forma normal	Aumentativo sintético	Diminutivo sintético
casa	casarão	casebre / casinha
perna	pernona	perneta
dente	dentão	dentinho
fogo	fogaréu	foguito
cabeça	cabeçorra	cabeçote

Os diminutivos sintéticos de alguns substantivos têm o **s** do plural assimilado. Veja as situações em que isso acontece:

- substantivos terminados em ditongo:

  balão — balões — balõezinhos
  cão — cães — cãezinhos

- substantivos terminados em consoante:

  anel — anéis — aneizinhos
  farol — faróis — faroizinhos
  elevador — elevadores — elevadorezinhos

Existem substantivos que, de tanto serem usados no aumentativo e no diminutivo, acabaram perdendo a noção de aumento ou diminuição, embora conservem os sufixos -**ão** e -**inho**.

Veja a tira do Bidu:

Na tira acima, há a palavra orelhão, que é formada por orelha mais o sufixo -ão; atualmente, mesmo mantendo esse sufixo, denomina outro objeto que difere de "orelha grande".

Veja outros exemplos:

cartão	colchão	folhinha (= calendário)
caldeirão	cartilha	cavalete

Há também alguns substantivos que, quando empregados no aumentativo e no diminutivo, podem indicar a noção de desprezo ou ironia, tornando-se pejorativos.

Veja estas tiras do gato Garfield:

Nos exemplos da página anterior, o uso dos substantivos gordão e velhinho expressa ironia e desprezo por duas características do gato.

Leia estes outros exemplos:

Era um escritor tão famoso, mas tornou-se um verdadeiro canastrão ao escrever livrecos sem importância nem valor literário.

Tinha um pai bravo, que não aceitava que as filhas andassem de namorico com espertalhões.

Além disso, algumas formas diminutivas e aumentativas podem exprimir carinho e afetividade, quando o seu sentido não tem nenhuma relação com aumento ou diminuição. Veja:

Machucou? Cortou o dedinho? Vou passar um remedinho e logo, logo, vai sarar!

Não se preocupe, meu amor! Não esquente a sua linda cabecinha que eu resolvo esse problema!

Ah, esse bebezão da mamãe está cada dia mais lindo!

Exercícios

1 Dê o feminino de:

a) judeu
b) eleitor
c) profeta
d) advogado

e) cirurgião
f) herói
g) alemão
h) embaixador

i) sapo
j) guri
k) padrasto
l) espião

2 Classifique os substantivos destacados em comum de dois gêneros, sobrecomum, epiceno ou biforme, e resolva as charadas.

a) Qual a diferença entre um **peru** e um **esquimó**?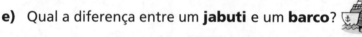

b) Qual é a diferença entre a bala de revólver e o **repórter**?

c) Qual a semelhança entre a **carta** e o **cavalo**?

d) Qual a semelhança entre a **mulher** e a **onça**?

e) Qual a diferença entre um **jabuti** e um **barco**?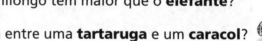

f) O que é que o pernilongo tem maior que o **elefante**?

g) Qual a semelhança entre uma **tartaruga** e um **caracol**?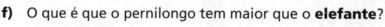

h) Qual é a diferença entre um **goleiro** e um **idealista**?

i) Qual a diferença entre o **coelho** e o **joelho**?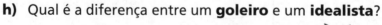

j) Qual é a diferença entre o **médico**, o **covarde** e o tempo?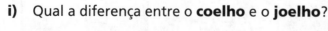

Ilustrações: Henrique Kipper

(Donaldo Buchweitz (org.). *Charadas: semelhanças e diferenças*, s/p.)

3 Leia o texto a seguir com atenção:

Adivinhação

AU! AU! AU!

Cibele Queiroz

Troca-troca meu benzinho
um olhar com seu vizinho.

Ele tem olhos azuis,
o seu pelo é branquinho,
mexe a orelha se tem fome
e o rabo quando come.

Faz xixi lá na caminha
da boneca de Laurinha,
sai correndo o safadinho
late, late ao seu vizinho.

Oi, Lúcia, quem é ele?
Cachorro, gato ou rato
ou seu urso de pelúcia?

(Helena Carolina. *Dúvidas, segredos e descobertas*, São Paulo, Saraiva, 2004, p. 26.)

a) Agora escreva, na ordem em que aparecem no texto, os substantivos que se referem a nomes de animais.

b) Forme pares para os substantivos do item **a**, escrevendo a forma do gênero oposto.

c) Como se classificam esses substantivos quanto ao gênero?

d) Escreva o aumentativo dos três primeiros substantivos do item **a**.

4 Leia este trecho sobre a expressão idiomática "gato por lebre" e faça o que se pede:

Gato por lebre

Uma expressão que pode ser medieval e palavras que sinalizam outros países

"Comer gato por lebre" é ser enganado. Já "vender gato por lebre" é enganar alguém, e com dolo. Em ambos os casos, há ludíbrio. O sujeito é vítima ou vigarista.

Historicamente, tem sido notório o gradual convívio de cães e gatos como companheiros do ser humano. Em Portugal, inclusive, é conhecido o ditado "casa sem gato nem cão, casa de velhaco ou ladrão".

Uma lei do século 13 fixava o preço da pele do gato, além das peles de vitela, cordeiro, cabrito, raposa, lontra, marta e outros bichos. (...) o que demonstra que o gato ainda não era considerado totalmente doméstico — servia para ser comido e para dar pele ao homem.

Kipper

Em termos culinários, houve tempo em que a tenra e delicada carne do gato, depois de receber temperos com que absorvia melhor os condimentos, tornava praticamente imperceptível a diferença entre ela e a de lebre.

(...)

Seja como for, nestes tempos de tantos enganos e desenganos, muita gente continua entrando pelo cano por causa de espertalhões que nem sabem o que é lebre, muito menos imaginaram comer carne de gato, mas conhecem perfeitamente a arte da embromação...

(Márcio Cotrim. Em: Revista *Língua Portuguesa*, set. 2008, p. 65.)

a) Classifique, quanto ao gênero, os substantivos em destaque no texto:

- vítima
- vigarista
- cordeiro
- cães
- companheiros
- gatos
- ladrão
- lontra
- lebre

b) Retire, do último parágrafo, um substantivo biforme masculino plural e dê a sua forma feminina singular.

5 Leia este artigo e faça o que se pede:

Eles têm fome de quê?

Quando Bruno Micheleto Carelli, de 8 anos, foi a um parque nos Estados Unidos, viu uma criança alimentando um esquilo com batata frita. Não pode! Bruno até tirou a batata da boca do animal, mas quase levou uma mordida! Daí surgiu a ideia de mandar a pauta para o *Estadinho*. Afinal, o que os bichos comem?

A gente foi até o Zoológico de São Paulo para desvendar a dieta de alguns animais. O zoo possui uma fazenda onde são cultivados legumes, verduras e frutas só para os animais. E tudo sem agrotóxico!

REFEIÇÃO DE LUXO

Os animais mais chiques do zoo são os ursos-de-óculos, Bob e Marley. Diariamente, os dois ganham frutas cobertas com mel, além de cereais com iogurte e verduras. Luxo!

COMILONA

O bicho que mais come é o elefante. Teresita, que tem 25 anos, recebe 100 quilos de alimentos por dia! Essa quantidade é dividida em duas refeições compostas por frutas, capim, cana-de-açúcar e ração especial.

FELINOS

Os tigres são os felinos mais gulosos. Eles comem 6 quilos de carne por dia. Já os leões precisam de 5 quilos.

BARATAS E OUTRAS DELÍCIAS

Acredita que tem bicho que come barata, grilos e tenébrio (larva de besouro)? Micos, saguis, sapos, pererecas e lagartos adoram essas comidinhas!

NÃO ALIMENTE OS ANIMAIS

Por mais que o macaco queira uma barra de chocolate e o pato peça um pedaço de pão, nada de alimentar animais em parques. "Os macacos têm paladar parecido com o nosso. Eles adoram doce", conta o biólogo Guilherme Domenichelli, do zoo. "Mas macacos não escovam os dentes, então podem ter cáries e outros problemas de saúde".

(Bruno Carellie e Etienne Jacintho. Em: *O Estado de S. Paulo*, Estadinho, 11 out. 2008, p. 4.)

a) Classifique os substantivos destacados no texto em biformes e uniformes.

b) Dê a forma do gênero oposto dos substantivos classificados como biformes no item **a**.

c) Classifique os substantivos uniformes do item **a** em sobrecomum, epiceno e comum de dois.

d) Do último parágrafo, retire três substantivos biformes e dê a forma correspondente do gênero oposto de cada um.

6 Identifique o gênero dos substantivos destacados, utilizando o artigo adequado. Justifique a sua escolha.

a) Ele criticou ★ **moral** do colega.

b) Ele é ★ **testemunha** do fato.

c) Quem será ★ **cabeça** da família?

d) ★ **grama** do ouro anda muito caro.

7 Passe para o plural os substantivos das frases a seguir. Faça as adaptações necessárias.

a) Na reciclagem de materiais, a matéria-prima (plástico, lata, vidro, borracha e papel) é um produto já utilizado.

b) Qualquer obra-prima do talento humano não se faz da noite para o dia.

c) O aluno sabe qual a diferença principal entre caramujo e caracol?

8 Leia o trecho de um sermão do padre Antônio Vieira e responda ao que se pede:

O tomar o alheio no Brasil

Padre Antônio Vieira, perante o vice-rei, marquês de Montalvão, no ano de 1641, na Bahia, trazia a seguinte mensagem em forma de pregação:

"Perde-se o Brasil, senhor (digâmo-lo em uma palavra) porque alguns ministros de sua Majestade não vêm cá buscar nosso bem, vêm buscar nossos bens... El-rei manda-os tomar Pernambuco e eles contêm-se com o tomar. Este tomar o alheio é a origem da doença. (...)"

(http://www.filologia.org.br/vicnlf/anais/caderno04-10.html, acessado em 10 jan. 2009.)

a) No texto, bens é plural de bem? Qual é a diferença entre as duas palavras destacadas?

b) Escreva duas frases com as palavras bem e bens, no sentido em que aparecem no texto.

c) Dê o feminino dos seguintes substantivos:

• padre

• vice-rei

• marquês

9 Leia o texto e faça o que se pede:

Casa da nona

Quando estão sob os cuidados delas, nunca está quente demais para não levar a blusa. Quase nunca comem cebola e, se comem, está bem picadinha ou fantasiada de outra coisa. Alguns deles não sabem que as frutas têm casca, porque as recebem na mão sempre descascadas, quando não picadas. No mundo deles, sobremesa não vem só depois da comida e aquela coceira nas costas sempre encontra uma mão carinhosa para acalmar.

Conhecem vários tipos de bolos — fora os de padaria — e já ganharam ou ganharão um pulôver ou cachecol feito à mão. O mais importante: reconhecem que o escudo certo para uma grande bronca depois de uma arte é ela. Estamos falando da turma que vive indo no lugar onde (quase) tudo pode: netos que não saem da casa da vovó. Ou porque as mães trabalham fora, ou porque precisam dar aquela saidinha... O fato é que essa relação diária de netos e vovós, que costuma ser só de fim de semana ou férias para muita gente, faz parte da rotina dessa galera que só cresce.

(...)

(Autoria de Keila Jimenez. Publicado no Suplemento Estadinho do Jornal *O Estado de S. Paulo* de 15 nov. 2008, p. ES1.)

Edde Wagner

a) Passe para o plural os substantivos destacados no texto.

b) Explique a formação do plural desses substantivos.

c) Cite mais dois substantivos cujo plural seja formado da mesma maneira que os destacados no texto.

10 Passe os substantivos destacados nas frases a seguir para o grau aumentativo, utilizando o processo analítico:

a) "Use o **atlas** que você tem em casa para mostrar aos seus filhos como o mundo já foi um dia."

(Superinteressante)

b) "Muitos dos **fenômenos** mais importantes do **Universo** são invisíveis aos nossos olhos."

(Superinteressante)

c) "Mas o **futuro** desse negócio da China é um caminho cheio de **obstáculos**."

(Globo Ciência)

11 Nas tiras a seguir, identifique os substantivos que apresentam flexão de grau e o processo da sua formação (analítico ou sintético).

155

1 Leia a tira abaixo:

a) Hamlet dá a classificação do substantivo **amor.** No entanto, ele se esquece de uma delas. Qual?

b) Releia a Observação no Capítulo 7 — Formação das Palavras, p. 112, com explicação do filólogo Mário Barreto e explique a sua resposta no item **a**.

2 Leia esta piada e responda ao que se pede:

Feminino

Na aula de português, a professora ensina o uso correto do substantivo feminino para os alunos do sexto ano:

— Aninha, qual o feminino de duque?

— Duquesa!

— Muito bem. Agora você, Carlinhos, o feminino de barão!

— Baronesa!

— Muito bem. Agora você, Luisinho, qual o feminino de cônsul?

E o menino não tem dúvida:

— Brastemp!

(Paulo Paiva e Cia. *Piadas coloridas*, São Paulo, Escala, s/d, p. 39.)

a) Explique o motivo da piada.

b) Qual seria a resposta correta à pergunta da professora?

c) No texto, há quatro substantivos próprios. Identifique-os e justifique a sua classificação como próprios.

3 Leia as tiras abaixo e faça o que se pede:

Tira A

Fernando Gonsales

Tira B

Fernando Gonsales

a) Na tira **A**, qual é a classificação geral do substantivo **rato**?

b) Em termos de classificação, quais são as diferenças entre o substantivo **rato**, da 1ª tira, e o substantivo **ratos-elefante**, da tira **B**?

c) Explique a formação da flexão de número do substantivo **ratos-elefante**.

d) Na tira **A**, identifique o substantivo que, ao formar o plural, sofre modificação na pronúncia. Qual é a modificação?

e) Identifique os substantivos masculinos biformes que aparecem nas duas tiras. Passe-os para o feminino.

f) Classifique, quanto ao gênero, os demais substantivos comuns presentes nas tiras.

4 Leia o poema e faça o que se pede:

Estrelas e mais estrelas

Do céu,
estrelas-madrinhas
olham com doce carinho
pra gente.

Do céu,
estrelas-xeretas
sondam artes e bagunças
com inveja da gente.

Edde Wagner

Do céu,
estrelas-princesas
namoram com olhos de luzes
e muito charminho
a gente.

Meninos, meninas,
olhem muito pro céu.
Namorado e namorada,
olhem sempre pro céu.
Descubram as caras
de tantas estrelas.

De lá do céu,
solitárias e contentes,
as estrelas olham que olham
e cuidam da gente.

(Elias José. *Cantigas de adolescer*,
19. ed., São Paulo, Atual, 2003, p. 42.)

a) No texto, há três substantivos compostos. Quais são eles e o que representam no poema?

b) Retire da primeira e da terceira estrofes os substantivos abstratos. Ambos estão no mesmo grau? Explique.

c) Destaque do texto os substantivos biformes que aparecem flexionados em gênero.

5 Veja o anúncio publicitário e faça o que se pede:

a) Retire do anúncio um substantivo flexionado em grau pelo processo analítico. Classifique-o quanto ao grau.

b) Flexione-o no mesmo grau pelo processo sintético.

6 Leia o trecho de um artigo sobre a Turma da Mônica Jovem:

O sucesso do mangá mestiço

"Maneiro... A Mônica cresceu!" Rápida como uma flecha, a menina saca na estante, entre centenas de livros, o gibi número 1 da *Turma da Mônica Jovem*. Fora comprado por curiosidade de adultos, que jamais imaginaram pudesse atrair uma criança de 7 anos. O espanto se renova quando ela encontra crianças num espaço de

Mauricio de Sousa Produções - Brasil/2009

convivência: "Você leu o número 2? Eu já tenho", diz a "recém-amiga" também de 7 anos.

A história acima não é ficção e deve ter-se repetido, com variantes, em muitos lugares, porque ao tentar recuperar na banca a revista que a menina levara... "Ih, se você tem, guarde que já é raridade", diz a vendedora. A constatação do sucesso de venda se completa com a compra do número 3 no qual se lê que a tiragem de 50 mil inicialmente prevista ultrapassou os 200 mil exemplares e ainda assim esgotou-se. É hora de conversar com o autor da turminha.

No seu estúdio, Mauricio de Sousa fala ao *Estado* sobre esse sucesso e antecipa, com exclusividade, a capa do número 4 que estará nas bancas no dia 22: o primeiro beijo entre Mônica e Cebolinha. "Mas em que condições eu não digo", brinca. Para quem não se ligou, a Mônica ganhou traços de mangá — ou um "mestiço" entre o desenho japonês e o original — e tornou-se adolescente.

Agora, ela é só um pouco dentucinha, nada gorducha, mas ainda tem seu coelho. Continua amiga de Magali que, embora gulosa, cuida da alimentação; do Cebolinha, que só fala "elado" quando fica nervoso, e do Cascão, que adora esportes e até toma banho, por causa das garotas.

Curiosamente, adolescentes entre 12 e 16 anos, o público-alvo, foram os que menos gostaram. "Como típicos jovens, eles criticam tudo", brinca o autor. Mas ele reconhece que a saga narrada nos quatro números iniciais da série deu uma "escapada" para além do planejado. E promete, sobretudo, colocar a emoção e o sentimento em primeiro plano na continuação da série, uma característica dos mangás, que seu público-alvo conhece bem.

(Autoria de Beth Néspoli, publicado no Jornal *O Estado de S. Paulo* em 15 nov. 2008, p. D1.)

a) Identifique, no primeiro parágrafo, um substantivo sobrecomum e um composto.

b) Passe o substantivo composto identificado no item **a** para o masculino plural. Explique como se formou esse plural.

c) No segundo parágrafo, identifique um substantivo abstrato formado por derivação sufixal. Explique a sua formação.

d) Retire do texto dois substantivos femininos flexionados no grau diminutivo pelo processo sintético. Essa flexão indica diminuição de tamanho ou expressa outra ideia?

e) Dos substantivos do item **d**, indique os radicais e os sufixos.

f) No último parágrafo, identifique dois substantivos simples comuns de dois gêneros.

7 Nem sempre a flexão de grau indica aumento ou diminuição de tamanho.

a) Leia as tiras a seguir, identifique os substantivos flexionados em grau e explique o seu sentido.

Tira A

Tira B

Tira C

DESAFIO

b) Observe o uso do substantivo **cartaz**, na tira **B**. Como esse substantivo é formado? Na sua opinião, qual é o sentido dessa palavra?

Artigo

Conceito

Leia um trecho do poema de Casimiro de Abreu:

Meus oito anos

(...)

Como são belos os dias
Do despontar da existência!
— Respira a alma inocência
Como perfumes a flor;
O mar é — lago sereno,
O céu — um manto azulado,
O mundo — um sonho dourado,
A vida — um hino d'amor!

(...)

(Rubem Braga (Seleção). *Os melhores poemas de Casimiro de Abreu*, 2. ed., São Paulo, Global, 2000, p. 34.)

Lucia Hiratsuka

Observe as palavras com destaque colorido que precedem os substantivos:

O céu	um manto
O mundo	um sonho
A vida	um hino

Embora acompanhem os substantivos, essas palavras servem para generalizar ou particularizar o sentido deles: na coluna da direita, elas têm um sentido mais amplo; na da esquerda, o sentido delas é mais específico, particularizado.

No texto, essa distinção de sentido é feita pelo **artigo**, a palavra que acompanha o substantivo. Observe este verso do poema:

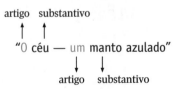

"O céu — um manto azulado"

- O céu: não é qualquer céu. Trata-se de um céu definido, aquele presente nas recordações da infância do eu lírico.
- Um manto: é qualquer manto. Não há especificação, pois é um manto indefinido.

> **Artigo** é a palavra que acompanha e determina o substantivo de modo definido ou indefinido.

O artigo também pode fazer com que palavras de outras classes gramaticais assumam características de substantivo. Observe:

As palavras destacadas na tira — magros e gordos — são adjetivos. No entanto, assumem a função de substantivo devido ao acréscimo do artigo os antes delas e passam, assim, a ter sentidos precisos e definidos, como vemos a seguir:

Os magros: aqueles que têm pouca carne ou gordura.

Os gordos: aqueles que têm gordura ou excesso de gordura.

No terceiro quadrinho da tira, entretanto, a palavra magros — sem o artigo — reassume a sua função original: a de adjetivo.

Classificação do artigo

O **artigo** classifica-se em: **definido** e **indefinido**.

Definido

Determina o substantivo de modo definido, preciso. Os artigos definidos são: **o, a, os, as**.

Agora, leia um trecho de um poema escrito por Luis Fernando Verissimo:

Ssshhh!

Pediram explicações a Deus e Deus decidiu falar.
E Deus fez "Ssshhh!".
E todas as turbinas pararam.
E os tornos.
E as grandes prensas e os geradores.
E o rumor das cataratas.
E o mar também silenciou.
E ouviu o Senhor que era bom.
(...)
E tudo que no mundo é estriduloso silenciou.
(...)

(Luis Fernando Verissimo. *Poesia numa hora dessas?!*, p. 85-86.)

Henrique Kipper

Observe que o uso dos artigos definidos **o**, **os**, **as** tem a intenção de indicar algo específico, isto é, "tudo que no mundo é estriduloso", tudo que no mundo causa algum barulho. Não se trata de uma turbina qualquer, de um torno qualquer, mas sim das turbinas e dos tornos que estavam em funcionamento e que silenciaram.

Indefinido

Determina o substantivo de modo indefinido, vago. Os artigos indefinidos são: **um**, **uma**, **uns**, **umas**.

Leia agora um trecho da letra desta canção:

Uns dias

(...)
E nem te contei
Uma novidade quente
E nem te contei
Eu tive fora uns dias
Numa onda diferente
E provei tantas frutas
Que te deixariam tonta
(...)

(Herbert Vianna. Em: Paralamas do Sucesso. *Bora Bora*, 1988.)

Henrique Kipper

Na frase "Eu tive fora uns dias / Numa onda diferente", não se pretende especificar **os** dias nem **a** onda; por isso, foram usados os artigos indefinidos uns e uma (numa).

Características do artigo

1 O artigo permite reconhecer o gênero e o número do substantivo.

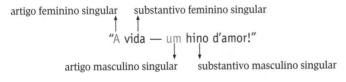

artigo feminino singular   substantivo feminino singular

"A vida — um hino d'amor!"

artigo masculino singular   substantivo masculino singular

2 Além de indicar o gênero e o número do substantivo, o artigo serve para substantivar qualquer palavra ou expressão, como vimos na tira de Hagar, na página 162.
Veja também o exemplo a seguir:

A palavra nada pertence à categoria gramatical dos pronomes (que estudaremos no Capítulo 13), mas, quando antecedida pelo artigo, se transforma em um substantivo.

O nada: a negação da existência; o vazio.

3 O artigo indefinido pode ser empregado para reforçar algumas características de um ser ou objeto.

Mauricio de Sousa Produções - Brasil/2009

4 O artigo serve também para distinguir os homônimos e, assim, definir a sua significação.

- Era grande o capital que girava na região em que se localizava a capital do país.
  O capital: dinheiro.
  A capital: principal cidade de um estado ou país.

- O caixa da loja era quem guardava a caixa em que se depositava todo o dinheiro.
  O caixa: pessoa que, em bancos ou estabelecimentos comerciais, tem a função de pagar e receber valores.
  A caixa: objeto onde se guardam coisas e valores.

Veja outros exemplos:

O guarda: sentinela, vigia.
A guarda: serviço de vigilância feito por uma ou mais pessoas; proteção; amparo.

O cabeça: chefe, líder.
A cabeça: parte do corpo humano.

O grama: unidade de medida de massa.
A grama: vegetal rasteiro.

> **LEMBRE-SE!**
>
> Palavras **homônimas** são aquelas que se escrevem e se pronunciam da mesma forma, mas que apresentam sentidos diferentes.

5 O artigo pode ainda fundir-se ou combinar-se com as preposições **a**, **de**, **em**, **por**. É o que ocorre em algumas expressões do poema *Meus oito anos*, de Casimiro de Abreu.

"Oh! que saudades que tenho
Da aurora da minha vida,
Da minha infância querida
Que os anos não trazem mais!
Que amor, que sonhos, que flores,
Naquelas tardes fagueiras
À sombra das bananeiras,
Debaixo dos laranjais!"

> **OBSERVAÇÃO**
>
> Convém lembrar que **um**, além de artigo, pode ser numeral. (Ver Capítulo 12 — Numeral.)

Exercícios

Leia o artigo da revista *Época* para responder às questões de **1** a **3**.

O celular está tocando

Como a venda de músicas pelo telefone pode transformar a indústria fonográfica

Diego Padgurschi/Folha Imagem

Ela foi revelada na internet. Como presente de 15 anos, pediu sessões num estúdio para gravar suas músicas. Fez sucesso antes de lançar o primeiro disco e foi indicada a três grandes categorias do Vídeo Music Brasil, o prêmio de música da MTV. Neste mês, saiu o álbum de estreia de Mallu Magalhães. Primeiro, nos celulares. Só estará nas lojas no começo de novembro. Mallu, com 16 anos, diz ouvir muita música no celular, seja no carro ou até na escola. Lançar um disco em meios digitais, como a internet e os celulares, antes dos meios físicos (os CDs) tem sido uma estratégia das gravadoras. No caso de Mallu, o lançamento digital condiz com seu sucesso na internet. Sua página no MySpace, um *site* de relacionamento cujo maior destaque é a música, foi vista quase 2,3 milhões de vezes. Alguns modelos da Motorola embutiram seu álbum na memória. E clientes da Vivo podem comprá-lo pelo *site* da operadora.

(Renata Leal. Em: *Época*, n. 545, 27 out. 2008, p. 147-148.)

1 Identifique os artigos do texto, separando-os em definidos e indefinidos.

2 Reescreva a frase do texto que está com o artigo destacado, passando-o para o plural e fazendo as adaptações necessárias.

3 Releia a seguinte frase:

> "Lançar um disco em meios digitais, como a internet e os celulares, antes dos meios físicos (os CDs) tem sido uma estratégia das gravadoras."

a) Agora, reescreva-a trocando o artigo indefinido pelo definido.

b) Há uma diferença de sentido entre a frase original acima e a frase que você escreveu. Que diferença é essa?

4 Observe:

> A – Aquele livro parecia ter cinquenta páginas.
> B – Aquele livro parecia ter **umas** cinquenta páginas.

Há uma diferença de significação entre as frases **A** e **B**. Explique.

Leia o trecho de um artigo da revista *Veja* e depois responda às questões de **5** a **8**.

O azul mais lindo do mundo

É elétrica, é vibrante, brilha no escuro. Nada se compara à cor da turmalina Paraíba. Problema: aqui, as minas já secaram

Divulgação

Exótica e rara
No centro do broche Camélia Paraíba, da Chanel, a deslumbrante turmalina que atualmente só é encontrada na África, em pouca quantidade.

A joia **na foto à esquerda** é uma peça única: um broche em formato de camélia estilizada no qual o ouro branco, os mais de 1 000 diamantes e o esmalte se contorcem sinuosamente em torno da atração principal. A pedra que parece hipnotizar quem a contempla é uma turmalina Paraíba de 37,5 quilates. Olhe de novo, porque você dificilmente verá coisa igual — o broche, batizado de Camélia Paraíba e executado pelos joalheiros da Chanel em homenagem à flor-símbolo da célebre grife, já sumiu do mercado, comprado assim que foi colocado à venda. Não estranhe se nunca tiver ouvido falar no nome da pedra de um azul que oscila entre o turquesa e o piscina, tão intenso e elétrico que é chamado de neon.

(Juliana Linhares. Em: *Veja*, n. 2086, 12 nov. 2008, p. 114-115.)

5 Identifique os artigos do texto separando-os em definidos e indefinidos.

6 Quais são as palavras que, ao serem precedidas de artigo, tornaram-se substantivos?

7 Qual é o significado da palavra **piscina** nesse texto?

8 No texto há um substantivo composto.
   a) Indique-o. Ele está precedido de artigo? Explique.
   b) O substantivo é formado por palavras do mesmo gênero?
   c) Explique a formação do gênero desse substantivo composto.

Adjetivo

Capítulo 11

Conceito

Leia estas estrofes de um poema de Cora Coralina:

Minha cidade

Goiás, minha cidade...
Eu sou aquela amorosa
de tuas ruas estreitas,
curtas,
indecisas,
entrando,
saindo
umas das outras.
Eu sou aquela menina feia da Ponte da Lapa.
Eu sou Aninha.

(...)

Eu sou aquele teu velho muro
verde de avencas
onde se debruça
um antigo jasmineiro,
cheiroso
na ruinha pobre e suja.

(...)

Eu sou o caule
dessas trepadeiras sem classe,
nascidas na frincha das pedras:
Bravias.
Renitentes.
Indomáveis.
Cortadas.
Maltratadas.
Pisadas.
E renascendo.

(...)

(Cora Coralina. *Poemas dos becos
de Goiás e estórias mais*, São Paulo, Global, 1987, p. 17-18.)

Edde Wagner

Observe que as palavras destacadas no texto fornecem características a outras palavras:

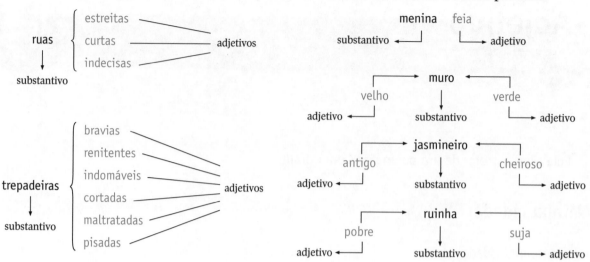

As palavras que atribuem uma característica a outros nomes ou seres são chamadas de **adjetivos**.

> **Adjetivo** é a palavra que atribui uma característica, qualidade ou estado aos seres.

Classificação do adjetivo

Os **adjetivos**, assim como os substantivos, podem ser classificados quanto à sua formação em:

- **primitivo** — aquele que não é derivado de outra palavra;
- **derivado** — aquele que tem origem em outra palavra.

Leia os exemplos destacados num trecho do poema e compare os adjetivos:

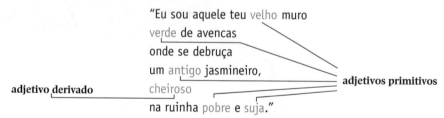

- **simples** — aquele que é formado por um só elemento ou radical;
- **composto** — aquele que é formado por mais de um elemento ou radical.

Observe novamente mais alguns exemplos destacados no texto:

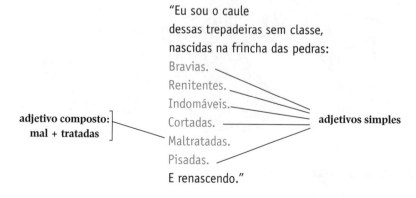

Observe alguns exemplos de adjetivos compostos destacados no texto abaixo:

I Seminário Internacional de Estudos Cabo-verdianos

A relevância dos laços que unem Brasil e Cabo Verde, especialmente no campo da literatura, da língua, de uma origem histórico-política irmã, aponta para a necessidade de iniciativas que ampliem e verticalizem o nosso conhecimento a respeito das realidades das ilhas crioulas. O resultado esperado deste aprofundamento será um diálogo em bases mais sólidas, permitindo, inclusive, que se desfaçam estereótipos e equívocos que o desconhecimento alimenta, tanto sobre as Áfricas (na sua riqueza plural) quanto, em especial, sobre o Arquipélago.

Com a finalidade de traduzir-se num diálogo enriquecedor, o evento contará com a presença de pesquisadores da cultura crioula, escritores, artistas, linguistas e historiadores cabo-verdianos radicados no Arquipélago ou no Brasil, o que significa diminuir a distância geográfica entre as informações, fortalecer a discussão em torno de problemas que são altamente significativos em nossos processos histórico-culturais e estreitar a convivência irmã.

(http://www.seminariodeestudoscaboverdianos.org/apresentacao.aspx, acessado em 25 nov. 2008.)

Nesse texto, também encontramos alguns adjetivos simples: **crioulas**, **sólidas**, **plural**, **enriquecedor**, entre outros.

Adjetivos pátrios

Leia a tira ao lado:

As palavras nela destacadas são adjetivos que se referem a animais provenientes de alguns países. Veja:

francês — **França**   alemão — **Alemanha**
nigeriano — **Nigéria**   argentina — **Argentina**

Adjetivo pátrio é aquele que indica a nacionalidade ou o lugar de origem do ser a que se refere.

Veja alguns adjetivos pátrios na lista a seguir:

Lugar de origem — Adjetivo pátrio	Lugar de origem — Adjetivo pátrio
Acre — acriano	*Hungria* — húngaro, magiar
Amapá — amapaense	*Índia* — indiano
Arábia — árabe	*Inglaterra* — inglês
Aracaju — aracajuano, aracajuense	*Japão* — japonês
Atenas — ateniense	*João Pessoa* — pessoense
Belém (Palestina) — belemita	*Lisboa* — lisboeta, lisbonense
Belém (Pará) — belenense	*Londres* — londrino
Bélgica — belga	*Macapá* — macapaense
Belo Horizonte — belo-horizontino	*Maceió* — maceioense
Brasília — brasiliense	*Manaus* — manauense
Buenos Aires — buenairense, portenho	*Marrocos* — marroquino
Bulgária — búlgaro	*Mato Grosso* — mato-grossense
Campinas — campineiro, campinense	*Mato Grosso do Sul* — mato-grossense-do-sul
Chile — chileno	*Natal* — natalense
Coimbra — coimbrão	*Nova Iorque* — nova-iorquino
Córsega — corso	*Recife* — recifense
Egito — egípcio	*Rio Branco* — rio-branquense
Equador — equatoriano	*Rio de Janeiro (cidade)* — carioca
Espírito Santo — capixaba, espírito-santense	*Rio de Janeiro (estado)* — fluminense
Estados Unidos — norte-americano, estadunidense	*Rio Grande do Norte* — potiguar, rio-grandense-do-norte
Fernando de Noronha — noronhense	*Rio Grande do Sul* — gaúcho, rio-grandense-do-sul
Finlândia — finlandês	*Rondônia* — rondoniense
Florianópolis — florianopolitano	*Salvador (Bahia)* — soteropolitano
Fortaleza — fortalezense	*Santa Catarina* — catarinense
França — francês	*São Paulo (cidade)* — paulistano
Goiânia — goianense	*São Paulo (estado)* — paulista
Grã-Bretanha — britânico	*Sergipe* — sergipano
Grécia — grego	*Teresina* — teresinense
	Tocantins — tocantinense

IMPORTANTE!

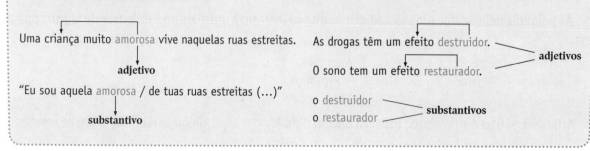

Dependendo da maneira como é usado na frase, o adjetivo pátrio pode tornar-se um substantivo. Nesse caso, geralmente ele é precedido por um artigo. Veja o exemplo:

Os gaúchos preferem churrasco; os baianos gostam de vatapá; os paulistas adoram pizza.

Essa mudança de classe gramatical — de adjetivo para substantivo — pode ocorrer com qualquer adjetivo, mas só acontece quando ele é empregado na frase. Isoladamente, ou quando caracteriza um substantivo, ele será sempre um adjetivo. Compare:

Uma criança muito amorosa vive naquelas ruas estreitas.
adjetivo

"Eu sou aquela amorosa / de tuas ruas estreitas (...)"
substantivo

As drogas têm um efeito destruidor.
O sono tem um efeito restaurador.
adjetivos

o destruidor
o restaurador
substantivos

Locução adjetiva

Leia esta outra estrofe do poema Minha cidade, de Cora Coralina:

Minha cidade (2)

Eu sou estas casas
encostadas
cochichando umas com as outras.
Eu sou a ramada
dessas árvores,
sem nome e sem valia,
sem flores e sem frutos,
de que gostam
a gente cansada e os pássaros vadios.

(Cora Coralina. *Poemas dos becos de Goiás e
estórias mais*, São Paulo, Global, 1987, p. 18.)

Filipe Rocha

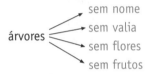

Quando uma expressão, formada por mais de uma palavra, caracteriza ou qualifica um substantivo, temos uma **locução adjetiva**.

Geralmente, as locuções adjetivas são formadas por um conjunto de preposição mais substantivo.

As locuções adjetivas correspondem a um adjetivo, mas nem todas podem ser substituídas por um deles.

árvores sem nome	árvores sem frutos	lado da gente
inominadas	infrutíferas	não há adjetivo que substitua esta locução

Veja, na relação a seguir, algumas locuções adjetivas com o adjetivo a que correspondem:

Locução adjetiva	Adjetivo	Locução adjetiva	Adjetivo
de abdome	abdominal	de cabra	caprino
de abelha	apícola	de campo	agreste, rural
de açúcar	sacarino, açucarado	de cão	canino
de águia	aquilino	de cavalo	equino, cavalar, hípico
de aluno	discente	de chumbo	plúmbeo
de astro	sideral	de chuva	pluvial
de audição	ótico	de cidade	urbano, citadino
de boca	bucal, oral	de coração	cardíaco
de boi	bovino	de criança	infantil, pueril
de cabeça	cefálico	de cútis, pele	cutâneo

Locução adjetiva	Adjetivo	Locução adjetiva	Adjetivo
de dedo	digital	de olho	ocular
de diabo	diabólico	de orelha	auricular
de dois em dois meses	bimestral	de osso	ósseo
de enxofre	sulfúrico, sulfuroso	de ouro	áureo, dourado
de erva	herbáceo	de ouvido	auditivo
de estômago	gástrico, estomacal	de ovelha	ovino
de estrela	estelar	de pai	paterno
de fábrica	fabril	de Papa	papal
de faraó	faraônico	de paraíso	paradisíaco
de farinha	farináceo	de pedra	pétreo
de fera	feroz	de pescoço	cervical
de ferro	férreo	de Platão	platônico
de fígado	hepático	de plebe	plebeu
de filho	filial	de porco	suíno
de fogo	ígneo	de prata	argênteo, argentino
de gelo	glacial	de professor	docente
de geografia	geográfico	de pulmão	pulmonar
de guerra	bélico	de pus	purulento
de idade	etário	de raposa	vulpino
da Idade Média	medieval	de rei	real
de ilha	insular	de rim	renal
de irmão	fraternal	de rio	fluvial
de junho	junino	de rocha	rupestre
de lado	lateral	de sabão	saponáceo
de lago	lacustre	de seis em seis meses	semestral
de leite	lácteo, láctico	de selo	filatélico
de linha	linear	de Sócrates	socrático
de lobo	lupino	de sol	solar
da lua	lunar	de som	fonético
de macaco	simiesco	de sonho	onírico
de manhã	matutino, matinal	de sul	meridional, austral
de mão	manual	de tarde	vespertino
de mar	marítimo, marinho	da Terra	terrestre, terreno
de margem	marginal	de terremoto	sísmico
de mármore	marmóreo	de tirano	tirânico
de memória	mnemônico	de tórax	torácico
de mês	mensal	de umbigo	umbilical
de mestre	magistral	de vaso (sanguíneo)	vascular
de morte	letal, mortífero	de veia	venoso
de nariz	nasal	de velho	senil
de navio	naval	de vida	vital
de neve	níveo	de vidro	vítreo
de noite	noturno	de visão	óptico
de norte	setentrional, boreal	de voz	vocal

Flexão do adjetivo

Assim como o substantivo, o adjetivo pode apresentar flexão de **gênero**, **número** e **grau**.

Flexão de gênero

Quanto ao gênero, os adjetivos podem ser:

- **biformes** — com formas diferentes para cada um dos gêneros;
- **uniformes** — com apenas uma forma para ambos os gêneros.

Leia esta tira de Garfield:

Os adjetivos meigos, divertidos, mimosos, brincalhões e discretos, que aparecem nessa tira, são **biformes**, pois têm uma forma masculina e outra feminina. Eles variam em gênero de acordo com o substantivo ao qual se referem:

Abaixo, mais exemplos de adjetivos biformes com a respectiva flexão:

ativo → ativa	disposto → disposta	mau → má
bom → boa	réu → ré	são → sã
vaidoso → vaidosa	cru → crua	plebeu → plebeia
bonito → bonita	feio → feia	francês → francesa
chinês → chinesa	hebreu → hebreia	trabalhador → trabalhadora

Veja agora um exemplo de adjetivo **uniforme**, ou seja, aquele que apresenta uma só forma tanto para o masculino como para o feminino:

Outros exemplos de adjetivos uniformes:

anterior	exemplar	vil	cortês	otimista
audaz	inferior	paulista	ruim	simples
breve	jovem	comum	útil	triste

173

Somente os adjetivos biformes apresentam a flexão de gênero e concordam com o substantivo a que se referem. A **formação do adjetivo feminino** obedece a algumas regras. Veja quais são elas:

- Troca-se o **o** final por **a**.
    - alto⟶alta
    - famoso⟶famosa
    - gordo⟶gorda
    - magro⟶magra

- Troca-se **ão** por **ã** ou **ona**.
    - cristão⟶cristã
    - fanfarrão⟶fanfarrona
    - pagão⟶pagã
    - valentão⟶valentona

Filipe Rocha

Homem magro e alto.   Mulher gorda e baixa.

- Acrescenta-se **a** aos adjetivos terminados em consoante **r** e **s**.
    - burguês⟶burguesa
    - lutador⟶lutadora

- Troca-se **eu** por **eia**.
    - ateu⟶ateia
    - europeu⟶europeia

Nos adjetivos compostos, apenas o segundo elemento vai para o feminino, concordando com o substantivo a que se refere:

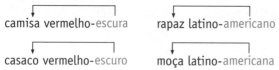

camisa vermelho-escura

casaco vermelho-escuro

rapaz latino-americano

moça latino-americana

Flexão de número

Os adjetivos apresentam também flexão de número — **singular** e **plural** — e concordam com o substantivo a que se referem.

Leia um trecho do poema de Elias José e observe os adjetivos destacados:

O professor novo
é um pedaço de mau caminho!
Um homem MA-RA-VI-LHO-SO!
Pena que é manhoso
e pensa que é dono do mundo.
Pena que é tão sabidão
e não vê um palmo
além do seu umbigo
e das poesias de amor
que gosta tanto de ler
pra desespero das gatinhas.
(...)

Edde Wagner

(Elias José. *Cantigas de adolescer*, 19. ed., São Paulo, Atual, 2003, p. 17.)

Ao formar o plural dos três **adjetivos simples**, temos:

nov**o** ⟶ nov**os**   manhos**o** ⟶ manhos**os**   sabid**ão** ⟶ sabid**ões**

Em geral, os adjetivos simples seguem as mesmas regras de formação do plural dos substantivos, de acordo com a terminação.

Veja o quadro-resumo, acompanhado de alguns exemplos:

Terminação	Regra	Exemplos
vogal ou ditongo	acrescenta-se **s**	nublado ⟶ nublados vazio ⟶ vazios
m	troca-se por **ns**	bom ⟶ bons
ão e **ã**	acrescenta-se **s**	órfão ⟶ órfãos cristão ⟶ cristãos sã ⟶ sãs
r, s e **z**	acrescenta-se **es**	trabalhador ⟶ trabalhadores burguês ⟶ burgueses feliz ⟶ felizes
al, **el** e **ol**	troca-se o **l** por **is**	normal ⟶ normais cruel ⟶ cruéis mongol ⟶ mongóis
il (oxítonos)	troca-se o **il** por **is**	viril ⟶ viris juvenil ⟶ juvenis
il (paroxítonos)	troca-se o **il** por **eis**	difícil ⟶ difíceis frágil ⟶ frágeis

Nos adjetivos compostos, apenas o último elemento vai para o plural, obedecendo às regras dadas para os adjetivos simples. Observe:

cabelo castanho-escuro ⟶ cabelos castanho-escuros

navio norte-americano ⟶ navios norte-americanos

olho verde-claro ⟶ olhos verde-claros

senhor bem-casado ⟶ senhores bem-casados

No entanto, há algumas exceções a essa regra. Veja:

1. O plural do adjetivo **surdo-mudo** é surdos-mudos.

2. As locuções adjetivas constituídas de ⬚ cor + ⬚ de + ⬚ substantivo ficam invariáveis, isto é, não se modificam:

   vestido cor-de-rosa ⟶ vestidos cor-de-rosa

3. Os adjetivos referentes a cor em que a segunda palavra é um substantivo também ficam invariáveis:

   tecido amarelo-ouro ⟶ tecidos amarelo-ouro

   substantivo

4. Os adjetivos **azul-marinho** e **azul-celeste** são invariáveis:

   seda azul-celeste ⟶ sedas azul-celeste   blusa azul-marinho ⟶ blusas azul-marinho

Flexão de grau

Leia a tira:

Compare a frase do último quadrinho com esta:

Chico! Você anda preguiçoso!

Nas duas frases, é indicada uma característica de Chico Bento, mas na tira essa característica é indicada com mais intensidade:

"Chico! Você anda muito preguiçoso!"

Portanto, o adjetivo pode apresentar variação de grau ao indicar uma característica ou qualidade do substantivo. Existem duas maneiras de estabelecer o grau dessas variações: o **comparativo** e o **superlativo**.

Grau comparativo do adjetivo

O grau do adjetivo, neste caso, é indicado por uma **comparação** entre dois seres. O grau comparativo pode tornar evidente a variação de qualidade de três maneiras:

1 **Comparativo de superioridade** — o grau de qualidade é maior em um dos seres. Veja:

O Tejo é mais belo que o rio que corre pela minha
aldeia,
Mas o Tejo não é mais belo que o rio que corre
pela minha aldeia
Porque o Tejo não é o rio que corre pela minha
aldeia.

O Tejo tem grandes navios
(...)

O Tejo desce de Espanha
E o Tejo entra no mar em Portugal.
Toda a gente sabe isso.
Mas poucos sabem qual é o rio da minha aldeia
(...)

Rio Tejo, Lisboa, Portugal. Detalhe do Monumento aos Descobrimentos.

(Fernando Pessoa, *O Eu profundo e os outros Eus*, São Paulo, Companhia das Letras, 2002, p. 150-151.)

No primeiro verso, o uso do comparativo de superioridade mais que acentua o grau de beleza (belo) que o rio Tejo tem em relação ao "rio que corre pela minha aldeia":

"O Tejo é mais belo que o rio que corre pela minha aldeia,"

O grau comparativo de superioridade é formado mediante o uso da palavra **mais**, ao lado do adjetivo, seguida da expressão **do que** ou **que**.

comparativo de superioridade

Os tigres são mais ferozes do que os leões.

2 **Comparativo de inferioridade** — o grau de qualidade é menor em um dos seres:

Para Carlos, o rio Tejo em Portugual é menos belo que o rio Sena na França.

Ness_____arativo de inferioridade menos que indica que, para Carlos, o grau de beleza (_____)__ é menos _____do no rio Tejo.

O g_____erioridade é formado pela palavra menos, ao lado do adjetivo, seguida da expr_____ ou_____

_____ferioridade

menos ········· adjetivo

do que

ou

que

Os leões são menos ferozes do que os tigres.

3 **Comparativo de igualdade** — o grau de qualidade tem a mesma intensidade nos dois seres:

O rio Amazonas é tão bonito quanto o rio Paraná.

Nessa frase, por meio do comparativo de igualdade tão quanto, a qualidade de bonito se aplica igualmente ao rio Amazonas e ao rio Paraná.

O comparativo de igualdade é formado pela palavra **tão** ou **tanto**, ao lado do adjetivo, seguida de **quanto** ou **como**.

comparativo de igualdade

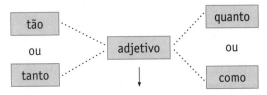

Os tigres são tão ferozes quanto os leões.

Grau superlativo do adjetivo

O grau superlativo do adjetivo indica que a qualidade do ser está em seu ponto máximo. Ele pode ser representado pelo superlativo **absoluto** e pelo **relativo**.

1 **Superlativo absoluto** — o grau de qualidade não tem como referência nenhum outro ser.

Leia a tira e observe os exemplos:

Fernando Gonsales

Estou <u>muito feliz</u>!

grau superlativo absoluto analítico

Estou <u>felicíssimo</u>!

grau superlativo absoluto sintético

O superlativo absoluto é formado de duas maneiras diferentes:

- **Analiticamente** — o adjetivo não sofre modificação em sua estrutura e vem precedido de outras palavras: **excessivamente**, **extremamente**, **muito** etc. É o que acontece no primeiro quadrinho da tira do Níquel Náusea.

- **Sinteticamente** — o adjetivo sofre modificação em sua estrutura, à qual se acrescenta um sufixo. É o que se vê no segundo quadrinho da tira.

Às vezes, o adjetivo é modificado quando é acrescentado a ele um sufixo.

Veja os grupos de frases a seguir e compare os adjetivos no grau normal e no grau superlativo absoluto sintético:

Einstein é um homem célebre.
Einstein é um homem celebérrimo.

As praias do Nordeste são agradáveis.
As praias do Nordeste são agradabilíssimas.

O tigre é um animal feroz.
O tigre é um animal ferocíssimo.

"Coisa" é uma palavra comum.
"Coisa" é uma palavra comuníssima.

Mário e Tiago são amigos.
Mário e Tiago são amicíssimos.

Copos de cristal são frágeis.
Copos de cristal são fragílimos.

Veja uma lista com outros superlativos absolutos sintéticos:

Adjetivo	—	Superlativo
ágil	→	agílimo
agudo	→	acutíssimo, agudíssimo
alto	→	sumo, supremo
amargo	→	amaríssimo
amável	→	amabilíssimo
antigo	→	antiquíssimo
áspero	→	aspérrimo
baixo	→	ínfimo
benéfico	→	beneficentíssimo
bom	→	ótimo, boníssimo
capaz	→	capacíssimo
cheio	→	cheiíssimo
cristão	→	cristianíssimo
cruel	→	crudelíssimo
delével	→	delebilíssimo
difícil	→	dificílimo
doce	→	dulcíssimo
fácil	→	facílimo
falível	→	falibilíssimo
fiel	→	fidelíssimo
frio	→	frigidíssimo, friíssimo
grande	→	máximo, grandessíssimo
humilde	→	humílimo

Adjetivo	—	Superlativo
ímpio	→	impiíssimo
inimigo	→	inimicíssimo
livre	→	libérrimo
macio	→	macilíssimo
magro	→	macérrimo
mau	→	péssimo
miserável	→	miserabilíssimo
negro	→	nigérrimo
nobre	→	nobilíssimo
notável	→	notabilíssimo
opaco	→	opacíssimo
pequeno	→	mínimo
pessoal	→	personalíssimo
pobre	→	paupérrimo
respeitável	→	respeitabilíssimo
sábio	→	sapientíssimo
sagrado	→	sacratíssimo
são	→	saníssimo
sensível	→	sensibilíssimo
sério	→	seriíssimo, seríssimo
simpático	→	simpaticíssimo
simples	→	simplicíssimo
veloz	→	velocíssimo

2 **Superlativo relativo** — o grau de qualidade tem como referência outro ser, ou seja, destaca-se a qualidade de um ser em relação a um conjunto de seres. E, como relaciona seres, diz-se que o grau é **relativo**. Veja:

um ser | adjetivo | conjunto de seres

Níquel Náusea é o rato mais feliz da sua turma.

O grau superlativo relativo pode ser de **superioridade** ou de **inferioridade**.

• **Grau superlativo relativo de superioridade** — o ser apresenta qualidade superior em relação ao conjunto.

"O problema mais triste do mundo é não saber ler; é a mesma coisa que ser cego."

(Revista *Educação*.)

O texto afirma que o problema mais triste, entre todos os outros do mundo, é não saber ler.

• **Grau superlativo relativo de inferioridade** — o ser apresenta qualidade inferior em relação ao conjunto.

Qual seria o problema menos triste do mundo?

Casos especiais

1 Os adjetivos **bom**, **mau, grande** e **pequeno** formam o comparativo e o superlativo de modo especial. Observe alguns exemplos nesta tira:

Calvin & Hobbes, Bill Watterson, Dist. by Atlantic Syndication/Universal Press Syndicate

"O arremesso foi ótimo."

Nessa frase, o adjetivo **bom** foi empregado no grau superlativo absoluto:

arremesso ótimo = muito bom.

	Comparativo de superioridade	Superlativo	
		absoluto	relativo
bom	melhor	ótimo	o melhor
mau	pior	péssimo	o pior
grande	maior	máximo	o maior
pequeno	menor	mínimo	o menor

"A melhor parte deste jogo é chutar a areia."

O adjetivo **boa** foi empregado no grau superlativo relativo:

melhor parte = a "mais boa" parte

2 Existem formas mais simples para indicar o superlativo absoluto, usadas principalmente na linguagem popular. Veja alguns exemplos:

Seu vestido é lindo, lindo, lindo!
lindíssimo

A festa da Marina foi superboa.
ótima

A prova de Matemática foi difícil pra caramba.
dificílima

180

Exercícios

Você já leu a primeira estrofe deste poema de Elias José. Agora leia todo o texto e responda às questões de **1** a **6**.

Deslumbramento

O professor novo
é um pedaço de mau caminho!
Um homem MA-RA-VI-LHO-SO!
Pena que é manhoso
e pensa que é dono do mundo.
Pena que é tão sabidão
e não vê um palmo
além do seu umbigo
e das poesias de amor
que gosta tanto de ler
pra desespero das gatinhas.

Se ele fosse mesmo inteligente,
se fosse tão sensível pra poesia,
adivinharia que sou a mais bonita,
a mais envolvida, a mais atenta,
que sou um lindo poema.

Acho que o tontão deve me achar
uma estúpida criançona!

(Elias José. *Cantigas de adolescer*, 19. ed., São Paulo, Atual, 2003, p. 17.)

Cibele Queiroz

1. Identifique os adjetivos da primeira estrofe do poema e classifique-os quanto ao gênero em uniformes ou biformes.

2. Identifique os adjetivos da segunda estrofe e classifique-os quanto ao grau.

3. Indique o adjetivo da terceira estrofe e classifique-o quanto ao gênero.

4. Classifique os adjetivos destacados no texto quanto à sua formação.

5. Indique a classe e o grau das palavras **tontão** e **criançona**.

6. Retire do texto:
   a) um adjetivo no grau aumentativo;
   b) uma locução adjetiva que pode ser transformada em um adjetivo (faça essa transformação).

181

Leia o texto a seguir e responda às questões de **7** a **13**.

RedeTV! terá luta livre de polegares
Atração comprada na MipCom é febre entre crianças e jovens nos EUA e Espanha

No meio do pacote que a RedeTV! trouxe da MipCom, feira de produtos televisivos em Cannes, veio um formato escondidinho e bastante inusitado. *Dallas* e *The Nanny* podem perder o brilho para *Thumb Wrestling*. Traduzindo: briga de dedões.

Sabe aquela brincadeira de criança que envolve uma disputa entre polegares? Pois então, essa é a nova aposta da emissora para 2009. O programa já é febre entre crianças e jovens em países como Estados Unidos e Espanha. Neste último, a atração

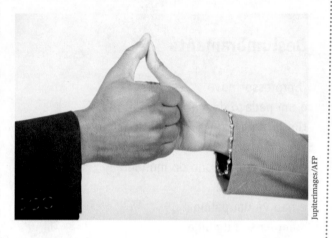

estreou recentemente no Cartoon Network, tornando-se em pouco tempo um dos líderes de audiência no horário.

Em cena, um ringue pequeno, juiz e "lutadores" devidamente caracterizados com máscaras e pinturas caricatas como as da turma do Telecatch.

A disputa também tem direito a narrador, comentaristas "especializados" e fãs-clubes.

Boa parte dos dedões lutadores tem sua personalidade inspirada em lutadores reais americanos. A rivalidade entre eles também segue o clima da luta livre. Entre os dedões inimigos estão a família dos Dexteras e a dos Sinistras. *Trumb Wrestling* já tem três temporadas gravadas. A RedeTV! acredita que o programa vai virar *hit* por aqui.

(Autoria de Keila Jimenez e Thaís Pinheiro, publicado no Jornal *O Estado de S. Paulo* em 22 nov. 2008, p. D8.)

7 Identifique, no primeiro parágrafo do texto, os adjetivos e os substantivos a que eles se referem. Explique as flexões dos adjetivos.

8 Os adjetivos **televisivos** e **inusitado** podem ser transformados em locuções adjetivas. Reescreva a frase em que eles se encontram, substituindo-os por locuções adjetivas correspondentes.

9 Retire do texto:
a) um adjetivo composto;
b) um adjetivo pátrio;
c) um adjetivo no grau diminutivo.

10 Identifique, no texto, pelo menos duas locuções adjetivas que não apresentam um adjetivo correspondente.

11 Retire do texto pelo menos dois adjetivos simples derivados e escreva a palavra que lhes deu origem.

12 Reescreva a frase a seguir usando os adjetivos pátrios correspondentes das expressões destacadas.

> "Atração comprada na MipCom é febre entre crianças e jovens nos EUA e Espanha."

13 No último parágrafo do texto, há um substantivo escrito em inglês. Identifique-o e reescreva a frase substituindo-o por outro de sentido equivalente em português.

Leia o texto a seguir e responda às questões de **14** a **18**.

Histórias do mundo que se foi...

(...)

Todas as manhãs, o homem passava com o tabuleiro de verduras na cabeça, a rua ficava impregnada com o aroma vindo do verde. Colorida com o roxo da beterraba, o verde do repolho, o laranja da cenoura. Ah, viver era uma canção verde nascida da voz do verdureiro. Propagava-se no som quente que vinha dos meninos, colhendo coentro nos passeios, abóbora nas valetas, couve-flor no calçamento.

(...)

(Cyro de Mattos. *Histórias do mundo que se foi (e outras histórias)*,
São Paulo, Saraiva, 2003, p. 12.)

Henrique Kipper

14 Retire os adjetivos do texto.

15 Identifique os adjetivos que foram substantivados.

16 A palavra **verde** aparece duas vezes no texto. Escreva a que classe de palavras elas pertencem e explique sua classificação.

17 Assinale as locuções adjetivas desta frase:

> "Colorida com o roxo da beterraba, o verde do repolho, o laranja da cenoura."

18 Identifique, no texto, um caso de sinestesia (associação de palavras ou expressões em que ocorre combinação de sensações diferentes numa só impressão: tato, olfato, audição, visão e paladar). **DESAFIO**

19 Reescreva o texto a seguir, atribuindo a cada um dos produtos destacados o adjetivo pátrio correspondente.

> O melhor caviar (ovas de um peixe chamado esturjão) de todo o mundo vem da Rússia. Os tapetes da Pérsia são caríssimos. A porcelana da China é muito delicada. E o queijo fresco produzido em Minas Gerais é delicioso!

183

20 Separe os adjetivos a seguir em duas colunas: em uma delas, coloque os uniformes e, na outra, os biformes.

a) infeliz d) atroz g) vencedor j) português m) audaz

b) bom e) mau h) temporão k) superior n) judeu

c) recifense f) plebeu i) otimista l) europeu o) paciente

21 Dê a forma feminina dos adjetivos biformes do exercício **20**.

Leia o texto sobre a premiação do escritor João Ubaldo Ribeiro e depois responda às questões de **22** a **24**.

A surpresa de João Ubaldo

Foi pela secretária eletrônica que o escritor João Ubaldo Ribeiro recebeu a notícia de que ganhara o Prêmio Camões 2008, no fim de julho. Passava por ela quando ouviu a voz de Eduardo Portela lhe dando a notícia sobre o mais importante prêmio concedido a autores de língua portuguesa. "Olha, eu poderia dizer agora toda uma hemorragia verbal, dizendo o quanto estou surpreendido por ter ganho, mas não vou fazer isso. Mas eu ganhei porque eu mereci", declarou. Autor de, entre outros, *Sargento Getúlio*, *Viva o Povo Brasileiro* e *A Casa dos Budas Ditosos*, João Ubaldo é o oitavo brasileiro a receber o prêmio (além de 9 portugueses, 2 angolanos e 1 moçambicano), instituído pelos governos português e brasileiro desde 1988, para distinguir autores que, pelo conjunto da obra, tenham contribuído para o enriquecimento do patrimônio literário e cultural da língua portuguesa.

(Revista *Língua Portuguesa*, out. 2008, p. 11.)

22 Indique o grau do adjetivo em destaque no texto.

23 Identifique os adjetivos pátrios do texto e forneça a palavra que lhes deu origem.

24 Reescreva o trecho a seguir, transformando os adjetivos em locuções adjetivas correspondentes:

> "(...) para o enriquecimento do patrimônio literário e cultural da língua portuguesa."

25 Leia os versos do poema:

> A menina então lembrou
> Da sua bola de ouro
> Da sua boneca de açúcar
> De seu berço de ferro
> De suas manhãs de sonho...
>
> (Ruth Rocha)

a) Identifique as locuções adjetivas e reescreva o texto, substituindo-as pelos adjetivos correspondentes.

b) Compare o texto original do poema com o que você escreveu e responda: qual deles é mais poético?

26 Identifique o grau dos adjetivos destacados nas tiras a seguir.

27 Continue a identificar o grau dos adjetivos das frases a seguir.

a) Quero ser tão forte quanto meu avô.

b) Os colegas me disseram que acharam a brincadeira engraçadíssima.

c) Você está ótima!

28 Leia o texto com atenção:

Day after

sou a esperança do futuro
me dizem os mais velhos
embrulhando bombas de ódio quente
como se quisessem ver a esperança
acabar no presente.

(Ulisses Tavares. *Viva a poesia viva*,
São Paulo, Saraiva, p.13.)

a) Retire do texto uma locução adjetiva e dê o seu adjetivo correspondente.

b) No texto há um adjetivo uniforme e outro biforme. Destaque-os.

c) Os adjetivos da resposta ao item **b** referem-se a substantivos no gênero masculino. Escreva frases em que esses adjetivos sejam empregados no feminino.

29 Passe para o plural:

a) menino surdo-mudo

b) produção luso-brasileira

c) casaco verde-claro

d) esforço sobre-humano

e) reforma político-social

f) acordo pan-americano

g) terno azul-marinho

h) homem mal-educado

i) carro amarelo-canário

j) curso técnico-profissional

k) povo greco-romano

l) vestido cor-de-rosa

30 Reveja o plural de **terno azul-marinho** no item g do exercício **29** e explique a sua formação.

31 Resolva as charadas descobrindo os adjetivos formados com o sufixo **-dente**. Siga o exemplo.

a) Qual o dente conhecido por sua impulsividade? *Imprudente*.

b) Qual o dente que está sempre com uma expressão agradável?

c) Qual o dente que está em franco declínio?

d) Qual o dente que é mais agressivo?

e) Qual o dente que não tem vida própria?

f) Qual o dente que possui visão sobrenatural?

g) Qual o dente que sempre chega antes?

h) Qual o dente que pensa no amanhã?

(Donaldo Buchweitz (org.). *Charadas: O que é, o que é?*: Português, s/p.)

32 Leia esta tira do Calvin:

Calvin & Hobbes, Bill Waterson © Dist. by Atlantic Syndication/Universal Press Syndication

a) Retire do texto:

• um adjetivo derivado;

• uma locução adjetiva.

b) Dê o adjetivo que corresponde à locução do item **a**.

c) Identifique o grau do adjetivo **adorável** do segundo e do terceiro quadrinhos.

33 Leia esta tira e faça o que se pede:

a) Retire do texto duas locuções adjetivas e escreva o adjetivo correspondente a elas.

b) Quais são os adjetivos antônimos que causam desconforto a Garfield?

c) Identifique o grau dos adjetivos do segundo e terceiro quadrinhos. Qual é a palavra que os modifica?

34 Leia a tira:

a) Nesta tira, qual é a classe gramatical da palavra **difícil**?

b) Consulte o Capítulo 7, Formação de palavras, e indique como essa palavra se formou.

Conceito

Leia o texto observando as palavras destacadas:

Bob Burnquist desbanca cinco gringos e leva título da Megarrampa

Bob Burnquist era o único brasileiro entre os finalistas da Megarrampa, e o padrinho do evento, que é realizado pela primeira vez no Brasil, não decepcionou os espectadores que foram ao sambódromo do Anhembi neste domingo. Com duas voltas perfeitas, ele garantiu mais um título.

(...)

Bob entrou para a história ao se tornar o vencedor da primeira edição do evento na

Brasileiro voa para o título da Megarrampa.

América do Sul. Para isso, teve um trunfo em relação aos concorrentes. Ele tem uma rampa parecida no quintal de sua casa, nos Estados Unidos.

(...)

(Uol Esporte, 23 nov. 2008. Em: http://esporte.uol.com.br/radicais/ultimas/2008/11/23/ult4363u124.jhtm, acessado em 23 nov. 2008.)

As palavras destacadas no texto são chamadas de **numerais**. Observe o que cada uma indica:

- cinco — o número de skatistas vencidos por Bob Burnquist nesse campeonato;
- duas — a quantidade de voltas que garantiram o prêmio a Bob;
- um — o número de títulos recebidos por Bob nesse evento;
- primeira — a posição desse evento em relação a outros.

> **Numeral** é a palavra que indica a quantidade exata de seres ou a posição que eles ocupam em uma ordem.

Classificação dos numerais

Os numerais classificam-se em **cardinais**, **ordinais**, **multiplicativos** e **fracionários**.

Cardinais

Indicam a quantidade exata dos seres. Veja o exemplo:

Na tira, os numerais um, dois, três, quatro, cinco... indicam o número de estrelas que o personagem conta.

Ordinais

Indicam a ordem dos seres em uma determinada série. Observe:

O numeral milionésima indica, no contexto do quadrinho, a ordem das reclamações recebidas pela empresa.

Multiplicativos

Indicam uma quantidade multiplicada dos seres. Leia o texto baseado em dados da Confederação Brasileira de Ginástica:

Como se faz uma nota 10

Na prova de solo, as concorrentes começam com a nota 8,800. Os juízes acrescentam ou retiram pontos conforme a perfeição dos movimentos e a graça da executante. O esquema abaixo usa o planejamento da apresentação de Daiane dos Santos para mostrar quanto vale cada evolução. Mas o 10 final é só uma hipótese — muito improvável diante da subjetividade do julgamento.

1 Na primeira parte, Daiane realiza o duplo *twist* carpado, batizado como salto Dos Santos, com grau de dificuldade Super E, o mais alto

2 Em seguida, Daiane faz um duplo *twist* grupado, de grau de dificuldade E, ligeiramente menor

3 Seguem-se um salto grupado com dois giros e um salto "cadete", ambos com grau D, que vale 0,100 pontos

Nota inicial: 8,800 ▸ **+ 0,300 ponto** + **0,200 ponto** + **0,200 ponto**

4 Depois, a ginasta realiza um duplo estendido para trás, de grau E

5 Um salto "galope" de dois giros (bônus de 0,1 ponto) e outro de um giro e meio valem mais 0,1 ponto pela sequência

6 Para encerrar, um duplo carpado para trás, com grau D

+ **0,200 ponto** + **0,200 ponto** + **0,100 ponto** **Nota final: 10,000**

(*Veja*, ano 37, n. 33, 19 ago. 2004, p. 88-89. Texto adaptado.)

A expressão **duplo *twist* carpado** indica que, para realizar esse movimento, são necessários dois giros, isto é, um giro feito duas vezes.

Fracionários

Indicam uma divisão na quantidade dos seres. Observe o exemplo:

Falando sozinhos
Os conselhos de um médico entram por um ouvido e saem pelo outro.

É o que aponta um estudo feito na Universidade de Utrecht, Holanda, que mostrou que a maioria dos pacientes esquece imediatamente entre metade e quatro quintos do que os médicos lhes dizem.
(...)

(*Superinteressante*, ed. 189, jun. 2003, p. 18.)

As palavras metade e quatro quintos indicam partes de uma quantidade de pacientes.
Veja o quadro com alguns numerais mais usados:

NUMERAIS			
Cardinais	Ordinais	Multiplicativos	Fracionários
um	primeiro	simples	—
dois	segundo	duplo, dobro, dúplice	meio
três	terceiro	triplo, tríplice	terço
quatro	quarto	quádruplo	quarto
cinco	quinto	quíntuplo	quinto
seis	sexto	sêxtuplo	sexto
sete	sétimo	sétuplo	sétimo
oito	oitavo	óctuplo	oitavo
nove	nono	nônuplo	nono
dez	décimo	décuplo	décimo
onze	décimo primeiro	undécuplo	onze avos
doze	décimo segundo	duodécuplo	doze avos
treze	décimo terceiro		treze avos
catorze	décimo quarto		catorze avos
quinze	décimo quinto		quinze avos
dezesseis	décimo sexto		dezesseis avos
dezessete	décimo sétimo		dezessete avos
dezoito	décimo oitavo		dezoito avos
dezenove	décimo nono		dezenove avos
vinte	vigésimo		vinte avos
trinta	trigésimo		trinta avos
quarenta	quadragésimo		quarenta avos
cinquenta	quinquagésimo		cinquenta avos
sessenta	sexagésimo		sessenta avos
setenta	septuagésimo		setenta avos

Cardinais	Ordinais	Multiplicativos	Fracionários
oitenta	octogésimo		oitenta avos
noventa	nonagésimo		noventa avos
cem	centésimo	cêntuplo	centésimo
duzentos	ducentésimo		ducentésimo
trezentos	trecentésimo		trecentésimo
quatrocentos	quadringentésimo		quadringentésimo
quinhentos	quingentésimo		quingentésimo
seiscentos	sexcentésimo		sexcentésimo
setecentos	septingentésimo		septingentésimo
oitocentos	octingentésimo		octingentésimo
novecentos	nongentésimo		nongentésimo
mil	milésimo		milésimo

Além desses, outras palavras podem ser classificadas como numerais:

• as palavras **ambos**, **ambas** e **zero**.

> Estrela e lua, ambas observam os homens no escuro.

• as palavras que indicam um conjunto numérico de seres ou períodos de tempo são chamadas de **numerais coletivos**. Veja, a seguir, uma lista com alguns deles:

bimestre — período de dois meses
centena — conjunto de cem unidades
centenário — período de cem anos
década — período de dez anos
dezena — conjunto de dez unidades
dúzia — conjunto de doze unidades
lustro — período de cinco anos
milênio — período de mil anos

novena — período de nove dias
par — conjunto de duas unidades
quarentena — período de quarenta dias
quina — série de cinco números
resma — quinhentas folhas de papel
semestre — período de seis meses
terno — conjunto de três unidades

OBSERVAÇÃO

Apesar de originalmente a palavra quarentena indicar um período de quarenta dias, hoje também significa "isolamento", não importando o número de dias.

Agora, leia este texto com algumas palavras destacadas:

Pé na tábua

O vigoroso crescimento experimentado pelo país na segunda metade da década de 1960 fez decolar as vendas da indústria. Em 1970, o Brasil contava com 2,6 milhões de veículos de passeio, o quádruplo da frota de 1960. E não foram só os Fuscas que se multiplicaram (...). Os aparelhos de TV, presentes em 600.000 lares em 1960, passaram a fazer parte do cotidiano de 4,6 milhões de famílias brasileiras em 1970.

(*Veja, 40 anos*. set. 2008, p. 171.)

Marco de Bari/Editora Abril

As palavras destacadas são exemplos do uso de numerais que se encontram no texto:

- segunda — numeral ordinal
- metade — numeral fracionário
- década — numeral coletivo
- milhões — numeral cardinal
- quádruplo — numeral multiplicativo

Flexão dos numerais

Cardinais

Em geral, os numerais cardinais são invariáveis, isto é, não sofrem flexão. Veja os exemplos:

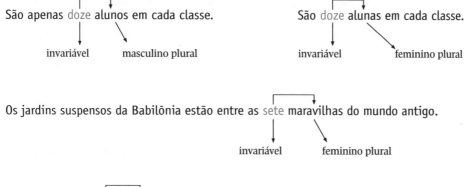

Apenas alguns cardinais sofrem flexão concordando em gênero com o substantivo que acompanham. Veja os exemplos:

1 **Flexão de gênero**

- os numerais **um** e **dois**:

- as centenas a partir de **duzentos**:

2 **Flexão de número**

- os numerais **milhão, bilhão, trilhão** etc.:

193

Ordinais

Os ordinais variam em gênero e número. Veja nos exemplos a flexão de gênero dos numerais ordinais, concordando com o substantivo que acompanham:

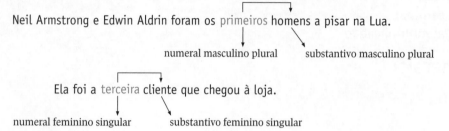

Neil Armstrong e Edwin Aldrin foram os primeiros homens a pisar na Lua.

numeral masculino plural   substantivo masculino plural

Ela foi a terceira cliente que chegou à loja.

numeral feminino singular   substantivo feminino singular

Multiplicativos

Os multiplicativos só variam em gênero e número quando têm valor de adjetivo. Observe:

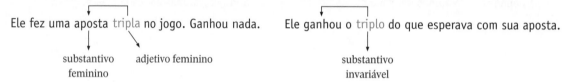

Ele fez uma aposta tripla no jogo. Ganhou nada.

substantivo feminino   adjetivo feminino

Ele ganhou o triplo do que esperava com sua aposta.

substantivo invariável

Fracionários

Os numerais fracionários são sempre precedidos de um cardinal com o qual concordam em gênero e número. Veja:

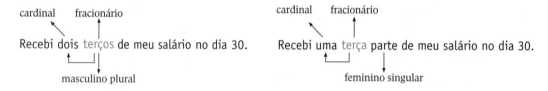

cardinal   fracionário

Recebi dois terços de meu salário no dia 30.

masculino plural

cardinal   fracionário

Recebi uma terça parte de meu salário no dia 30.

feminino singular

Numerais coletivos

Os coletivos variam em número. Veja:

Em duas décadas de trabalho, fiz centenas de vezes a mesma coisa.

plural   plural

Leia os seguintes trechos selecionados do texto de abertura deste capítulo e observe as palavras destacadas:

(...)

Ele foi o primeiro a completar a volta saindo da parte mais alta da Megarrampa, que tem 27 metros de altura, o equivalente a um edifício de nove andares. Após passar pelo primeiro obstáculo, Bob saltou cinco metros acima da segunda rampa, que tem oito metros de altura.

(...)

"A intenção era acertar logo a primeira nota na rampa mais alta, porque é a que dá mais medo", disse Bob. Cada um dos seis finalistas teve cinco descidas, e os juízes somaram a melhor nota da maior rampa (de 27 metros de altura e 107 de extensão) com a da menor (de 22 metros de altura).

(...)

(http://esporte.uol.com.br/radicais/ultimas/2008/11/23/ult4363u124.jhtm, acessado em 23 nov. 2008.)

Observe o emprego desses numerais:

• numerais sem flexão:

nove andares

cinco metros

cinco descidas

↓

numerais cardinais geralmente
são invariáveis

• numerais com flexão:

primeiro obstáculo

segunda rampa

primeira nota

↓

numerais ordinais apresentam
flexão de gênero e número

IMPORTANTE!

Os numerais também podem ser substituídos pelos artigos. Observe como o numeral ordinal primeiro, acompanhado do artigo definido o, transformou-se em **substantivo**, substituindo nomes como **skatista**, **competidor**:

"Ele foi o primeiro a completar a volta saindo da parte mais alta da Megarrampa (...)."

Leitura e escrita dos numerais

1 Na leitura e escrita dos **cardinais**, intercala-se a conjunção **e** entre unidades e dezenas e, também, entre dezenas e centenas. Observe:

76 ⟶ setenta e seis

     ↓   ↓

  dezena unidade

584 ⟶ quinhentos e oitenta e quatro

     ↓   ↓   ↓

  centena dezena unidade

Veja outros exemplos:

180 ⟶ cento e oitenta

1444 ⟶ mil, quatrocentos e quarenta e quatro

5080 ⟶ cinco mil e oitenta

2001 ⟶ dois mil e um

1500 ⟶ mil e quinhentos

4545654 ⟶ quatro milhões, quinhentos e quarenta e cinco mil, seiscentos e cinquenta e quatro

2 Nas enumerações de séculos e capítulos (ou mesmo partes de uma obra), de nomes de papas e soberanos, empregam-se algarismos romanos na escrita. Para a leitura desses algarismos, usam-se **ordinais** de um a dez e **cardinais** de onze em diante. Observe:

Escrita	Leitura (de um a dez)	Escrita	Leitura (de onze em diante)
século I	século primeiro	século XI	século onze
capítulo IX	capítulo nono	tomo XX	tomo vinte
Paulo VI	Paulo sexto	Luís XV	Luís quinze
Pedro II	Pedro segundo	João XXIII	João vinte e três

Quando o numeral romano antecede o substantivo, deve ser lido como ordinal:

III capítulo ⟶ terceiro capítulo

VI tomo ⟶ sexto tomo

IV século ⟶ quarto século

Usos especiais

Às vezes, os numerais cardinais não indicam propriamente a quantidade exata de seres. Eles também podem ser empregados para realçar uma expressão. Veja:

Já lhe disse mais de mil vezes que não gosto de comida gordurosa.

Na linguagem coloquial, o numeral pode sofrer flexão de grau:

Vira e mexe vou para a praia, mas nunca provei um camarão, nem unzinho sequer.

IMPORTANTE!

É preciso saber diferenciar o numeral cardinal um (quantidade: um ser) do artigo indefinido um. Observe as tiras da Mônica abaixo:

Mauricio de Sousa Produções – Brasil/2009

Mauricio de Sousa Produções – Brasil/2009

Na primeira tira, a palavra um é **numeral**, pois indica o número de sacos que a Mônica quer estourar; na segunda, tanto um como uma são **artigos indefinidos**, porque generalizam os substantivos que acompanham, indeterminando-os: um pó, uma porção.

Exercícios

1 Leia o texto:

Bienal cearense do livro

Do cordel à literatura estrangeira: com cerca de 300 expositores, a edição passada da Bienal cearense contou com mais de 270 mil visitantes durante os nove dias de evento

Em sua 8ª edição, a Bienal Internacional do Livro do Ceará, entre os dias 12 e 21 de novembro em Fortaleza, aborda o tema "A aventura cultural da mestiçagem", englobando as culturas de países de quatro continentes (África, América, Ásia e Europa). (...)

O humorista cearense Chico Anysio receberá uma homenagem especial da Bienal: seu mais recente livro, *Três Casos de Polícia*, será lan-

Silvana Tarelho/Agência Diário

çado por ocasião do evento. Haverá também um pavilhão inteiramente dedicado a Cuba e à Venezuela, em reconhecimento à iniciativa dos dois países de criar projetos editoriais importantes para a América Latina, além de um espaço reservado apenas a editoras estrangeiras. (...)

(Revista *Língua Portuguesa*, nov. 2008, p.10.)

a) Escreva, por extenso, os numerais que aparecem nesse texto. Em seguida, classifique-os.

b) Agora identifique os numerais cardinais escritos por extenso.

c) Há no texto um numeral coletivo empregado como substantivo. Identifique-o e dê o seu significado.

DESAFIO

2 Escreva por extenso os numerais ordinais:

7º	10º	62º	422º
5º	44º	76º	555º
8º	33º	311º	666º

3 Observe:

Metade dos cientistas daquela cidade faz a sua pesquisa nas grandes metrópoles.

a) Qual é o numeral da frase e qual a sua classificação?

b) Reescreva a frase, substituindo o numeral pelo equivalente à quinta parte.

4 Reescreva as frases substituindo o símbolo ★ pelo numeral multiplicativo adequado:

a) Dez é o ★ de cinco.

b) Nove é o ★ de três.

c) Quinze é o ★ de três.

d) Dezesseis é o ★ de quatro e o ★ de oito.

e) Sessenta é o ★ de dez.

5 Leia as frases abaixo com atenção:

Ilustrações: Jorge Zaiba

Qual é a diferença de classificação da palavra uma nas frases acima?

 DESAFIO

6 Escreva o enunciado de um problema matemático usando um numeral multiplicativo e um numeral fracionário.

7 Reescreva as frases substituindo as expressões em destaque pelo numeral coletivo correspondente:

a) Mais de **cem** passarinhos foram soltos no Dia da Ave.

b) Comemoramos **dez anos** do lançamento do filme.

c) O professor distribuiu **dez** livros entre os alunos.

d) Nós não nos encontrávamos há mais ou menos **quinze dias**.

e) Pedimos o livro emprestado por **sete dias**.

8 Escreva por extenso:

a) Século V

b) Pio IX

c) Pio XII

d) Seção X

e) João XXIII

f) Luís XVI

g) Capítulo VIII

h) Tomo III

i) XII Congresso de Psicologia

j) XXIII Feira de Utilidades Domésticas

9 Leia o poema abaixo e responda às questões propostas:

Duas faces

Quando me apronto
e saio toda produzida,
levo na bolsa mil sonhos,
entre os cabelos, cem estrelas,
nos olhos, toda a luz do sol,
no sorriso, um jardim florido,
no coração, um arco-íris
e na cabeça, mil planos de abafar.

Se não chamei a atenção
de algum garoto interessante,
volto pra casa como patinho feio,
pisando alto, soltando fogo
e querendo fugir do mundo.
Enrosco-me feito gato enjeitado,
sem força sequer pra miar.

(Elias José. *Amor adolescente*, 19. ed., São Paulo, Atual, 2003, p. 16.)

Cibele Queiroz.

a) Destaque os numerais.

b) Qual é o sentido desses numerais no poema? Explique esse emprego.

c) Transforme os numerais cardinais em ordinais.

d) Faça uma rápida pesquisa e escreva os numerais romanos equivalentes.

10 Leia os quadrinhos e faça o que se pede:

Mauricio de Sousa Produções - Brasil/2009

a) Explique o emprego da expressão os dois primeiros, fornecendo a classe gramatical dos termos.

b) Forneça os numerais ordinal, fracionário e multiplicativo, com as flexões possíveis, do cardinal **dois**.

11 Em algumas situações, os números cardinais não indicam propriamente a quantidade exata de seres. Leia a tira abaixo:

a) Qual é a expressão em que aparece um numeral?

b) Qual é o sentido dessa expressão?

c) Transforme o número cardinal da expressão em ordinal.

d) Faça uma rápida pesquisa e escreva o numeral romano equivalente.

12 Leia a tira da Mônica:

Maurício de Sousa Produções - Brasil/2009

a) Destaque os numerais e classifique-os.

b) No quarto quadrinho, o espanto do Cebolinha se dá por causa do duplo sentido de uma palavra. Identifique-a e explique a sua resposta.

DESAFIO

Pronome

Conceito

Leia este poema de Casimiro de Abreu:

Moreninha

Moreninha, Moreninha,
Tu és do campo a rainha,
Tu és senhora de mim;
Tu matas todos d'amores,
Faceira, vendendo as flores
Que colhes no teu jardim.

(...)

Tu, ontem, vinhas do monte
E paraste ao pé da fonte
À fresca sombra do til;
Regando as flores, sozinha,
Nem tu sabes, Moreninha,
O quanto achei-te gentil!

Depois segui-te calado
Como o pássaro esfaimado
Vai seguindo a juriti;
Mas tão pura ias brincando,
Pelas pedrinhas saltando,
Que eu tive pena de ti!

E disse então: — Moreninha,
Se um dia tu fores minha,
Que amor, que amor não terás!
E dou-te noites de rosas
Cantando canções formosas
Ao som dos meus ternos ais.

(...)

Tu és a deusa da praça,
E todo o homem que passa
Apenas viu-te... parou!
Segue depois seu caminho
Mas vai calado e sozinho
Porque sua alma ficou!

(...)

Lucia Hiratsuka

(*Os melhores poemas de Casimiro de Abreu*. Seleção de Rubem Braga, São Paulo, Global, p. 42-43.)

Nesse texto, o eu lírico fala com a pessoa amada sobre a fascinação que tem por ela. Gramaticalmente, no poema, temos três elementos que compõem o discurso, isto é, o texto:

- 1º elemento — o eu lírico, que é a pessoa que "fala";
- 2º elemento — o ser amado, que é a pessoa com quem se "fala";
- 3º elemento — o eu lírico encantado com a beleza da Moreninha, que é o assunto sobre o qual se "fala".

OBSERVAÇÃO

Entenda o termo **fala** como sinônimo de "escreve", "discursa", "relata" etc.
Da mesma forma, usamos a expressão **falante** para nos referirmos ao eu lírico ou a quem produziu um texto — um discurso — oral ou escrito.

A esses elementos, damos o nome de **pessoas do discurso** ou **pessoas gramaticais**. As pessoas do discurso são três:

- 1º elemento – pessoa que fala → **1ª pessoa do discurso**;
- 2º elemento – pessoa com quem se fala → **2ª pessoa do discurso**;
- 3º elemento – sobre o que ou sobre quem se fala → **3ª pessoa do discurso**.

Essas três pessoas do discurso podem ser identificadas no poema. Releia estes versos:

eu: refere-se à 1ª pessoa do discurso (o eu lírico) ← → **ti:** 2ª pessoa do discurso (a Moreninha)

"Que eu tive pena de ti!"

seu: refere-se à 3ª pessoa do discurso (o homem) ←

"Segue depois seu caminho"

Tais palavras são chamadas de **pronomes** ("no lugar do nome") e substituem ou acompanham os substantivos, relacionando-os com as pessoas do discurso. Veja:

- seu – pronome que acompanha o substantivo caminho;
- ti – pronome que substitui um substantivo próprio, Moreninha;
- eu – pronome que substitui um substantivo próprio, o nome de quem fala.

> **Pronome** é a palavra que substitui ou acompanha o substantivo, relacionando-o às pessoas do discurso.

Quando acompanha um substantivo, o pronome é chamado de **pronome adjetivo**; quando substitui um substantivo, o pronome é chamado de **pronome substantivo**.

Observe os exemplos extraídos da tira a seguir:

Calvin & Hobbes, Bill Waterson, Dist. by Atlantic Syndication/Universal Press Syndicate

"(...) amarre um cadarço no outro!"
pronome substantivo (substitui **cadarço**)

"Vamos achar algum otário (...)"
pronome adjetivo (acompanha **otário**)

OBSERVAÇÃO

É preciso ficar atento para a classificação dos pronomes em adjetivo ou substantivo, uma vez que essa classificação depende do contexto em que o pronome está inserido.

Observe o que ocorre nesta tira do Edi:

No segundo quadrinho, o pronome sua acompanha o substantivo idade; é, portanto, **pronome adjetivo**.

No terceiro quadrinho, o pronome sua substitui a palavra idade; é, portanto, **pronome substantivo**.

Classificação dos pronomes

Os pronomes classificam-se em **pessoais**, **possessivos**, **demonstrativos**, **indefinidos**, **interrogativos** e **relativos**.

Vamos estudar cada um deles separadamente.

Pronomes pessoais

Leia o poema ao lado e observe as palavras destacadas:

Esse nó(s)

eu me chamo eu.
a turma me chama nós.
longe da turma
me sinto só
mas sou eu.
com a turma sou nós
mas quero ser eu.
de nós em nós
eu sou mais eu.

(Ulisses Tavares. *Viva a poesia viva*, São Paulo, Saraiva, 1997, p. 10.)

As palavras eu, me e nós são **pronomes pessoais**.

Pronome pessoal é a palavra que substitui o substantivo e indica a pessoa do discurso.

Os pronomes pessoais dividem-se em **retos** e **oblíquos**, e cada um deles apresenta uma forma para o singular e outra para o plural. Há também os pronomes pessoais de tratamento, que serão vistos posteriormente.

Pronomes pessoais retos

Os pronomes pessoais retos são:

Número	1ª pessoa	2ª pessoa	3ª pessoa
Singular	eu	tu	ele, ela
Plural	nós	vós	eles, elas

Pronomes pessoais oblíquos

Os pronomes pessoais oblíquos são:

Número	1ª pessoa		2ª pessoa		3ª pessoa	
	átonos	tônicos	átonos	tônicos	átonos	tônicos
Singular	me	mim	te	ti	o, a, lhe, se	ele, ela, si
Plural	nos	nós	vos	vós	os, as, lhes, se	eles, elas, si

Os pronomes oblíquos **o**, **a**, **os**, **as** podem sofrer alterações de acordo com os verbos com os quais são usados, conforme se vê nos exemplos a seguir.

1. Quando as formas verbais terminam em **r**, **s** ou **z**, os pronomes **o**, **a**, **os**, **as** alteram-se para **lo**, **la**, **los**, **las**.

Por que as lagartixas podem subir pelas paredes?

(...) A chamada lagartixa de parede ou lagartixa mole (...) é uma das mais comuns. Em geral, ela é vista à noite, caçando insetos — como moscas e mosquitos — nas paredes de nossas casas.

Mas como esses animais conseguem andar ali, sem cair? O segredo não está em nenhuma substância que os faça grudar, mas numa forma de atração que se dá entre os dedos da lagartixa e a superfície!

(...)

A habilidade de subir em superfícies é muito útil para as lagartixas. Graças a ela, esses animais podem **utilizar** o ambiente não apenas horizontalmente, mas, também, verticalmente. Desse jeito, ampliam bastante os lugares por onde podem andar e fazer suas casas. Além disso, conseguem **achar** comida com facilidade, já que podem **buscá-**la em lugares pouco explorados por outros animais.

(*Ciência Hoje das Crianças*, ano 16, n. 140, out. 2003, p. 28.)

Observe nas frases retiradas do texto como se dá a alteração:

"Graças a ela, esses animais podem **utilizar** o ambiente não apenas horizontalmente, mas, também, verticalmente."

utilizar + o
utilizá-lo

"Além disso, conseguem **achar** comida com facilidade, já que podem **buscá-**la em lugares pouco explorados por outros animais."

achar + a
achá-la

buscar + a
buscar a comida

2 Quando as formas verbais terminam em **m**, **ão** ou **õe**, os pronomes **o**, **a**, **os**, **as** alteram-se para **no**, **na**, **nos**, **nas**.

O que as anêmonas comem?

A maioria das anêmonas come pequenos invertebrados como crustáceos e moluscos, mas algumas se alimentam de plâncton e outras, bem maiores, preferem peixes. Para se alimentar, elas **esperam** suas presas se aproximarem e **tocarem** seus tentáculos. Eles possuem milhares de estruturas microscópicas com veneno que parecem agulhas de injeção. As anêmonas **injetam** seu veneno na presa, que fica paralisada e é engolida rapidamente.

(*Recreio*, ano 5, n. 243, 4 nov. 2004, p. 4.)

Observe, a seguir, o que acontece nestas frases do texto quando substituímos o substantivo por um pronome:

"Para se alimentar, elas **esperam** suas presas se aproximarem e **tocarem** seus tentáculos."

esperam + as   tocarem + os
esperam-nas   **tocarem**-nos

"As anêmonas injetam **seu veneno** na presa, que fica paralisada e é engolida rapidamente."

injetam + o
injetam-no

Pronomes de tratamento

Além dos pronomes pessoais retos e oblíquos, temos os pronomes pessoais de tratamento, que indicam cerimônia ou respeito pela pessoa com quem se fala. São formas especiais que se referem à 2ª pessoa do discurso (**tu**, **vós**), mas que devem ser usadas com verbos na 3ª pessoa. Veja:

Vossa Majestade **deseja** cancelar a audiência com o chanceler?
2ª pessoa   3ª pessoa

Solicito a Vossa Excelência que **tome** providências urgentes.
2ª pessoa   3ª pessoa

Os **principais pronomes pessoais de tratamento** são:

você (v.) → tratamento familiar
o senhor (Sr.), a senhora (Srª) → tratamento de respeito
Vossa Senhoria (V. Sª) → tratamento comercial
Vossa Excelência (V. Exª) → tratamento para altas autoridades
Vossa Eminência (V. Emª) → tratamento para cardeais
Vossa Santidade (V. S.) → tratamento para o papa
Vossa Alteza (V. A.) → tratamento para príncipes e duques
Vossa Majestade (V. M.) → tratamento para reis
Vossa Reverendíssima (V. Rev^{ma}) → tratamento para sacerdotes

1. Quando falamos com uma pessoa cujo cargo exige o emprego de um pronome de tratamento específico, devemos utilizar a forma **vossa(s)**. Assim:

Vossa Santidade **está muito bem informado sobre a Igreja no Brasil.**

Quando nos referimos à pessoa, empregamos no pronome de tratamento a forma **sua(s)**. Assim:

Sua Excelência **viajou hoje.**

2. No Brasil, o pronome **você(s)** é comumente empregado no lugar dos pronomes retos da 2ª pessoa (**tu**, **vós**) e, nesse caso, o verbo vai para a 3ª pessoa.

Tu **és** inteligente.   Vós **sois** inteligentes.
Você **é** inteligente.   Vocês **são** inteligentes.

verbo na 3ª pessoa   verbo na 3ª pessoa

3. O pronome **nós** muitas vezes é substituído pela expressão **a gente**, caso em que o verbo também vai para a 3ª pessoa do singular.

Observe, no trecho da letra da música a seguir, exemplos do uso de a gente (= nós) e você. Note que o verbo fica na 3ª pessoa do singular.

Quem te viu, quem te vê

Você era a mais bonita das cabrochas dessa ala
Você era a favorita onde eu era mestre-sala
Hoje a gente nem se fala, mas a festa continua
Suas noites são de gala, nosso samba ainda é na rua
(...)
Quando o samba começava, você era a mais brilhante
E se a gente se cansava, você só seguia adiante
Hoje a gente anda distante do calor do seu gingado
Você só dá chá dançante onde eu não sou convidado
(...)

(Chico Buarque, *Letra e música*, p. 46.)
Copyright © 1967 by Editora Musical Arlequim Ltda.

Cartoon Studio

3ª pessoa
"Você **era** a mais bonita das cabrochas dessa ala
Você **era** a favorita onde eu era mestre-sala
Hoje a gente nem se **fala**, mas a festa continua"
3ª pessoa

3ª pessoa
"(...) você **era** a mais brilhante
E se a gente se **cansava**, você só **seguia** adiante"
3ª pessoa   3ª pessoa

Pronomes possessivos

Leia a tira a seguir:

Mauricio de Sousa Produções - Brasil/2009

Os pronomes possessivos indicam o que pertence a cada uma das pessoas do discurso. Veja as palavras destacadas:

"Se for mentira, quero que um raio caia na minha cabeça!"

↓

refere-se à 1ª pessoa

"Pensando melhor, acho melhor cair na sua cabeça..."

↓

refere-se à 3ª pessoa

> **Pronome possessivo** é a palavra que indica relação de posse das pessoas do discurso sobre os seres em geral.

As palavras minha e sua são **pronomes possessivos**.

Os **principais pronomes possessivos** são:

Número	1ª pessoa	2ª pessoa	3ª pessoa
Singular	meu, minha, meus, minhas	teu, tua, teus, tuas	seu, sua, seus, suas
Plural	nosso, nossa, nossos, nossas	vosso, vossa, vossos, vossas	seu, sua, seus, suas

Quando acompanha o substantivo, o pronome possessivo é adjetivo; quando substitui o substantivo, o pronome possessivo é substantivo.

Observe, a seguir, os exemplos destacados na charge de Kemp:

Kemp

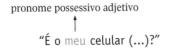

pronome possessivo adjetivo

↑

"É o meu celular (...)?"

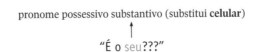

pronome possessivo substantivo (substitui **celular**)

↑

"É o seu???"

Pronomes demonstrativos

Leia a tirinha:

A palavra aquele é um **pronome demonstrativo**. Indica que a coisa à qual se refere (o sorvete) está longe da pessoa que fala (1ª pessoa) e da pessoa com quem se fala (2ª pessoa).

> **Pronome demonstrativo** é a palavra que indica a posição das pessoas ou dos objetos no espaço, no tempo e no texto em relação às pessoas do discurso.

Os principais **pronomes demonstrativos** são:

1ª **pessoa**	este	esta	estes	estas	isto
2ª **pessoa**	esse	essa	esses	essas	isso
3ª **pessoa**	aquele	aquela	aqueles	aquelas	aquilo

Os pronomes **tal**, **tais**, **mesmo(s)**, **mesma(s)**, **próprio(s)** e **própria(s)** são conhecidos como pronomes demonstrativos de identidade quando têm o sentido de "idêntico, exato, em pessoa". Observe:

Tal foi o diagnóstico do médico. (= **Esse** foi...)

Foi ela mesma quem veio.

Eles próprios que eram as vítimas não foram à delegacia.

Emprego do pronome demonstrativo

1 **Posição no espaço**

- Os pronomes **este**, **esta** e **isto** indicam que a pessoa ou o objeto está perto do emissor ou falante (1ª pessoa).

"(...) e este é o meu gato, Garfield."

↓

este gato está próximo da
1ª pessoa que fala (Jon)

"(...) e este aqui é o meu desenhista, Jon."

↓

este desenhista está próximo da
1ª pessoa que fala (Garfield)

- Os pronomes **esse**, **essa** e **isso** indicam que a pessoa ou o objeto está longe do emissor ou falante e perto da pessoa com quem se fala (2ª pessoa).

↓
esses óculos estão
próximos da 2ª pessoa
(com quem se fala)

↓
este ar fidalgo está
próximo da 1ª pessoa
(quem fala)

- Os pronomes **aquele**, **aquela** e **aquilo** indicam que a pessoa ou o objeto está longe do emissor ou falante, e também da pessoa com quem se fala (3ª pessoa).

Observe, na tira, o uso do pronome aquele: ele indica que o cheque não está perto de quem fala nem da pessoa com quem se fala.

2 Posição no tempo

- Os pronomes **este**, **esta** e **isto** indicam o tempo presente em relação ao falante.

  Este ano está cheio de boas surpresas.

- Os pronomes **esse**, **essa** e **isso** indicam o tempo passado recente e o tempo futuro em relação ao falante.

  Nesse final de semana, fui a Ouro Preto, cidade em que conheci muito sobre a arquitetura e a escultura de Aleijadinho.

  2014: esse ano provocará muita agitação no Brasil, que será a sede da Copa do Mundo de Futebol.

Ouro Preto (MG), Brasil.

- Os pronomes **aquele**, **aquela** e **aquilo** indicam o tempo passado remoto em relação ao falante.

  Em 1974, eu tinha 15 anos. Aquela foi uma época feliz: o meu único compromisso era a escola.

3 Posição no texto

• Em uma citação oral ou escrita, usam-se **este**, **esta** e **isto** para o que ainda vai ser dito ou escrito, e **esse**, **essa**, **isso** para o que já foi dito ou escrito.

Esta é a minha crença: existe a violência, porque a sociedade sempre a tolerou.

Existe a violência, porque a sociedade sempre a tolerou. A minha crença é essa.

• Para estabelecer-se a distinção entre dois elementos anteriormente citados, usam-se **este** e **esta** em relação ao que foi mencionado por último e **aquele**, **aquela** em relação ao que foi nomeado em primeiro lugar.

Sabemos que a relação entre o Brasil e os Estados Unidos é de domínio destes sobre aquele.

Os filmes brasileiros não são tão conhecidos como as novelas, mas eu prefiro aqueles a estas.

4 **O**, **a**, **os** e **as** são pronomes demonstrativos quando equivalem a **isto**, **isso**, **aquilo** ou **aquele(s)**, **aquela(s)**.

Não concordo com o que ele falou sobre a aula de História. (o = aquilo que ele falou)

Há sobre a mesa três canetas: a vermelha é a minha. (a = aquela caneta que é vermelha)

5 Os pronomes demonstrativos podem sofrer flexão de gênero e número, com exceção de **isto**, **isso** e **aquilo**, que são sempre invariáveis.

"este sangue"
↓
variável em gênero e em número

"isso não é sangue"
↓
invariável

6 Assim como os pronomes possessivos, os pronomes demonstrativos podem acompanhar ou substituir o substantivo. Quando acompanha o substantivo, ele é um **pronome demonstrativo adjetivo**; quando o substitui, é um **pronome demonstrativo substantivo**.

Nesse texto, o pronome essa substitui o substantivo a última: trata-se, então, de um pronome demonstrativo substantivo.

Pronomes indefinidos

Leia o trecho da letra de música:

Ninguém = ninguém

há tantos quadros na parede	há palavras que nunca são ditas
há tantas formas de se ver o mesmo quadro	há muitas vozes repetindo a mesma frase:
há tanta gente pelas ruas	(ninguém = ninguém)
há tantas ruas e nenhuma é igual a outra	me espanta que tanta gente minta
(ninguém = ninguém)	(descaradamente) a mesma mentira
me espanta que tanta gente sinta	todos iguais
(se é que sente) a mesma indiferença	todos iguais
há tantos quadros na parede	mas uns mais iguais que os outros
há tantas formas de se ver o mesmo quadro	(...)

(Humberto Gessinger. © Warner Chappell Edições Musicais Ltda. Todos os direitos reservados.)

No texto aparecem vários pronomes, por exemplo: **tantos**, **tantas**, **mesmo**, **tanta**, **nenhuma**, **outra**, **ninguém**, **me**, **mesma**, **todos**, **uns** e **outros**. Todos os termos destacados no texto são pronomes indefinidos.

> **Pronome indefinido** é a palavra que indica a 3ª pessoa do discurso (sobre quem se fala) de modo indeterminado.

Alguns pronomes indefinidos, como **ninguém**, são invariáveis; outros sofrem flexão.

Observe, no quadro, quais são eles:

Variáveis	Invariáveis
algum, alguma, alguns, algumas	algo
nenhum, nenhuma, nenhuns, nenhumas	alguém
todo, toda, todos, todas	ninguém
certo, certa, certos, certas	nada
outro, outra, outros, outras	tudo
vário, vária, vários, várias	cada
qualquer, quaisquer	outrem
muito, muita, muitos, muitas	quem
pouco, pouca, poucos, poucas	
tanto, tanta, tantos, tantas	
quanto, quanta, quantos, quantas	

Os pronomes indefinidos também podem ser adjetivos (quando acompanham os substantivos) ou substantivos (quando substituem os substantivos).

Veja o emprego de alguns pronomes indefinidos nos versos a seguir:

"há tantos quadros na parede"
↓
pronome indefinido adjetivo

"(ninguém = ninguém)"
↓   ↓
pronome indefinido substantivo

211

Pronomes interrogativos

Observe este exemplo:

"HUMPF! Que besteira é essa?"

pronome interrogativo   interrogação direta

HUMPF! Gostaria de saber que besteira é essa.

pronome interrogativo   interrogação indireta

> **Pronome interrogativo** é a palavra que introduz uma frase interrogativa. A interrogação pode ser feita direta ou indiretamente.

Os **principais pronomes interrogativos** são:

Variáveis	Invariáveis
qual, quais quanto, quanta, quantos, quantas	quem que

O único pronome interrogativo que normalmente substitui o substantivo é **quem**, que é, então, um **pronome substantivo**. Os outros, em geral, acompanham o substantivo e são, quase sempre, **pronomes adjetivos**.

Veja o emprego de alguns pronomes interrogativos:

Qual alfabeto é o mais usado no mundo?

pronome interrogativo adjetivo

Que pequeno pássaro consegue ficar parado no ar?

pronome interrogativo adjetivo

Quantas letras compõem nosso alfabeto?

pronome interrogativo adjetivo

Quem possibilitou a comunicação por meio de fios?

pronome interrogativo substantivo

(*Enciclopédia do Estudante: perguntas e respostas — Tira-dúvidas*, São Paulo, Globo, 2006, p. 7, 27, 58.)

Pronomes relativos

Leia esta tira:

Observe o pronome que no segundo quadrinho. Vamos reconstruir a fala do personagem:

Estou guardando tudo para o **livro**.
Eu vou escrever o **livro**.

A palavra **livro** se repete na segunda frase. Para que isso não ocorra, ela é substituída pelo pronome que:

"Estou guardando tudo para o **livro** que vou escrever."

o pronome que se relaciona com a
palavra **livro**, que apareceu antes

Esse **pronome relativo** pode ser substituído, nessa frase, por o qual.

> **Pronome relativo** é a palavra que retoma um nome, já citado, com o qual se relaciona.

213

Os **principais pronomes relativos** são:

Variáveis	Invariáveis
o qual, a qual, os quais, as quais	que
cujo, cuja, cujos, cujas	quem
quanto, quanta, quantos, quantas	onde

Veja o uso de alguns pronomes relativos no texto a seguir:

Roda viva

Tem dias que a gente se sente
Como quem partiu ou morreu
A gente estancou de repente
Ou foi o mundo então que cresceu
A gente quer ter voz ativa
No nosso destino mandar
Mas eis que chega a roda viva
E carrega o destino pra lá

Roda mundo, roda-gigante
Roda moinho, roda pião
O tempo rodou num instante
Nas voltas do meu coração

A gente vai contra a corrente
Até não poder resistir
Na volta do barco é que sente
O quanto deixou de cumprir
Faz tempo que a gente cultiva
A mais linda roseira que há
Mas eis que chega a roda viva
E carrega a roseira pra lá

(Chico Buarque. Copyright © 1967 by Editora Musical
Arlequim Ltda.)

Os pronomes relativos são bastante empregados em textos porque representam e substituem palavras que já foram usadas. Ao evitar repetições, contribuem para tornar o texto mais conciso, mais objetivo.

Veja o exemplo na tira abaixo:

Vamos refazer o início do texto:

Overman mora numa pensão **no Ipiranga**.
Overman divide quarto **no Ipiranga** com um sujeito chamado Ésquilo.

Para não repetir a palavra **Ipiranga**, o local de moradia de Overman, o autor a substituiu pelo pronome relativo onde.

"Overman mora numa pensão no **Ipiranga**, onde divide quarto com um sujeito chamado Ésquilo."

Relação entre pronomes

Leia esta tirinha e verifique como se estabelecem as relações entre os pronomes e as pessoas do discurso:

No quarto quadrinho, Sally é o personagem que fala, portanto é a 1ª pessoa do discurso. Leia o pronome que a garota usa para se referir a si mesma:

pronome que identifica a 1ª pessoa do discurso

"(Eu) Vou me acorrentar na cama..."

pronome que se refere à 1ª pessoa do discurso

Ao falar ou escrever, é preciso certa atenção para não confundir as pessoas do discurso. Leia a tira da Mafalda:

No primeiro quadrinho, Mafalda se dirige a Filipe usando pronomes de 2ª pessoa (teu, te); no segundo quadrinho, emprega o pronome de tratamento você (que pede acompanhamento de pronomes de 3ª pessoa: seu, se).

IMPORTANTE!

De acordo com a norma-padrão do uso de pronomes na língua portuguesa, a mistura de pessoas gramaticais em um texto não é adequada e deve ser evitada.

Leia o poema a seguir e observe alguns exemplos da relação correta entre pronomes:

Canção para a amiga dormindo

Dorme, amiga, dorme
Teu sono de rosa
Uma paz imensa
Desceu nesta hora.
Cerra bem as pétalas
Do teu corpo imóvel
E pede ao silêncio
Que não vá embora.
Dorme, amiga, o sono
Teu de menininha
Minha vida é a tua
Tua morte é a minha.
Dorme e me procura
Na ausente paisagem...
Nela a minha imagem

Restará mais pura.
Dorme, minha amada
Teu sono de estrela
Nossa morte, nada
Poderá detê-la.
Mas dorme, que assim
Dormirás um dia
De um sono sem fim...
Na minha poesia.

(Vinicius de Moraes, In: Para viver um grande amor: crônicas e poemas, São Paulo, Cia. das Letras, Editora Schwarcz Ltda., 1991, p. 22. Autorizados pela VM EMPREENDIMENTOS ARTÍSTICOS E CULTURAIS LTDA., © VM e © CIA. DAS LETRAS (EDITORA SCHWARCZ).)

Cibele Queiroz

dorme [tu]
teu sono
cerra [tu]
teu corpo
pede [tu]
sono teu
tua [vida]
tua morte
procura [tu]
dormirás [tu]

[tu], **teu** e **tua** são pronomes que se referem à 2ª pessoa (com quem se fala)

minha vida
minha [morte]
me procura
minha imagem
minha amada
minha poesia

minha e **me** são pronomes que se referem à 1ª pessoa (que fala)

Exercícios

Leia o texto a seguir para resolver as questões **1** e **2**.

Estranhos

Somos estranhos
do outro e de nós.

Estranhos e sós
e temos medos
o desamor, porém,
não os tem.

Ele gera violência
na rua

na minha casa
na tua
no olhar
no tom de voz
dentro de nós.

Estranhos e sós
temos medos.
O desamor não os tem?

Adolar

(Helena Carolina. *Dúvidas, segredos e descobertas*, São Paulo, Saraiva, p. 14.)

1. Identifique os pronomes do texto e classifique-os.

2. Indique o único pronome adjetivo do texto e identifique o termo que ele acompanha.

Leia a tira a seguir para resolver as questões de **3** a **7**.

©2009 United Media/Ipress

3. Classifique os pronomes destacados no texto.

4. Explique o emprego do pronome **isso**.

5. Classifique os pronomes indefinidos destacados no texto em adjetivos e substantivos e identifique os termos que eles acompanham ou substituem.

6. No quarto quadrinho, há um erro de concordância no emprego de um pronome. Identifique-o, justifique e reescreva a frase corrigindo-o.

7 Hagar e o advogado Koyer usam pronomes pessoais diferentes ao se dirigirem a seu interlocutor, o que provoca parte do humor da HQ. Responda:

 DESAFIO

a) Em que constitui essa diferença?

b) Qual é o motivo para isso ocorrer?

8 Copie as frases, substituindo os símbolos (★) pelo pronome demonstrativo que você considerar adequado. Explique a sua escolha.

Fernando Gonsales

Chantal

C

[Tarsila do Amaral] Nasceu em 1886, final do século XIX, filha de José Estanislau do Amaral e Lydia Dias do Amaral.

(...)

Era rodeada de carinho e atenção.

Uma menina esperta, sensível, atenta ao mundo que a rodeava. Um mundo cheio de alegria e, principalmente, de gatos... ★ pequenos animais eram seus companheiros. Possuía cerca de quarenta. Eles viviam ao seu redor, procurando carinho e atenção. Tarsila os adorava. (...)

(Nereide S. Santa Rosa. *Tarsila do Amaral*, São Paulo, Callis, p. 6.)

D

Camelo e dromedário

Qual deles é o camelo e qual é o dromedário? A diferença está nas costas do bicho: o camelo tem duas corcovas e o dromedário, apenas uma.

★ duas espécies comem bastante e armazenam gordura na corcunda para garantir energia durante longas viagens pelo deserto. Com ★ reserva podem passar vários dias sem comer.

(*Recreio*, ano 4, n. 175, p. 26.)

E

Como fazer carreira em paleontologia?

Como ★ ciência se dedica a escavar e a estudar os fósseis — restos ou vestígios de seres vivos com mais de 10 000 anos de idade —, ela faz uma ponte entre a biologia e a geologia. Por ★, o aspirante a paleontólogo deve buscar um curso de graduação em uma das duas disciplinas, para depois seguir a pós-graduação em paleontologia.

(...)

(Ludmila Amaral. Em: *Superinteressante*, n. 177, ano 4, jun. 2002, p. 30.)

9 Classifique os pronomes que você usou no exercício **8** para completar as frases com pronomes substantivos ou adjetivos. Explique a diferença entre uma classificação e outra.

Para responder às questões de **10** a **14**, leia o trecho de uma entrevista do grupo musical NX Zero.

NX Zero lança o novo CD

A banda de rock mais tocada da atualidade diz que lembrar do começo difícil ajuda a não deixar a fama subir à cabeça

Eles são jovens, não têm mais de 25 anos, mas não estão na música para brincadeiras. Mesmo quando não tinham contrato com uma gravadora, o NX Zero conseguiu um marco importante: foi o primeiro grupo independente a alcançar o topo da parada da MTV. (...)

Antonio Milena/AE

Considerados pela imprensa especializada a banda de rock brasileira mais badalada do momento, o NX Zero lança este mês *Agora* (Universal), seu segundo trabalho por uma gravadora, mas o terceiro de carreira. Aqui no *Almanaque Saraiva*, o vocalista Di Ferrero conta mais sobre o novo CD e relembra algumas histórias divertidas do grupo nesses sete anos de estrada. (...)

Almanaque Saraiva – Como vocês fazem para não deixar que a pressão do sucesso interfira na dinâmica da banda?

DF – A gente sempre troca ideia sobre isso, mas de forma bem tranquila. Quando percebemos que alguém da banda esqueceu um pouco dos nossos objetivos, de por que a gente está aqui, paramos e conversamos. É como se alguém estivesse subindo em um balão e a gente vai lá e estoura (risos). Somos muito unidos e não deixamos ninguém esquecer o que passamos até chegarmos aqui. Tocamos em muito lugar ruim, sem estrutura e, agora, damos valor ao que temos. (...)

AS – Vocês alcançaram o reconhecimento profissional ainda muito jovens. Em meio a tudo isso, como fica a relação com os pais?

DF – Eu moro com a minha mãe, e lá em casa eu sempre tive apoio com relação à música. Nossos pais vão aos shows e acompanham a gente sempre que podem. Mas é bom chegar em casa, ainda mais com tudo que está acontecendo com a gente, e encontrar uma base. Ouvir a sua mãe te dar uns toques ou mandar você arrumar o quarto. É importante para colocar a gente no chão. (...)

(*Almanaque Saraiva*, ano 3, n. 27, jul. 2008, p. 28.)

10 Classifique os pronomes destacados nesse trecho.

11 Entre os pronomes destacados, identifique os que são adjetivos e os termos aos quais se relacionam.

12 Identifique no quarto parágrafo do texto dois pronomes indefinidos com sentido antônimo.

13 Identifique no segundo parágrafo do texto um pronome demonstrativo contraído com a preposição **em**.

14 Nas respostas do vocalista Di Ferrero, observa-se uma grande mistura de pessoas gramaticais no emprego dos pronomes. Localize no último parágrafo exemplos dessa falta de uniformidade no tratamento e explique-a.

DESAFIO

Para responder às questões de **15** a **18**, leia um trecho de uma carta enviada por Bárbara à sua amiga Clara.

Rio, em setembro

Clara!

Cada dia vai ficando mais difícil te escrever. As três barreiras — Física, Matemática, Biologia — no meio do meu caminho, o teatro, o inglês, meus desencontros de amor, pai, mãe, irmã... É muita coisa pra uma cabeça só. E agora arrumei mais esta: uma atração irresistível pelo professor de Literatura. Clara, nunca pensei! Você deve me achar doidinha, mas, pô, ninguém é de ferro e ele fica lendo umas coisas tão lindas na aula que não aguento. Só que ele nem repara em mim. (...) Ele não é bonito. Pra dizer a verdade, acho que é até um pouco feio, mas fala cada coisa de arrepiar. Outro dia escreveu no quadro um poema do Alberto Caeiro. Clara, o poema é lindo! Achei que você ia gostar. Saca só:

Passa uma borboleta por diante de mim no Universo
E pela primeira vez eu reparo
Que as borboletas não têm cor nem movimento,
Assim como as flores não têm perfume nem cor.
A cor é que tem cor nas asas da borboleta,
No movimento da borboleta o movimento é que se move,
O perfume é que tem perfume no perfume da flor
A borboleta é apenas borboleta
E a flor é apenas flor.

Não é o máximo? Para dizer a verdade, a primeira vez que li, não entendi nada. Mas aí ele, o professor Fernando (esse é o nome), começou a mostrar coisas tão incríveis que eu me apaixonei. Por ele e pelo poema. E descobri um negócio incrível: poesia não é para entender, é para sentir. Não é super?

(...)

(Roseana Murray e Suzana Vargas. *Porta a porta*, São Paulo, Saraiva, p. 59-61.)

Cibele Queiroz

15 Classifique os pronomes destacados no primeiro parágrafo.

16 Separe esses pronomes em adjetivos e substantivos.

17 No terceiro parágrafo, identifique:

a) um pronome relativo que se refere ao termo **vez**;

b) um pronome demonstrativo substantivo;

c) um pronome pessoal reto (3ª pessoa do discurso);

d) um pronome pessoal oblíquo (1ª pessoa do discurso).

18 É muito comum em cartas informais não haver preocupação com a uniformidade de tratamento, ocorrendo a mistura de pessoas gramaticais. Identifique essa ocorrência no primeiro parágrafo da carta lida. Como se poderia corrigir o texto, segundo a norma-padrão?

19 Copie as frases, substituindo o símbolo ★ pelos pronomes relativos **que, cujo, onde, quem, quais**:

a) A rua ★ moro é arborizada.

b) Qual é o pronome ★ emprego você acha mais difícil?

c) Adorei o relógio ★ vi na vitrina.

d) Não sei o motivo por ★ ele se aborreceu.

e) O homem a ★ tanto amei voltou.

f) Estes são os funcionários com os ★ posso contar sempre.

20 O pronome relativo **cujo** deve ser usado apenas quando indicar uma relação de posse entre o antecedente e o termo que especifica. Veja:

> Este é o meu professor, **cujo** pai é vizinho do meu irmão.

O significado que podemos depreender dessa frase é este: o vizinho do meu irmão é pai do meu professor.

Nas orações abaixo, o pronome **cujo** foi utilizado indiscriminadamente. Reescreva as orações, alterando o pronome quando não for adequada a sua utilização de acordo com a norma--padrão.

a) "Vós, poderoso Rei, **cujo** alto Império / O Sol logo em nascendo vê primeiro." (Luís de Camões, *Os Lusíadas*, I, 8.)

b) "Aquela, **cujo** amor me causa alguma pena, / Põe o chapéu ao lado, abre o cabelo à banda." (Cesário Verde, *Obra completa*, p. 86.)

c) "Eu sou como a garça triste / **cujo** mora à beira do rio…" (Castro Alves, *Poesias escolhidas*, p. 321.)

d) "Não queirais dos livros outra unidade **cuja** a do seu espírito." (Pontes de Miranda, *Obras literárias*, p. 23.)

21 Transcreva as palavras das frases a seguir às quais se refere o pronome relativo desta-cado.

a) "Eu sou um desses estranhos animais **que** têm por hábitat o Rio de Janeiro." (Rubem Braga)

b) "Todos aprovaram, menos o Milanês, **que**, pelo jeito, queria ser síndico também." (Fernando Sabino)

c) "Teu nome, Maria Lúcia

Tem qualquer coisa **que** afaga." (Vinicius de Moraes)

d) "São pirilampos ariscos

que acendem pisca-piscando." (Henriqueta Lisboa)

e) "Um burrinho manso,

que não corra nem pule,

mas **que** saiba conversar." (Cecília Meireles)

f) "Verdes mares bravios de minha terra natal, **onde** canta

a jandaia nas frondes da carnaúba (...)" (José de Alencar)

22 Reescreva as frases utilizando pronomes relativos para evitar repetição. Veja o modelo:

> O tempo é um fio; o tempo escapa por entre os dedos.
> O tempo é um fio **que** escapa por entre os dedos.

a) O menino descalço não olha **o chão**; pisa **no chão**.

b) Algumas pessoas acreditam em **tudo**. **Tudo** é dito na TV.

c) "Mas de repente a menina

deixa cair sua **bola**,

a bola desce pelo barranco,

e para o riacho rola." (Ruth Rocha)

d) Era o **vizinho**. O **vizinho** chegava. O **vizinho** queria falar ao meu amigo.

23 Faça como no modelo:

> Esta caneta **pertence-lhe.** = (Esta caneta é sua.)

a) O livro **pertence-te**.

b) Os relógios **pertencem-nos**.

c) As flores **vos pertencem**.

d) O casaco **pertence-me**.

24 Substitua as expressões em destaque pelo pronome oblíquo adequado, fazendo as alterações necessárias.

a) "Olhou para fora, através da janela, mas não pôde suportar **o clarão do sol**." (Érico Veríssimo)

b) "Revista **aquele quarto**..." (Manuel Antônio de Almeida)

c) "Os meninos resmungavam **queixas**." (Bernardo Guimarães)

d) "Não era tanta a política que os fizesse esquecer **Flora**." (Machado de Assis)

e) "Não percebeu Lemos **esse profundo constrangimento**." (José de Alencar)

f) "Era ela mesma a propor **os assuntos mais salgados**." (Mário de Andrade)

25 Leia as frases a seguir e resolva as questões.

a) Identifique um pronome relativo:

> "Dize-me com quem andas que eu te direi quem és."

b) Identifique o pronome relativo e substitua-o por outro equivalente:

> Eu moro numa rua onde muitas pessoas falam italiano.

c) Explique a diferença no emprego dos pronomes demonstrativos **este** e **aquele**:

> Eu vou consultar este dicionário. E você, por favor, consulte aquele dicionário.

26 Leia a tira:

Fernando Gonsales

• De acordo com os pronomes possessivos empregados no texto, qual é a forma de tratamento utilizada pelo personagem para se dirigir ao outro?

27 Retire da tirinha a seguir:

a) um pronome indefinido adjetivo;

b) um pronome indefinido substantivo;

c) um pronome pessoal de tratamento;

d) um pronome possessivo.

28 Com os conhecimentos que você adquiriu após estudar este capítulo, identifique na tira a seguir o pronome pessoal cujo emprego não segue a norma culta. Reescreva a frase obedecendo ao padrão formal da língua portuguesa.

DESAFIO

Verbo

Conceito

Leia com atenção o trecho inicial da história de Alina Perlman e observe as palavras destacadas:

Enfrentando as feras

O que fazer para enfrentar as feras? Eu deveria saber que tinha prova? Deveria.

Eu deveria ter estudado?

Deveria.

Quem mandou contar com o Rafael! Que droga de amigo! Não me avisou que tinha prova nem estudou pra que eu pudesse dar uma coladinha...

Quando será que o professor marcou essa bendita?

Deve ter sido no dia daquele futebolzinho super-relaxante que começou no recreio e terminou... na hora da saída.

Eu tenho culpa que meu relógio tá quebrado e eu nem senti o tempo passar?

Eu tenho culpa que nenhum dos meus companheiros de jogo era da minha classe e não tinham aula após o recreio?

Eu tenho culpa que nenhum colega veio me chamar e dizer que tava na hora de ir?

Eu não ouvi o sinal, não percebi a movimentação... mas fiz um gol. Um gol sensacional! Meu time ganhou por *minha* causa.

E se esse pessoal mandasse um abaixo-assinado pros meus pais dizendo que era uma questão de vida ou morte, que eu os salvei, que o sinal esqueceu de tocar?

Não. Não vai dar certo.

(Alina Perlman. *O jeitão da turma*, 3. ed., São Paulo, Saraiva, 2003, p. 52-53.)

As palavras destacadas são exemplos de alguns dos termos que encontramos no texto que exprimem ações e indicam o momento em que essas ações são realizadas.

Essas palavras são chamadas de **verbos** e, além de ação, podem exprimir estado e fenômeno natural.

Observe os exemplos:

verbo que indica estado

"E se esse pessoal mandasse um abaixo-assinado pros meus pais dizendo que era uma questão de vida ou morte, que eu os salvei, que o sinal esqueceu de tocar?"

verbos de ação

Logo que anoiteceu, choveu torrencialmente em Recife, inundando vários bairros.

verbos que indicam fenômenos da natureza

verbo de ação

225

> **Verbo** é a palavra que indica ação (estudar, correr), estado (ser, parecer), fenômeno da natureza (chover, nevar), desejo (aspirar, almejar) e muitos outros processos, sempre em relação a determinado tempo.

Flexão do verbo

O verbo varia em **pessoa**, **número**, **tempo**, **modo** e **voz**.
Leia mais um trecho da narrativa anterior e observe as formas verbais destacadas:

> Quem mais eles conhecem?
>
> O Rafael, claro. Ele também tirou zero. Melhor nem contar pra eles. Vão vir de novo com aquele discurso manjado:
>
> — O Rafael *não* é uma boa companhia pra você, meu filho. Você precisa se enturmar com gente mais parecida com você!
>
> Mais parecida que o Rafael? Ele praticamente adivinha o que eu estou pensando. A gente gosta dos mesmos programas, do mesmo time, da mesma música, da mesma comida, das mesmas meninas...
>
> Outro dia eu fiquei com a menina da qual ele tava a fim e quase acabei com a nossa amizade. Tive que dar pra ele quase toda minha coleção de latas de cerveja pra fazer as pazes...
>
> (Alina Perlman. *O jeitão da turma*, 3. ed., São Paulo, Saraiva, 2003, p. 53-54.)

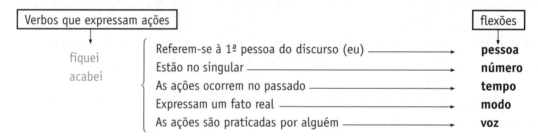

Vamos ver, a seguir, como ocorre cada uma dessas flexões do verbo.

Pessoa e número

O verbo sofre flexão de acordo com a **pessoa do discurso** a que se refere e apresenta diversas formas de acordo com o **número**: singular e plural:

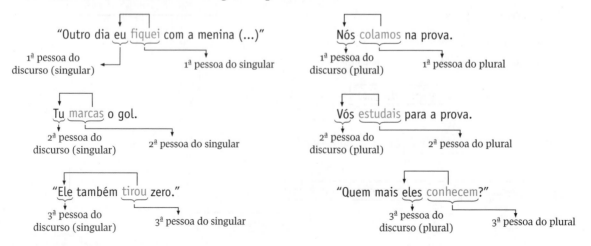

Modo

Em língua portuguesa, a pessoa que fala pode expressar um fato em três modos: o **indicativo**, o **subjuntivo** e o **imperativo**. É a flexão do modo verbal que indica a maneira e a circunstância em que o fato é narrado.

Leia o final da história escrita por Alina Perlman:

Bem, voltando ao problema principal. O que é que eu faço?

Esqueço de mostrar o boletim? Não. Eles precisam assinar. Não sei pra que essa besteira de assinar. Será que a escola não confia em mim? Não acredita que eu vou mostrar o boletim pra eles?

Pois é. Ela tem razão. Eu, se fosse a escola, também não confiava em mim. Se, pelo menos, eu soubesse imitar a assinatura deles, se não fossem tão complicadas...

(...)

Tenho uma ideia! Preciso só ver se o que sobrou do dinheiro da mesada é suficiente.

Ufa! Fui brilhante!

Comprei um ramo enorme de rosas e um cartão lindo que diz:

— Só porque te amo.

Coloquei o cartão no meio das flores e entreguei pra ela no fim da tarde.

Ela chorou um monte, me abraçou, me beijou um monte. Se emocionou demais.

— Por que isso, filho? Nem é meu aniversário...

— Só porque te amo, mãe. Ah, saiu o boletim. Dá uma assinadinha aqui, por favor.

E não é que ela assinou sem olhar? Estava tão comovida que só olhava pra mim. Foi lindo! Deu até um pouquinho de dor na consciência. Mas só um pouquinho. Quem sabe, pro próximo bimestre, eu estudo de verdade e tiro notas razoáveis. Tá ficando mais cansativo pensar num jeito de enfrentar as feras lá em casa do que dar uma estudada!

(Alina Perlman. *O jeitão da turma*, 3. ed., São Paulo, Saraiva, 2003, p. 54-56.)

Marcos Guilherme

Modo indicativo

A pessoa que fala narra o fato como certo e definitivo.

"Ela chorou um monte, me abraçou, me beijou um monte. Se emocionou demais."

Modo subjuntivo

A pessoa que fala exprime um fato de modo duvidoso e incerto.

"Pois é. Ela tem razão. Eu, se fosse a escola, também não confiava em mim. Se, pelo menos, eu soubesse imitar a assinatura deles, se não fossem tão complicadas..."

227

Modo imperativo

A pessoa que fala expressa pedido, ordem ou desejo.

"Dá uma assinadinha aqui, por favor."

Observe, na tira abaixo, como Garfield emprega os verbos em diferentes modos:

As formas verbais sabem e gosto estão no modo indicativo e as formas experimentem, bebam e lavem estão no modo imperativo.

Tempo

O tempo do verbo indica o momento em que ocorre o fato expresso por ele.

Os tempos fundamentais do verbo são três: **presente**, **pretérito** (passado) e **futuro**.

Leia o texto e observe as formas verbais destacadas:

Do seu lado

(...)
Faz muito tempo
Mas eu me lembro
Você implicava comigo
Mas hoje eu vejo
Que tanto tempo
Me deixou muito mais calmo...

O meu comportamento egoísta
O seu temperamento difícil
Você me achava meio esquisito
E eu te achava tão chata
Eh!...

Mas tudo que acontece na vida
Tem um momento e um destino
Viver é uma arte, é um ofício
Só que precisa cuidado...

Pra perceber
Que olhar só pra dentro
É o maior desperdício
O teu amor pode estar
Do seu lado...

O amor é o calor
Que aquece a alma
O amor tem sabor
Pra quem bebe a sua água...

Eh!
E hoje mesmo quase não lembro
Que já estive sozinho
Que um dia seria seu marido
Seu príncipe encantado...

(...)

(Nando Reis. © Warner Chappell Edições Musicais Ltda. Todos os direitos reservados.)

Presente: lembro, vejo, acontece.
Pretérito: implicava, deixou, achava.
Futuro: seria.

Tempos do modo indicativo

1 Presente

Indica um fato que ocorre no momento em que se fala.

O professor

O professor disserta
sobre ponto difícil do programa.
Um aluno dorme,
cansado das canseiras desta vida.
O professor vai sacudi-lo?
Vai repreendê-lo?
Não.
O professor baixa a voz
com medo de acordá-lo.

Edde Wagner

(Carlos Drummond de Andrade. *Poesia completa*, p. 1467.
Carlos Drummond de Andrade © Graña Drummond.)

O presente do indicativo também é usado para expressar um fato que ocorre regularmente.
Observe os verbos destacados neste texto:

Saudades

(...)
Nessas horas de silêncio
De tristezas e de amor,
Eu gosto de ouvir ao longe,
Cheio de mágoa e de dor,
O sino do campanário

Que fala tão solitário
Com esse som mortuário
Que nos enche de pavor.

Então — Proscrito e sozinho —
Eu solto aos ecos da serra
Suspiros dessa saudade
Que no meu peito se encerra
Esses prantos de amargores
São prantos cheios de dores:
— Saudades — Dos meus amores
— Saudades — Da minha terra!

Lucia Hiratsuka

(*Os melhores poemas de Casimiro de Abreu*. Seleção de Rubem Braga, São Paulo, Global, p. 26.)

---

2 Pretérito

Exprime um fato que ocorreu antes do momento em que se fala.
O pretérito do modo indicativo pode ser **perfeito**, **imperfeito** e **mais-que-perfeito**.

• **Pretérito perfeito** — indica um fato que aconteceu no passado.

Joaquín Salvador Lavado (Quino), Toda Mafalda

• **Pretérito imperfeito** — expressa um fato que começou a ocorrer no passado, mas que ainda não está terminado no momento em que se fala, ou é usado para indicar uma ação passada habitual.

Filipe perguntou o que tinha acontecido com o dedo de Susanita,
porque não sabia que ela havia cortado o dedo.

Nessa frase, o tempo dos verbos no pretérito imperfeito indica que as ações começaram no passado, ou seja, num momento anterior ao da pergunta de Filipe.

• **Pretérito mais-que-perfeito** — expressa um fato passado, ocorrido antes de outro também passado.

Susanita já cortara o dedo quando encontrou com Filipe.

Há nessa frase dois verbos, portanto duas ações diferentes. A ação expressa pelo verbo cortar acontece no passado, antes da ação expressa pelo verbo encontrar, que também ocorreu no passado.

3 **Futuro**

Exprime um fato que ainda não aconteceu no momento em que se fala. Esse tempo verbal está subdividido em dois: **futuro do presente** e **futuro do pretérito**.

• **Futuro do presente** — exprime um fato que irá acontecer com certeza.

Mauricio de Sousa Produções - Brasil/2009

Os verbos no tempo futuro do presente expressam a certeza de que as ações ou os fatos irão acontecer no futuro.

• **Futuro do pretérito** — expressa um fato, relacionado com outro fato passado, que pode ou não acontecer.

©2009 United Media/Ipress

No terceiro quadrinho, a forma verbal fosse está no passado e indica um acontecimento hipotético. As formas verbais tirariam, choraria, reclamaria, imploraria e envergonharia, por sua vez, estão no futuro do pretérito, ou seja, no futuro em relação ao tempo passado do verbo fosse.

Tempos do modo subjuntivo

Os tempos do modo subjuntivo são três: **presente**, **pretérito imperfeito** e **futuro**. Esse modo é caracterizado pela dúvida e pela incerteza, transmitidas pelas formas dos seus tempos verbais.

1 Presente

Expressa uma ação que **provavelmente irá** se realizar.

> É preciso que você venha imediatamente.
> Desejamos que eles saiam imediatamente.

2 Pretérito imperfeito

Expressa uma ação que **deveria ter ocorrido** no passado, anterior ao momento em que se fala.

Fazer o que se gosta

A escolha de uma profissão é o primeiro calvário de todo adolescente. Muitos tios, pais e orientadores vocacionais acabam recomendando "fazer o que se gosta", um conselho confuso e equivocado.

(...)

Seria um mundo perfeito se as coisas que queremos fazer coincidissem exatamente com o que a sociedade acha importante ser feito. Mas, aí, quem tiraria o lixo, algo necessário, mas que ninguém quer fazer?

(...)

O que seria de nós se ninguém produzisse sapatos e meias, só porque alguns membros da sociedade só querem "fazer o que gostam"? Pediatras e obstetras atendem às 2 da manhã. Médicos e enfermeiras atendem aos sábados e domingos não porque gostam, mas porque isso tem de ser feito.

(Stephen Kanitz. Em: *Veja*, ano 37, n. 47, 24 nov. 2004, p. 22.)

Ricardo Dantas

3 Futuro

Expressa um fato que **poderá ocorrer** no futuro.

Se quiser procurar algo, descubra suas habilidades naturais, que permitirão que realize seu trabalho com distinção e o colocarão à frente dos demais. Muitos profissionais odeiam o que fazem porque não se prepararam adequadamente, não estudaram o suficiente, não sabem fazer aquilo que gostam, e aí odeiam o que fazem malfeito.

(Stephen Kanitz. Em: *Veja*, ano 37, n. 47, 24 nov. 2004, p. 22.)

Veja, no poema a seguir, outros exemplos de uso do verbo no modo subjuntivo.

José
Carlos Drummond de Andrade

E agora, José?

A festa acabou,

a luz apagou,

o povo sumiu,

a noite esfriou,

e agora, José?

e agora, você?

você que é sem nome,

que zomba dos outros,

você que faz versos,

que ama, protesta?

e agora, José?

(...)

Se você gritasse,

se você gemesse,

se você tocasse

a valsa vienense,

se você dormisse,

se você cansasse,

se você morresse...

Mas você não morre,

você é duro, José!

Sozinho no escuro

qual bicho do mato,

sem teogonia,

sem parede nua

para se encostar,

sem cavalo preto

que fuja a galope,

você marcha, José!

José, para onde?

(*Reunião*: 10 livros de poesia. Rio de Janeiro, José Olympio, 1969, p. 70.)

As formas verbais destacadas no texto expressam fatos que deveriam ter ocorrido no passado, anterior ao momento em que se fala; por isso, estão no pretérito imperfeito do subjuntivo.

Formas nominais

Além dos modos e dos tempos, existem as formas nominais — **infinitivo**, **gerúndio** e **particípio** —, assim chamadas porque exercem a função de nome (substantivo, adjetivo e advérbio).

Infinitivo

Essa forma nominal pode ser: **impessoal** ou **pessoal**.

1 **Impessoal** — é o nome do verbo.

Leia a história em quadrinhos e observe as palavras destacadas, que estão no infinitivo impessoal:

2 Pessoal — é o infinitivo relacionado às pessoas do discurso.

Leia a conversa de Lucy com o seu irmãozinho Linus. Nesta tira, encontramos um exemplo de uso do infinitivo pessoal relacionado à 1ª pessoa do plural (nós):

Gerúndio

Observe as palavras destacadas, a seguir, que estão no gerúndio.

O pai
Para o Edgar

O pai, por que só trabalha?
Era melhor pai em casa,
pai no jardim vendo rosa,
pai consertando o telhado,
mas o pai trabalha fora.
Era melhor pai passeando,
no parque correndo junto,
pai ensinando lição,
pai vendo televisão.

Mas o pai trabalha fora
pra sustentar os meninos.
— Pai, por que você não canta?
— E eu lá sou passarinho?

(Renata Pallottini. *Café com leite*, São Paulo, Quinteto, p. 1.)

Particípio

Leia esta história em quadrinhos e observe os particípios destacados.

233

As formas nominais são empregadas na construção dos **tempos compostos do verbo**. Leia este diálogo:

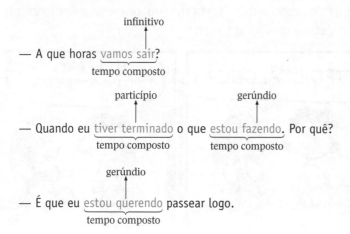

infinitivo

— A que horas vamos sair?
tempo composto

particípio   gerúndio

— Quando eu tiver terminado o que estou fazendo. Por quê?
tempo composto   tempo composto

gerúndio

— É que eu estou querendo passear logo.
tempo composto

Voz

As vozes verbais indicam a maneira como o sujeito se relaciona com o verbo. São três as vozes do verbo: **ativa**, **passiva** e **reflexiva**.

Voz ativa

O verbo está na voz ativa quando expressa uma ação praticada pelo sujeito:

O vento e a chuva derrubaram as árvores.
       sujeito

ação praticada pelo sujeito

Voz passiva

A voz passiva indica que o sujeito sofreu a ação expressa pelo verbo ou foi o receptor dela.

As árvores foram derrubadas pelo vento e pela chuva.
   sujeito   ação que o sujeito sofreu

Observe outro exemplo de voz passiva nesta charge:

234

A voz passiva pode ser: **analítica** e **sintética**.

1 **Analítica**

Formada, geralmente, pelos verbos **ser** ou **estar** mais o particípio de um verbo principal. Leia o texto e observe os termos destacados:

A história poderia ser outra

Livro mostra que, entre 1930 e 1960, o Rio viveu seu esplendor ao mesmo tempo em que plantou as sementes de problemas que se perpetuaram, como as favelas

O Rio de Janeiro passou por intervenções urbanísticas que mudaram a cara da cidade entre os anos 1930 e 1960, dando a ela o ar cosmopolita que a celebrizou mundo afora. Foram inaugurados nesse período o Cristo Redentor (1931), a Avenida Presidente Vargas (1944) e o Maracanã (1950). Essa transformação está ricamente ilustrada em *Rio de Janeiro 1930-1960 — Uma Crônica Fotográfica* (G. Ermakoff Casa Editorial; 264 páginas; 135 reais), que o colecionador George Ermakoff lança nesta semana. O livro retrata paisagens e cenas do cotidiano de uma época em que Copacabana era sinônimo de *glamour*, bossa nova e qualidade de vida. Mas há um detalhe que o torna ainda mais interessante. Ele mostra que, nesses anos dourados, foram plantadas as sementes do caos urbano que se observa hoje na cidade. Sem investimentos em infraestrutura, a desordem foi aos poucos tomando conta da paisagem. "Nesse período, os males do Rio foram construídos de forma duradoura. O descaso com a expansão das favelas e a aposta num modelo de transporte individual resultaram em mazelas que estão aí até hoje", diz Luiz Cesar Ribeiro, coordenador do Observatório das Metrópoles, do Instituto de Pesquisa e Planejamento Urbano da Universidade Federal do Rio de Janeiro (UFRJ).

Jardim de Alá na divisa entre Ipanema e Leblon, em 1940.

Favela da Catacumba (1960). Ao fundo, à esquerda, a cruzada São Sebastião, construída em 1955.

(Ronaldo Soares. Em: *Veja*, n. 2008, 26 nov. 2008, p. 138.)

Astrogildo Malta – Acervo José Roberto de Aboim Azevedo Neto

Fotógrafo não identificado – Coleção George Ermakoff

2 **Sintética**

Formada pelo pronome **se** mais o verbo na 3ª pessoa concordando em número (singular ou plural) com a pessoa gramatical a que se refere.

Veja estes exemplos:

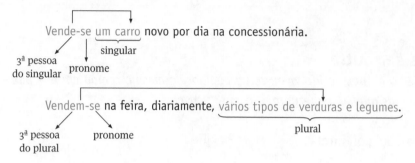

Vende-se um carro novo por dia na concessionária.

3ª pessoa do singular — pronome — singular (um carro)

Vendem-se na feira, diariamente, vários tipos de verduras e legumes.

3ª pessoa do plural — pronome — plural (vários tipos de verduras e legumes)

Essas frases podem ser construídas também na passiva analítica:

> Um carro novo é vendido por dia na concessionária.
>
> Vários tipos de verduras e legumes são vendidos diariamente na feira.

Observe um exemplo de voz passiva sintética nesta tira:

© 1995 United Feature Syndicate, Inc.

©2009 United Media/Ipress

NÃO SE FAZEM MAIS ÁRVORES COMO ANTIGAMENTE...

"Não se fazem mais árvores como antigamente..."

pronome — 3ª pessoa do plural — plural

Não se faz mais nenhuma árvore como antigamente...

pronome — 3ª pessoa do singular — singular

Assim ficariam essas frases na voz passiva analítica:

> Árvores não são feitas mais como antigamente.
>
> Nenhuma árvore é feita mais como antigamente.

Voz reflexiva

A voz reflexiva indica que o sujeito pratica e sofre a ação do verbo ao mesmo tempo:

> Um jogador brasileiro contundiu-se durante o treino.

Nesse exemplo, pode-se perguntar: o jogador contundiu quem? A resposta seria: a si mesmo. Então, o sujeito (= o jogador) **pratica** e, ao mesmo tempo, **recebe** a ação.

Para formar a voz reflexiva, combina-se um verbo na voz ativa com um pronome oblíquo átono da mesma pessoa do sujeito. Veja:

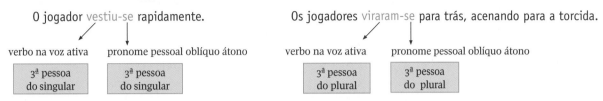

O jogador vestiu-se rapidamente.

verbo na voz ativa — pronome pessoal oblíquo átono

| 3ª pessoa do singular | 3ª pessoa do singular |

Os jogadores viraram-se para trás, acenando para a torcida.

verbo na voz ativa — pronome pessoal oblíquo átono

| 3ª pessoa do plural | 3ª pessoa do plural |

A voz reflexiva pode também dar ideia de reciprocidade:

Os jogadores dos dois times cumprimentaram-se antes da partida.
sujeito

O verbo empregado na voz reflexiva é chamado de **pronominal**.

Elementos do verbo

Você já viu, no Capítulo 6 — Estrutura das palavras —, que existem elementos mórficos que se combinam para formar as palavras.

O verbo, na sua estrutura, apresenta três elementos mórficos: o **radical**, a **vogal temática** e as **desinências.** Vamos estudá-los separadamente.

Radical

O radical é a base do significado do verbo.

Leia a tira e observe as flexões de aprender e começar:

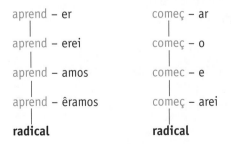

aprend – er   começ – ar

aprend – erei   começ – o

aprend – amos   comec – e

aprend – êramos   começ – arei

radical   **radical**

OBSERVAÇÃO

Note que, na forma verbal comece, a ortografia do radical começ- foi alterada (**ç** por **c**). Isso acontece para que se mantenha a sua regularidade fonética, pois as letras **ç** e **c** representam o mesmo fonema /s/.

Para se obter o radical, basta isolar as terminações **ar**, **er** e **ir** do verbo no infinitivo. Veja:

Verbo no infinitivo	Radical	Terminação
começar	começ-	ar
aprender	aprend-	er
sorrir	sorr-	ir

Vogal temática

É a vogal que se junta ao radical e que identifica a conjugação a que o verbo pertence:

Verbo	Radical	Vogal temática	Conjugação
começar	começ-	a	1ª
aprender	aprend-	e	2ª
sorrir	sorr-	i	3ª

OBSERVAÇÃO

Antigamente, o verbo pôr (e os seus derivados, como compor, dispor, repor etc.) possuía a forma poer, com a vogal temática e, pertencendo, por isso, à **2ª conjugação**. Com o tempo, passou-se a grafá-lo simplesmente pôr, sem o e, mas ele continua, a ser classificado na 2ª conjugação.

Ao conjunto do radical mais a vogal temática, dá-se o nome de **tema**:

Verbo	Tema		
	Radical	Vogal temática	
começar	começ-	a	r
aprender	aprend-	e	r
sorrir	sorr-	i	r

Desinências

As desinências são os elementos mórficos que se acrescentam ao radical ou tema para indicar as flexões de pessoa, número, tempo e modo. Elas podem ser de dois tipos:

- **número-pessoais** — quando indicam flexão de número e pessoa;
- **modo-temporais** — quando indicam flexão de modo e tempo.

	Radical	Vogal temática	Desinências	
			Modo-temporais	Número-pessoais
começávamos	começ-	á	-va	-mos
aprenderíamos	aprend-	e	-ría	-mos
sorrissem	sorr-	i	-sse	-m

Conjugação verbal

Conjugar um verbo consiste em dar a ele as flexões de pessoa, número, tempo e modo. Leia o texto:

Bastam cinco minutos

Esta técnica pode ser usada diariamente. O ideal é fazer pelo menos cinco minutos de meditação de manhã e cinco minutos no fim da tarde

1) Sentar confortavelmente, com as costas retas e as pernas cruzadas, e fechar os olhos.
2) Respirar lentamente.
3) Imaginar algum objeto ou lugar (uma praia ou um parque, por exemplo) e concentrar o foco nesse pensamento. Ao se desconcentrar, respirar profundamente e voltar a pensar apenas no objeto ou lugar focado.
4) Repetir, em voz baixa, uma mesma palavra ou um mesmo som.
5) Relaxar os músculos, prestando atenção em cada parte do corpo: rosto, braços, umbigo, pernas, pés.
6) Abrir os olhos e esperar um minuto antes de se levantar.

(Escola de Medicina de Harvard. Em: *Veja*, Veja Especial Saúde, dez. 2004, p. 43.)

Quase todos os verbos que compõem esse texto não estão flexionados, isto é, não foram conjugados (é o caso, por exemplo, de sentar, repetir e abrir). Veja o emprego desses verbos nas frases abaixo:

Sentei confortavelmente e fechei os olhos.

As pessoas repetiram, em voz baixa, uma mesma palavra ou um mesmo som.

Depois, abrirão os olhos e esperarão um minuto antes de se levantar.

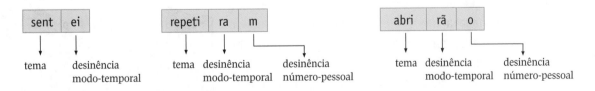

São as desinências que indicam as flexões do verbo. Então, as formas verbais sentei, repetiram e abrirão estão conjugadas.

Conjugação é o conjunto de formas verbais correspondentes às flexões do verbo.

Veja os exemplos de conjugação em três tempos verbais:

começar			escrever			dividir	
Presente do indicativo			**Pretérito imperfeito do indicativo**			**Futuro do subjuntivo**	
eu	começo	eu	escrevia	quando eu	dividir		
tu	começas	tu	escrevias	quando tu	dividires		
ele	começa	ele	escrevia	quando ele	dividir		
nós	começamos	nós	escrevíamos	quando nós	dividirmos		
vós	começais	vós	escrevíeis	quando vós	dividirdes		
eles	começam	eles	escreviam	quando eles	dividirem		

São três as conjugações do verbo:

- **1ª conjugação** — verbos terminados em **ar**.

perdoar	jurar	bagunçar	encantar
amar	corar	piar	louvar

- **2ª conjugação** — verbos terminados em **er** e o verbo **pôr** e seus derivados.

corroer	doer	moer	compor
perder	torcer	comer	transpor

- **3ª conjugação** — verbos terminados em **ir**.

construir	ferir	pedir	latir
sorrir	sentir	dividir	medir

Leia o trecho inicial do diário de Josimar e observe outros exemplos de conjugações verbais:

3/8/94

Ganhei este caderno da professora. Foi o prêmio pela poesia que fiz sobre o Brasil. O tema era futebol. A gente estava disputando a Copa. Ainda não era tetra, mas eu tinha certeza que ia ser. Daí que fiz um acróstico, esse tipo de poema em que os versos começam com o nome de alguém ou alguma coisa. Em vez de usar as letras de BRASIL, usei as letras de ROMÁRIO. A Neusa, a professora, achou legal demais. Veio com o caderno. Para eu treinar nele. Porque levo muito jeito para escrever.

Eu sou ruim de bola, mas tenho algo a ver com o Romário. Não que eu seja o melhor em outra coisa. Não sou bom em nada a não ser em poesia. Mas eu sou do morro, como ele. E, como o Romário, não tenho vergonha de dizer de onde eu sou.

Talvez eu fique morando aqui a vida toda. Não acho ruim mesmo. Não sou como o Marílton, que é meu colega e joga uma bola redonda. Ele diz que um dia vai descer lá para baixo, vai ser famoso, ganhar muita grana, comprar um carro e nunca mais aparece por aqui.

(Lino de Albergaria. *Caderno de segredos*, 9. ed., São Paulo, Saraiva, 1995, p. 7.)

Cibele Queiroz

Classificação dos verbos

Os verbos classificam-se em **regulares**, **irregulares**, **auxiliares**, **anômalos**, **defectivos** e **abundantes**.

Regulares

> **Verbos regulares** são aqueles que seguem um modelo de conjugação. Eles não apresentam nenhuma variação nas terminações (desinências) nem no radical.

Veja os exemplos:

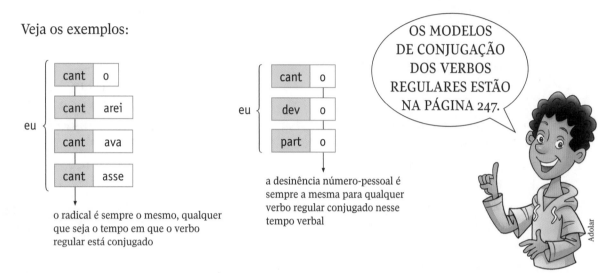

OS MODELOS DE CONJUGAÇÃO DOS VERBOS REGULARES ESTÃO NA PÁGINA 247.

o radical é sempre o mesmo, qualquer que seja o tempo em que o verbo regular está conjugado

a desinência número-pessoal é sempre a mesma para qualquer verbo regular conjugado nesse tempo verbal

Adolar

Os verbos destacados no poema a seguir são todos regulares, ou seja, seguem o mesmo modelo de conjugação, sem apresentar variação.

O tempo

Sou o Tempo que passa, que passa,
Sem princípio, sem fim, sem medida!
Vou levando a Ventura e a Desgraça,
Vou levando as vaidades da Vida!

A correr, de segundo em segundo,
Vou formando os minutos que correm...
Formo as horas que passam no mundo,
Formo os anos que nascem e morrem.

Ninguém pode evitar os meus danos...
Vou correndo sereno e constante:
Desse modo, de cem em cem anos
Formo um século, e passo adiante.

Trabalhai, porque a vida é pequena,
E não há para o Tempo demoras!
Não gasteis os minutos sem pena!
Não façais pouco caso das horas!

(Olavo Bilac. Em: http://www.jornaldepoesia.jor.br/bilac4.html#otempo, acessado em 8 dez. 2008.)

Irregulares

> **Verbos irregulares** são aqueles que se afastam do modelo da sua conjugação. Eles sofrem alterações no radical ou nas terminações.

Alguns exemplos:

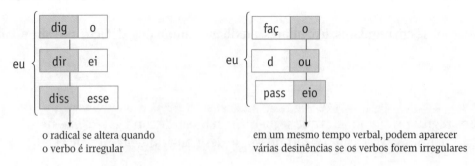

eu	dig	o
	dir	ei
	diss	esse

o radical se altera quando
o verbo é irregular

eu	faç	o
	d	ou
	pass	eio

em um mesmo tempo verbal, podem aparecer
várias desinências se os verbos forem irregulares

Veja outros exemplos de verbos irregulares destacados na letra da música abaixo:

Querem **meu sangue**

Dizem que guardam
Um bom lugar pra mim no céu
Logo que eu for pro beleléu
A minha vida só eu sei como guiar
Pois ninguém vai me ouvir se eu chorar
Mas enquanto o sol puder arder
Não vou querer meus olhos escurecer
(...)

(Composição de Nando Reis. Em: *Titãs acústico*, WEA Music, 1997.)

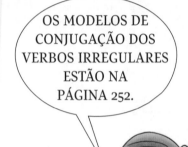

OS MODELOS DE CONJUGAÇÃO DOS VERBOS IRREGULARES ESTÃO NA PÁGINA 252.

Adolar

eles	dizem
	disseram
	diziam
	dirão

eu	sei
	soube
	sabia
	saberei

eles	querem
	quiseram
	queriam
	quererão

Auxiliares

Verbos auxiliares são aqueles que acompanham outro verbo — chamado de **principal** — para expressar uma única ação verbal.

Leia a tira:

Fernando Gonsales

No primeiro e no segundo quadrinhos, observe as expressões vou roubar, vai falar, vai pensar. Elas poderiam ser substituídas por roubarei, falará e pensará. Temos, então:

vou roubar
verbo auxiliar → verbo principal

vai falar
verbo auxiliar → verbo principal

vai pensar
verbo auxiliar → verbo principal

Os verbos auxiliares são usados também para formar alguns tempos verbais, chamados de **tempos compostos**. Leia a tira:

verbo auxiliar verbo principal verbo auxiliar verbo principal

"Todo mundo ia relaxar e (ia) dormir."

tempos compostos

Os principais verbos auxiliares são **ser**, **estar**, **ter** e **haver**. Veja os exemplos destacados nas tiras de Níquel Náusea:

POLO NORTE? PAPAI NOEL?

DO QUE AQUELE CARA ESTÁ FALANDO?

FUI CAPTURADO POR UM MOLEQUE!

BOM... O PIOR QUE PODE ACONTECER É EU VIRAR UM BRINQUEDO!

AAA

O CORPO HUMANO

Fernando Gonsales

243

O conjunto formado por um verbo auxiliar e um verbo principal é chamado **locução verbal**.

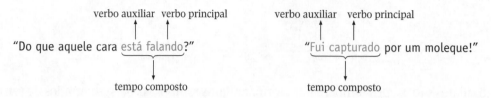

Anômalos

> **Verbos anômalos** são aqueles em cuja conjugação há muitas irregularidades, com a presença de radicais bem diferentes. Em português, há dois verbos anômalos: **ser** e **ir**.

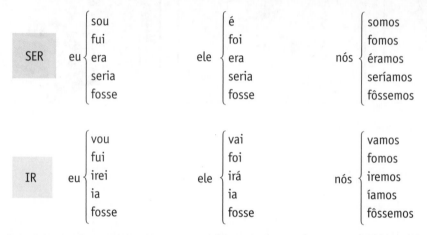

Defectivos

> **Verbos defectivos** são aqueles que não se apresentam conjugados em todas as formas ou em todos os tempos.

Veja o verbo colorir, no presente do indicativo:

eu —   nós colorimos
tu colores   vós coloris
ele colore   eles colorem

Nesse tempo verbal, colorir não apresenta a 1ª pessoa do singular: não existe a forma eu coloro. Quando for necessário usar o verbo nessa pessoa, pode-se substituir essa forma inexistente por outra de sentido equivalente. Por exemplo:

Eu estou colorindo alguns desenhos.   Eu estou pintando esses desenhos.

Outros exemplos de verbos defectivos são **reaver**, **falir**, **demolir**, **caber** e **poder**.

Abundantes

> **Verbos abundantes** são aqueles que apresentam duas formas para a mesma pessoa, ao contrário dos defectivos. Geralmente, isso ocorre no particípio, que pode ser:

• **regular** — quase sempre usado com os verbos auxiliares **ter** e **haver**.
• **irregular** — quase sempre usado com os verbos auxiliares **ser** e **estar**.

Exemplos:

Os alunos haviam aceitado o desafio de ler mais livros por bimestre.

particípio regular

O desafio foi aceito pelos alunos.

particípio irregular

Observe, na lista a seguir, as formas regulares e irregulares dos particípios de alguns verbos.

Infinitivo	Forma regular	Forma irregular
aceitar	aceitado	aceito
acender	acendido	aceso
anexar	anexado	anexo
benzer	benzido	bento
corrigir	corrigido	correto
dispersar	dispersado	disperso
distinguir	distinguido	distinto
eleger	elegido	eleito
emergir	emergido	emerso
encher	enchido	cheio
entregar	entregado	entregue
envolver	envolvido	envolto
enxugar	enxugado	enxuto
expressar	expressado	expresso
exprimir	exprimido	expresso
expulsar	expulsado	expulso
extinguir	extinguido	extinto
fixar	fixado	fixo
fritar	fritado	frito
ganhar	ganhado	ganho
gastar	gastado	gasto
imergir	imergido	imerso
imprimir	imprimido	impresso
incluir	incluído	incluso
isentar	isentado	isento
limpar	limpado	limpo
matar	matado	morto
morrer	morrido	morto
ocultar	ocultado	oculto
omitir	omitido	omisso
pagar	pagado	pago
pegar	pegado	pego
prender	prendido	preso
salvar	salvado	salvo
secar	secado	seco
segurar	segurado	seguro
soltar	soltado	solto
suprimir	suprimido	supresso
surpreender	surpreendido	surpreso
suspender	suspendido	suspenso
vagar	vagado	vago

245

Formação dos tempos e dos modos

Os tempos e os modos verbais podem ser **primitivos** ou **derivados**.

1 **Primitivos** — aqueles que dão origem a outros:

- presente do indicativo;
- pretérito perfeito do indicativo;
- infinitivo impessoal.

2 **Derivados** — aqueles que se originam de um desses três tempos primitivos:

- no modo indicativo
  pretérito imperfeito
  pretérito mais-que-perfeito
  futuro do presente
  futuro do pretérito

- no modo subjuntivo
  presente
  pretérito imperfeito
  futuro

- no modo imperativo
  afirmativo
  negativo

- nas formas nominais
  infinitivo pessoal
  gerúndio
  particípio

O esquema a seguir mostra os tempos primitivos e os tempos deles derivados.

Primitivos	Derivados
Presente do indicativo	• pretérito imperfeito do indicativo • presente do subjuntivo • imperativo
Pretérito perfeito do indicativo	• pretérito mais-que-perfeito do indicativo • pretérito imperfeito do subjuntivo • futuro do subjuntivo
Infinitivo impessoal	• futuro do presente do indicativo • futuro do pretérito do indicativo • infinitivo pessoal, • gerúndio, • particípio

Observe, por exemplo, como se forma o presente do subjuntivo do verbo amar (1ª conjugação) a partir do presente do indicativo:

- troca-se o **o** final da 1ª pessoa do presente do indicativo por **e**:

eu amo ⟶ que eu ame

- à forma resultante ame acrescentam-se as desinências número-pessoais para formar as outras pessoas:

	Presente do indicativo			Presente do subjuntivo
eu	am-o		que eu	am-e
tu	am-a-s		que tu	am-e-s
ele	am-a		que ele	am-e
nós	am-a-mos		que nós	am-e-mos
vós	am-a-is		que vós	am-e-is
eles	am-a-m		que eles	am-e-m

Veja, agora, como esses dois tempos verbais dão origem ao modo imperativo afirmativo e ao negativo:

LEMBRE-SE!

- para formar o imperativo afirmativo, usam-se a 2ª pessoa do singular (**tu**) e a 2ª pessoa do plural (**vós**) do presente do indicativo sem o **s**; as demais pessoas são as mesmas do presente do subjuntivo.

> O **imperativo** indica ordem ou pedido. Como não é possível dar uma ordem ou fazer um pedido a si mesmo, esse modo não apresenta a 1ª pessoa do singular (**eu**).

		Presente do indicativo	Imperativo afirmativo	Presente do subjuntivo
Singular	1ª pessoa	amo	—	ame
	2ª pessoa	amas (-s) ⟶	ama	ames
	3ª pessoa	ama	ame ⟵	ame
Plural	1ª pessoa	amamos	amemos ⟵	amemos
	2ª pessoa	amais (-s) ⟶	amai	ameis
	3ª pessoa	amam	amem ⟵	amem

- para formar o imperativo negativo, usam-se as mesmas pessoas do presente do subjuntivo precedidas do advérbio **não**.

	Presente do subjuntivo	Imperativo do negativo	
que eu	ame	—	
que tu	ames	não ames	tu
que ele	ame	não ame	você
que nós	amemos	não amemos	nós
que vós	ameis	não ameis	vós
que eles	amem	não amem	vocês

Modelos de conjugação

Verbos regulares

Paradigma da 1ª conjugação	Paradigma da 2ª conjugação	Paradigma da 3ª conjugação
cantar	dever	partir

Modo indicativo

Presente

eu	canto	devo	parto
tu	cantas	deves	partes
ele	canta	deve	parte
nós	cantamos	devemos	partimos
vós	cantais	deveis	partis
eles	cantam	devem	partem

Pretérito imperfeito

eu	cantava	devia	partia
tu	cantavas	devias	partias
ele	cantava	devia	partia
nós	cantávamos	devíamos	partíamos
vós	cantáveis	devíeis	partíeis
eles	cantavam	deviam	partiam

Pretérito perfeito

eu	cantei	devi	parti
tu	cantaste	deveste	partiste
ele	cantou	deveu	partiu
nós	cantamos	devemos	partimos
vós	cantastes	devestes	partistes
eles	cantaram	deveram	partiram

Pretérito perfeito composto

eu	tenho cantado	tenho devido	tenho partido
tu	tens cantado	tens devido	tens partido
ele	tem cantado	tem devido	tem partido
nós	temos cantado	temos devido	temos partido
vós	tendes cantado	tendes devido	tendes partido
eles	têm cantado	têm devido	têm partido

Pretérito mais-que-perfeito

eu	cantara	devera	partira
tu	cantaras	deveras	partiras
ele	cantara	devera	partira
nós	cantáramos	devêramos	partíramos
vós	cantáreis	devêreis	partíreis
eles	cantaram	deveram	partiram

Pretérito mais-que-perfeito composto

eu	tinha cantado	tinha devido	tinha partido
tu	tinhas cantado	tinhas devido	tinhas partido
ele	tinha cantado	tinha devido	tinha partido
nós	tínhamos cantado	tínhamos devido	tínhamos partido
vós	tínheis cantado	tínheis devido	tínheis partido
eles	tinham cantado	tinham devido	tinham partido

Futuro do presente

eu	cantarei	deverei	partirei
tu	cantarás	deverás	partirás
ele	cantará	deverá	partirá
nós	cantaremos	deveremos	partiremos
vós	cantareis	devereis	partireis
eles	cantarão	deverão	partirão

Futuro do presente composto

eu	terei cantado	terei devido	terei partido
tu	terás cantado	terás devido	terás partido
ele	terá cantado	terá devido	terá partido
nós	teremos cantado	teremos devido	teremos partido
vós	tereis cantado	tereis devido	tereis partido
eles	terão cantado	terão devido	terão partido

Futuro do pretérito

eu	cantaria	deveria	partiria
tu	cantarias	deverias	partirias
ele	cantaria	deveria	partiria
nós	cantaríamos	deveríamos	partiríamos
vós	cantaríeis	deveríeis	partiríeis
eles	cantariam	deveriam	partiriam

Futuro do pretérito composto

eu	teria cantado	teria devido	teria partido
tu	terias cantado	terias devido	terias partido
ele	teria cantado	teria devido	teria partido
nós	teríamos cantado	teríamos devido	teríamos partido
vós	teríeis cantado	teríeis devido	teríeis partido
eles	teriam cantado	teriam devido	teriam partido

Modo imperativo

Afirmativo

canta tu	deve tu	parte tu
cante você	deva você	parta você
cantemos nós	devamos nós	partamos nós
cantai vós	devei vós	parti vós
cantem vocês	devam vocês	partam vocês

Negativo

não cantes tu	devas tu	partas tu
não cante você	deva você	parta você
não cantemos nós	devamos nós	partamos nós
não canteis vós	devais vós	partais vós
não cantem vocês	devam vocês	partam vocês

Formas nominais

Infinitivo impessoal

cantar	dever	partir

Infinitivo impessoal composto

ter cantado	ter devido	ter partido

Infinitivo pessoal

cantar	dever	partir
cantares	deveres	partires
cantar	dever	partir
cantarmos	devermos	partirmos
cantardes	deverdes	partirdes
cantarem	deverem	partirem

Infinitivo pessoal composto

ter cantado	ter devido	ter partido
teres cantado	teres devido	teres partido
ter cantado	ter devido	ter partido
termos cantado	termos devido	termos partido
terdes cantado	terdes devido	terdes partido
terem cantado	terem devido	terem partido

Gerúndio

cantando	devendo	partindo

Gerúndio composto

tendo cantado	tendo devido	tendo partido

Particípio

cantado	devido	partido

Modo subjuntivo

Presente

que eu	cante	deva	parta
que tu	cantes	devas	partas
que ele	cante	deva	parta
que nós	cantemos	devamos	partamos
que vós	canteis	devais	partais
que eles	cantem	devam	partam

Pretérito imperfeito

se eu	cantasse	devesse	partisse
se tu	cantasses	devesses	partisses
se ele	cantasse	devesse	partisse
se nós	cantássemos	devêssemos	partíssemos
se vós	cantásseis	devêsseis	partísseis
se eles	cantassem	devessem	partissem

Pretérito perfeito composto

que eu	tenha cantado	tenha devido	tenha partido
que tu	tenhas cantado	tenhas devido	tenhas partido
que ele	tenha cantado	tenha devido	tenha partido
que nós	tenhamos cantado	tenhamos devido	tenhamos partido
que vós	tenhais cantado	tenhais devido	tenhais partido
que eles	tenham cantado	tenham devido	tenham partido

Pretérito mais-que-perfeito composto

se eu	tivesse cantado	tivesse devido	tivesse partido
se tu	tivesses cantado	tivesses devido	tivesses partido
se ele	tivesse cantado	tivesse devido	tivesse partido
se nós	tivéssemos cantado	tivéssemos devido	tivéssemos partido
se vós	tivésseis cantado	tivésseis devido	tivésseis partido
se eles	tivessem cantado	tivessem devido	tivessem partido

Futuro

quando eu	cantar	dever	partir
quando tu	cantares	deveres	partires
quando ele	cantar	dever	partir
quando nós	cantarmos	devermos	partirmos
quando vós	cantardes	deverdes	partirdes
quando eles	cantarem	deverem	partirem

Futuro composto

quando eu	tiver cantado	tiver devido	tiver partido
quando tu	tiveres cantado	tiveres devido	tiveres partido
quando ele	tiver cantado	tiver devido	tiver partido
quando nós	tivermos cantado	tivermos devido	tivermos partido
quando vós	tiverdes cantado	tiverdes devido	tiverdes partido
quando eles	tiverem cantado	tiverem devido	tiverem partido

Verbos irregulares

1ª conjugação

Dar

Presente do indicativo: dou, dás, dá, damos, dais, dão.
Pretérito imperfeito: dava, davas, dava, dávamos, dáveis, davam.
Pretérito perfeito: dei, deste, deu, demos, destes, deram.
Pretérito mais-que-perfeito: dera, deras, dera, déramos, déreis, deram.
Futuro do presente: darei, darás, dará, daremos, dareis, darão.
Futuro do pretérito: daria, darias, daria, daríamos, daríeis, dariam.
Presente do subjuntivo: dê, dês, dê, demos, deis, deem.
Pret. imperfeito do subjuntivo: desse, desses, desse, déssemos, désseis, dessem.
Futuro do subjuntivo: der, deres, der, dermos, derdes, derem.
Imperativo afirmativo: dá, dê, demos, dai, deem.
Infinitivo pessoal: dar, dares, dar, darmos, dardes, darem.
Gerúndio: dando.
Particípio: dado.

Copiar

Presente do indicativo: copio, copias, copia, copiamos, copiais, copiam.
Pretérito imperfeito: copiava, copiavas, copiava, copiávamos, copiáveis, copiavam.
Pretérito perfeito: copiei, copiaste, copiou, copiamos, copiastes, copiaram.
Pretérito mais-que-perfeito: copiara, copiaras, copiara, copiáramos, copiáreis, copiaram.
Futuro do presente: copiarei, copiarás, copiará, copiaremos, copiareis, copiarão.
Futuro do pretérito: copiaria, copiarias, copiaria, copiaríamos, copiaríeis, copiariam.
Presente do subjuntivo: copie, copies, copie, copiemos, copieis, copiem.
Pret. imperfeito do subjuntivo: copiasse, copiasses, copiasse, copiássemos, copiásseis, copiassem.
Futuro do subjuntivo: copiar, copiares, copiar, copiarmos, copiardes, copiarem.
Imperativo afirmativo: copia, copie, copiemos, copiai, copiem.
Infinitivo pessoal: copiar, copiares, copiar, copiarmos, copiardes, copiarem.
Gerúndio: copiando.
Particípio: copiado.

OBSERVAÇÃO

Conjugam-se como **copiar**: adiar, abreviar, criar, elogiar, negociar, premiar.

Nomear

Presente do indicativo: nomeio, nomeias, nomeia, nomeamos, nomeais, nomeiam.
Pretérito imperfeito: nomeava, nomeavas, nomeava, nomeávamos, nomeáveis, nomeavam.
Pretérito perfeito: nomeei, nomeaste, nomeou, nomeamos, nomeastes, nomearam.
Pretérito mais-que-perfeito: nomeara, nomearas, nomeara, nomeáramos, nomeáreis, nomearam.
Futuro do presente: nomearei, nomearás, nomeará, nomearemos, nomeareis, nomearão.
Futuro do pretérito: nomearia, nomearias, nomearia, nomearíamos, nomearíeis, nomeariam.
Presente do subjuntivo: nomeie, nomeies, nomeie, nomeemos, nomeeis, nomeiem.
Pret. imperfeito do subjuntivo: nomeasse, nomeasses, nomeasse, nomeássemos, nomeásseis, nomeassem.
Futuro do subjuntivo: nomear, nomeares, nomear, nomearmos, nomeardes, nomearem.
Imperativo afirmativo: nomeia, nomeie, nomeemos, nomeai, nomeiem.
Infinitivo pessoal: nomear, nomeares, nomear, nomearmos, nomeardes, nomearem.
Gerúndio: nomeando.
Particípio: nomeado.

> **OBSERVAÇÃO**
> Conjugam-se como **nomear**: bronzear, frear, golear, papear, pentear.

Odiar

Presente do indicativo: odeio, odeias, odeia, odiamos, odiais, odeiam.
Pretérito imperfeito: odiava, odiavas, odiava, odiávamos, odiáveis, odiavam.
Pretérito perfeito: odiei, odiaste, odiou, odiamos, odiastes, odiaram.
Pretérito mais-que-perfeito: odiara, odiaras, odiara, odiáramos, odiáreis, odiaram.
Futuro do presente: odiarei, odiarás, odiará, odiaremos, odiareis, odiarão.
Futuro do pretérito: odiaria, odiarias, odiaria, odiaríamos, odiaríeis, odiariam.
Presente do subjuntivo: odeie, odeies, odeie, odiemos, odieis, odeiem.
Pret. imperfeito do subjuntivo: odiasse, odiasses, odiasse, odiássemos, odiásseis, odiassem.
Futuro do subjuntivo: odiar, odiares, odiar, odiarmos, odiardes, odiarem.
Imperativo afirmativo: odeia, odeie, odiemos, odiai, odeiem.
Infinitivo pessoal: odiar, odiares, odiar, odiarmos, odiares, odiarem.
Gerúndio: odiando.
Particípio: odiado.

> **OBSERVAÇÃO**
> Conjugam-se como **odiar**: mediar, remediar, incendiar e ansiar.

2ª conjugação

Caber

Presente do indicativo: caibo, cabes, cabe, cabemos, cabeis, cabem.
Pretérito imperfeito: cabia, cabias, cabia, cabíamos, cabíeis, cabiam.
Pretérito perfeito: coube, coubeste, coube, coubemos, coubestes, couberam.
Pretérito mais-que-perfeito: coubera, couberas, coubera, coubéramos, coubéreis, couberam.
Futuro do presente: caberei, caberás, caberá, caberemos, cabereis, caberão.
Futuro do pretérito: caberia, caberias, caberia, caberíamos, caberíeis, caberiam.
Presente do subjuntivo: caiba, caibas, caiba, caibamos, caibais, caibam.
Pret. imperfeito do subjuntivo: coubesse, coubesses, coubesse, coubéssemos, coubésseis, coubessem.
Futuro do subjuntivo: couber, couberes, couber, coubermos, couberdes, couberem.
Infinitivo pessoal: caber, caberes, caber, cabermos, caberdes, caberem.
Gerúndio: cabendo.
Particípio: cabido.

> **OBSERVAÇÃO**
> O verbo **caber** não é conjugado nem no imperativo afirmativo nem no imperativo negativo.

Dizer

Presente do indicativo: digo, dizes, diz, dizemos, dizeis, dizem.
Pretérito imperfeito: dizia, dizias, dizia, dizíamos, dizíeis, diziam.
Pretérito perfeito: disse, disseste, disse, dissemos, dissestes, disseram.
Pretérito mais-que-perfeito: dissera, disseras, dissera, disséramos, disséreis, disseram.
Futuro do presente: direi, dirás, dirá, diremos, direis, dirão.
Futuro do pretérito: diria, dirias, diria, diríamos, diríeis, diriam.
Presente do subjuntivo: diga, digas, diga, digamos, digais, digam.
Pret. imperfeito do subjuntivo: dissesse, dissesses, dissesse, disséssemos, dissésseis, dissessem.
Futuro do subjuntivo: disser, disseres, disser, dissermos, disserdes, disserem.
Imperativo afirmativo: diz/dize, diga, digamos, dizei, digam.
Infinitivo pessoal: dizer, dizeres, dizer, dizermos, dizerdes, dizerem.
Gerúndio: dizendo.
Particípio: dito.

> **OBSERVAÇÃO**
> Conjugam-se como **dizer**: bendizer, desdizer, predizer, maldizer.

Fazer

Presente do indicativo: faço, fazes, faz, fazemos, fazeis, fazem.
Pretérito imperfeito: fazia, fazias, fazia, fazíamos, fazíeis, faziam.
Pretérito perfeito: fiz, fizeste, fez, fizemos, fizestes, fizeram.
Pretérito mais-que-perfeito: fizera, fizeras, fizera, fizéramos, fizéreis, fizeram.
Futuro do presente: farei, farás, fará, faremos, fareis, farão.
Futuro do pretérito: faria, farias, faria, faríamos, faríeis, fariam.
Presente do subjuntivo: faça, faças, faça, façamos, façais, façam.
Pret. imperfeito do subjuntivo: fizesse, fizesses, fizesse, fizéssemos, fizésseis, fizessem.
Futuro do subjuntivo: fizer, fizeres, fizer, fizermos, fizerdes, fizerem.
Imperativo afirmativo: faze, faça, façamos, fazei, façam.
Infinitivo pessoal: fazer, fazeres, fazer, fazermos, fazerdes, fazerem.
Gerúndio: fazendo.
Particípio: feito.

> **OBSERVAÇÃO**
> Conjugam-se como **fazer**: desfazer, refazer, satisfazer.

Ler

Presente do indicativo: leio, lês, lê, lemos, ledes, leem.
Pretérito imperfeito: lia, lias, lia, líamos, líeis, liam.
Pretérito perfeito: li, leste, leu, lemos, lestes, leram.
Pretérito mais-que-perfeito: lera, leras, lera, lêramos, lêreis, leram.
Futuro do presente: lerei, lerás, lerá, leremos, lereis, lerão.
Futuro do pretérito: leria, lerias, leria, leríamos, leríeis, leriam.
Presente do subjuntivo: leia, leias, leia, leiamos, leiais, leiam.
Pret. imperfeito do subjuntivo: lesse, lesses, lesse, lêssemos, lêsseis, lessem.
Futuro do subjuntivo: ler, leres, ler, lermos, lerdes, lerem.
Imperativo afirmativo: lê, leia, leiamos, lede, leiam.
Infinitivo pessoal: ler, leres, ler, lermos, lerdes, lerem.
Gerúndio: lendo.
Particípio: lido.

> **OBSERVAÇÃO**
> Conjuga-se como **ler**: crer.

Perder

Presente do indicativo: perco (com e fechado), perdes, perde, perdemos, perdeis, perdem.

Pretérito imperfeito: perdia, perdias, perdia, perdíamos, perdíeis, perdiam.

Pretérito perfeito: perdi, perdeste, perdeu, perdemos, perdestes, perderam.

Pretérito mais-que-perfeito: perdera, perderas, perdera, perdêramos, perdêreis, perderam.

Futuro do presente: perderei, perderás, perderá, perderemos, perdereis, perderão.

Futuro do pretérito: perderia, perderias, perderia, perderíamos, perderíeis, perderiam.

Presente do subjuntivo: perca, percas, perca, percamos, percais, percam.

Pret. imperfeito do subjuntivo: perdesse, perdesses, perdesse, perdêssemos, perdêsseis, perdessem.

Futuro do subjuntivo: perder, perderes, perder, perdermos, perderdes, perderem.

Imperativo afirmativo: perde, perca, percamos, perdei, percam.

Infinitivo pessoal: perder, perderes, perder, perdermos, perderdes, perderem.

Gerúndio: perdendo.

Particípio: perdido.

Poder

Presente do indicativo: posso, podes, pode, podemos, podeis, podem.

Pretérito imperfeito: podia, podias, podia, podíamos, podíeis, podiam.

Pretérito perfeito: pude, pudeste, pôde, pudemos, pudestes, puderam.

Pretérito mais-que-perfeito: pudera, puderas, pudera, pudéramos, pudéreis, puderam.

Futuro do presente: poderei, poderás, poderá, poderemos, podereis, poderão.

Futuro do pretérito: poderia, poderias, poderia, poderíamos, poderíeis, poderiam.

Presente do subjuntivo: possa, possas, possa, possamos, possais, possam.

Pret. imperfeito do subjuntivo: pudesse, pudesses, pudesse, pudéssemos, pudésseis, pudessem.

Futuro do subjuntivo: puder, puderes, puder, pudermos, puderdes, puderem.

Infinitivo pessoal: poder, poderes, poder, podermos, poderdes, poderem.

Gerúndio: podendo.

Particípio: podido.

> **OBSERVAÇÃO**
>
> O verbo **poder** não é conjugado nem no imperativo afirmativo nem no imperativo negativo.

Pôr

Presente do indicativo: ponho, pões, põe, pomos, pondes, põem.

Pretérito imperfeito: punha, punhas, punha, púnhamos, púnheis, punham.

Pretérito perfeito: pus, puseste, pôs, pusemos, pusestes, puseram.

Pretérito mais-que-perfeito: pusera, puseras, pusera, puséramos, puséreis, puseram.

Futuro do presente: porei, porás, porá, poremos, poreis, porão.

Futuro do pretérito: poria, porias, poria, poríamos, poríeis, poriam.

Presente do subjuntivo: ponha, ponhas, ponha, ponhamos, ponhais, ponham.

Pretérito imperfeito: pusesse, pusesses, pusesse, puséssemos, pusésseis, pusessem.

Futuro: puser, puseres, puser, pusermos, puserdes, puserem.

Imperativo afirmativo: põe, ponha, ponhamos, ponde, ponham.

Infinitivo pessoal: pôr, pores, pôr, pormos, pordes, porem.

Gerúndio: pondo.

Particípio: posto.

> **OBSERVAÇÃO**
>
> Conjugam-se como **pôr** todos os seus derivados: antepor, compor, dispor, impor, contrapor etc.

Querer

Presente do indicativo: quero, queres, quer, queremos, quereis, querem.

Pretérito imperfeito: queria, querias, queria, queríamos, queríeis, queriam.

Pretérito perfeito: quis, quiseste, quis, quisemos, quisestes, quiseram.

Pretérito mais-que-perfeito: quisera, quiseras, quisera, quiséramos, quiséreis, quiseram.

Futuro do presente: quererei, quererás, quererá, quereremos, querereis, quererão.

Futuro do pretérito: quereria, quererias, quereria, quereríamos, quereríeis, quereriam.

Presente do subjuntivo: queira, queiras, queira, queiramos, queirais, queiram.

Pret. imperfeito do subjuntivo: quisesse, quisesses, quisesse, quiséssemos, quisésseis, quisessem.

Futuro do subjuntivo: quiser, quiseres, quiser, quisermos, quiserdes, quiserem.

Imperativo afirmativo: quer/quere, queira, queiramos, querei, queiram.

Infinitivo pessoal: querer, quereres, querer, querermos, quererdes, quererem.

Gerúndio: querendo.

Particípio: querido.

Saber

Presente do indicativo: sei, sabes, sabe, sabemos, sabeis, sabem.

Pretérito imperfeito: sabia, sabias, sabia, sabíamos, sabíeis, sabiam.

Pretérito perfeito: soube, soubeste, soube, soubemos, soubestes, souberam.

Pretérito mais-que-perfeito: soubera, souberas, soubera, soubéramos, soubéreis, souberam.

Futuro do presente: saberei, saberás, saberá, saberemos, sabereis, saberão.

Futuro do pretérito: saberia, saberias, saberia, saberíamos, saberíeis, saberiam.

Presente do subjuntivo: saiba, saibas, saiba, saibamos, saibais, saibam.

Pret. imperfeito do subjuntivo: soubesse, soubesses, soubesse, soubéssemos, soubésseis, soubessem.

Futuro do subjuntivo: souber, souberes, souber, soubermos, souberdes, souberem.

Imperativo afirmativo: sabe, saiba, saibamos, sabei, saibam.

Infinitivo pessoal: saber, saberes, saber, sabermos, saberdes, saberem.

Gerúndio: sabendo.

Particípio: sabido.

Trazer

Presente do indicativo: trago, trazes, traz, trazemos, trazeis, trazem.

Pretérito imperfeito: trazia, trazias, trazia, trazíamos, trazíeis, traziam.

Pretérito perfeito: trouxe, trouxeste, trouxe, trouxemos, trouxestes, trouxeram.

Pretérito mais-que-perfeito: trouxera, trouxeras, trouxera, trouxéramos, trouxéreis, trouxeram.

Futuro do presente: trarei, trarás, trará, traremos, trareis, trarão.

Futuro do pretérito: traria, trarias, traria, traríamos, traríeis, trariam.

Presente do subjuntivo: traga, tragas, traga, tragamos, tragais, tragam.

Pret. imperfeito do subjuntivo: trouxesse, trouxesses, trouxesse, trouxéssemos, trouxésseis, trouxessem.

Futuro do subjuntivo: trouxer, trouxeres, trouxer, trouxermos, trouxerdes, trouxerem.

Imperativo afirmativo: traz/traze, traga, tragamos, trazei, tragam.

Infinitivo pessoal: trazer, trazeres, trazer, trazermos, trazerdes, trazerem.

Gerúndio: trazendo.

Particípio: trazido.

Ver

Presente do indicativo: vejo, vês, vê, vemos, vedes, veem.

Pretérito imperfeito: via, vias, via, víamos, víeis, viam.

Pretérito perfeito: vi, viste, viu, vimos, vistes, viram.

Pretérito mais-que-perfeito: vira, viras, vira, víramos, víreis, viram.

Futuro do presente: verei, verás, verá, veremos, vereis, verão.

Futuro do pretérito: veria, verias, veria, veríamos, veríeis, veriam.

Presente do subjuntivo: veja, vejas, veja, vejamos, vejais, vejam.

Pretérito imperfeito: visse, visses, visse, víssemos, vísseis, vissem.

Futuro: vir, vires, vir, virmos, virdes, virem.

Imperativo afirmativo: vê, veja, vejamos, vede, vejam.

Infinitivo pessoal: ver, veres, ver, vermos, verdes, verem.

Gerúndio: vendo.

Particípio: visto.

3ª conjugação

Agredir

Presente do indicativo: agrido, agrides, agride, agredimos, agredis, agridem.

Pretérito imperfeito: agredia, agredias, agredia, agredíamos, agredíeis, agrediam.

Pretérito perfeito: agredi, agrediste, agrediu, agredimos, agredistes, agrediram.

Pretérito mais-que-perfeito: agredira, agrediras, agredira, agredíramos, agredíreis, agrediram.

Futuro do presente: agredirei, agredirás, agredirá, agrediremos, agredireis, agredirão.

Futuro do pretérito: agrediria, agredirias, agrediria, agrediríamos, agrediríeis, agrediriam.

Presente do subjuntivo: agrida, agridas, agrida, agridamos, agridais, agridam.

Pret. imperfeito do subjuntivo: agredisse, agredisses, agredisse, agredíssemos, agredísseis, agredissem.

Futuro do subjuntivo: agredir, agredires, agredir, agredirmos, agredirdes, agredirem.

Imperativo afirmativo: agride, agrida, agridamos, agredi, agridam.

Infinitivo pessoal: agredir, agredires, agredir, agredirmos, agredirdes, agredirem.

Gerúndio: agredindo.

Particípio: agredido.

Cair

Presente do indicativo: caio, cais, cai, caímos, caís, caem.

Pretérito imperfeito: caía, caías, caía, caíamos, caíeis, caíam.

Pretérito perfeito: caí, caíste, caiu, caímos, caístes, caíram.

Pretérito mais-que-perfeito: caíra, caíras, caíra, caíramos, caíreis, caíram.

Futuro do presente: cairei, cairás, cairá, cairemos, caireis, cairão.

Futuro do pretérito: cairia, cairias, cairia, cairíamos, cairíeis, cairiam.

Presente do subjuntivo: caia, caias, caia, caiamos, caiais, caiam.

Pret. imperfeito do subjuntivo: caísse, caísses, caísse, caíssemos, caísseis, caíssem.

Futuro do subjuntivo: cair, caíres, cair, cairmos, cairdes, caírem.

Imperativo afirmativo: cai, caia, caiamos, caí, caiam.

Infinitivo pessoal: cair, caíres, cair, cairmos, cairdes, caírem.

Gerúndio: caindo.

Particípio: caído.

OBSERVAÇÃO

Conjugam-se como **cair**: atrair, recair, sair, trair, subtrair etc.

Cobrir

Presente do indicativo: cubro, cobres, cobre, cobrimos, cobris, cobrem.

Pretérito imperfeito: cobria, cobrias, cobria, cobríamos, cobríeis, cobriam.

Pretérito perfeito: cobri, cobriste, cobriu, cobrimos, cobristes, cobriram.

Pretérito mais-que-perfeito: cobrira, cobriras, cobrira, cobríramos, cobrireis, cobriram.

Futuro do presente: cobrirei, cobrirás, cobrirá, cobriremos, cobrireis, cobrirão.

Futuro do pretérito: cobriria, cobririas, cobriria, cobriríamos, cobriríeis, cobririam.

Presente do subjuntivo: cubra, cubras, cubra, cubramos, cubrais, cubram.

Pret. imperfeito do subjuntivo: cobrisse, cobrisses, cobrisse, cobríssemos, cobrísseis, cobrissem.

Futuro do subjuntivo: cobrir, cobrires, cobrir, cobrirmos, cobrirdes, cobrirem.

Imperativo afirmativo: cobre, cubra, cubramos, cobri, cubram.

Infinitivo pessoal: cobrir, cobrires, cobrir, cobrirmos, cobrirdes, cobrirem.

Gerúndio: cobrindo.

Particípio: coberto.

OBSERVAÇÕES

1. O **o** do verbo **cobrir** é substituído por **u** na 1ª pessoa do presente do indicativo, nas pessoas do presente do subjuntivo e nas formas derivadas do imperativo.
2. Conjugam-se como **cobrir**: dormir, tossir, descobrir, engolir.

Construir

Presente do indicativo: construo, constróis, constrói, construímos, construís, constroem.

Pretérito imperfeito: construía, construías, construía, construíamos, construíeis, construíam.

Pretérito perfeito: construí, construíste, construiu, construímos, construístes, construíram.

Pretérito mais-que-perfeito: construíra, construíras, construíra, construíramos, construíreis, construíram.

Futuro do presente: construirei, construirás, construirá, construiremos, construireis, construirão.

Futuro do pretérito: construiria, construirias, construiria, construiríamos, construiríeis, construiriam.

Presente do subjuntivo: construa, construas, construa, construamos, construais, construam.

Pret. imperfeito do subjuntivo: construísse, construísses, construísse, construíssemos, construísseis, construíssem.

Futuro do subjuntivo: construir, construíres, construir, construirmos, construirdes, construírem.

Imperativo afirmativo: constrói, construa, construamos, construí, construam.

Infinitivo pessoal: construir, construíres, construir, construirmos, construirdes, construírem.

Gerúndio: construindo.

Particípio: construir.

Ferir

Presente do indicativo: firo, feres, fere, ferimos, feris, ferem.

Pretérito imperfeito: feria, ferias, feria, feríamos, feríeis, feriam.

Pretérito perfeito: feri, feriste, feriu, ferimos, feristes, feriram.

Pretérito mais-que-perfeito: ferira, feriras, ferira, feríramos, feríreis, feriram.

Futuro do presente: ferirei, ferirás, ferirá, feriremos, ferireis, ferirão.

Futuro do pretérito: feriria, feririas, feriria, feriríamos, feriríeis, feririam.

Presente do subjuntivo: fira, firas, fira, firamos, firais, firam.

Pret. imperfeito do subjuntivo: ferisse, ferisses, ferisse, feríssemos, ferísseis, ferissem.

Futuro do subjuntivo: ferir, ferires, ferir, ferirmos, ferirdes, ferirem.

Imperativo afirmativo: fere, fira, firamos, feri, firam.

Infinitivo pessoal: ferir, ferires, ferir, ferirmos, ferirdes, ferirem.

Gerúndio: ferindo.

Particípio: ferido.

OBSERVAÇÕES

1. O **e** do radical do verbo **ferir** é substituído por **i** na 1ª pessoa do singular do presente do indicativo, nas pessoas do presente do subjuntivo e nas formas derivadas do imperativo.
2. Conjugam-se como **ferir**: competir, expelir, vestir, inserir e os derivados de ferir.

Fugir

Presente do indicativo: fujo, foges, foge, fugimos, fugis, fogem.
Pretérito imperfeito: fugia, fugias, fugia, fugíamos, fugíeis, fugiam.
Pretérito perfeito: fugi, fugiste, fugiu, fugimos, fugistes, fugiram.
Pretérito mais-que-perfeito: fugira, fugiras, fugira, fugíramos, fugíreis, fugiram.
Futuro do presente: fugirei, fugirás, fugirá, fugiremos, fugireis, fugirão.
Futuro do pretérito: fugiria, fugirias, fugiria, fugiríamos, fugiríeis, fugiriam.
Presente do subjuntivo: fuja, fujas, fuja, fujamos, fujais, fujam.
Pret. imperfeito do subjuntivo: fugisse, fugisses, fugisse, fugíssemos, fugísseis, fugissem.
Futuro do subjuntivo: fugir, fugires, fugir, fugirmos, fugirdes, fugirem.
Imperativo afirmativo: foge, fuja, fujamos, fugi, fujam.
Infinitivo pessoal: fugir, fugires, fugir, fugirmos, fugirdes, fugirem.
Gerúndio: fugindo.
Particípio: fugido.

OBSERVAÇÃO

O g do verbo **fugir** é substituído por j antes de a e o.

Mentir

Presente do indicativo: minto, mentes, mente, mentimos, mentis, mentem.
Pretérito imperfeito: mentia, mentias, mentia, mentíamos, mentíeis, mentiam.
Pretérito perfeito: menti, mentiste, mentiu, mentimos, mentistes, mentiram.
Pretérito mais-que-perfeito: mentira, mentiras, mentira, mentíramos, mentíreis, mentiram.
Futuro do presente: mentirei, mentirás, mentirá, mentiremos, mentireis, mentirão.
Futuro do pretérito: mentiria, mentirias, mentiria, mentiríamos, mentiríeis, mentiriam.
Presente do subjuntivo: minta, mintas, minta, mintamos, mintais, mintam.
Pret. imperfeito do subjuntivo: mentisse, mentisses, mentisse, mentíssemos, mentísseis, mentissem.
Futuro do subjuntivo: mentir, mentires, mentir, mentirmos, mentirdes, mentirem.
Imperativo afirmativo: mente, minta, mintamos, menti, mintam.
Infinitivo pessoal: mentir, mentires, mentir, mentirmos, mentirdes, mentirem.
Gerúndio: mentindo.
Particípio: mentido.

OBSERVAÇÃO

Conjugam-se como **mentir**: sentir, cerzir, competir, consentir, pressentir.

Ouvir

Presente do indicativo: ouço, ouves, ouve, ouvimos, ouvis, ouvem.
Pretérito imperfeito: ouvia, ouvias, ouvia, ouvíamos, ouvíeis, ouviam.
Pretérito perfeito: ouvi, ouviste, ouviu, ouvimos, ouvistes, ouviram.
Pretérito mais-que-perfeito: ouvira, ouviras, ouvira, ouvíramos, ouvíreis, ouviram.
Futuro do presente: ouvirei, ouvirás, ouvirá, ouviremos, ouvireis, ouvirão.
Futuro do pretérito: ouviria, ouvirias, ouviria, ouviríamos, ouviríeis, ouviriam.
Presente do subjuntivo: ouça, ouças, ouça, ouçamos, ouçais, ouçam.
Pret. imperfeito do subjuntivo: ouvisse, ouvisses, ouvisse, ouvíssemos, ouvísseis, ouvissem.
Futuro do subjuntivo: ouvir, ouvires, ouvir, ouvirmos, ouvirdes, ouvirem.
Imperativo afirmativo: ouve, ouça, ouçamos, ouvi, ouçam.
Infinitivo pessoal: ouvir, ouvires, ouvir, ouvirmos, ouvirdes, ouvirem.
Gerúndio: ouvindo.
Particípio: ouvido.

Pedir

Presente do indicativo: peço, pedes, pede, pedimos, pedis, pedem.
Pretérito imperfeito: pedia, pedias, pedia, pedíamos, pedíeis, pediam.
Pretérito perfeito: pedi, pediste, pediu, pedimos, pedistes, pediram.
Pretérito mais-que-perfeito: pedira, pediras, pedira, pedíramos, pedíreis, pediram.
Futuro do presente: pedirei, pedirás, pedirá, pediremos, pedireis, pedirão.
Futuro do pretérito: pediria, pedirias, pediria, pediríamos, pediríeis, pediriam.
Presente do subjuntivo: peça, peças, peça, peçamos, peçais, peçam.
Pret. imperfeito do subjuntivo: pedisse, pedisses, pedisse, pedíssemos, pedísseis, pedissem.
Futuro do subjuntivo: pedir, pedires, pedir, pedirmos, pedirdes, pedirem.
Imperativo afirmativo: pede, peça, peçamos, pedi, peçam.
Infinitivo pessoal: pedir, pedires, pedir, pedirmos, pedirdes, pedirem.
Gerúndio: pedindo.
Particípio: pedido.

OBSERVAÇÃO

Conjugam-se como **pedir**: medir, despedir, impedir, expedir.

Polir

Presente do indicativo: pulo, pules, pule, polimos, polis, pulem.
Pretérito imperfeito: polia, polias, polia, políamos, políeis, poliam.
Pretérito perfeito: poli, poliste, poliu, polimos, polistes, poliram.
Pretérito mais-que-perfeito: polira, poliras, polira, políramos, políreis, poliram.
Futuro do presente: polirei, polirás, polirá, poliremos, polireis, polirão.
Futuro do pretérito: poliria, polirias, poliria, políríamos, políríeis, poliriam.
Presente do subjuntivo: pula, pulas, pula, pulamos, pulais, pulam.
Pret. imperfeito do subjuntivo: polisse, polisses, polisse, políssemos, polísseis, polissem.
Futuro do subjuntivo: polir, polires, polir, polirmos, polirdes, polirem.
Imperativo afirmativo: pule, pula, pulamos, poli, pulam.
Imperativo negativo: não pulas, não pula, não pulamos, não pulais, não pulam.
Infinitivo pessoal: polir, polires, polir, polirmos, polirdes, polirem.
Gerúndio: polindo.
Particípio: polido.

OBSERVAÇÃO

Raramente se empregam as formas verbais em que a raiz verbal é seguida de **a** ou **o** (presente do indicativo, presente do subjuntivo e imperativo afirmativo). Há gramáticos para os quais só se devem usar as formas verbais em que o **i** é tônico.

Possuir

Presente do indicativo: possuo, possuis, possui, possuímos, possuís, possuem.
Pretérito imperfeito: possuía, possuías, possuía, possuíamos, possuíeis, possuíam.
Pretérito perfeito: possuí, possuíste, possuiu, possuímos, possuístes, possuíram.
Pretérito mais-que-perfeito: possuíra, possuíras, possuíra, possuíramos, possuíreis, possuíram.
Futuro do presente: possuirei, possuirás, possuirá, possuiremos, possuireis, possuirão.
Futuro do pretérito: possuiria, possuirias, possuiria, possuiríamos, possuiríeis, possuiriam.
Presente do subjuntivo: possua, possuas, possua, possuamos, possuais, possuam.
Pretérito imperfeito: possuísse, possuísses, possuísse, possuíssemos, possuísseis, possuíssem.
Futuro do subjuntivo: possuir, possuíres, possuir, possuirmos, possuirdes, possuírem.
Imperativo afirmativo: possui, possua, possuamos, possuí, possuam.
Infinitivo pessoal: possuir, possuíres, possuir, possuirmos, possuirdes, possuírem.

Gerúndio: possuindo.
Particípio: possuído.

Rir

Presente do indicativo: rio, ris, ri, rimos, rides, riem.
Pretérito imperfeito: ria, rias, ria, ríamos, ríeis, riam.
Pretérito perfeito: ri, riste, riu, rimos, ristes, riram.
Pretérito mais-que-perfeito: rira, riras, rira, ríramos, ríreis, riram.
Futuro do presente: rirei, rirás, rirá, riremos, rireis, rirão.
Futuro do pretérito: riria, ririas, riria, riríamos, riríeis, ririam.
Presente do subjuntivo: ria, rias, ria, riamos, riais, riam.
Pret. imperfeito do subjuntivo: risse, risses, risse, ríssemos, rísseis, rissem.
Futuro do subjuntivo: rir, rires, rir, rirmos, rirdes, rirem.
Imperativo afirmativo: ri, ria, riamos, ride, riam.
Infinitivo pessoal: rir, rires, rir, rirmos, rirdes, rirem.
Gerúndio: rindo.
Particípio: rido.

Vir

Presente do indicativo: venho, vens, vem, vimos, vindes, vêm.
Pretérito imperfeito: vinha, vinhas, vinha, vínhamos, vínheis, vinham.
Pretérito perfeito: vim, vieste, veio, viemos, viestes, vieram.
Pretérito mais-que-perfeito: viera, vieras, viera, viéramos, viéreis, vieram.
Futuro do presente: virei, virás, virá, viremos, vireis, virão.
Futuro do pretérito: viria, virias, viria, viríamos, viríeis, viriam.
Presente do subjuntivo: venha, venhas, venha, venhamos, venhais, venham.
Pret. imperfeito do subjuntivo: viesse, viesses, viesse, viéssemos, viésseis, viessem.
Futuro do subjuntivo: vier, vieres, vier, viermos, vierdes, vierem.
Imperativo afirmativo: vem, venha, venhamos, vinde, venham.
Infinitivo pessoal: vir, vires, vir, virmos, virdes, virem.
Gerúndio e particípio: vindo.

Verbos auxiliares

	ser	estar	ter	haver

Modo indicativo

Presente

	ser	estar	ter	haver
eu	sou	estou	tenho	hei
tu	és	estás	tens	hás
ele	é	está	tem	há
nós	somos	estamos	temos	havemos
vós	sois	estais	tendes	haveis
eles	são	estão	têm	hão

Pretérito imperfeito

eu	era	estava	tinha	havia
tu	eras	estavas	tinhas	havias
ele	era	estava	tinha	havia
nós	éramos	estávamos	tínhamos	havíamos
vós	éreis	estáveis	tínheis	havíeis
eles	eram	estavam	tinham	haviam

Pretérito perfeito

eu	fui	estive	tive	houve
tu	foste	estiveste	tiveste	houveste
ele	foi	esteve	teve	houve
nós	fomos	estivemos	tivemos	houvemos
vós	fostes	estivestes	tivestes	houvestes
eles	foram	estiveram	tiveram	houveram

Pretérito mais-que-perfeito

eu	fora	estivera	tivera	houvera
tu	foras	estiveras	tiveras	houveras
ele	fora	estivera	tivera	houvera
nós	fôramos	estivéramos	tivéramos	houvéramos
vós	fôreis	estivéreis	tivéreis	houvéreis
eles	foram	estiveram	tiveram	houveram

Futuro do presente

eu	serei	estarei	terei	haverei
tu	serás	estarás	terás	haverás
ele	será	estará	terá	haverá
nós	seremos	estaremos	teremos	haveremos
vós	sereis	estareis	tereis	havereis
eles	serão	estarão	terão	haverão

Futuro do pretérito

eu	seria	estaria	teria	haveria
tu	serias	estarias	terias	haverias
ele	seria	estaria	teria	haveria
nós	seríamos	estaríamos	teríamos	haveríamos
vós	seríeis	estaríeis	teríeis	haveríeis
eles	seriam	estariam	teriam	haveriam

Modo subjuntivo

Presente

que eu	seja	esteja	tenha	haja
que tu	sejas	estejas	tenhas	hajas
que ele	seja	esteja	tenha	haja
que nós	sejamos	estejamos	tenhamos	hajamos
que vós	sejais	estejais	tenhais	hajais
que eles	sejam	estejam	tenham	hajam

Pretérito imperfeito

se eu	fosse	estivesse	tivesse	houvesse
se tu	fosses	estivesses	tivesses	houvesses
se ele	fosse	estivesse	tivesse	houvesse
se nós	fôssemos	estivéssemos	tivéssemos	houvéssemos
se vós	fôsseis	estivésseis	tivésseis	houvésseis
se eles	fossem	estivessem	tivessem	houvessem

Futuro

quando eu	for	estiver	tiver	houver
quando tu	fores	estiveres	tiveres	houveres
quando ele	for	estiver	tiver	houver
quando nós	formos	estivermos	tivermos	houvermos
quando vós	fordes	estiverdes	tiverdes	houverdes
quando eles	forem	estiverem	tiverem	houverem

Modo imperativo

Afirmativo

sê tu	está tu	tem tu	há tu
seja você	esteja você	tenha você	haja você
sejamos nós	estejamos nós	tenhamos nós	hajamos nós
sede vós	estai vós	tende vós	havei vós
sejam vocês	estejam vocês	tenham vocês	hajam vocês

Negativo

não sejas tu	não estejas tu	não tenhas tu	não hajas tu
não seja você	não esteja você	não tenha você	não haja você
não sejamos nós	não estejamos nós	não tenhamos nós	não hajamos nós
não sejais vós	não estejais vós	não tenhais vós	não hajais vós
não sejam vocês	não estejam vocês	não tenham vocês	não hajam vocês

Formas nominais

Infinitivo impessoal

ser	estar	ter	haver

Infinitivo pessoal

ser	estar	ter	haver
seres	estares	teres	haveres
ser	estar	ter	haver
sermos	estarmos	termos	havermos
serdes	estardes	terdes	haverdes
serem	estarem	terem	haverem

Gerúndio

sendo	estando	tendo	havendo

Particípio

sido	estado	tido	havido

Verbos anômalos

Ir

Presente do indicativo: vou, vais, vai, vamos, ides, vão.
Pretérito imperfeito: ia, ias, ia, íamos, íeis, iam.
Pretérito perfeito: fui, foste, foi, fomos, fostes, foram.
Pretérito mais-que-perfeito: fora, foras, fora, fôramos, fôreis, foram.
Futuro do presente: irei, irás, irá, iremos, ireis, irão.
Futuro do pretérito: iria, irias, iria, iríamos, iríeis, iriam.
Presente do subjuntivo: vá, vás, vá, vamos, vades, vão.
Pret. imperfeito do subjuntivo: fosse, fosses, fosse, fôssemos, fôsseis, fossem.
Futuro do subjuntivo: for, fores, for, formos, fordes, forem.
Imperativo afirmativo: vai, vá, vamos, ide, vão.
Imperativo negativo: não vás, não vá, não vamos, não vades, não vão.
Infinitivo pessoal: ir, ires, ir, irmos, irdes, irem.
Gerúndio: indo.
Particípio: ido.

OBSERVAÇÃO

A conjugação do verbo **ser** foi dada com os a verbos auxiliares, p. 261.

Verbos defectivos

Colorir

Presente do indicativo: colores, colore, colorimos, coloris, colorem.
Pretérito imperfeito: coloria, colorias, coloria, coloríamos, coloríeis, coloriam.
Pretérito perfeito: colori, coloriste, coloriu, colorimos, coloristes, coloriram.

Pretérito mais-que-perfeito: colorira, coloriras, colorira, coloríramos, coloríreis, coloriram.

Futuro do presente: colorirei, colorirás, colorirá, coloriremos, colorireis, colorirão.

Futuro do pretérito: coloriria, coloririas, coloriria, coloriríamos, coloriríeis, coloririam.

Pret. imperfeito do subjuntivo: colorisse, colorisses, colorisse, coloríssemos, colorísseis, colorissem.

Futuro do subjuntivo: colorir, colorires, colorir, colorirmos, colorirdes, colorirem.

Imperativo afirmativo: colore (ele), colori (vós).

Infinitivo pessoal: colorir, colorires, colorir, colorirmos, colorirdes, colorirem.

Gerúndio: colorindo.

Particípio: colorido.

OBSERVAÇÕES

1. O verbo **colorir** não é conjugado no presente do subjuntivo nem no imperativo negativo.
2. Conjugam-se como **colorir**: abolir, banir, demolir, exaurir, retinir, retorquir, entre outros.

Falir

Presente do indicativo: falimos, falis.

Pretérito imperfeito: falia, falias, falia, falíamos, falíeis, faliam.

Pretérito perfeito: fali, faliste, faliu, falimos, falistes, faliram.

Pretérito mais-que-perfeito: falira, faliras, falira, falíramos, falíreis, faliram.

Futuro do presente: falirei, falirás, falirá, faliremos, falireis, falirão.

Futuro do pretérito: faliria, falirias, faliria, faliríamos, faliríeis, faliriam.

Pret. imperfeito do subjuntivo: falisse, falisses, falisse, falíssemos, falísseis, falissem.

Futuro do subjuntivo: falir, falires, falir, falirmos, falirdes, falirem.

Imperativo afirmativo: fali (vós).

Infinitivo pessoal: falir, falires, falir, falirmos, falirdes, falirem.

Gerúndio: falindo.

Particípio: falido.

OBSERVAÇÃO

Outros verbos que, como **falir**, não possuem presente do subjuntivo e o imperativo (têm apenas a 2ª pessoa do plural do afimartivo) são, por exemplo, **aguerrir, combalir, foragir-se.**

Reaver

Presente do indicativo: reavemos, reaveis.

Pretérito imperfeito: reavia, reavias, reavia, reavíamos, reavíeis, reaviam.

Pretérito perfeito: reouve, reouveste, reouve, reouvemos, reouvestes, reouveram.

Pretérito mais-que-perfeito: reouvera, reouveras, reouvera, reouvéramos, reouvéreis, reouveram.

Futuro do presente: reaverei, reaverás, reaverá, reaveremos, reavereis, reaverão.

Futuro do pretérito: reaveria, reaverias, reaveria, reaveríamos, reaveríeis, reaveriam.

Pret. imperfeito do subjuntivo: reouvesse, reouvesses, reouvesse, reouvéssemos, reouvésseis, reouvessem.

Futuro do subjuntivo: reouver, reouveres, reouver, reouvermos, reouverdes, reouverem.

Imperativo afirmativo: reavei (vós).

Infinitivo pessoal: reaver, reaveres, reaver, reavermos, reaverdes, reaverem.

Gerúndio: reavendo.

Particípio: reavido.

OBSERVAÇÕES

1. Os verbos **precaver** e **reaver** são conjugados somente nas formas arrizotônicas do presente do indicativo.
2. A conjugação dos verbos **caber** e **poder**, também defectivos, foi dada em verbos irregulares, p. 253 e 255.)

1 Leia a tira e resolva as questões a seguir:

a) Identifique os verbos que aparecem nas formas nominais e indique a que conjugações eles pertencem.

b) Que outros verbos aparecem nos quadrinhos? Dê os infinitivos de cada um deles.

c) Separe os verbos regulares e os irregulares.

d) Identifique a locução verbal do terceiro quadrinho.

Leia o trecho da narrativa a seguir para responder às questões de **2** a **7**.

Mataram nosso zagueiro

Como atraídas por uma fonte d'água fresca, as pessoas se reuniam. Pais com os filhos pela mão, homens solitários, casais, grupos de amigos, torcidas organizadas. Formavam duas grandes massas humanas opostas pela cor dos uniformes: branco e preto e branco e verde. Vinham em busca de emoção, de uma vitória que apagasse talvez as lembranças das derrotas da vida, enfim, queriam alegria, divertimento e muita emoção. Assim, num ritmo constante, o estádio se encheu de gente com uniformes e bandeiras.

Lá dentro, cada torcedor (A) de uma maneira diferente: uns, com o rádio colado ao ouvido, (B) sobre as equipes; outros cantavam e (C) bandeiras; e havia ainda quem calmamente esperasse o início do jogo conversando.

No vestiário, os jogadores se preparavam, isolados do tumulto da torcida.

Deitado sobre a mesa, Bruno Mendes era massageado. O zagueiro gostava de relaxar antes do aquecimento; outros, como os antigos guerreiros, brincavam, enquanto enfaixavam os pés e os tornozelos para protegê-los das pancadas dos adversários. O técnico Carlão circulava observando tudo e lançando comentários: "Hoje é teu dia, garotão. Pela esquerda, sempre. Nas costas do Boca, tá, Cláudio. Vamos acabar com eles".

Cada qual vestiu o calção e a camiseta com o número e o nome e calçou a chuteira de estimação. "Pessoal, vamos pro aquecimento", ordenou o técnico. E todos se movimentaram para um espaço onde, depois de ativar os músculos, passaram a brincar com bolas.

Minutos antes da entrada em campo, os jogadores do Corinthians se reuniram diante do altar de Nossa Senhora Aparecida e de um São Jorge a cavalo e em coro rezaram o pai-nosso e

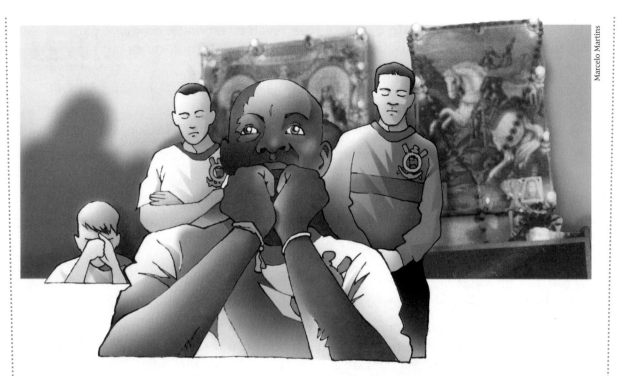

Marcelo Martins

a ave-maria. O técnico Carlão pediu que ninguém se machucasse e que vencessem. A santa deve ter ficado em dúvida porque no mesmo instante, no vestiário do Palmeiras, os onze jogadores e o técnico pediam também a mesma coisa. Com qual dos times ficou o apoio de Nossa Senhora?

Nesse domingo, às quatro horas, de diversos vestiários do país subiam preces carregadas de pedidos de vitória para Nossa Senhora Aparecida. Muitos jogadores, técnicos e dirigentes apelavam para a Padroeira do Brasil. Quanto trabalho para a santa!

(Cloder Rivas Martos. *Mataram nosso zagueiro*, São Paulo, Saraiva, 2002, p. 19-20.)

2 No primeiro parágrafo, observe os verbos destacados e faça o que se pede:

a) Identifique a conjugação a que eles pertencem.

b) Identifique a pessoa e o número de cada um deles.

c) Identifique o tempo em que se apresentam (presente, passado ou futuro).

d) Um desses verbos está no modo subjuntivo. Identifique-o e explique a circunstância da narrativa em relação ao verbo.

e) Identifique o verbo, o tempo e o modo, de acordo com o que se pede:

• indica um fato que aconteceu completamente no passado;
• indica um fato que começou a ocorrer no passado, mas que não está completamente terminado no momento em que se fala.

3 Leia o segundo parágrafo e faça o que se pede:

a) Reescreva esse parágrafo substituindo as letras circuladas pelos verbos correspondentes a seguir:

Ⓐ **comportar** — reflexivo, na 3ª pessoa do singular do pretérito imperfeito do indicativo;

Ⓑ **informar** — reflexivo, na 3ª pessoa do plural do pretérito imperfeito do indicativo;

Ⓒ **sacudir** — na 3ª pessoa do plural do pretérito imperfeito do indicativo.

267

b) Agora, releia o parágrafo que você reescreveu e responda: no que se refere à ocorrência dos fatos no momento da fala, o que indica o uso dos verbos no pretérito imperfeito do indicativo?

4 Leia o quarto parágrafo e faça o que se pede:

a) Localize e transcreva uma frase em que ocorra um verbo na voz passiva analítica.

b) Separe os verbos regulares dos irregulares; identifique os anômalos e os defectivos, se houver.

c) Identifique e transcreva duas formas verbais nominais presentes nesse parágrafo.

d) Dos verbos mencionados no item **c**, forneça o gerúndio e o particípio dos que estão no infinitivo.

5 No quinto parágrafo:

a) Identifique pessoa, número, tempo e modo dos verbos destacados.

b) No que se refere à ocorrência dos fatos no momento da fala, o que indica o uso dos verbos nesse tempo e modo? (**Sugestão**: observe novamente o desafio da questão **3**.)

6 No sexto parágrafo:

a) Identifique um verbo reflexivo.

b) Identifique uma locução verbal em tempo composto e, em seguida, a substitua por uma única forma verbal, no tempo simples equivalente.

7 No último parágrafo:

a) Forneça os elementos das formas verbais destacadas nesse parágrafo: radical, vogal temática, tema e desinências.

b) Forneça a classificação e as formas nominais de cada um desses verbos.

c) Identifique a conjugação a que pertencem esses verbos, assim como pessoa, número, tempo e modo das formas verbais em destaque.

Leia a letra de música a seguir e preste atenção no modo como ela foi construída. Depois responda às questões de **8** a **12**.

Epitáfio

Devia ter amado mais
Ter chorado mais
Ter visto o sol nascer

Devia ter arriscado mais
E até errado mais
Ter feito o que eu queria fazer...

Queria ter aceitado
As pessoas como elas são
Cada um sabe a alegria
E a dor que traz no coração...

O acaso vai me proteger
Enquanto eu andar distraído
O acaso vai me proteger
Enquanto eu andar...

Devia ter complicado menos
Trabalhado menos
Ter visto o sol se pôr

Devia ter me importado menos
Com problemas pequenos
Ter morrido de amor...

Queria ter aceitado
A vida como ela é
A cada um cabe alegrias
E a tristeza que vier...

O acaso vai me proteger
Enquanto eu andar distraído
O acaso vai me proteger
Enquanto eu andar...

Devia ter complicado menos
Trabalhado menos
Ter visto o sol se pôr...

(Sérgio Brito. © Warner Chapell Edições Musicais
Ltda. Todos os direitos reservados.)

8 Quais locuções verbais aparecem na música?

9 Qual é o tempo dos verbos que formam essas locuções? Destaque a primeira para ilustrar a sua resposta.

10 Identifique os verbos abundantes no particípio e escreva a outra forma possível. Explique o seu emprego (se necessário, consulte a p. 245).

11 Retire do texto:

a) um particípio de 3ª conjugação, empregado como adjetivo;

b) um verbo irregular da 2ª conjugação no presente do indicativo;

c) um verbo irregular da 3ª conjugação no futuro do subjuntivo e escreva o seu infinitivo.

12 O verbo **devia**, no pretérito imperfeito do indicativo, poderia ser substituído pela forma **deveria**. Faça a relação entre esse tempo verbal e a ideia principal da letra da música.

DESAFIO

13 Para construir a voz passiva analítica, usa-se uma locução verbal. Como ela é formada?

14 Passe as frases a seguir para a voz passiva sintética, iniciando-as pelo verbo. Veja o modelo:

> Muitas estrelas são vistas no céu.
> Veem-se muitas estrelas no céu.

a) Um homem foi encontrado inconsciente na praia.

b) Casas são vendidas por boas ofertas.

c) Carros importados são consertados nesta oficina.

d) Para limpar os vidros, é usado um pano úmido.

e) Quando a noite vem, as luzes da cidade são acesas automaticamente.

15 Reescreva as frases a seguir, completando-as com as formas adequadas dos verbos irregulares entre parênteses.

a) Se eu (saber), teria vindo mais cedo.

b) Quando eu (ter) dezoito anos, viajarei sozinho pelo mundo.

c) Tudo o que você (poder) fazer, será bem remunerado.

d) Talvez eu (vir) para as festas de fim de ano.

e) Se ele (vir) com os filhos, será melhor.

f) As caixas não (caber) no carro ontem.

16 a) Reescreva a frase **f** do exercício **15** no futuro do presente do modo indicativo, considerando que o fato ocorrerá amanhã.

b) Agora, observe as duas formas do verbo **caber** e classifique-o. Justifique a sua resposta.

17 Copie as orações, completando-as com a forma adequada do particípio.

a) Eles têm (eleger) com sabedoria os seus representantes.

b) O diretor foi (eleger) por unanimidade.

c) A polícia já havia (prender) o ladrão.

d) O ladrão foi (prender) pela polícia.

e) Seu desempenho tem (surpreender) o patrão.

f) Estou (surpreender) com o seu desempenho.

18 Observe os verbos do exercício **17** e faça o que se pede:

a) Qual é a classificação dos verbos utilizados?

b) Por que eles têm essa classificação?

c) Das formas usadas no exercício anterior, quais pertencem ao particípio regular e quais pertencem ao irregular?

d) Com relação ao uso, quando se empregam os particípios regular e irregular?

e) Escolha uma forma de particípio regular e outra de particípio irregular e construa uma frase com cada uma delas.

19 Leia o texto e faça o que se pede:

Bumba, meu boi!

Uma espécie de ópera popular e das mais ricas representações do folclore brasileiro. O documento mais antigo que a registra é de 1791 e foi escrito pelo padre Miguel do Sacramento Lopes Gama, num jornal de Recife.

O bumba meu boi conta a história de um rico fazendeiro que tem um boi muito bonito e que, além disso, sabe dançar. Um dia, ele é roubado por Pai Chico, trabalhador da fazenda, para atender sua mulher Catirina, que está grávida e sente desejo de comer a língua do boi.

O fazendeiro manda seus vaqueiros procurarem o boi sumido. Quando o encontram, o bicho está quase morto. Para salvá-lo, o jeito é chamar os pajés de uma tribo que vive na região. Eles conseguem encontrar Pai Chico e o boi, e imediatamente os levam à presença do fazendeiro. Este, ainda indignado, diz que só vai perdoar Pai Chico se o boi reviver. De fato, após várias tentativas, o animal se levanta e começa a dançar alegremente.

O folguedo termina de forma alegórica: todos os personagens, vestindo roupas muito coloridas, executam pomposas coreografias.

Grupo Folclórico Boi da Liberdade, de São Luís, Maranhão (agosto/2007).

Eis aí o resumo da história. Nela, como se percebe, a principal figura é o boi, feito de uma estrutura de madeira, coberta por tecido bordado ou pintado. Dentro "dele" se esconde uma pessoa chamada "miolo do boi". Na apoteose final, o grupo e a plateia entoam juntos o Urro do Boi e a Toada de Despedida, cantoria acompanhada por matracas, pandeiros, tambores e zabumbas.

Ao espalhar-se pelo país, o bumba meu boi recebe diferentes nomes, ritmos e adereços. No Maranhão, permanece com o nome original, mas no Amazonas é boi-bumbá, em Pernambuco boi-calemba, em São Paulo boi de jacá, e assim por diante. Em Brasília, é famoso o boi do Teodoro, um dos mais tradicionais ícones populares da capital da República. Ê ê, boi!

(Márcio Cotrim. Em: Revista *Língua Portuguesa*, nov. 2008, n. 37, p. 63.)

a) Dê o infinitivo e a conjugação dos verbos do segundo parágrafo.

b) Retire do texto duas frases em que o verbo esteja na voz passiva analítica.

c) Retire do texto um verbo reflexivo, um anômalo e um abundante.

20 Passe as formas verbais para o presente do subjuntivo e para o imperativo afirmativo, mantendo a pessoa e o número. Veja o modelo:

> consegue: que ele consiga — consiga (ele)

a) vai

b) poderão

c) encontramos

d) divertiste

e) encosto

21 Escreva três frases com o verbo **divertir**, seguindo o que se pede:

a) com a forma do item **d** (divertiste);

b) com a forma do presente do subjuntivo;

c) com a forma do imperativo afirmativo.

Delfim Martins/Pulsar Imagens

22 Leia a letra de música:

Santorini Blues

Os barcos são a alegria deste lugar
Toda tarde tem festa
Quando chegam do mar
Os velhos numa mesa
São como uma visão
Bebendo a tarde inteira
Cantando uma canção

Quem não tem amor no mundo
Não vem neste lugar

Quem não vê azul profundo
Não tem mais pra onde olhar
Quem tem medo
Traz no peito o óbolo da precaução
Eu trago um anjo nos braços
E outro no coração

Izabel
Pense em mim
Nossos dias de sol
Eram assim

(Composição de Herbert Vianna. Em: Paralamas do Sucesso. *Hey Nana*. EMI Music, 1998.)
Edições Musicais Tapajós Ltda.

a) Copie os verbos da primeira estrofe da letra de música. Em seguida, forneça a pessoa, o tempo e o modo.

b) Dê o infinitivo de cada umas das formas verbais da segunda estrofe da canção, bem como a forma verbal solicitada em cada item:
- **tem** — 3ª pessoa do singular do pretérito perfeito composto do subjuntivo;
- **vem** — 3ª pessoa do plural do futuro do presente composto do indicativo;
- **vê** — 1ª pessoa do plural do imperativo afirmativo;
- **traz** — 1ª pessoa do plural do futuro do subjuntivo.

23 Leia atentamente o texto e resolva as questões:

Por que toda espuma de sabão é branca?

A espuma do sabão é formada por pequenas bolhas de ar que se misturam com a água. Quando bate sobre essas pequenas bolhas, a luz do ambiente se espalha e se mistura, formando a cor branca, que é a junção de todas as cores. Além disso, boa parte dos corantes, que fazem com que o sabão e os sabonetes tenham cores diferentes, se dissolve quando entra em contato com a água. Assim, eles não podem deixar a espuma colorida.

(Breno Batista Barreto. Em: *Recreio*, n. 453, 13 nov. 2008, p. 4.)

a) Indique a voz verbal da expressão **é formado**.

b) No texto, há quatro verbos na voz passiva sintética. Identifique-os.

c) Passe as seguintes formas verbais para o presente do subjuntivo, na mesma pessoa e número: **misturam**, **bate**, **fazem**, **podem**.

d) Escreva o presente do indicativo da forma verbal **tenham**, observando a pessoa e o número.

24 Leia o texto e faça o que se pede:

Nunca diga

Querido nunca diga que eu tenho mau gosto

E saiba que o belo da vida ainda está pra nascer

Querido por favor olhe bem em meu rosto

E tente enxergar o que os outros não conseguem ver

Fui lhe mostrar um disco que eu comprei

De um cantor que eu sempre gostei

Mas você não me deu atenção

E voltarei pra casa pelo mesmo caminho

Escutarei o meu disco sozinha

Dentro do meu quarto na escuridão

(...)

(Frank Jorge. © Warner Chapell Edições Musicais Ltda. Todos os direitos reservados.)

a) Identifique o modo em que estão os verbos destacados nos versos a seguir:
  • "(...) nunca **diga** / que eu tenho mau gosto"
  • "**Olhe** bem em meu rosto"

b) Escreva o segundo verso acima na forma negativa.

c) Passe esse mesmo verso para a 2ª pessoa do singular.

d) Reescreva a resposta ao item **c** no imperativo afirmativo.

25 Leia a charge e faça o que se pede:

a) Indique em que modo, número e pessoa encontram-se os verbos.

b) Nessas frases você percebe alguma inadequação gramatical, segundo a norma-padrão? Explique.

c) Reescreva as frases na forma negativa.

26 Considerando as conclusões do exercício **25**, identifique a mistura de tratamento, ou seja, a mistura de pessoas gramaticais, nas tiras abaixo. (Se necessário, consulte o capítulo anterior sobre os pronomes e as suas relações.)

Tira A

Tira B

Advérbio

Conceito

Leia o poema:

Estela e a noite

O nome da primeira estrela
(segundo uma história antiga)
era Estela Solitária,
que nunca teve uma amiga.

(...)

Um dia Estela sonhou
que sozinha já não era,
que mil amigas fizera
navegando pelo céu.

E, quando Estela acordou,
ainda era sonho? Era não:
havia mais mil com ela,
com ela eram mil e uma
estelas em constelação!

(...)

(Alcides Villaça. *Arco-íris das letras*, Publifolha, p. 97.)

Lucia Hiratsuka

Observe as palavras destacadas no texto: todas acompanham verbos (nunca teve, já era, ainda era), modificando-os e atribuindo-lhes uma circunstância de tempo.

A palavra não, na terceira estrofe, acompanha o verbo **ser** (**era**), dando-lhe um sentido de negação.

Todas essas palavras — nunca, já, ainda, não — são advérbios, pois modificam o sentido de outra palavra.

Advérbio é a palavra que modifica o sentido do verbo, do adjetivo ou do próprio advérbio, exprimindo uma circunstância.

Leia estas tiras de Laerte observando outros exemplos de advérbios e as circunstâncias que eles indicam.

- realmente — advérbio que indica afirmação
- não — advérbio que indica negação
- como — advérbio que indica modo
- já — advérbio que indica tempo

- mais — advérbio que indica intensidade
- sempre — advérbio que indica tempo
- mal — advérbio que indica modo

Classificação dos advérbios

Os advérbios são classificados de acordo com a circunstância que indicam. Assim, por exemplo, o advérbio **não** indica negação, por isso é classificado como **advérbio de negação**.

Veja o quadro de classificação dos advérbios mais comuns:

Circunstância	Advérbios
Tempo	ontem, hoje, amanhã, já, agora, logo, cedo, tarde, outrora, breve, nunca, sempre, jamais
Lugar	aqui, lá, ali, acolá, abaixo, acima, perto, longe, distante, além, aquém, adiante, atrás, fora, dentro
Modo	bem, mal, devagar, depressa, assim, melhor, pior e quase todos os terminados em **mente**: educadamente, raramente, comumente
Intensidade	muito, pouco, bastante, assaz, mais, menos, tão, demais, demasiado, quão, quanto, tanto
Dúvida	talvez, porventura, acaso, quiçá, provavelmente
Afirmação	sim, certamente, realmente, deveras, indubitavelmente
Negação	não, tampouco

Advérbios interrogativos

São aqueles empregados em frases interrogativas diretas e indiretas. Esses advérbios também expressam circunstâncias, que podem ser:

- **de lugar** — onde, aonde, de onde
- **de tempo** — quando
- **de modo** — como
- **de causa** — por que

Observe, nas tiras a seguir, o uso de alguns desses advérbios em frases interrogativas diretas e indiretas.

"Como se chama o seu cão?" ⟶ frase interrogativa direta

↓

advérbio interrogativo

"Não entendo por que engordo tanto." ⟶ frase interrogativa indireta

↓

advérbio interrogativo

Veja outros exemplos do emprego dos advérbios em frases com interrogação direta e indireta:

Frases interrogativas diretas	Frases interrogativas indiretas
Onde você está?	Não sei aonde você vai.
De onde você está chegando?	Diga-me de onde você vem.
Quando ele voltará?	Ninguém sabe quando ele voltará.
Como você chegou até lá?	Não sei como você chegou até lá.
Por que estás triste?	Quero saber por que estás triste.

Locução adverbial

Quando um conjunto de palavras é usado com a mesma função de um advérbio e indica uma circunstância, ele é chamado de **locução adverbial**.

Leia este texto:

Ana T.

Não vou dizer que fiquei emocionado com a sua carta. Não vou dizer que me deu vontade de te ver imediatamente. Não vou dizer que o coração bateu apressado e algumas lágrimas surgiram nos olhos.

(...)

De repente senti a mesma emoção de um gol, um gosto de picolé na boca e a promessa de festa de aniversário.

Depois saí andando por aí. Gastando tênis e esquinas. Solto. Sem pensar em nada. Sem ver nada. (...) É isso. E depois é como diz o Rompeu: "a gente, quando ama, fica idiota". Estarei amando?

(Vivina de Assis, Viana e Ronald Claver. *Ana e Pedro: cartas*, 29. ed., São Paulo, Atual, 2004, p. 31.)

Cibele Queiroz.

A expressão de repente está modificando o verbo **senti** e indica uma circunstância de tempo. Trata-se de uma locução adverbial que poderia ser substituída pelo advérbio repentinamente.

> **Locução adverbial** é o conjunto de palavras que tem o mesmo valor de um advérbio.

Veja algumas das locuções adverbiais mais comuns:

com certeza	às vezes
sem dúvida	à toa
à direita	à noite
à esquerda	de repente
a distância	em breve
ao lado	de modo algum
de longe	à vontade
de perto	a pé

Você prefere viajar à noite?

Com certeza. É menos quente e mais tranquilo.

Nid Studio

Flexão dos advérbios

Embora os advérbios pertençam à classe de palavras invariáveis, alguns apresentam flexão de grau. O advérbio pode ser flexionado no grau **comparativo** e **superlativo**.

1 O **grau comparativo** pode ser:

Ilustrações: Nid Studio

- **de igualdade**

    Ele me cumprimentou tão alegremente quanto você.

- **de superioridade**

    Ele me cumprimentou mais alegremente que você.

- **de inferioridade**

    Ele me cumprimentou menos alegremente que você.

OBSERVAÇÕES

1. Melhor e pior são formas sintéticas do comparativo de superioridade de bem e mal.
2. Usam-se as expressões **mais bem** e **mais mal** apenas antes de adjetivos particípios:

    É um dos trabalhos mais bem cuidados que já li.

    O seu plano foi um dos mais mal elaborados de que tenho notícia.

---

2 O **grau superlativo** poder ser:

- **sintético**:

    Ele me cumprimentou alegríssimamente.

- **analítico**:

    Ele me cumprimentou muito alegremente.

Na linguagem coloquial, alguns advérbios assumem forma diminutiva, com os sufixos **-inho**, **-inha**, **-zinho**:

De sua casa até a escola é bem pertinho.

Vamos almoçar agorinha mesmo.

Já estou bem melhorzinho.

1 Leia esta história em quadrinhos do personagem Hägar:

a) Classifique os advérbios destacados de acordo com a circunstância que indicam.

b) Identifique o termo ou a expressão que esses advérbios estão modificando.

2 Leia a letra da canção abaixo:

Por sempre andar

Por sempre andar, andar
Sem nunca parar
Pequenas coisas vão ficando pra trás
(...)
Tudo foi se desprendendo
Levado pelo vento
Eu sou o que chegou ao fim
É assim que eu me apresento
Com o que sobrou de mim

Márcia Széliga

(Herbert Viana. Em: *Paralamas do Sucesso. Hey Nana.* EMI, 1998. Edições Musicais Tapajós Ltda.)

a) Identifique os advérbios.

b) Indique se eles modificam um verbo, um adjetivo ou um advérbio.

3 Escreva três frases em que um advérbio modifique:

a) um adjetivo;   **b)** um verbo;   **c)** um advérbio.

4 Leia o texto e faça o que se pede:

A Amazônia real

A (triste) história da floresta brasileira, dos delirantes anos 70 até hoje, pelas lentes do fotógrafo Pedro Martinelli

   Gente x Mato é o quarto livro de Pedro Martinelli sobre a Amazônia — e é também o mais amargo. Desde que pisou na região pela primeira vez — quando tinha 20 anos e participou de uma expedição dos irmãos sertanistas Villas-Boas em busca de uma tribo de índios isolados —, a floresta nunca mais saiu da sua mira. Martinelli cobriu guerras, ganhou prêmios, fotografou lindas mulheres, foi a Copas e Olimpíadas. Na volta, sempre rumava para lá. Chegou a comprar um barco, na década de 90, e por três anos morou na selva — navegando, fotografando e cozinhando, outra coisa

Pedro Martinelli

Lago Badajós, rio Solimões (setembro/1995).

que adora fazer. Hoje, aos 58 anos, ainda vibra quando descreve o prazer de comer um jaraqui recém-pescado na beira do rio, mas suas lentes estão mais sombrias — e a Amazônia que emerge delas não tem filtro nem retoque.

(Thaís Oyama. Em: *Veja*, 12 nov. 2008, p. 129.)

a) Classifique, de acordo com a circunstância que indicam, os advérbios e as locuções adverbiais destacados no texto.

b) Na frase "Na volta, sempre rumava para lá", há uma locução adverbial e um advérbio que indicam a mesma circunstância. Identifique-os e também a circunstância por eles indicada.

281

5 Leia a tirinha e faça o que se pede:

a) Identifique os advérbios e classifique as circunstâncias que expressam.

b) Reescreva as frases em que há advérbios e substitua-os por locuções adverbiais ou advérbios sinônimos. Faça as adaptações necessárias para que as frases tenham sentido.

c) Reescreva a primeira frase da tira usando o advérbio **melhor**. Faça as adaptações necessárias para que a frase tenha sentido.

DESAFIO

6 Leia a letra de música e faça o que se pede:

Aula de Matemática

Pra que dividir sem raciocinar
Na vida é sempre bom multiplicar
E por A mais B
Eu quero demonstrar
Que gosto imensamente de você

Por uma fração infinitesimal,
Você criou um caso de cálculo integral
E para resolver este problema
Eu tenho um teorema banal

Quando dois meios se encontram
         desaparece a fração
E se achamos a unidade
Está resolvida a questão

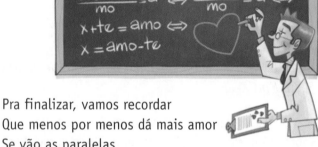

Pra finalizar, vamos recordar
Que menos por menos dá mais amor
Se vão as paralelas
Ao infinito se encontrar
Por que demoram tanto os corações a se integrar?
Se infinitamente, incomensuravelmente,
Eu estou perdidamente apaixonado por você.

(*Aula de Matemática* (Tom Jobim / Marino Pinto) – 100% Fermata do Brasil.)

a) Retorne à parte teórica e observe o quadro de classificação dos advérbios. Depois, localize no texto advérbios de modo formados por derivação sufixal. Explique essa formação.

b) Escreva a forma primitiva desses advérbios.

7 Leia os quadrinhos com atenção e resolva as questões:

a) Destaque os advérbios e dê a sua classificação.

b) Para o advérbio **depois**, presente no terceiro quadrinho, forneça:

• um sinônimo;

• um antônimo;

• uma locução adverbial que expresse a mesma circunstância.

8 Identifique e classifique os advérbios de acordo com o grau em que se encontram:

a) Gostei muitíssimo dos novos livros de suspense que ganhei.

b) Os novos contratados se apresentaram muito timidamente.

c) Meu irmão me telefona mais frequentemente do que minha irmã.

d) A noiva estava se comportando tão calmamente quanto o noivo.

e) As crianças saíram depressinha quando o diretor chegou.

f) O público masculino aplaudiu menos intensamente o espetáculo que o público feminino.

9 Leia a tirinha e classifique os advérbios de acordo com o grau em que se encontram.

Fernando Gonsales

10 Leia o texto e resolva as questões:

Micróbios amigos

Não é justo lembrar das bactérias só por causa das doenças que causam: elas, atualmente, fazem de quase tudo para tornar a nossa vida mais agradável. E uma coisa que fazem cada vez melhor é comer lixo. Petróleo, plásticos, resíduos industriais, inseticidas — a lista cresce a cada dia. É natural, já que as bactérias foram os primeiros seres do planeta. Compõem-se de uma única célula e rapidamente aprendem a extrair energia e nutrientes a partir das mais variadas substâncias.

(*Superinteressante*)

a) Retire do texto três advérbios.

b) Indique um advérbio que esteja modificando um adjetivo. Escreva uma frase na qual ele tenha a mesma função.

c) Retire do texto um advérbio no grau comparativo de superioridade.

d) Retire do texto uma locução adverbial de tempo.

Preposição

Conceito

Leia o texto a seguir e observe as palavras destacadas:

Floresta ameniza o aquecimento da Terra

Investigações científicas confirmam funções da Amazônia como sorvedouro do CO_2, gás do efeito estufa, e criadora de chuvas para seu próprio equilíbrio

Ao longo dos últimos dois meses, um pequeno exército de pesquisadores científicos infiltrou-se pelas terras de Rondônia, no sudoeste da Amazônia, determinado a uma sondagem capaz de desvendar parte dos segredos da grande floresta pluvial.

Um grupo de, aproximadamente, 150 pessoas, entre brasileiros e estrangeiros, além de pessoal de suporte técnico, utilizou de pluviômetros a radares, além de aviões e um conjunto de torres metálicas, pairando acima da copa das árvores mais altas, para investigar o impacto dos desmatamentos e queimadas na transição do período das secas para o chuvoso nessa região.

Em 1999 já havia sido feita uma campanha na época das chuvas, em Rondônia, investigando áreas transformadas pela atividade humana. A conclusão foi que nesses pontos, especialmente nas extensas pastagens para a prática da agropecuária, as precipitações são menores do que nos domínios da mata intocada, com consequências negativas na absorção de CO_2 atmosférico. Seria uma resposta da floresta às perturbações trazidas pelo homem que chegou em ondas sucessivas e num curto espaço de tempo.

(Revista *Scientific American Brasil*, ano 1, n. 6, nov. 2002, p. 30-31.)

Nesse texto, foram destacadas algumas palavras para estabelecer uma relação de sentido com outras palavras ou expressões. Veja:

- a — relaciona **determinado** e **uma sondagem**;
- de — relaciona **capaz** e **desvendar**;
- entre — relaciona **150 pessoas** e **brasileiros e estrangeiros**;
- para — relaciona **pairando** e **investigar**.

> **Preposição** é a palavra que relaciona dois termos entre si, de tal forma que o segundo completa ou explica o sentido do primeiro.

Como as preposições estabelecem uma relação específica entre dois termos, é preciso cuidado ao utilizá-las, pois a troca de uma preposição por outra pode alterar o sentido da frase.

Observe como o sentido desta frase, extraída do texto, se altera com a substituição da preposição:

"(...) as precipitações são menores que nos domínios da mata intocada, com consequências negativas (...)"

as precipitações são menores que nos domínios da mata intocada, sem consequências negativas

Uma preposição pode indicar diferentes relações entre dois termos, de acordo com o contexto da frase. Veja os exemplos a seguir:

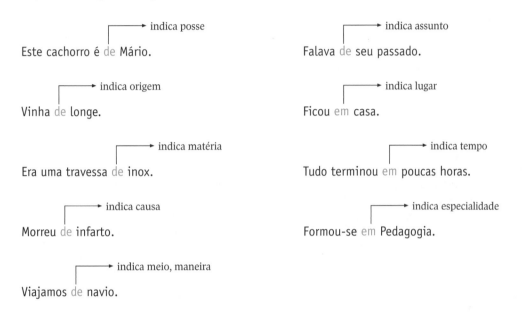

Este cachorro é de Mário. → indica posse

Vinha de longe. → indica origem

Era uma travessa de inox. → indica matéria

Morreu de infarto. → indica causa

Viajamos de navio. → indica meio, maneira

Falava de seu passado. → indica assunto

Ficou em casa. → indica lugar

Tudo terminou em poucas horas. → indica tempo

Formou-se em Pedagogia. → indica especialidade

Algumas das principais preposições são:

a	até	de	entre	perante	sob
ante	com	desde	para	por	sobre
após	contra	em	per	sem	trás

Veja os exemplos destacados na tirinha abaixo:

IMPORTANTE!

As preposições são sempre usadas com os **pronomes pessoais oblíquos tônicos**.

Eles falaram de ti.

preposição ← └─┘ → pronome pessoal
oblíquo tônico

Nós cremos em ti.

Tudo isso foi feito por ele.

Dê as flores a ela.

preposição ← └─┘ → pronome pessoal
oblíquo tônico

Entre mim e você nada mais existe.

O processo não é contra nós.

Não se usa preposição com os **pronomes pessoais oblíquos átonos**, que aparecem ligados diretamente às formas verbais.

Dê-lhe as flores.

forma verbal ← └─┘ → pronome pessoal
oblíquo átono

Encontrei-a no zoológico.

forma verbal ← └─┘ → pronome pessoal
oblíquo átono

Locução prepositiva

Muitas vezes, a preposição é representada por um conjunto de palavras que recebe o nome de **locução prepositiva**. Veja alguns exemplos destacados nas frases extraídas do texto do início do capítulo:

┌─→ locução prepositiva = **durante**
│
"Ao longo dos últimos dois meses, um pequeno exército de pesquisadores científicos infiltrou-se pelas terras de Rondônia (...)"

locução prepositiva = **afora** ←─┐
│
"Um grupo de, aproximadamente, 150 pessoas (...), além de pessoal de suporte técnico, utilizou de pluviômetros a radares (...)"

As locuções prepositivas sempre terminam com uma preposição. Observe:

abaixo de	embaixo de	ao redor de	junto a	longe de
acima de	de acordo com	em vez de	graças a	ao encontro de
além de	ao lado de	fora de	em cima de	a respeito de

Observe o emprego das locuções prepositivas nas palavras destacadas nesta tira de Fernando Gonsales:

Fernando Gonsales

Na tira, ao lado do relaciona **elefante** e **mamute**; antes (de) e depois de relacionam **anúncio** e **tônico**.

Contração e combinação

Contração

As preposições **a**, **de**, **em** e **por** (**per**) podem unir-se com os artigos e alguns pronomes e advérbios, formando o que é chamado de **contração**.

Releia outra frase do texto que abriu este capítulo:

"Em 1999 já havia sido feita uma campanha na época das chuvas, em Rondônia, investigando áreas transformadas pela atividade humana."

Observe como ocorreram as contrações destacadas:

na	**das**	**pela**
preposição **em**	preposição **de**	preposição **por**
+	+	+
artigo **a**	artigo **as**	artigo **a**

Veja as principais contrações no quadro a seguir:

Preposição	Outro elemento	Contração
a	a, as	à, às
	aquele, aqueles	àquele, àqueles
	aquela, aquelas	àquela, àquelas
	aquilo	àquilo
de	o, os	do, dos
	a, as	da, das
	um, uns	dum, duns
	uma, umas	duma, dumas
	este, estes	deste, destes
	esta, estas	desta, destas
	esse, esses	desse, desses
	essa, essas	dessa, dessas

Preposição	Outro elemento	Contração
de	isto, isso	disto, disso
	aquele, aqueles	daquele, daqueles
	aquela, aquelas	daquela, daquelas
	aquilo	daquilo
	aí, ali, aqui	daí, dali, daqui
	outro, outros	doutro, doutros
	outra, outras	doutra, doutras
em	o, os	no, nos
	a, as	na, nas
	um, uns	num, nuns
	uma, umas	numa, numas
	este, estes	neste, nestes
	esta, estas	nesta, nestas
	esse, esses	nesse, nesses
	essa, essas	nessa, nessas
	isto, isso	nisto, nisso
	aquele, aqueles	naquele, naqueles
	aquela, aquelas	naquela, naquelas
	aquilo	naquilo
por (per)	o, os	pelo, pelos
	a, as	pela, pelas

Observe que o outro elemento que se contrai com a preposição geralmente é um artigo ou um pronome.

Quando ocorre a contração, ou a preposição ou o outro elemento perde algum fonema.

Veja os exemplos:

$\overline{\text{de + os}}$ $\overline{\text{em + o}}$ $\overline{\text{de + a}}$ $\overline{\text{por + as}}$

"Ao longo dos últimos dois meses, um pequeno exército de pesquisadores científicos infiltrou-se pelas terras de Rondônia, no sudoeste da Amazônia, determinado a uma sondagem capaz de desvendar parte dos segredos da grande floresta pluvial."

$\overline{\text{de + os}}$ $\overline{\text{de + as}}$

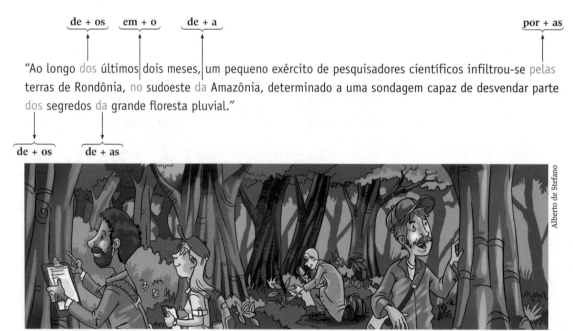

Alberto de Stefano

Agora veja estes exemplos destacados na tira:

"Sai da frente!"
└──→ de + a

"Parecia tão fácil olhando do carro..."
de + o ←──┘

A contração da preposição **a** com o artigo **a**, chamada de **crase**, é representada na escrita pelo acento grave no **a**, formando à. Também é possível a contração da preposição com o primeiro **a** dos pronomes demonstrativos **aquele**, **aqueles**, **aquela**, **aquelas** e **aquilo**.

Veja os exemplos:

Os pesquisadores científicos chegaram àquele local no sudoeste da Amazônia.

Os pesquisadores científicos chamam àquela pesquisa de sondagem dos segredos da grande floresta pluvial.

Esses pesquisadores não falaram sobre as verbas da pesquisa. Eles não quiseram se referir àquilo.

OBSERVAÇÃO

Um estudo mais completo da crase será feito no Capítulo 26.

Combinação

A preposição **a** pode unir-se com os artigos e com o advérbio **onde**, formando o que chamamos de combinação.

As **principais combinações** são:

preposição **a** ⟨ + **o** (artigo) = **ao**
+ **os** (artigo) = **aos**
+ **onde** (advérbio) = **aonde**

Observe que, nas combinações acima, a preposição se une ao outro termo sem provocar perda de fonema.

Veja este exemplo:

Exercícios

1 Leia as resenhas dos filmes a seguir e faça o que se pede:

Veja também em DVD

C.R.A.Z.Y. – LOUCOS DE AMOR

Casal canadense de classe média e seus cinco filhos espelham, no cotidiano, os efeitos das mudanças comportamentais dos anos 1960 e 1970.
(Canadá, 2005, 107 min, disponível apenas para locação.)

DAS TRIPAS CORAÇÃO

Durante visita a internato feminino que está prestes a ser desativado, interventor se deixa levar, durante um cochilo, por fantasias em que personifica um professor do colégio.
(Brasil, 1982, 108 min, R$ 45,90.)

CARTOLA – MÚSICA PARA OS OLHOS

Fundador da escola de samba Mangueira e autor de "As rosas não falam", Cartola (1908-1980) tem a vida entrelaçada com a história do país em documentário singular.
(Brasil, 2007, 88 min, disponível apenas para locação.)

CAMINHO PARA GUANTÁNAMO

Recriação ficcional, mas em estilo documental, do caso verídico de jovens ingleses capturados pelos EUA no Afeganistão e enviados para a prisão de Guantánamo (Cuba).
(Inglaterra, 2006, 95 min, disponível apenas para locação.)

(Revista *Educação*, ano 11, n. 127, 10 nov. 2007, p. 72.)

a) Escreva as preposições das resenhas.

b) Agora, indique as contrações e as combinações, separando os elementos que as formam.

2 Leia o texto abaixo:

A vovó na janela

Em uma pesquisa internacional sobre aprendizado de leitura, os resultados da Coreia pareciam errados, pois eram excessivamente elevados. Despachou-se um emissário para visitar o país e checar a aplicação. Era isso mesmo. Mas, visitando uma escola, ele viu várias mulheres do lado de fora das janelas, espiando para dentro das salas de aula. Eram as avós dos alunos, vigiando os netos, para ver se estavam prestando atenção nas aulas.

A obsessão nacional que leva as avós às janelas é a principal razão para os bons resultados da educação em países com etnias chinesas. A qualidade do ensino é um fator de êxito, mas, antes de tudo, é uma consequência da importância fatal atribuída pelos orientais à educação.

Cibele Queiroz

(...)

Pesquisadores americanos foram observar o funcionamento das casas de imigrantes orientais. Verificou-se que os pais, ao voltar para casa, passam a comandar as operações escolares. A mesa da sala transforma-se em área de estudo, à qual todos se sentam, sob seu controle estrito. Os que sabem inglês tentam ajudar os filhos. Os outros — e os analfabetos — apenas vigiam. Os pais não se permitem o luxo de outras atividades e abrem mão da TV. No Japão, é comum as mães estudarem as matérias dos filhos, para que possam ajudá-los em suas tarefas de casa.

(...)

No Brasil, uma pesquisa recente em escolas particulares de bom nível mostrou que os alunos do último ano do ensino médio disseram dedicar apenas uma hora por dia aos estudos — além das aulas. Outra pesquisa indicou que os jovens assistem diariamente a quatro horas de TV. Esses são os alunos que dizem estar se preparando para vestibulares impossíveis.

Cada sociedade tem a educação que quer. A nossa é péssima, antes de tudo, porque aceitamos passivamente que assim seja, além de não fazer nossa parte em casa. Não podemos culpar as famílias pobres, mas e a indiferença da classe média? Está em boa hora para um exame de consciência. Estado, escola e professores têm sua dose de culpa. Mas não são os únicos merecendo puxões de orelha.

(Cláudio de Moura Castro. Em: *Veja*, ano 37, n. 45, p. 20.)

a) Retire do texto todas as preposições, combinações e contrações de preposições nele presentes. Separe os elementos que formam as contrações e forneça a classe de palavras do elemento que se contraiu à preposição.

b) Identifique duas locuções prepositivas que aparecem no texto.

c) Localize no texto a ocorrência de crase em três frases e copie-as. Depois, explique como ela ocorreu, identificando os termos relacionados pela preposição.

d) Releia a seguinte frase do texto:

> "**Em** uma pesquisa internacional **sobre** aprendizado de leitura, os resultados da Coreia pareciam errados, pois eram excessivamente elevados."

Reescreva-a substituindo as preposições **em** e **sobre** por locuções prepositivas com o mesmo sentido.

3 Leia atentamente o trecho da canção a seguir e observe as preposições ou contrações destacadas. Indique a relação que cada uma estabelece entre os termos que liga. Essas relações podem ser de direção, motivo ou lugar.

Toada (Na direção do dia)
Vem, morena, ouvir comigo essa cantiga
Sair por essa vida aventureira
Tanta toada eu trago na viola
Pra ver você mais feliz
(...)

(Zé Renato, Cláudio Nucci e Juca Filho. *Boca Livre convida*, 20 anos, 1997.)

4 Construa duas orações:

a) use **para**, estabelecendo relação de destino;

b) use **por**, indicando relação de lugar.

5 Leia a frase a seguir:

> Fica tranquilo, pelo amor de Deus!

Reescreva-a, mantendo o sentido. Siga as orientações:

a) substitua a contração por uma preposição;

b) substitua a preposição existente por outra.

6 Escreva um caso de combinação e um de contração. Compare as duas palavras que você escolheu e explique a diferença entre elas quanto à formação.

Conjunção

Capítulo 17

Conceito

Leia abaixo um artigo sobre o mangá, um estilo de desenho que atrai cada vez mais adeptos entre os jovens brasileiros. Observe as palavras destacadas:

Mangá: o estilo japonês conquista o Brasil

A palavra mangá era um mistério total para os brasileiros não aficionados a quadrinhos, até pouquíssimo tempo atrás. Apesar de o Brasil ter uma das maiores especialistas no assunto — a professora Sônia M. Bibe Luyten — e desde os primórdios da nossa televisão exibirmos vários desenhos animados japoneses (*anime*) que surgiram de mangás — como *A Princesa e o Cavaleiro, Fantomas* e *Speed Racer* (...) —, o mangá só ganhou espaço mesmo nas bancas e no dia a dia brasileiro na década de 90.

(...) Com certeza, a popularização teve influência do fenômeno *Akira*, um belíssimo mangá de Katsuhiro Otomo (...), assim como desenhos como *Os Cavaleiros do Zodíaco* e *Dragon Ball Z* conquistaram um novo público para o traço.

Da mesma forma, várias editoras descobriram que o traço mais rápido do mangá conquistava os leitores mais jovens com facilidade — provavelmente em decorrência dos desenhos — e apostaram em lançamentos neste estilo (...).

(...) Personagens de olhos grandes, traço simples (por vezes transformado em infantil) com direito a gotas de suor e sangue, uma certa dose de violência (que tem sua raiz cultural no Bushido, ou código do Samurai) e até mesmo uma sensualidade comedida.

(...)

(http://hq.cosmo.com.br/textos/educacaoteses/teses_e_hqipoteses3.shtm, acessado em 11 dez. 2008.)

Mozart Couto

As palavras destacadas são algumas das conjunções que aparecem no texto. Elas servem para unir palavras ou expressões com valores e funções semelhantes. Observe:

"Personagens de olhos grandes, traço simples (...) com direito a gotas de suor e sangue, uma certa dose de violência (...) e até mesmo uma sensualidade comedida."

une expressões que caracterizam os personagens dos mangás

As conjunções são usadas também para unir orações. Veja:

"Da mesma forma, várias editoras descobriram

↓

1ª oração

que o traço mais rápido do mangá conquistava os leitores mais jovens com facilidade (...)

↓

2ª oração

e apostaram em lançamentos neste estilo (...)."

↓

3ª oração

> **Conjunção** é a palavra que une orações ou palavras com valores e funções semelhantes em um texto.

As conjunções podem estabelecer diversos tipos de relação entre as orações. Veja alguns exemplos:

relação de concessão

↑

"Apesar de o Brasil ter uma das maiores especialistas no assunto (...) o mangá só ganhou espaço mesmo nas bancas e no dia a dia brasileiro na década de 90."

relação de adição

↑

"(...) a popularização teve influência do fenômeno *Akira* (...), assim como desenhos como *Os Cavaleiros do Zodíaco* e *Dragon Ball Z* conquistaram um novo público para o traço."

Observe também, na tira a seguir, a conjunção ou ... ou, que indica a existência de uma alternativa:

Fernando Gonsales

Classificação das conjunções

De acordo com a relação que estabelecem entre termos ou entre orações, as conjunções podem ser classificadas em **coordenativas** ou **subordinativas**.

> **Conjunções coordenativas** são as que associam dois termos da oração ou duas orações independentes. A conjunção apenas une e coordena um termo ao outro ou uma oração à outra.

Leia este texto:

Voltar também é...

Um mês inteiro estudando pras primeiras provas! Primeiro ano do ensino médio é fogo! Fogo pior foi ficar sem olhar pra cara do Ed. Ainda bem que ele está no terceiro ano de novo, e a gente só se cruza no intervalo. Ontem fez um calor de arrebentar. Acabei a Educação Física e meti minha cabeça numa pia do ginásio de esportes pra refrescar a cuca e o miolo. Quando ia saindo dali, dei de cara com o Ed. Tentei fazer um olhar tenebroso número 6, mas acho que acabei fazendo um de "peixe morto", se é que peixe morto olha.

(...)

(Telma Guimarães Castro Andrade. *Rita-você-é-um-doce*, 12. ed., São Paulo, Atual, 2005, p. 12.)

Nid Studio

No texto, a conjunção mas liga duas orações:

"Tentei fazer um olhar tenebroso número 6, | mas acho que acabei fazendo um de 'peixe morto' (...)"

1ª oração   2ª oração

A seguir, é o que também ocorre com a conjunção e:

"Ainda bem que ele está no terceiro ano de novo, | e a gente só se cruza no intervalo."

1ª oração   2ª oração

Neste outro exemplo, a conjunção e liga dois substantivos comuns:

"(...) meti minha cabeça numa pia do ginásio de esportes pra refrescar a cuca e o miolo."

substantivos comuns

Além das conjunções coordenativas, há as conjunções subordinativas

> **Conjunções subordinativas** são as que unem orações que se completam. Para completar o sentido de uma oração que depende de outra, é preciso de uma conjunção subordinativa.

Leia este texto:

Barrados no ditado

Sete pré-candidatos a vereador de Rio Grande da Serra, cidade do ABC Paulista, tiveram suas candidaturas indeferidas porque foram reprovados em um ditado. (...) Eles também tiveram de ler parte da lei orgânica do município além de uma reportagem de jornal.

(Revista *Língua Portuguesa*. out. 2008, p. 10.)

Jorge Zaiba

Observe as orações:

"Sete pré-candidatos (...) tiveram suas candidaturas indeferidas

1ª oração

porque foram reprovados em um ditado."

2ª oração

Para que a fala tenha sentido, as duas orações estão subordinadas uma à outra. O autor do texto as uniu fazendo uso de uma **conjunção causal**. Isso quer dizer que algo ocorreu (candidaturas indeferidas), porque houve uma causa (reprovação dos candidatos no ditado).

Veremos, a seguir, como se classificam as conjunções coordenativas e as subordinativas, de acordo com a relação que elas estabelecem entre os termos ou entre as orações.

Leia a tira:

Junião

A conjunção quando, no primeiro quadrinho, indica uma relação de tempo entre as duas orações. Essa conjunção é chamada de **subordinativa temporal**.

Veja outros exemplos de conjunções coordenativas e subordinativas:

Dona Isaura e seu Legário estão namorando.

adição: conjunção coordenativa aditiva

Dona Isaura ou seu Legário está com dor na coluna.

alternância: conjunção coordenativa alternativa

O namoro de dona Isaura e seu Legário aconteceu conforme o planejado.

conformidade: conjunção subordinativa conformativa

Conjunções coordenativas

As conjunções coordenativas são classificadas de acordo com a relação que estabelecem entre os termos ou entre as orações.

No trecho do poema abaixo, estão destacadas algumas conjunções e é apresentada a sua respectiva classificação.

É rir pra não chorar

Tô pensando muito sério
Em mudar meu raciocínio
Tô querendo ficar zen
Mas não tenho patrocínio
Falta o líquido e o certo
Falta até água da chuva
Pra lavar essa sujeira
Pra levar essa minha angústia
Eu sei que eu decidi assim
Não vou ficar parado aqui
Sem fazer nada
Eu te aconselho a vir também
Porque já não dá mais pra deixar pra lá
Tem gente que tá puro lixo
E quem tá com a mão mais suja?
O empresário ou o político?
O acusado ou quem acusa?
(...)

(...)
Não é possível que essa trupe
Depois dessa saia impune
Que, senão, Deus nos ajude
Que eu tenha força e atitude
Eu peço a atenção ao povo
Quando for eleger de novo
Se lembre de tudo
E pense no futuro
É, tá brabo
É rir pra não chorar (3 x)

(Jota Quest. Em: http://letras.terra.com.br/jota quest/401590, acessado em 15 dez. 2008.)

- **Aditivas** — expressam adição ou acréscimo à ideia anterior. Exemplos: **e, nem**.

- **Alternativas** — expressam uma escolha à ideia anterior. Exemplos: **ou ... ou, ora ... ora, quer ... quer**.

- **Adversativas** — expressam uma ideia oposta à anterior. Exemplos: **mas, porém, todavia, contudo, entretanto, no entanto, apesar disso**.

Além das conjunções coordenativas aditivas, adversativas e alternativas, existem conjunções coordenativas conclusivas e explicativas.

- **Conclusivas** — expressam uma finalização ou a conclusão da ideia anterior. Exemplos: **logo, portanto, por isso, pois**.

O poeta está muito insatisfeito com a corrupção, portanto está protestando contra a impunidade.

OBSERVAÇÃO

Leia esta frase:

José não estuda nem trabalha.

A conjunção **nem** é considerada aditiva porque faz a junção da conjunção **e** com o advérbio **não**. Essa oração poderia ser assim:

José não estuda e não trabalha.

Por isso, não se usa a conjunção **e** antes de **nem**.

- **Explicativas** — expressam uma justificativa para a ideia anterior. Exemplos: **que, pois, porque**.

O poeta está protestando contra a impunidade, pois está muito insatisfeito com a corrupção.

Conjunções subordinativas

As conjunções subordinativas também são classificadas de acordo com a relação que estabelecem entre as orações.

Leia o texto abaixo no qual estão destacadas algumas conjunções subordinativas e é apresentada a sua respectiva classificação:

"Eu lia o Estadinho"

Muito antes de você nascer, já tinha gente lendo o Estadinho e colorindo as páginas do caderno com desenhos, ideias e sonhos. As crianças dos anos 80 viraram adultos e hoje gastam mais tempo nas outras partes do jornal, aquelas que os seus pais também leem. Você acredita que algumas delas ficaram tão famosas que até aparecem nos cadernos de gente grande? Mas elas nunca se esqueceram do jornal que era só delas. (...) nós mostramos 12 crianças que cresceram um pouquinho e um adulto que lê o Estadinho desde antes de virar criança de novo. O que será que aconteceu com os nossos antigos leitores nesses vinte anos? Só lendo para descobrir...

(...)

De avô para neta

"Meu avô cultiva o hábito de acordar sempre às 6h30 e sair para comprar pão e jornal. E, desde que me conheço por gente, não desgrudo de seu pé quando passo minhas férias na chácara dele. Então, lembro que acordava cedinho e o acompanhava até a banca. Ele sempre escolhia o Estadão e o caderno que eu procurava no meio daquele monte de páginas era o Estadinho. Às vezes era segunda, terça-feira e eu me decepcionava, porque o suplemento só saía aos domingos. Não sei se por influência do jornal ou não, hoje sou jornalista e mesmo lendo os jornais de adulto, ainda guardo um tempo para o Estadinho."

Marília Melhado, de 23 anos, é jornalista

(...)

(Alline Daroiz e Julia Contier. *O Estado de S. Paulo* – Estadinho. Em: http://www.estado.com.br/suplementos/esta/2007/11/10/esta-1.93.27.20071110.24.1.xml, acessado em 10 nov. 2008.)

- **Temporais** — expressam noção de tempo. Exemplos: **quando, enquanto, logo que, depois que, assim que, antes que, antes de, desde que.**

- **Consecutivas** — expressam uma consequência de outro fato. Exemplos: **tão ... que, de tal modo que, de forma que.**

- **Integrantes** — completam o sentido da ideia anterior, integrando as duas orações. Exemplo: **que, se.**

- **Concessivas** — expressam concessão. Exemplos: **embora, apesar de que, ainda que, mesmo, mesmo que, conquanto.**

- **Causais** — expressam a causa da ideia ou do fato anterior. Exemplos: **porque, que, pois, porquanto, já que, visto que.**

Além das conjunções subordinativas integrantes, consecutivas, temporais, causais e concessivas, existem conjunções subordinativas condicionais, comparativas, conformativas, finais e proporcionais.

- **Condicionais** — expressam uma condição para que ocorra algo. Exemplos: **se**, **caso**, **contanto que**, **uma vez que**, **desde que**.

   Os filhos adquirem com mais facilidade o hábito de ler jornais diariamente, se os pais assim o fizerem.

- **Comparativas** — expressam uma comparação entre as duas orações. Exemplos: **como**, **assim como**, **tal qual**, **mais ... (do) que**, **menos ... (do) que**.

   Assim como os seus pais que leem jornal, as crianças adquirem o hábito de ler jornal diariamente.

- **Conformativas** — expressam uma conformidade entre duas ideias. Exemplos: **segundo**, **conforme**, **consoante**, **como**.

   Segundo Marília Melhado, desde criança ela acompanha o seu avô ao jornaleiro.

- **Finais** — expressam uma finalidade, um objetivo. Exemplos: **para que**, **a fim de que**.

   Desde a infância, Marília Melhado levanta cedinho para que possa acompanhar seu avô ao jornaleiro.

- **Proporcionais** — expressam uma relação de proporcionalidade entre duas ideias. Exemplos: **à proporção que**, **à medida que**, **ao passo que**.

   À medida que o tempo passa, várias crianças leitoras do Estadinho passam também a ler todo o jornal.

Locução conjuntiva

Algumas conjunções são formadas por mais de uma palavra. Nesses casos, elas são chamadas de **locuções conjuntivas**.

Veja as palavras destacadas nesta tirinha:

Veja outras locuções conjuntivas, de emprego bastante comum:

já que	menos (do) que	no entanto
uma vez que	menor (do) que	ao passo que
visto que	de maneira que	por consequência
desde que	de modo que	a menos que
mais (do) que	não só ... mas também	a não ser que

299

1 Leia a história em quadrinhos a seguir e faça o que se pede:

a) Localize as conjunções que aparecem na fala dos personagens.

b) Indique a relação que cada uma dessas conjunções estabelece nas frases.

2 Reescreva as frases. Use conjunções que estabeleçam as relações indicadas entre parênteses. Faça as alterações necessárias.

a) "Você sempre parece cansado (temporal) volta de Paris!"

b) "Posso parecer cansado por fora... (concessão) estou sorrindo por dentro!"

3 Leia as frases e faça o que se pede:

> A – Sr. Joaquim é considerado um bom motorista, pois tornou-se instrutor de autoescola.
>
> B – Sr. Joaquim é considerado um bom motorista; tornou-se, pois, instrutor de autoescola.

a) Comparando as duas frases, qual é a alteração que se observa quanto à conjunção **pois**?

b) Qual é a relação estabelecida pela conjunção **pois** na frase Ⓑ? Dê uma conjunção sinônima que expresse a mesma relação.

c) Qual é a classificação da conjunção **pois** na frase Ⓐ e na frase Ⓑ? Explique a sua resposta.

Leia as frases de famosos escritores e responda às questões de **4** a **7** a seguir.

"O romance custa só você, o lápis e o papel, embora demande muito mais tempo e trabalho. Cinema é uma atividade muito mais superficial do que a literatura. (...) Digo, com base, que fazer cinema é mais fácil."

(Glauber Rocha)

"Palavras são um brinquedo que não fica velho. Quanto mais as crianças usam palavras, mais elas se renovam."

(José Paulo Paes)

"O que é bem dito diz-se com rapidez. (...) O bom, se é conciso, é duas vezes bom."

(Baltasar Gracián)

"Nada é tão inacreditável que a oratória não torne aceitável."

(Marco Túlio Cícero)

"Crianças, bêbados e psicóticos renovam as linguagens. Reinventam as maneiras de falar, pois criam fora dos livros."

(Manuel de Barros)

"A história se põe de pé enquanto escrevo. São os personagens que a criam."

(Jorge Amado)

"Sempre que alguém quer esgotar um assunto, esgota a paciência do leitor."

(Oscar Wilde)

(Revista *Língua Portuguesa*. set. e dez. 2008, p. 9.)

4 Indique as conjunções destacadas. E, se houver, também indique as locuções conjuntivas.

5 Observe o quadro abaixo. Ele contém algumas circunstâncias que as conjunções podem estabelecer entre termos e orações.

> condição — tempo — comparação — concessão — integração
> consequência — adição — explicação — proporção

Com base no quadro, identifique qual circunstância cada uma das conjunções destacadas nos textos estabelece.

6 Escolha uma dessas frases e reescreva-a substituindo a conjunção, mas mantendo a circunstância. Faça as adaptações necessárias.

7 Releia esta frase de Manuel de Barros:  DESAFIO

> "Crianças, bêbados e psicóticos renovam as linguagens.
> Reinventam as maneiras de falar, **pois** criam fora dos livros."

Reescreva-a de modo que a conjunção **pois** passe a ter sentido conclusivo. Faça as adequações de pontuação necessárias.

8 Leia a frase:

> Juliana ainda não chegou, mas telefonou.

Reescreva-a estabelecendo uma relação de adição. Faça as adaptações necessárias.

Leia o texto a seguir para resolver as questões **9** e **10**.

Minha primeira espinha
Meninos e meninas contam que até perdem festa e viagem por causa da acne

Terror dos adolescentes, as primeiras espinhas geralmente surgem lá pelos 11 ou 12 anos por causa de mudanças que acontecem no corpo. Mas essa novidade chata pode surgir ainda na infância.

Foi o que aconteceu com Júlia Santos Teixeira, 10, que "ganhou" a primeira espinha aos nove anos. (...) "Preferi ficar no computador enquanto ela não ia embora", diz a garota.

(...)

Sem cicatrizes

O problema é que muitas vezes as espinhas surgem em dias impróprios. A primeira espinha da Izabela Jacinto, 11, foi como um presente de grego no dia de seu aniversário. "Foi terrível porque faço aniversário perto do Natal." Ou seja, a estreia da acne ficou registrada nas fotos da família.

O dermatologista Wellington Furlani, da Unifesp, explica que ter uma ou duas espinhas de vez em quando não tem problema. "Mas os casos graves podem e devem ser tratados, para evitar o surgimento de cicatrizes", diz.

Gozação de colega estraga o dia

Se a primeira espinha a gente nunca esquece, é porque a lembrança nem sempre é boa.
(...)

Ana Carolina Quirino Grisaro, 12, concorda que as brincadeirinhas dos colegas no colégio são uma chateação à parte. "Quando tenho uma espinha grande, os meninos da escola ficam tirando sarro de mim, falam até que é uma cratera da Lua."
(...)

(Renata de Gáspari Valdejão e Carolina Salvatore. Em: http://www1.folha.uol.com.br/folhinha/dicas/di01110805.htm, acessado em 11 dez. 2008.)

9 Classifique as conjunções e as locuções conjuntivas subordinativas e coordenativas destacadas, de acordo com a circunstância que estabelecem entre as orações.

10 Reescreva as frases a seguir, extraídas do texto, substituindo a conjunção destacada por uma que indique a mesma circunstância.

"'Quando tenho uma espinha grande, os meninos da escola ficam tirando sarro de mim (...).'"

"'Mas os casos graves podem e devem ser tratados (...).'"

"'Foi terrível porque faço aniversário perto do Natal.'"

Conceito

Leia a crônica a seguir observando as palavras destacadas:

Engano

Toca o telefone:

— Alô?

— Alô, a RÊ taí?

— É ela, quem tá falando?

— Oi, RÊ, aqui é o FÊ.

— Oi, FÊ, comé que cê tá?

— Tô bem. Eu queria vê se cê sabe por onde anda a TÊ.

— Sei sim. Ontem mesmo eu a encontrei na festa do PÊ.

— PÊ? Que PÊ?

— O mano do GÊ, aquele que é chegado na RÔ, lembra?

— Mas o PÊ não morreu?

— Esse PÊ não. Quem morreu foi o PÊ da LU.

— Ah, é mesmo! E por falar nisso, como tá a LU?

— A LU sofreu muito, mas agora tá boa, até já arranjou outro namorado, o GU. Cê manja?

— GU..., GU... Ah! Agora me lembro, é o cunhado da DÊ, aquela que faz medicina, né?

— Não, não. Esse aí é o JU, marido da ZÊ, se formou o ano passado em comunicação.

— Puxa! O JU conseguiu se formar? Como?

— Lembra da SÔ, aquela japinha cê-dê-efe?

— Só.

— Então, ela passava cola pra ele na hora da prova.

— Mas, vamos falar sobre a TÊ, tá? Se cê encontrar com ela de novo, diz pra ela ligar pra mim, ok?

Ilustrações: Lucia Hiratsuka

— Ué, cê não tem telefone aí na república.

— Mas eu nunca morei em república, eu tô no apê da VI.

— Pô, FÊ! Então cê mentiu pra gente.

— Cê deve tá enganada, eu nunca falei que morava em república.

— O quê? Cê tá me chamando de mentirosa? Pois fique sabendo que cê que é mentiroso.

— Pô, vê se não enche, Renata!

— Renata? Mas aqui quem tá falando é a REGINA.

— Regina? Então foi engano, me desculpe.

— Mas então quem é você?

— Fernando.

— Fernando? Cê me desculpa também, pensei que fosse o FERREIRA.

(Alexandre Azevedo. *Que azar, Godofredo!*, 19. ed., São Paulo, 1989, p. 43-44.)

Nessa crônica, os personagens usam várias expressões que indicam chamamento (alô?, oi) e espanto (ah, é mesmo!, puxa!). Há também, no mesmo texto, outras expressões desse tipo, que demonstram sentimentos e emoções. Observe:

né?   ok?   ué   pô

Essas expressões são chamadas de **interjeições**.

> **Interjeição** é a palavra invariável que expressa emoção, apelo ou estado de espírito.

Locução interjetiva

Nem sempre a interjeição é expressa por uma única palavra. Um conjunto de palavras que tem o valor de interjeição é denominado **locução interjetiva**.

Veja o exemplo na charge a seguir:

"Graças a Deus, a crise americana não atravessou o Atlântico."

Do presidente Lula, nos EUA, desatento ao fato de que ela pode cortar caminho pelo Caribe.

Batistão

(*Veja*, ano 41, n. 39, Veja Essa. out. 2008, p. 64.)

A expressão graças a Deus é uma locução interjetiva, que expressa alívio e também agradecimento.

Veja outros exemplos de locuções interjetivas:

que horror!	muito obrigado!	Deus me livre!
pobre de mim!	santo Deus!	Deus me ajude!
nossa Senhora!	triste de mim!	valha-me Deus!
qual o quê!	pois sim!	ora bolas!
que pena!	essa não!	muito bem!

Classificação da interjeição

A interjeição pode ser classificada de acordo com o sentimento que expressa; no entanto, uma mesma interjeição pode ser pronunciada e usada de formas diversas. Assim, ela também é classificada de várias maneiras, ou seja, uma vez que se trata da manifestação de um sentimento, é a entonação dada pelo falante que determina as diferentes classificações.

Veja as tirinhas a seguir:

No primeiro quadrinho, a interjeição ah... foi pronunciada com a intenção de mostrar satisfação do personagem.

No primeiro quadrinho da tira, a interjeição ah, não! revela surpresa ou espanto do personagem por ter esquecido a sua fala, reforçada pela repetição da interjeição droga!, que também transmite a sua indignação.

Veja, a seguir, uma relação com as interjeições mais comuns e a sua classificação mais usual:

- **Admiração ou espanto** — ah! oh! oi! ui! hem! uai! xi! caramba! puxa! nossa! opa! credo! meu Deus! nossa senhora! puxa vida! virgem Maria! arre! santo Deus!
- **Advertência** — fogo! olha! cuidado! atenção! calma! alto!
- **Agradecimento** — obrigado! grato! valeu! muito obrigado!
- **Ajuda, apelo** ou **chamamento** — socorro! psiu! ô! ó! valha-me Deus! alô! hei!
- **Alegria** — ah! oba! viva! oh! eh! eta! aleluia!
- **Alívio** — ufa! arre! ah! oh!
- **Animação** — avante! eia! vamos! coragem! força! ânimo!
- **Aplauso** — bravo! bis! parabéns! apoiado! ótimo! viva! isso! muito bem!
- **Concordância** — sim! ótimo! claro! pois não!
- **Desejo** — tomara! oxalá! pudera! oh! queira Deus!
- **Dor** — ai! ui! ah! oh!
- **Dúvida, incredulidade** — qual! hum! qual o quê! pois sim!
- **Impaciência** ou **contrariedade** — hei! raios! ora bolas! droga!
- **Pena, comiseração** ou **lamento** — coitado! oh! ai! pobre de mim! que pena! triste dele!
- **Reprovação** ou **desacordo** — ora! qual! francamente! essa não!
- **Satisfação** — upa! oba! boa! opa! que bom! humm!
- **Saudação** — salve! oi! olá! ave! viva! adeus! tchau!
- **Silêncio** — psiu! silêncio! basta! alto! chega!
- **Surpresa** — oi! olá! ah! ó! oh! quê!
- **Terror, medo** — credo! cruzes! uh! ui! barbaridade! que horror!

Exercícios

1 Identifique os sentimentos ou as emoções que são expressos pelas interjeições destacadas nas cenas a seguir:

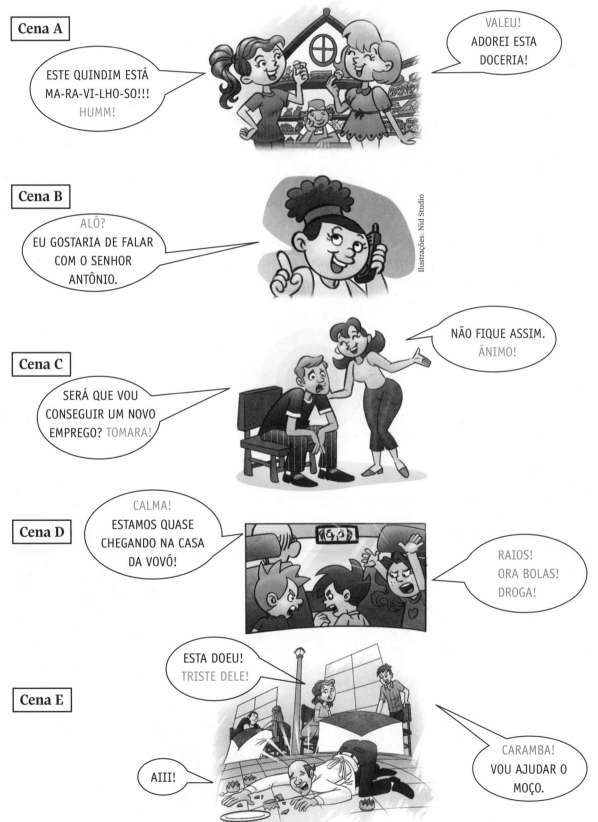

Cena A

ESTE QUINDIM ESTÁ MA-RA-VI-LHO-SO!!! HUMM!

VALEU! ADOREI ESTA DOCERIA!

Cena B

ALÔ? EU GOSTARIA DE FALAR COM O SENHOR ANTÔNIO.

Ilustrações: Nid Studio

Cena C

NÃO FIQUE ASSIM. ÂNIMO!

SERÁ QUE VOU CONSEGUIR UM NOVO EMPREGO? TOMARA!

Cena D

CALMA! ESTAMOS QUASE CHEGANDO NA CASA DA VOVÓ!

RAIOS! ORA BOLAS! DROGA!

Cena E

ESTA DOEU! TRISTE DELE!

CARAMBA! VOU AJUDAR O MOÇO.

AIII!

2 Reescreva as frases usando interjeições ou locuções interjetivas adequadas, levando em consideração a emoção que se pretende transmitir.

a) ★ que pontaria!

b) ★ Eu não esperava por essa!

c) ★ , que susto!

d) ★ Olhai por estas crianças!

e) ★ Como vai?

f) ★ Vem vindo um carro!

g) ★ , vou-me embora, cansei-me de você!

h) ★ Estou cansado de carregar esses quadros.

i) ★ Estou caindo!

j) ★ ! Minha filha passou no vestibular!

3 Classifique as interjeições utilizadas, no exercício **2** de acordo com os sentimentos por elas transmitidos.

4 a) Em quais frases do exercício **2** você utilizou locuções interjetivas?

b) Reescreva essas orações, substituindo as locuções por interjeições. Mantenha a classificação.

5 Escreva duas frases utilizando as interjeições:

a) Ui! — não deve expressar dor.

b) Puxa! — não deve expressar admiração.

6 Identifique os sentimentos ou as emoções expressos pelas interjeições destacadas nas piadas. Substitua-as por outras de sentido equivalente.

Texto A

Trote

Um menino pegou o telefone e ligou para o açougueiro:

— Bom dia! O senhor tem cabeça de porco?

— Tenho sim — disse o açougueiro.

— Tem também rabo de porco?

— Sim.

— E barriga de porco?

— Claro.

— Tem cara de porco? — perguntou o menino.

— Sim.

— E pata de porco, o senhor tem?

— Sim

— Puxa! — exclamou o menino. O senhor deve ser muito feio, hein?

Jorge Zaiba

(http://criancas.uol.com.br/piadas/piadas_criancas.jhtm, acessado em 20 dez. 2008.)

Passarinho

Um homem estava a caminho do trabalho quando um passarinho bateu em sua moto e desmaiou no chão. O motoqueiro pensou: "Coitadinho! Se eu deixar ele aí, vão passar por cima dele!". E levou o passarinho para sua casa. Chegando lá, colocou o passarinho numa gaiola com água e comida, mas nada de o bichinho acordar. O dono da moto foi trabalhar e algumas horas depois o passarinho acordou. Olhou para um lado, olhou para o outro e pensou: "Xiii! Matei o cara da moto e fui preso!".

(http://criancas.uol.com.br/piadas/piadas_bichos.jhtm, acessado em 20 dez. 2008.)

Ilustrações: Jorge Zaiba

Texto C

Mais uma do Joãozinho

Depois que Joãozinho voltou da escola, a mãe pergunta:
— Oi, meu filho. Como foi a escola hoje?
Joãozinho responde contente:
— Foi bem!
A mãe pergunta novamente:
— Que bom! Aprendeu tudo?
Joãozinho responde:
— Acho que não, mamãe, porque amanhã vou ter de ir para a escola de novo.

(http://criancas.uol.com.br/piadas/piadas_aula.jhtm, acessado em 20 dez. 2008.)

7 Escreva textos para os quadrinhos a seguir em que apareçam duas interjeições.

a)
b)
c)
d)
e)
f)

Ilustrações: Jorge Zaiba

Images.com/Corbis/LatinStock

Sintaxe

Frase, oração, período

Leia este cartão-postal enviado por Bárbara à sua amiga Clara, personagens do livro *Porta a porta*:

(Roseana Murray e Suzana Vargas. *Porta a porta*, São Paulo, Saraiva, 1998, p. 40.)

Observe, nesta frase retirada do texto, a análise dos termos que a compõem:

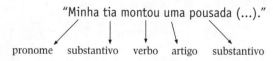

"Minha tia montou uma pousada (...)."

pronome   substantivo   verbo   artigo   substantivo

Este tipo de análise é chamado de **análise morfológica**, ou seja, cada palavra é analisada isoladamente das outras, considerando a sua estrutura e a sua formação. Veja:

- minha — pronome possessivo adjetivo, feminino, 1ª pessoa do singular;
- tia — substantivo comum, concreto, primitivo, feminino, singular;
- montou — verbo da 1ª conjugação, regular, 3ª pessoa do singular do pretérito perfeito do indicativo;
- uma — artigo indefinido, feminino, singular;
- pousada — substantivo comum, concreto, derivado, feminino, singular.

311

No entanto, é possível fazer outro tipo de análise, levando-se em consideração a função que as palavras exercem na frase e a relação que elas estabelecem entre si e com os demais termos da oração.

Ao estudo das relações entre palavras e orações e entre as orações de um texto, dá-se o nome de **análise sintática**.

O estudo da análise sintática inicia-se pela compreensão de três noções básicas, que veremos separadamente: **frase**, **oração** e **período**.

Frase

Veja os títulos e os trechos de artigos extraídos de uma revista:

Muito grande, muito VELHO

Um buraco negro gigantesco, com massa 10 bilhões de vezes maior que a do Sol, foi encontrado por astrofísicos da universidade americana Stanford. Além do tamanho, o objeto espacial chama a atenção por sua idade, calculada em 12 bilhões de anos. Como a idade do Universo é estimada em 13,7 bilhões de anos, os pesquisadores ficaram intrigados como algo tão grande pôde se formar em "apenas" 1 bilhão de anos.

O lugar mais quente do Sistema Solar

Io, uma das quatro maiores luas de Júpiter, abriga os ambientes mais quentes do Sistema Solar. A causa é o intenso vulcanismo em certas regiões do satélite. Os 100 vulcões de Io expelem uma lava que chega aos 1600 °C e transforma em vapor metais como potássio, silicone e ferro. Esses gases chegam à atmosfera onde formam estranhas combinações químicas como diocloreto de ferro. Foi a observação desses gases estranhos que deu aos cientistas a pista das altas temperaturas no satélite.

O CARRO QUE VEIO DO ESPAÇO

A tradicional prova automobilística das 24 horas de Le Mans este ano recebeu atenção também dos aficionados pelo espaço. O motivo foi a boa participação da escuderia italiana Pescarolo, que há dois anos utiliza em seus carros tecnologia desenvolvida pela Agência Espacial Europeia. (...) No caso do modelo C-60 que a Pescarolo usou em Le Mans, os maiores benefícios foram a redução de arrasto, melhora no controle do aquecimento do motor e diminuição do peso em impressionantes 38 kg. (...) O carro da Pescarolo chegou em quarto lugar.

(*Galileu*, n. 157, p. 11.)

Todos os títulos apresentam palavras relacionadas entre si de tal maneira que há sentido para estabelecer a comunicação. Em cada um deles, a relação entre as palavras é feita com o objetivo de possibilitar a compreensão do enunciado. Mesmo quando são usadas poucas palavras, elas nos remetem ao que está presente no texto, permitindo a sua compreensão, apesar de isoladas. Nesses exemplos, temos conjuntos de palavras que expressam uma mensagem definida. São **frases**.

Agora, observe estes trechos extraídos dos artigos:

> "Como a idade do Universo é (...)"
> "Os 100 vulcões de Io expelem (...)"
> "(...) os maiores benefícios foram (...)"

Nesses três casos, não há sentido completo: são necessárias mais informações para que o texto seja compreendido, pois não há relação lógica entre as palavras. Não há frases, apenas palavras soltas.

> **Frase** é o enunciado que apresenta sentido completo.

Agora, compare as três manchetes:

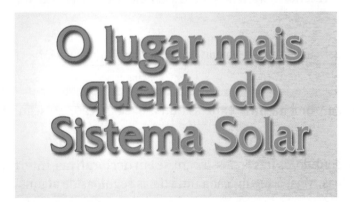

Todas as manchetes têm sentido completo. As duas primeiras não têm verbo na sua construção, mas a terceira tem.

Leia as frases desta tira de Jean Galvão:

Nos dois quadrinhos, há frases nominais, isto é, sem verbos, formadas cada uma por apenas uma palavra: Não. e Droga! As outras falas são constituídas de frases que contêm vários verbos.

Temos várias frases: algumas com verbos e outras sem; mas todas transmitem mensagens, inclusive a última fala do segundo quadrinho, que é formada por uma só palavra.

Podemos, então, chegar às seguintes conclusões:

- A frase deve ter sentido completo.
- Há frases sem verbo.
- Existem frases com apenas uma palavra.

Classificação das frases

As frases podem apresentar sentidos diferentes. Releia as frases abaixo, extraídas da tira de Jean Galvão:

"Acabe logo com esse suspense!
1ª frase

Vou disputar o segundo turno ou não?"
2ª frase

Nesses exemplos, a primeira frase expressa uma exclamação; na segunda, temos uma interrogação.

Assim, quanto ao sentido, as frases classificam-se em **declarativas**, **interrogativas**, **exclamativas**, **imperativas** e **optativas**. Veja, a seguir, cada uma delas seguidas de alguns exemplos.

Frases declarativas

São aquelas que apresentam uma declaração.
Veja este exemplo do texto de abertura do capítulo:

"As férias estão melhores do que eu previa."

A remetente do cartão-postal desse texto, Bárbara, está declarando uma informação sobre as suas férias.

As **frases declarativas** podem ser:

1 **Afirmativas**:

"Minha tia montou uma pousada e tenho ido ajudá-la com os hóspedes."

2 **Negativas**:

"Mas o espaço não dá para contar."

Leia a história em quadrinhos, a seguir, com outros exemplos de frases negativas:

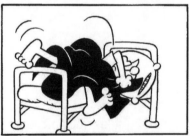

(...) que o Zero ainda não tá de pé."

frase declarativa negativa

"Meu cobertor não me deixa ir."

frase declarativa negativa

Frases interrogativas

São frases que apresentam uma pergunta. Observe:

Que tal você ajudar a sua mãe nos afazeres da casa?

Na tira abaixo, encontramos uma frase interrogativa e uma frase negativa, respectivamente:

Frases exclamativas

São frases em que se expressa admiração.

Este é o sentimento do Sargento Tainha na fala ao lado, extraída da história em quadrinhos do Recruta Zero que você leu. Observe:

Frases imperativas

São aquelas que apresentam ordem ou pedido.

Observe a ordem expressa pelo superior do Recruta Zero na frase ao lado:

Frases optativas

São frases que apresentam um desejo.

Leia as frases destacadas neste trecho literário:

"Marquinhos: Até que enfim vc voltou! Isso aqui andava uma depressão. E eu sem as minhas aulas! Graças ao seu *blog* fiz grandes melhorias c/ as gatas da cidade. Valeu Marina. Seja bem-vinda!"

(Júlio Emílio Braz e Janaina Vieira.
O blog da Marina, São Paulo, Saraiva, p. 57.)

Cibele Queiroz.

Oração

Leia a crônica de Alexandre Azevedo:

O vendedor de queijos

Saiu o vendedor de queijos a vender seus queijos pelas ruas da cidade. Na primeira casa que encontrou, arriou sua sacola e pôs-se a bater palmas. A empregada, pobremente vestida, saiu à porta para atendê-lo:

— Pois, não?

— A patroa não deseja comprar um queijinho?

A empregada mandou-o esperar um instante e foi para dentro da casa perguntar à patroa se ela não queria queijo. Alguns minutos depois, a empregada voltou:

— A patroa mandou perguntar se é mineiro.

— Não, senhora, sou paraibano!

A empregada foi novamente falar com a patroa. Depois:

— A patroa quer saber se o queijo é de Minas.

— Sei não, senhora. Acho que nasceu aqui mesmo. Que diferença faz se é mineiro ou cearense? Queijo é queijo!

— Mas a patroa disse que só compra se ele for mineiro! É mineiro ou não é?

O vendedor, para não perder a freguesa, falou que era.

— Então, prova! — disse a empregada.

— Olha, dona, eu não tenho aqui comigo a certidão de nascimento dele, não. Mas só tem um jeito de descobrir se ele é mineiro ou não.

— E qual é? — quis saber a empregada.

— Fácil — respondeu ele. — A senhora dá uma apertadinha nele. Se ele disser *uai*, é mineiro!

— E se não disser? — indagou a empregada.

— Não tem erro. É mineiro mudo!

(Alexandre Azevedo. *O vendedor de queijos e outras crônicas*, 14. ed., São Paulo, Atual, 2007, p. 25-26.)

Oração é o conjunto de palavras organizado em torno de um verbo (ou de uma locução verbal). Ao contrário do que acontece com a frase, não há oração sem verbo, e a cada verbo corresponde uma oração. Observe:

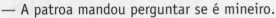

"Alguns minutos depois, a empregada voltou"

um verbo = uma oração (neste caso, com sentido completo)

317

Há orações que não têm sentido completo; nesses casos, é necessária outra oração para completá-las. Observe o enunciado a seguir:

verbo

locução verbal

"A patroa quer saber se o queijo é de Minas."

1ª oração   2ª oração

Nenhuma das duas orações, isoladas, tem sentido completo, pois não se estabelece uma comunicação eficiente. Os dois enunciados são compreensíveis apenas porque foram colocados um completando o outro, quando então adquirem sentido. Quando isso acontece, essas duas orações formam uma frase.

Assim, temos que:

• Nem toda oração é uma frase.
• Nem toda frase é uma oração.

Observe estes exemplos:

"Pois, não?" ⟶ É uma frase; porém, não é uma oração, pois não há verbo.

"A patroa mandou perguntar (...)" ⟶ É uma oração, pois possui verbo; porém, não é

locução verbal   uma frase, pois não tem sentido completo.

Cibele Queiroz

"Que diferença faz   se é mineiro ou cearense?"

verbo: uma oração   verbo: outra oração

É uma frase que contém duas orações.

Oração é o enunciado que se estrutura em torno de um verbo ou uma locução verbal.

Veja outros exemplos de oração:

"Saiu o vendedor de queijos   a vender seus queijos pelas ruas da cidade."

1ª oração   2ª oração

"(...) eu não tenho aqui comigo a certidão de nascimento dele, não.

oração

Mas só tem um jeito   de descobrir   se ele é mineiro ou não."

1ª oração   2ª oração   3ª oração

Período

O enunciado de uma frase formada por uma ou mais orações recebe o nome de **período** — que apresenta, necessariamente, sentido completo.

Observe este exemplo, extraído do texto *O vendedor de queijos*:

"É mineiro mudo!"

Temos, portanto:

- uma frase, pois o sentido está completo;
- uma oração, pois há um verbo (é);
- um período, pois há uma oração.

Agora, leia o enunciado abaixo:

"Mas a patroa disse que só compra se ele for mineiro!"

Nesse exemplo, temos:

- uma frase, pois o sentido está completo;
- três orações, pois há três verbos;
- um período, pois as orações compõem um só enunciado, encerrado pelo ponto de exclamação.

> **Período** é o enunciado com sentido completo, estruturado em uma ou várias orações.

O período classifica-se em:

1 **Simples** — quando é constituído por uma só oração, chamada absoluta.

2 **Composto** — quando é constituído por mais de uma oração.

Veja, nas charges abaixo, os exemplos de períodos simples e compostos:

ALÉM DO HORIZONTE

- *Famintos e miseráveis, sigam-me! Eu os conduzirei a um mundo de "quentinhas" e cestas básicas!*

HORÁRIO ELEITORAL NA TV

VOTE

DEPUTADO FEDERAL

- *Não me julguem pelos erros que já cometi, mas sim por aqueles que eu ainda posso cometer!*

Na primeira charge, temos dois verbos (sigam e conduzirei) em duas orações absolutas; logo, há dois períodos simples.

Na segunda, encontramos um período composto, formado por três orações (dois verbos — julguem e cometi — e uma locução verbal — posso cometer).

1 Leia a tira e resolva as questões:

Mauricio de Sousa Produções - Brasil/2009

a) No primeiro quadrinho, classifique cada fala dos personagens, em frase, oração ou período. Explique a sua resposta.

b) O que é necessário fazer, na primeira fala da tirinha, para que a classificação seja alterada? Dê um exemplo.

2 No quadro a seguir, estão escritos os vários sentidos que uma frase pode apresentar:

> declarativa   interrogativa   optativa
>
> exclamativa   imperativa

Leia este trecho de uma narrativa policial:

Uma janela para o crime

Nid Studio

Qual seria o assunto importante?, pensou Lígia. Durante alguns instantes não obteve resposta: Segurança! Com o pai sequestrado, dona Olívia queria contratá-la para segurança, um bico, bem que estava precisando de dinheiro. O dia que não puder, mando o Edu.

No horário combinado, Lígia se dirigiu à portaria do prédio onde morava sua ex-professora e amiga.

— Quero falar com dona Olívia, da cobertura.

— Seu nome?

— Lígia.

O porteiro apanhou o interfone.

— Pode subir.

Lígia subiu os degraus ladeados de plantas, abriu a porta de vidro espesso. O vestíbulo impressionava: piso de granito, quadros nas paredes, estátua de bronze, lustre de cristal, objetos de arte, um perfume de couro e pinho.

(Cloder Rivas Martos. *Uma janela para o crime*, São Paulo, Saraiva, 2000, p. 9.)

a) Classifique as frases destacadas, de acordo com o quadro.

b) Retire do trecho duas frases que não apresentam verbo.

c) Reescreva as frases que você escolheu no item **b**, inserindo um ou mais verbos em cada uma.

d) Quais são os tipos de frases que não aparecem destacadas no texto? Reescreva alguma frase nele presente ou crie novas que exemplifiquem essa classificação. (Atenção: as frases devem fazer sentido no texto.)

3 Leia abaixo a continuação do texto do exercício **2**, que foi separado em itens.

- Rápido e silencioso, o elevador a levou até o vigésimo andar.
- A dona da casa a esperava na saída do elevador.
- Vestia uma camisa de seda malva e uma saia azul.
- A tragédia dos últimos meses deixara vestígios na face e nos cabelos, entortara um pouco a boca e apagara o brilho dos olhos.
- Ambas se abraçaram e trocaram cumprimentos.
- — Vamos entrar —
- disse Olívia.
- A voz era diferente dos tempos de balé.
- — Sente-se, por favor —
- ela falou num tom baixo, algo rouco, denso, mas que chegava docemente ao ouvido.
- Lígia afundou no sofá de couro e começaram a conversar.
- Concordaram que os tempos da escola de dança foram ótimos, que o Tatuapé se desenvolvera muito e que o tempo andava maluco.

(Cloder Rivas Martos. *Uma janela para o crime*, São Paulo, Saraiva, 2000, p. 10.)

a) Identifique os verbos e dê o número de orações em cada item.

b) Classifique cada item em período simples ou composto.

4 Leia a história em quadrinhos abaixo:

a) Destaque as frases nominais, sem repeti-las.

b) Transforme-as em frases verbais, ou orações.

c) Reescreva a frase verbal do terceiro quadrinho (como no exercício **2**), acrescentando a ela outra oração. Utilize uma conjunção coordenativa aditiva para ligar as duas orações.

d) Quantos verbos e quantas orações apresenta a frase reescrita do item **c**?

e) Qual é a classificação desse período?

f) Qual é a classificação da frase do sexto quadrinho? Explique-a.

g) Qual é a classificação desse período? Justifique a sua resposta.

5 Leia a tirinha:

Identifique no texto:

a) uma frase interrogativa afirmativa;

b) um período composto;

c) uma frase interrogativa negativa;

d) uma oração absoluta;

e) uma frase exclamativa;

f) uma frase imperativa;

g) uma frase nominal.

Conceito

Leia o texto abaixo, de Rubem Braga:

O crime (de plágio) perfeito

Aconteceu em São Paulo, por volta de 1933, ou 4. Eu fazia crônicas diárias no *Diário de São Paulo* e além disso era encarregado de reportagens e serviços de redação; ainda tinha uns bicos por fora. Fundou-se naquela ocasião um semanário humorístico, *O Interventor*, que depois haveria de se chamar *O Governador*. Seu dono era Laio Martins, excelente homem de cabelos brancos e sorriso claro, boêmio e muito amigo. Pediu-me colaboração; o que podia pagar era muito pouco, mas eu não queria faltar ao amigo. Escrevi algumas crônicas assinadas. Depois comecei a falhar muito, e como Laio reclamasse, inventei um pretexto para não escrever. Seu jornal era excessivamente político (perrepista, se bem me lembro) e eu não queria tomar partido na política paulista, mesmo porque tinha muitos amigos antiperrepistas. Laio não se conformou: "Então ponha um pseudônimo!".

Prometi de pedra e cal, mas não cumpri. Laio reclamou novamente, me deu prazo certo para lhe entregar a crônica. No dia marcado eu estava atarefadíssimo, e quando veio o contínuo buscar a crônica para *O Interventor* eu cocei a cabeça — e tive uma ideia. Acabara de ler uma crônica de Carlos Drummond de Andrade no *Minas Gerais*, órgão oficial de Minas, com um pseudônimo — algo assim como Antônio João, ou João Antônio, ou Manuel Antônio, não me lembro mais; ponhamos Antônio João. Botei papel na máquina, copiei a crônica rapidamente e lasquei o mesmo pseudônimo.

O remorso não era, na verdade, muito: Carlos não sabia de nada, e o que eu fazia não era propriamente um plágio, porque nem usava matéria assinada por ele, nem punha o meu nome em trabalho dele. E Laio Martins sorria feliz, comentando com meu colega de redação: "O Rubem não quer assinar, mas que importa? Seu estilo é inconfundível!".

O estilo era inconfundível e o chope era bem tirado; mas você pode ter certeza, Carlos Drummond de Andrade, que muitas vezes eu o bebi à sua saúde, ou melhor, à saúde do Antônio João, isto é, à nossa. Dos 25 mil-réis que Laio me pagava, eu dava 5 para o menino que batia à máquina; era muito dinheiro para um menino naquele tempo, e isso fazia o menino feliz. Enfim, lá em São Paulo, todos éramos felizes graças ao seu trabalho: Laio, o menino, os leitores e eu — e você em Minas não era infeliz.

Não creio que possa haver um crime mais perfeito.

(Rubem Braga. *200 crônicas escolhidas — as melhores de Rubem Braga*, Rio de Janeiro, Record, 1977, p. 279-280.)

A oração "Eu fazia crônicas diárias no *Diário de São Paulo* (...)" pode ser separada em dois elementos importantes:

• 1º elemento — de quem se fala: "eu" (narrador representando Rubem Braga);
• 2º elemento — aquilo que se fala sobre o 1º elemento: "fazia crônicas diárias no *Diário de São Paulo*".

Normalmente, as orações são constituídas por estes dois elementos básicos: o termo que indica a respeito de quem (ou do que) se fala e o termo que indica o que se fala sobre o anterior. Ao primeiro termo damos o nome de **sujeito**, e ao segundo, de **predicado**.

Observe outros exemplos:

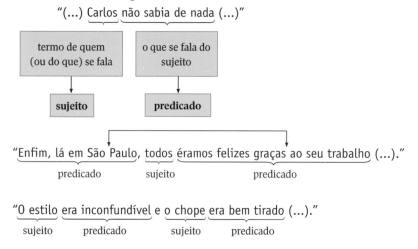

Todas essas orações têm sujeito e predicado. Esses dois termos são chamados de **termos essenciais da oração**. Não existe oração sem predicado, embora possa existir oração sem sujeito.

> **Sujeito** é o termo da oração a respeito do qual se faz uma declaração.
> **Predicado** é o termo da oração que declara alguma informação a respeito do sujeito.

Sujeito

O sujeito pode estar no início, no meio ou no final da oração.

Quando o sujeito estiver no início da oração, seguido pelo predicado, dizemos que os termos estão na **ordem direta**. Quando o predicado antecede o sujeito, dizemos que os termos estão na **ordem inversa**. Veja:

• **ordem direta**:

"Laio reclamou novamente (...)"
sujeito predicado

• **ordem inversa**:

"veio o contínuo buscar a crônica para *O Interventor* (...)"
predicado sujeito predicado

Na ordem direta, essa oração ficaria assim:

o contínuo veio buscar a crônica para *O Interventor*
sujeito predicado

Núcleo do sujeito

O núcleo do sujeito é a palavra principal que dele participa.

Veja as duas orações do exemplo e observe os sujeitos destacados:

"(...) eu não queria tomar partido na política paulista (...)"

"Seu dono era Laio Martins (...)."

IMPORTANTE!

Nem sempre o sujeito é representado pelo termo que precede o verbo.

Para se identificar corretamente o sujeito de uma oração, é preciso **antes observar o verbo** e, em seguida, determinar o termo a que este verbo se refere, ou seja, de quem se fala. Identificado o sujeito, o restante da oração será o predicado.

No primeiro exemplo, a forma verbal **queria** pede um sujeito a respeito de quem se fala: eu. Nesse caso, o sujeito é composto por uma só palavra — eu —, que também é o núcleo do sujeito. Já no segundo exemplo, seu dono é o sujeito, e a palavra dono é o núcleo do sujeito.

O **núcleo do sujeito** pode ser constituído por: um substantivo, um pronome, uma palavra ou expressão com valor de substantivo, ou uma oração.

Observe os exemplos a seguir de diferentes constituições do núcleo do sujeito.

• Núcleo do sujeito: um substantivo.

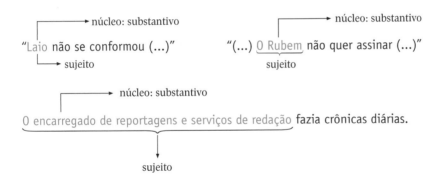

• Núcleo do sujeito: um pronome.

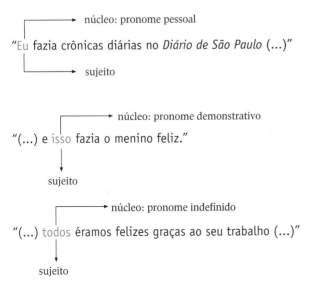

• Núcleo do sujeito: uma palavra ou uma expressão com valor de substantivo.

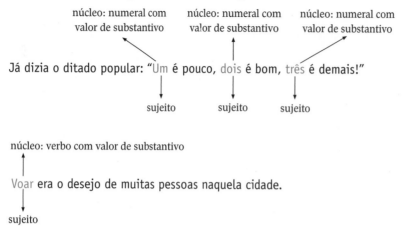

núcleo: numeral com valor de substantivo | núcleo: numeral com valor de substantivo | núcleo: numeral com valor de substantivo

Já dizia o ditado popular: "Um é pouco, dois é bom, três é demais!"

sujeito | sujeito | sujeito

núcleo: verbo com valor de substantivo

Voar era o desejo de muitas pessoas naquela cidade.

sujeito

• Núcleo do sujeito: uma oração.

Dorinho

Observe que, nesta charge, o núcleo do sujeito é constituído por uma oração:

núcleo: oração

"Parece que ele tá rindo de mim!!!"

sujeito

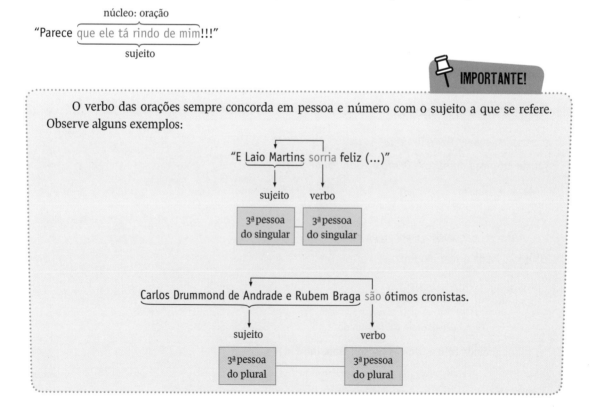

IMPORTANTE!

O verbo das orações sempre concorda em pessoa e número com o sujeito a que se refere. Observe alguns exemplos:

"E Laio Martins sorria feliz (...)"

sujeito | verbo

3ª pessoa do singular | 3ª pessoa do singular

Carlos Drummond de Andrade e Rubem Braga são ótimos cronistas.

sujeito | verbo

3ª pessoa do plural | 3ª pessoa do plural

Classificação do sujeito

O sujeito pode ser classificado em **determinado** e **indeterminado**. Existem, também, **orações sem sujeito**.

Sujeito determinado

Leia a tira:

O sujeito do verbo **falta** é expresso por cinco palavras, mas apenas um núcleo, já que a palavra novelo é a mais significativa.

Quando o sujeito possui um só núcleo, ele é classificado como **determinado simples**. Nesse caso, não importa o número de palavras que o compõem, mas sim a quantidade de núcleos que ele apresenta.

LEMBRE-SE!

O **núcleo** é o elemento principal de um termo.

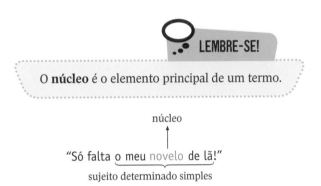

Nem sempre, porém, o sujeito determinado simples aparece explicitamente na oração. É possível identificá-lo ao examinarmos o contexto e o verbo, pois sabemos que o verbo concorda em pessoa e número com o sujeito.

Observe a fala que aparece no primeiro quadrinho:

"Já acabou de arrumar a mala para as férias?"

Se examinarmos a locução verbal da oração — acabou de arrumar —, concluiremos que:
• acabou de arrumar está na 3ª pessoa do singular;
• o sujeito é você, que também corresponde à 3ª pessoa do singular.

No caso, devido ao contexto, deduzimos que o cão se dirige ao gato usando o pronome de tratamento você, que exige verbo na 3ª pessoa do singular.

Apesar de estar oculto na oração, esse sujeito pode ser **determinado**; por isso, recebe o nome de **sujeito determinado oculto**, **desinencial** ou **subentendido**.

Sujeito simples é aquele que apresenta um único núcleo.

Existem orações cujo sujeito possui dois ou mais núcleos. Veja a tira:

No primeiro quadrinho, o verbo podem está ligado ao sujeito Suriá, Flip e Top. Quando se apresentam dois ou mais núcleos, o sujeito é classificado como **determinado composto**.

> **Sujeito composto** é aquele que apresenta dois ou mais núcleos.

Sujeito indeterminado

Observe o trecho de letra de música abaixo:

Alguém me avisou

Foram me chamar
Eu estou aqui, o que é que há
Eu vim de lá, eu vim de lá pequenininho
Mas eu vim de lá pequenininho
Alguém me avisou pra pisar nesse chão devagarinho
(...)

(Dona Ivone Lara. *Sorriso negro*. Atlantic/WEA, 1981.)

Márcia Széliga

Para identificar o sujeito da oração do primeiro verso, examinamos o verbo: está na 3ª pessoa do plural. Entretanto, não podemos identificar claramente a quem esse verbo se refere. Poderia ser: eles foram me chamar, vocês foram me chamar, algumas pessoas foram me chamar. Neste caso, não é possível determinar o sujeito mesmo que consideremos o contexto. Por isso, ele é denominado sujeito **indeterminado**.

> **Sujeito indeterminado** é aquele que não está expresso na oração e que não pode ser identificado.

Na língua portuguesa, há duas maneiras de se indeterminar o sujeito:

Editora Saraiva

- com o verbo na 3ª pessoa do plural;
- com o verbo na 3ª pessoa do singular mais a partícula **se**, que exerce a função de **índice de indeterminação do sujeito**. Nesse caso, o verbo deve ser intransitivo (VI), transitivo direto (VTD) ou de ligação (VL). (No item Predicado, p. 331, vamos estudar esses verbos.)

Lucas Lacaz Ruiz/Folha Imagem

Observe que, examinando o verbo na placa, não se pode afirmar qual é o sujeito da frase, embora exista um praticante da ação expressa pelo verbo precisar. Portanto, o sujeito é indeterminado.

Oração sem sujeito

Nos dois quadrinhos, ao examinarmos os verbos nevar e haver para identificar os seus sujeitos, verificamos que não existe, nas orações em que estão inseridos, um termo que expresse o elemento de que se fala. Nessas orações, portanto, não há sujeito; há apenas predicado. Trata-se de **orações sem sujeito**.

> **Oração sem sujeito** é aquela que expressa um fato que não é atribuído a nenhum ser.

Não são apenas os verbos nevar e haver que produzem orações sem sujeito. Essas orações ocorrem sempre que o verbo é **impessoal**, isto é, quando o verbo não se refere a sujeito de nenhum tipo, nem indica um ser. Nesses casos, o verbo está sempre na 3ª pessoa do singular.

A **oração sem sujeito** pode ocorrer nos seguintes casos:

1 Com os verbos **haver** e **fazer**, quando indicam tempo transcorrido.
Leia as seguintes manchetes:

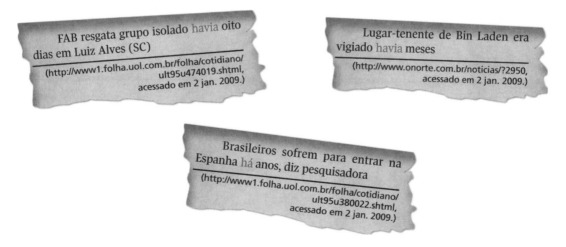

FAB resgata grupo isolado havia oito dias em Luiz Alves (SC)
(http://www1.folha.uol.com.br/folha/cotidiano/ult95u474019.shtml, acessado em 2 jan. 2009.)

Lugar-tenente de Bin Laden era vigiado havia meses
(http://www.onorte.com.br/noticias/?2950, acessado em 2 jan. 2009.)

Brasileiros sofrem para entrar na Espanha há anos, diz pesquisadora
(http://www1.folha.uol.com.br/folha/cotidiano/ult95u380022.shtml, acessado em 2 jan. 2009.)

Observe que os verbos destacados estão na 3ª pessoa do singular, pois são impessoais. Veja como é possível substituí-los pelo verbo **fazer**, que permanece como verbo impessoal:

Brasileiros sofrem para entrar na Espanha faz anos, diz pesquisadora

FAB resgata grupo isolado fazia oito dias em Luiz Alves (SC)

Lugar-tenente de Bin Laden era vigiado fazia meses

329

2 Com o verbo **haver** no sentido de "existir" (haver = existir é sempre impessoal). Observe as orações sem sujeito destacadas:

Fumo

Longe de ti são ermos os caminhos.
Longe de ti não há luar nem rosas,
Longe de ti há noites silenciosas,
Há dias sem calor, beirais sem ninhos!

Meus olhos são dois velhos pobrezinhos
Perdidos pelas noites invernosas...
Abertos, sonham mãos cariciosas,

Tuas mãos doces, plenas de carinhos!
Os dias são outonos: choram... choram...
Há crisântemos roxos que descoram...
Há murmúrios dolentes de segredos...

Invoco o nosso sonho! Estendo os braços!
E ele é, ó meu Amor, pelos espaços,
Fumo, leve que foge entre os meus dedos!...

(http://www.releituras.com/fespanca_fumo.asp
acessado em 7 jan. 2009.)

Veja como ficariam as orações destacadas no soneto acima com o verbo **existir**:

Longe de ti não existem luar nem rosas,
Longe de ti existem noites silenciosas,
Existem dias sem calor, beirais sem ninhos!

Existem crisântemos roxos que descoram...
Existem murmúrios dolentes de segredos...

Retomando como exemplo a fala de Hagar, na tira da página 329: se fosse empregado o verbo **existir**, a oração passaria a ter sujeito, pois esse verbo não é impessoal.

"Como a gente se arranjava quando não havia previsões do tempo?"

oração sem sujeito

Como a gente se arranjava quando não existiam previsões do tempo?

sujeito

ATENÇÃO!

Se o sujeito é composto ou está no plural, o verbo **existir** também irá para o plural; pois, como esse verbo não é impessoal, sempre concorda em pessoa e número com o sujeito a que se refere. Veja os exemplos:

Longe de ti existem **noites** silenciosas,

sujeito simples: um núcleo no plural (**noites**)

Existem **dias** sem calor, **beirais** sem ninhos!

Sujeito composto: dois núcleos (**dias** e **beirais**)

3 Com os verbos **ser** e **estar** quando indicam tempo ou clima. Observe as orações e as palavras destacadas:

Era um lindo dia de verão; como estava muito quente, as crianças foram brincar no parque antes do almoço de domingo.

Quando indica horas definidas, o verbo **ser** concorda com o numeral a que se refere, mesmo sendo um verbo impessoal. Veja:

É meio-dia, hora da macarronada!
São quatro horas, venham tomar café!

4 Com os verbos **anoitecer**, **chover**, **nevar**, **ventar** e outros que indicam fenômenos da natureza. Veja estes exemplos:

Choveu torrencialmente durante o Carnaval; ventou tanto que muitas casas foram destelhadas, e pessoas ficaram desabrigadas.

> **OBSERVAÇÃO**
>
> Se um verbo auxiliar acompanhar um verbo impessoal (formando uma locução verbal), o auxiliar permanece na 3ª pessoa do singular e também se torna impessoal. Veja:
>
> locução verbal
> No Brasil, por causa das chuvas, pode haver deslizamentos de terra; nos Estados Unidos, devido a um inverno rigoroso, pode nevar durante dias seguidos.
> locução verbal

Predicado

Leia o artigo abaixo:

Até criações de Lobato ganham traços em mangá

Apaixonado por mangás desde os 5 anos — por conta da influência de vizinhos japoneses — o artista paulistano Fábio Shin recebeu um convite muito especial em junho da Secretaria Municipal de Cultura de Osasco. Deveria criar desenhos para expor na biblioteca pública em dupla comemoração: o centenário da imigração japonesa e os 60 anos de morte de Monteiro Lobato (1882-1948).

Não teve dúvida. Recriou no estilo mangá cinco personagens do *Sítio do Picapau Amarelo*. O sucesso foi tão grande entre a garotada que ele deu seguimento ao trabalho e criou uma série de ilustrações, 18 delas atualmente expostas na Biblioteca do Santander Cultural, dentro de um projeto voltado para alunos da rede pública.

Num desses desenhos, Lobato é um boneco nas mãos da Emília. "As pessoas ainda não tinham se dado conta, mas Emília tem tudo a ver com o mangá", explica Shin. "Ela é uma boneca, mas tem sentimentos humanos", diz. E explica: "Essa é uma das mais atraentes características do mangá: a humanidade. Por exemplo, o super-homem, só para citar um herói de quadrinhos, não tem dor de barriga, não tem fome, não vai ao banheiro. Os personagens de mangá brigam, têm raiva, ficam felizes ou tristes, erram. A Emília é sapeca, adora pregar peças, tem tudo de mangá."

E não só ela. Para a exposição, Shin criou tirinhas de algumas histórias do sítio, como A Chave do Tamanho. E ainda dá oficinas de mangá para alunos da rede pública. (...)

(*O Estado de S. Paulo*, 15 nov. 2008, p. D4. Texto adaptado.)

Já vimos que o predicado é termo essencial da oração. Ele fornece alguma informação sobre o sujeito. Veja, por exemplo, a oração a seguir:

"(...) Lobato é um boneco nas mãos da Emília."

Como o predicado é a informação declarada sobre o sujeito, temos:

"(...) Lobato é um boneco nas mãos da Emília."

predicado

sujeito

Assim como existem alguns tipos de sujeito, existem também tipos diferentes de predicado. Essa classificação depende da maneira como o verbo participa da formação do predicado e, por isso, a essa parte da Sintaxe dá-se o nome de **predicação**.

Classificação do predicado

O predicado classifica-se em **verbal**, **nominal** e **verbo-nominal**.

Predicado verbal

Observe:

"(...) Shin criou tirinhas de algumas histórias do sítio, como A Chave do Tamanho."

predicado

sujeito

Nessa oração, o verbo criou indica uma ação e é o núcleo do predicado, ou seja, é a palavra principal que dele participa. Nesse caso, dizemos que o predicado é **verbal**.

> **Predicado verbal** é aquele cujo núcleo é constituído por verbo ou locução verbal. Geralmente, esse verbo é de ação ou fenômeno da natureza.

O **predicado verbal** forma-se de vários modos:

• com um verbo que não exige complementação de sentido, como **brigar** e **errar**, que têm sentido completo.

"Os personagens de mangá brigam, (...) erram."

sentido completo   sentido completo

• com um verbo que exige complementação de sentido.

"Não teve dúvida."

complemento verbal

"E ainda dá oficinas de mangá para alunos da rede pública."

complemento verbal   complemento verbal

Assim:

• ter alguma coisa;
• dar alguma coisa a alguém.

Por esses exemplos, podemos concluir que há dois tipos de verbos no predicado verbal:

• **verbo intransitivo** — aquele que não pede complemento;
• **verbo transitivo** — aquele que pede um ou mais complementos.

Verbos intransitivos

Leia este poema de Fernando Pessoa:

O que me dói não é

O que me dói não é
O que há no coração
Mas essas coisas lindas
Que nunca existirão...

São as formas sem forma
Que passam sem que a dor
As possa conhecer
Ou as sonhar o amor.

São como se a tristeza
Fosse árvore e, uma a uma,
Caíssem suas folhas
Entre o vestígio e a bruma.

(Fernando Pessoa. *Cancioneiro*. Em: http://www.cfh.ufsc.br/~magno/cancioneiro.htm, acessado em 10 dez. 2008.)

Vimos que verbos intransitivos são aqueles que não necessitam de complemento para ter sentido. Aos verbos destacados no poema poderíamos acrescentar outras palavras, mas o seu sentido já está completo.

Observe outros exemplos com esses verbos:

Juliana caiu ontem e a sua perna ainda dói; os seus pais lhe disseram que essa dor passará.

Verbos transitivos

Leia o trecho inicial do conto de Edson Gabriel Garcia:

Enfim...

Primeiro foi o bilhetinho dobrado cuidadosamente, com o mesmo cuidado dispensado às lições de Matemática, e colocado no livro de Geografia dela.

(...)

No mesmo dia, antes do final das aulas, Geleia colocou o papel do Sonho de Valsa preso a um clipe no caderno de História. História seria a última aula e havia exercícios para serem conferidos nos cadernos. Ele não viu quando ela pegou o caderno, nem o que fez com o papel. Mas imaginou que ela tinha visto e entendido a mensagem. Só que não comentou com ele e Geleia de novo ficou sem saber. Ficou com raiva dele mesmo, por lhe faltar coragem para falar diretamente com ela, expor-lhe seu sentimento e esperar por uma decisão. Na verdade, estava com medo do jogo. Poderia ganhar uma namorada e perder uma amiga. Ou perder as duas. Era bem por isso que ia levando a coisa mais como um jogo de esconde-esconde. (...)

(Edson Gabriel Garcia. Em: *Contos de amor novo*, 13. ed., São Paulo, Atual, 1991, p. 43-45.)

Roberto Weigand

333

Leia, agora, os exemplos retirados do texto:

"(...) expor-lhe seu sentimento e esperar por uma decisão."
"Poderia ganhar uma namorada e perder uma amiga."

Os verbos destacados acima exigem complemento para ter sentido completo. Nessas frases, para verificar qual é o complemento, podemos fazer a seguinte reflexão: quem expõe, expõe algo a alguém; quem espera, espera por alguma coisa (ou por alguém); quem ganha, ganha alguém (ou alguma coisa); quem perde, perde alguém (ou alguma coisa).

Os complementos e os verbos a que se referem estão ligados direta ou indiretamente — o que significa que exigem ou não a presença de uma preposição. Por isso, os verbos transitivos se apresentam como **transitivos diretos** (normalmente sem preposição), **transitivos indiretos** (com preposição) e **transitivos diretos e indiretos**.

Com relação aos exemplos anteriores, veja a classificação de cada verbo:

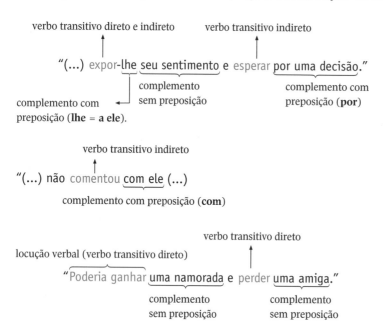

Observe, no quadro a seguir, que esses verbos precisam de complemento e o que muda é a presença ou não de preposição:

Verbo (ou locução verbal)	Preposição	Complemento
Expor	a	ele (lhe)
Expor	—	seu sentimento
Esperar	por	uma decisão
Comentar	com	ele
Poderia ganhar	—	uma namorada
Perder	—	uma amiga

IMPORTANTE!

Os verbos não têm uma classificação muito rígida, pois dependem do sentido que assumem na frase em que são usados.

Observe:

O bebê dormiu rapidamente.

intransitivo

Nessa frase, o verbo dormir é intransitivo, pois a palavra rapidamente apenas indica a maneira como o sujeito bebê praticou a ação expressa pelo verbo.

Agora observe:

O bebê dormia um sono pesado.

transitivo

Nessa frase, o verbo dormir é transitivo, pois a expressão um sono pesado complementa a significação do verbo.

Os verbos intransitivos, portanto, podem se tornar transitivos dependendo do sentido da frase. O inverso também pode ocorrer, ou seja, verbos transitivos podem ser usados como intransitivos. Observe:

Não vejo nada.   Os cegos não veem.

complemento

transitivo   intransitivo
direto

Portanto, para classificar um verbo quanto à predicação, observe sempre o sentido que ele tem na frase.

Predicado nominal

Leia a história em quadrinhos a seguir:

O verbo ficar, em destaque nos quadrinhos, não indica nenhuma ação. Observe:

"(...) nós gatos ficamos enfeitiçados..."
   sujeito   predicado

"Nossos olhos ficam injetados de sangue..."
   sujeito   predicado

"E o pelo fica todo eriçado."
   sujeito   predicado

"(...) (ele) ficou pálido (...)"
                  predicado
sujeito oculto

O verbo ficar liga o sujeito das orações acima **nós gatos**, **nossos olhos**, **o pelo**, **ele** (oculto) respectivamente às palavras **enfeitiçados**, **injetados**, **eriçado** e **pálido**.

Essas palavras são adjetivos que qualificam o sujeito e a ele se ligam por meio do verbo ficar.

A principal palavra desses predicados, ou seja, o seu **núcleo**, não é o verbo ficar; são os adjetivos **enfeitiçados**, **injetados**, **eriçado** e **pálido**, que expressam um estado do sujeito.

Além disso, o verbo que aparece no predicado faz a ligação entre o sujeito e o núcleo do predicado. Esse tipo de predicado é chamado **predicado nominal**.

> **Predicado nominal** é aquele cujo núcleo é um nome (substantivo, adjetivo ou pronome), ligado ao sujeito por um verbo de ligação.

Portanto, o elemento mais importante do predicado nominal é o que caracteriza o sujeito, atribuindo-lhe um estado ou uma qualidade.

Veja outros exemplos:

Siris e caranguejos

Esses dois crustáceos são muito parecidos. Os dois comem peixes, moluscos, minhocas do mar, algas e restos de animais mortos. Para diferenciá-los, repare no último par de pernas: o do siri tem forma de nadadeira enquanto o do caranguejo é pontudo. Um dos caranguejos mais comuns no litoral do Brasil é a maria-farinha, que é branca ou amarelada para se camuflar na cor da areia. Ela também é chamada de caranguejo-fantasma, porque só sai de sua toca à noite.

(*Recreio*, ano 5, n. 252, 6 jan. 2005, p. 20.)

Chris Collins/Corbis/LatinStock

Luciano Candisani

Veja estes exemplos:

Nas orações acima, as palavras com destaque colorido funcionam como núcleos do predicado e, ao mesmo tempo, atribuem uma característica ou um estado aos respectivos sujeitos. A esses termos damos o nome de **predicativo do sujeito**.

> **Predicativo do sujeito** é o termo da oração que atribui característica, estado ou qualidade ao sujeito, funcionando como núcleo do predicado nominal.

Verbo de ligação

Todo predicado nominal é constituído por um **verbo de ligação** seguido de um predicativo do sujeito.

Os principais verbos de ligação são **ser**, **estar**, **parecer**, **permanecer**, **ficar**, **continuar** e **andar**. Veja:

Sujeito	Predicado nominal	
	Verbo de ligação	**Predicativo do sujeito**
O mar	é	belo.
	está	calmo.
	parece	um espelho.
	permanece	agitado.
	fica	silencioso.
	continua	uma beleza.
	anda	contaminado.

OBSERVAÇÃO

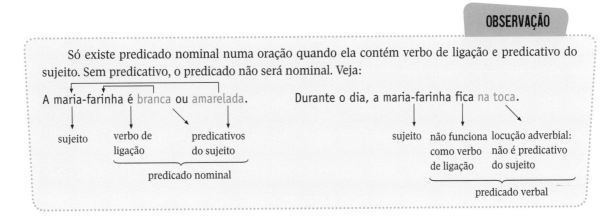

Só existe predicado nominal numa oração quando ela contém verbo de ligação e predicativo do sujeito. Sem predicativo, o predicado não será nominal. Veja:

Predicado verbo-nominal

Observe estes exemplos:

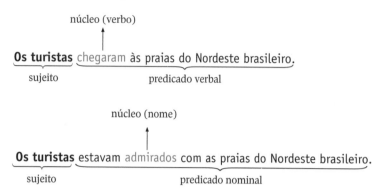

núcleo (verbo)

Os turistas chegaram às praias do Nordeste brasileiro.

sujeito — predicado verbal

núcleo (nome)

Os turistas estavam admirados com as praias do Nordeste brasileiro.

sujeito — predicado nominal

Nessas duas orações, há um sujeito comum: **os turistas**. Vamos, então, unir os núcleos dos dois predicados em uma única oração:

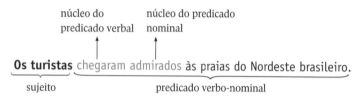

núcleo do predicado verbal / núcleo do predicado nominal

Os turistas chegaram admirados às praias do Nordeste brasileiro.

sujeito — predicado verbo-nominal

Nesse caso, formou-se uma oração com um predicado constituído por dois núcleos: **um verbo** e **um nome**. A esse tipo de predicado dá-se o nome de **predicado verbo-nominal**.

> **Predicado verbo-nominal** é aquele constituído de dois núcleos: um verbo e um nome.

Veja outros exemplos:

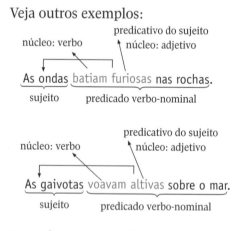

predicativo do sujeito
núcleo: verbo / núcleo: adjetivo

As ondas batiam furiosas nas rochas.

sujeito — predicado verbo-nominal

predicativo do sujeito
núcleo: verbo / núcleo: adjetivo

As gaivotas voavam altivas sobre o mar.

sujeito — predicado verbo-nominal

Craig Tuttle/Corbis/LatinStock

Em todas essas orações, perceba que:
• o predicativo refere-se ao sujeito (**as ondas** e **as gaivotas**);
• o verbo pode ser intransitivo (voar) ou transitivo (bater).

Agora, veja a frase a seguir:

núcleo / núcleo

Os turistas acharam belíssimas **as praias** do Nordeste brasileiro.

sujeito — predicado

Nessa oração, o predicado também apresenta dois núcleos: um verbo transitivo direto e um predicativo. Só que, nesse caso, o predicativo se refere à expressão **as praias**, que é o complemento do verbo transitivo direto. Esse complemento é chamado de **objeto direto** e, por isso, o seu predicativo do Nordeste brasileiro recebe o nome de **predicativo do objeto**.

Predicativo do objeto é o termo da oração que atribui característica, estado ou qualidade ao objeto, funcionando como núcleo nominal do predicado verbo-nominal.

Veja outros exemplos:

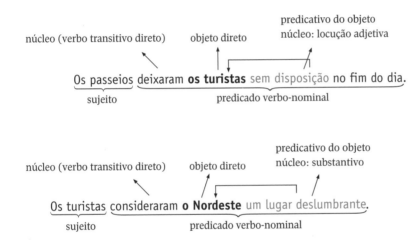

Em todas as orações, ocorre o predicado verbo-nominal — que é caracterizado pela presença de um predicativo, o qual pode se referir ao sujeito ou ao objeto. Naturalmente, para ocorrer predicativo do objeto, é necessária a presença de um objeto, por isso é preciso que o verbo seja transitivo.

Quadro de classificação do sujeito
Sujeito simples ⟶ com um só núcleo.
Sujeito composto ⟶ com mais de um núcleo.
Sujeito oculto ⟶ quando não está expresso na oração, mas pode ser identificado pela terminação verbal.
Sujeito indeterminado ⟶ quando não pode ser identificado.
Oração sem sujeito ⟶ quando a ação verbal não pode ser atribuída a nenhum sujeito. Ocorre com verbos impessoais, nas seguintes situações: • Verbos **haver** e **fazer**, quando indicam tempo transcorrido. • Verbo **haver** usado no sentido de "existir". • Verbos **ser** e **estar**, quando indicam tempo ou clima. • Verbos que expressam fenômenos da natureza, como **anoitecer, chover, nevar, ventar** e outros.

Quadro de classificação do predicado

Predicado verbal
- Núcleo ⟶ verbo ou locução verbal.

Predicado nominal
- Núcleo ⟶ predicativo do sujeito = nome (substantivo, adjetivo ou pronome) que se refere ao sujeito.

Predicado verbo-nominal
- Núcleos ⟨ verbo ou locução verbal.
  predicativo = nome (substantivo, adjetivo ou pronome) que se refere ao sujeito ou ao objeto.

Quadro de classificação de verbos

Verbo intransitivo ⟶ apresenta sentido completo; não precisa de complemento.

Verbo transitivo ⟶ não tem sentido completo; precisa de complemento. Pode ser:
- **direto**: o complemento liga-se diretamente ao verbo, normalmente sem o auxílio de preposição;
- **indireto**: o complemento liga-se ao verbo com o auxílio de uma preposição;
- **direto** e **indireto**: são dois os complementos, um liga-se ao verbo sem o auxílio de preposição e o outro liga-se ao verbo com o auxílio de preposição.

Verbo de ligação ⟶ faz a ligação entre o sujeito e o seu predicativo, no predicado nominal.

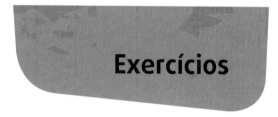

Exercícios

1 Leia a charge abaixo:

Fernando Gonsales

a) Quais as formas verbais que aparecem nos dois quadrinhos?

b) Quantas orações existem no primeiro quadrinho? E quantos períodos?

c) Separe os verbos de ação dos verbos de ligação.

d) Na fala do primeiro quadrinho, identifique sujeito e predicado.

e) Qual o sujeito do verbo **é**, no segundo quadrinho?

Leia o texto e resolva as questões de **2** a **5**:

"Criança diz cada uma..."

Há muito tempo, o jornalista e dramaturgo Pedro Bloch tinha uma página na revista *Manchete* com o título acima. Contava histórias engraçadas e inusitadas acontecidas com crianças que passavam pelo seu consultório.

Outro dia, achei uma revista dos anos 60 e me diverti muito com o Bloch. E me lembrei de histórias recentes com filhos ou filhas de amigos meus que, tenho certeza, o velho jornalista não titubearia em manchetá-las.

* * *

O protagonista da primeira delas é o Antonio (homenagem ao meu filho?), filho da velha amiga Maria Emília Bender (...) e do grande italiano Lorenzo (...)

Antonio, 6 ou 7 anos, tinha o aniversário de um amigo, o Bruno, lá num daqueles bufês no Itaim. Festa das 6 às 9 da noite.

Lucia Hiratsuka

O pai Lorenzo, conhecido por suas distrações cá no Brasil, ficou de levar o garoto ao tal bufê. Depois iria pegar a Emília, iriam a um cinema e voltariam para buscar o menino.

E assim foi feito. Lorenzo deixou Antonio no bufê, pegou a esposa e foram para o cinema. Nove da noite, conforme o combinado, foram buscar o pimpolho. Tocaram a campainha, veio o menino.

Já no carro:

— Tava boa a festa do Bruno, filho?

— A festa tava [estava] boa, só que você errou de bufê. Era aniversário de uma menina que eu nunca tinha visto na vida. Mas foi legal. Ajudei até o mágico. O nome dela é Andréa.

(Mário Prata. *100 crônicas*, São Paulo, Cartaz Editorial/*O Estado de S. Paulo*. 1997, p. 46.)

2 Identifique o sujeito e o predicado nas frases extraídas do texto:

a) "(...) o jornalista e dramaturgo Pedro Bloch tinha uma página na revista *Manchete* com o título acima."

b) "(...) o velho jornalista não titubearia em manchetá-las."

c) "Antonio, 6 ou 7 anos, tinha o aniversário de um amigo, o Bruno, lá num daqueles bufês no Itaim."

d) "O pai Lorenzo (...) ficou de levar o garoto ao tal bufê."

e) "Lorenzo deixou Antonio no bufê, pegou a esposa e foram para o cinema."

f) "Tocaram a campainha (...)"

g) "(...) veio o menino."

h) "A festa tava [estava] boa, só que você errou de bufê."

i) "Ajudei até o mágico."

3 Retire os núcleos do sujeito das frases do exercício **2**. Em seguida, classifique-os morfologicamente. Siga o exemplo:

> **jornalista** — substantivo

4 Releia esta oração do exercício **2**:

> "Ajudei até o mágico."

a) Quem é o sujeito?

b) Qual é a classificação desse sujeito?

c) O que você pode dizer com relação ao núcleo desse sujeito?

5 Releia esta frase do texto:

> "Era aniversário de uma menina que eu nunca tinha visto na vida".

a) Quantas orações há na frase? Separe-as.

b) Qual é o sujeito das orações? Classifique cada um deles e justifique.

c) Reescreva a primeira oração com um sujeito simples, mantendo o mesmo sentido. Faça as adaptações necessárias.

Leia, a seguir, os trechos de *Agenda inventada*, de Luiz Antonio Aguiar, e resolva as questões de **6** a **12**.

Texto A

Segunda-feira

Meu pai telefonou superpreocupado... Gostar tem cores. Às vezes está meio cinza. Acho que não é que a gente tenha deixado de gostar. Gosta assim, cinza. Nem valeu a pena hoje ser feriado.

(...)

Texto B

Domingo

Incrível... Hoje eu não fiz nada!

O Bebeto apareceu aqui de tarde. A gente então foi andar por aí. Às vezes parava, ficava conversando... e mais nada. Depois andava de novo, sem querer ir a lugar nenhum. Quando a gente viu, já era de noite e a gente não tinha feito nada.

Um nada... incrível!

A Duda diz que não namora direto porque namorado não tem cartucho pra mudar de game nem controle remoto pra quando se quer desligar. Mesmo assim... Tenho um pouco de ciúmes da Duda. Sei que o Bebeto já ficou com ela. E a Duda é tão...

(...)

Lucia Hiratsuka

Texto C

Sábado

Descobri hoje o que aconteceu...

Meu pai ligou pra minha mãe, quando eu tava viajando. Era de madrugada. Eu ainda não havia ligado e ele estava preocupado. Daí, o tal namorado dela atendeu. Aí, ele mandou chamar a minha mãe e eles tiveram a maior briga. Parece que meu pai já tinha cruzado com eles, numa fila de cinema, e virou a cara...

(Luiz Antonio Aguiar. *Agenda inventada*, São Paulo, Atual, 1993, p. 16, 45-47, 56.)

6 No texto **A**, identifique o sujeito das orações destacadas e classifique-os.

7 No texto **A**, analise e classifique o predicado da primeira oração que aparece no texto.

8 No texto **B**, identifique o sujeito dos verbos e locuções verbais destacados e classifique-o.

9 No quarto parágrafo do texto **B**, classifique a forma verbal **sei** quanto à sua transitividade e aponte o seu complemento.

10 No texto **C**, identifique e classifique o sujeito das orações destacadas.

11 Na oração "Eu ainda não havia ligado (...)", do texto **C**, o verbo **haver** é impessoal? Justifique a sua resposta.

12 Analise o predicado destas orações do texto **C**:

> "Meu pai ligou pra minha mãe, quando eu tava viajando."
> "(...) e ele estava preocupado."

13 Analise e classifique o predicado das falas da personagem da tira e indique o seu núcleo.

Glauco/Folha Imagem

Leia o trecho inicial do conto de Elias José a seguir e resolva as questões de **14** a **20**.

O atraso

Shopping, 19h30. Tudo claro, luzes nas lojas e nos imensos lustres. Ar-refrigerado, vitrines vistosas, liquidações, ofertas, descontos, gente pra lá e pra cá, sem pacotes, sem compras. Cartazes, filmes novos, filas, festa de jovens, paqueras, amigos, risos, piadas, abraços, beijos, telefones ocupados, diálogos cortados, música suave na loja de discos, televisores ligados e em oferta, à espera, à espera, à espera.

Marcaram para as 19 horas. Ela mesma disse que detestava atrasos. Iam ver um dos filmes premiados com *Oscar*, sessão das oito. Como pressentia que iam ficar sem ingressos, ele entrou na fila e comprou as duas entradas para *Dança com lobos*. Ligou para a casa dela, não estava, tinha saído às seis. Andou de um lado para o outro. Sentou-se na mesa da lanchonete e pediu um refrigerante. Terminou de beber devagar.

Nid Studio

Olhava insistente para o relógio, de olho na escada rolante que subia do segundo para o terceiro piso.

Dez para as oito, terminada a sessão anterior, todos entraram. Só ele de fora, na espera. Já estava perdendo a paciência. Nunca forçou nada. A paquera, os olhares e a troca de uma ou outra palavra já duravam um bom tempo. No sábado anterior, quando viu que ela olhava os cartazes de cinema bem interessada, fez o convite. Não tinha mais ingressos. Combinaram para o próximo sábado, tinha certeza. Houve vários papos pelo telefone, sempre renovando a espera do sábado, do cineminha juntos. Agora, ela dava bolo. Desceu um piso. Verificou quem entrava, ela não vinha. Subiu de novo. Ficou andando de um lado para o outro, como se estivesse interessado nas lojas, nas ofertas e novidades.

Oito e dez. Vendo que um rapaz chegou atrasado e não encontrou ingresso, vendeu o dela e achou melhor entrar. Se ela se atrasava mais de uma hora, por certo não estava tão interessada no encontro, ou arranjou um programa mais interessante.

(Elias José. *De amora e amor*, 14. São Paulo, Atual, 2004, p. 26-27.)

14 Leia novamente o primeiro parágrafo:

a) Agora, identifique e classifique as frases.

b) Há orações? Justifique a sua resposta.

15 Releia esta frase do terceiro parágrafo:

"Houve vários papos pelo telefone (...)"

a) Por que, nessa oração, o verbo **haver** está conjugado no singular?

b) Reescreva a oração substituindo o verbo **haver** pelo verbo "existir".

c) O verbo **existir** ficou no singular ou no plural? Por quê?

16 Releia o terceiro parágrafo. Depois identifique e classifique o sujeito dos verbos destacados no texto.

17 Analise sintaticamente os termos desta oração, de acordo com os itens a seguir:

"(...) ela olhava os cartazes de cinema bem interessada (...)."

a) sujeito e a sua classificação

b) predicado

c) classificação do predicado

d) núcleo(s) do predicado

e) complemento verbal (se houver)

18 Leia a oração:

> "Agora, ela dava bolo."

Escreva frases a partir dela, seguindo estas orientações:

a) Transforme o verbo em transitivo direto e indireto.

b) Transforme o sujeito em indeterminado.

19 Releia o quarto parágrafo e responda às questões a seguir:

a) Analise o predicado da oração "(...) um rapaz chegou atrasado" e classifique-o.

b) Transforme essa oração de modo que ela tenha outro tipo de predicado.

20 Identifique a diferença no predicado das seguintes orações, observando o emprego do verbo **estar**. Depois, justifique a sua resposta.

> "Já estava perdendo a paciência."
> "(...) não estava tão interessada no encontro (...)".

21 Copie as orações, completando-as com os verbos **haver**, **fazer**, **estar** ou **ser**, de modo a construir orações sem sujeito.

a) ★ doces gostosíssimos naquela confeitaria.

b) ★ tempo que ele saiu.

c) Na sibéria, ★ muito frio.

d) ★ tantos erros assim no meu texto?

e) Em dezembro, ★ verão no Hemisfério Sul.

f) No Brasil, ★ 8000 km de praia.

g) ★ um calor insuportável.

h) No relógio da igreja, ★ três horas em ponto.

22 Copie, do exercício **21**, as orações sem sujeito em que o verbo **haver** é usado no sentido de "existir".

a) Reescreva essas orações usando o verbo **existir**.

b) Identifique o sujeito de cada uma delas.

23 Observe a frase a seguir: **DESAFIO**

> São 12 horas de diferença entre o Brasil e o Japão.

Quanto ao sujeito, qual é a sua classificação? Justifique.

24 Escreva três orações com sujeito indeterminado, seguindo as orientações a seguir:

a) verbo intransitivo na 3ª pessoa do singular + **se**

b) verbo transitivo indireto na 3ª pessoa do singular + **se**

c) verbo de ligação na 3ª pessoa do singular + **se**

25 Escreva três orações sem sujeito, seguindo as orientações a seguir:

a) com verbo que indique fenômeno da natureza

b) com o verbo **haver** no sentido de "existir"

c) com o verbo **estar** quando indica tempo ou clima

26 Escreva três orações com o verbo **esquecer**, seguindo as orientações abaixo:

a) como verbo transitivo direto

b) como verbo transitivo indireto

c) como verbo transitivo direto e indireto

27 Escreva orações, seguindo estas orientações:

a) sujeito simples + predicado verbal (verbo intransitivo)

b) sujeito composto + predicado nominal (verbo de ligação + predicativo do sujeito)

c) sujeito simples + predicado verbo-nominal (verbo intransitivo + predicativo do sujeito)

d) sujeito indeterminado + predicado verbal (verbo transitivo direto + objeto direto)

e) sujeito simples + predicado verbo-nominal (verbo transitivo direto + objeto direto + predicativo do objeto)

Capítulo 21

Termos integrantes da oração

Além dos termos essenciais, temos também na constituição da oração os **termos integrantes** que completam o sentido de verbos e nomes e, por isso, são indispensáveis. São quatro: **objeto direto** e **objeto indireto** (os complementos verbais), **complemento nominal** e **agente da passiva**.

Complementos verbais

Leia abaixo a resenha do romance *Primeiro amor* e preste atenção nos verbos destacados e nos seus complementos:

Edilson gosta de observar os caminhões que passam pela estrada de sua pacata cidade. Empolga-se quando Zacarias, grande amigo de seu tio, traz novos "causos" da estrada. "Nesse tempo todo, cê nunca repetiu uma história... se elas não tivessem acontecido, cê seria o maior contador de causos deste mundão." O tempo passa e finalmente chega o dia de Edilson. "Ninguém foge de seu destino", profetiza seu tio. Edilson acompanhará Zacarias pelas estradas. No primeiro carregamento, conhece a filha de seu amigo e novo parceiro. Valdirene é linda e dona de um sorriso exuberante! (...)

(Roberto Jenkins de Lemos. *Primeiro amor*. São Paulo, Saraiva, 2008, 4ª capa.)

No capítulo anterior, vimos que alguns verbos precisam de complementos para que o seu sentido fique completo. Observe:

"(...) Zacarias, grande amigo de seu tio, **traz** novos 'causos' da estrada."

          verbo   complemento

"Ninguém **foge** de seu destino (...)"

   verbo complemento

Esses verbos — chamados de **transitivos** — podem receber dois tipos de complemento verbal: **objeto direto** e **objeto indireto**.

Objeto direto

Veja outras frases retiradas do texto:

"(...) (vo)cê nunca **repetiu** uma história."

verbo → complemento

"Edilson **acompanhará** Zacarias pelas estradas."

verbo → complemento

O complemento verbal que se liga diretamente ao **verbo transitivo direto** (VTD) é chamado **objeto direto** (OD), e o seu núcleo, ou seja, a palavra principal, nesses exemplos, são história e Zacarias.

> **Objeto direto** (OD) é o termo da oração que completa o sentido do verbo transitivo direto (VTD).

Veja outros exemplos:

Pet Sounds

Feita com garrafas plásticas, camiseta do Radiohead tem certificado de produto orgânico

O novo *design* das camisetas da banda inglesa traz frases que procuram unir humor com referências a letras do grupo. Exemplo:

"Blink your eyes: 1 for yes, 2 for no", algo como, "Pisque seus olhos: 1 vez para sim, 2 vezes para não". Por trás da ideia, chama atenção o material utilizado nas peças. Garrafas plásticas recicladas são boa parte da matéria--prima. E o algodão utilizado recebeu o certificado de orgânico.

(Revista *Galileu*, nov. 2008, p. 86.)

Divulgação

"O novo *design* das camisetas da banda inglesa **traz** frases (...)"

verbo transitivo direto (VTD) ← → objeto direto (OD)

"(...) **Pisque** seus olhos (...)"

VTD ← OD

"E o algodão utilizado **recebeu** o certificado de orgânico."

VTD ← OD

O **núcleo do objeto direto** pode ser: um substantivo; um numeral; um pronome substantivo; uma palavra ou expressão substantivada; um pronome oblíquo; uma oração.

Leia o texto abaixo:

Golden retriever adota tigres brancos

Uma cadela de um zoológico no Kansas (EUA) adotou três filhotes de tigre branco abandonados pela mãe. O proprietário do Safari Zoological Park, especializado em animais em risco de extinção, afirma que a mãe apresentou problemas para se relacionar com os filhotes.

Um dia após o parto, a tigresa parou de cuidar dos filhotes, que passaram a perambular pela jaula sem ganhar a atenção da mãe. Eles foram então colocados em contato com a cachorra Isabella, que deu à luz recentemente.

Rob Morgan/The Daily Reporter/AP/ImagePlus

Além de amamentar o trio, a cadela lambe os pequenos, para limpá-los e acariciá-los. Filhotes de cães levam mais ou menos o mesmo tempo que filhotes de tigres para se desenvolver. Ela amamenta os primeiros, enquanto os outros aguardam sua vez. A cadela espera todos se alimentarem pacientemente.

O Safari Zoological Park existe desde 1989 e possui leopardos, leões, pumas, babuínos, lêmures, ursos e outros animais. Atualmente, moram lá sete tigres brancos e dois comuns, de coloração alaranjada.

(http://jovempan.uol.com.br/blogs/animaisecia/2008/08/19/golden-retriever-adota-tigres-brancos, acessado em 12 out. 2008. Texto adaptado.)

Agora, observe a seguir alguns exemplos de núcleo do objeto direto.

• núcleo do objeto direto: um substantivo.

núcleo: substantivo

"Uma cadela (...) **adotou** três filhotes de tigre branco abandonados pela mãe."

VTD   OD

• núcleo do objeto direto: um numeral.

núcleo: numeral

"Ela **amamenta** os primeiros (...)"

VTD   OD

• núcleo do objeto direto: um pronome substantivo.

núcleo: pronome substantivo

"A cadela **amamenta** os outros também."

VTD   OD

• núcleo do objeto direto: uma palavra ou expressão substantivada.

núcleo: palavra substantivada

O descuido da tigresa **provocou** o perambular dos filhotes na jaula.

       VTD   OD

• núcleo do objeto direto: pronomes oblíquos **o**, **a**, **os**, **as**, **me**, **te**, **se**, **nos**, **vos**.

núcleo: pronome oblíquo   núcleo: pronome oblíquo

"(...) para **limpá**-los e **acariciá**-los."

   VTD OD VTD OD

> **OBSERVAÇÃO**
>
> Os pronomes oblíquos **o**, **a**, **os** e **as** sempre exercem a função de <u>objeto direto</u>.

• núcleo do objeto direto: uma oração.

núcleo: oração

"O proprietário (...) **afirma** que a mãe apresentou problemas (...)"

       VTD   OD

Para identificar corretamente o objeto direto, é preciso analisar sempre a predicação do verbo, que pode mudar de acordo com o contexto e o sentido da oração.

Objeto indireto

Leia este trecho da letra de música:

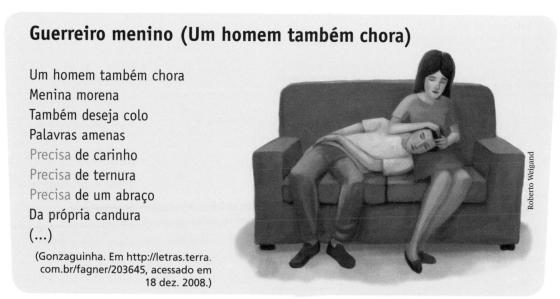

Guerreiro menino (Um homem também chora)

Um homem também chora
Menina morena
Também deseja colo
Palavras amenas
Precisa de carinho
Precisa de ternura
Precisa de um abraço
Da própria candura
(...)

(Gonzaguinha. Em http://letras.terra. com.br/fagner/203645, acessado em 18 dez. 2008.)

Roberto Weigand

Analise o verbo precisar nos versos acima: "quem precisa, precisa **de** alguma coisa". Trata-se de um **verbo transitivo indireto**, porque requer um complemento ao qual se liga com o auxílio de uma preposição. Nesse exemplo, os complementos do verbo precisar estão ligados a ele por meio da preposição de.

O complemento que se liga ao verbo transitivo indireto com o auxílio de preposição é chamado **objeto indireto** (OI).

> **Objeto indireto** (OI) é o termo que, precedido de preposição, completa o sentido do verbo transitivo indireto (VTI).

Veja outros exemplos:

Jean Galvão

"Eu não **sirvo** pra mais nada."
→ VTI   OI

"**Pedir** pra senhora passar uma costura."
→ VTDI   OI   OD

O **núcleo do objeto indireto** pode ser: um substantivo; um numeral; um pronome substantivo; uma palavra ou expressão substantivada; um pronome oblíquo; uma oração.

Agora, observe os exemplos de núcleo do objeto indireto.

• núcleo do objeto indireto: um substantivo.

núcleo: substantivo

Todo estudante **precisa** de orientação na hora de escolher uma profissão.
VTI   OI

• núcleo do objeto indireto: um numeral.

AUMENTAM AS TEMPESTADES NO SAARA

As tempestades de areia do Saara se multiplicaram por dez nos últimos cinquenta anos.

Um estudo da Universidade de Oxford, na Inglaterra, mostra que elas aumentaram depois que os jipes 4X4 substituíram o camelo como o principal meio de transporte no deserto. Veja como os jipes estão abalando o Saara

EFEITO 4X4	O QUE É A TEMPESTADE	QUAIS SÃO AS CONSEQUÊNCIAS	PAÍSES MAIS AFETADOS
Os jipes corroem as pedras que cobrem a areia. Sem elas, qualquer ventania pode se transformar em tempestade de areia.	São ventos de **200** quilômetros por hora que carregam até **100 000** toneladas de areia	A cada ano, dunas com um volume equivalente ao de **40** Pães de Açúcar mudam de localização	Principalmente Níger, Chade e Mauritânia, no Sul do Saara

Fonte: Andrew Goudie, da Universidade de Oxford

(*Veja*, ano 37, n. 35, 1º set. 2004, p. 39.)

núcleo: numeral

"(…) **multiplicaram** por dez (…)"
VTI   OI

• núcleo do objeto indireto: um pronome substantivo.

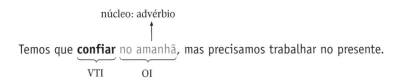

núcleo: pronome

O fato de os jipes substituírem os camelos como meio de transporte no deserto **resultou**

nisto: as tempestades aumentaram no Saara.

VTI

OI

• núcleo do objeto indireto: uma palavra ou expressão substantivada.

núcleo: advérbio

Temos que **confiar** no amanhã, mas precisamos trabalhar no presente.

VTI OI

• núcleo do objeto indireto: os pronomes oblíquos **me**, **te**, **se**, **nos**, **vos**, **lhe**, **lhes**.

Poema de canção sobre a esperança

OD	Dá-me lírios, lírios,	E também as rosas.
	E rosas também.	Basta-me a vontade,
	Mas se não tens lírios	Que tens, se a tiveres,
VTDI	Nem rosas a dar-me,	De me dar os lírios
	Tem vontade ao menos	E as rosas também,
OI	De me dar os lírios	(...)

(Fernando Pessoa/Álvaro de Campos. *Poesia*, São Paulo, Cia. das Letras, 2002, p. 339.)

OBSERVAÇÃO

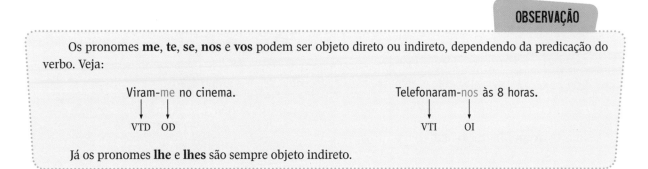

Os pronomes **me**, **te**, **se**, **nos** e **vos** podem ser objeto direto ou indireto, dependendo da predicação do verbo. Veja:

Viram-me no cinema.

VTD OD

Telefonaram-nos às 8 horas.

VTI OI

Já os pronomes **lhe** e **lhes** são sempre objeto indireto.

• núcleo do objeto indireto: uma oração.

núcleo: oração

O poeta **informa** o leitor de que o que importa é a vontade de dar lírios e rosas.

VTDI OD OI

Para identificar corretamente o objeto indireto, deve-se sempre analisar a predicação do verbo.

IMPORTANTE!

Observe como o mesmo verbo, de acordo com o contexto, pode apresentar predicações diferentes:

Eu **emprestei** uns livros.

VTD   OD

Eu **emprestei** a um amigo.

VTI   OI

Eu **emprestei** uns livros a um amigo.

VTDI   OD   OI

Portanto, a análise dos termos da oração depende de uma observação correta da predicação verbal.

Complemento nominal

Leia a manchete e observe as expressões destacadas:

Valorização dos professores é garantia de ensino de qualidade

(Texto publicitário da Apeoesp. Revista *Fórum*, dez. 2008, 3ª capa.)

Nessa manchete, temos dois nomes (substantivos) que precisam de complementos (valorização de alguém e garantia de alguma coisa), caso contrário a frase ficará incompleta ou sem sentido. Assim, a expressão dos professores é complemento nominal do substantivo **valorização**, assim como a expressão de ensino de qualidade é complemento nominal do substantivo **garantia**.

IMPORTANTE!

O complemento nominal é sempre precedido de uma **preposição**.

Leia o texto publicitário abaixo:

Você é a obra mais perfeita da natureza. Todos os seus milagres, todos os mistérios estão reproduzidos em você. Todo o conhecimento. Preste atenção nas vozes dos pássaros, das árvores, dos rios, dentro de você. Você é responsável por sua escolha.

(Texto publicitário da Natura EKOS. Em: Revista *Época*, 27 out. 2008, p. 58-59.)

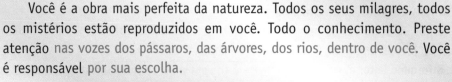

Nesse trecho destacado temos dois exemplos de complemento nominal:

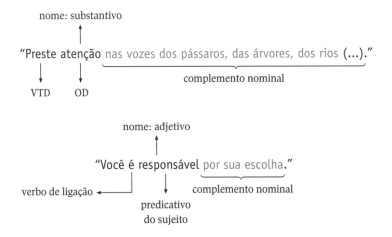

Complemento nominal (CN) é o termo da oração que completa o sentido de um nome (substantivo, adjetivo ou advérbio) com o auxílio de preposição.

Veja outros exemplos:

Escravos de Roma: em busca de um rosto e de um nome

Os cativos compunham 30% a 40% da população do Império Romano. Mas estavam longe de constituir uma massa indiferenciada e anônima. De fato, havia enormes disparidades sociais entre eles. Suas atividades iam desde o desempenho de altas tarefas administrativas nas casas aristocráticas até o trabalho extenuante nas minas provinciais.

(Revista *História Viva*, n. 41, mar. 2007, p. 56-57.)

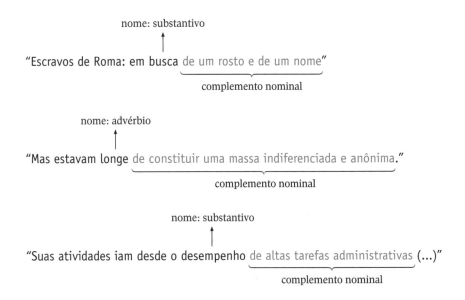

O **núcleo do complemento nominal**, ou seja, a sua palavra mais importante, pode ser: um substantivo, um numeral, um pronome, uma palavra ou expressão substantivada, uma oração.

Veja, a seguir, exemplos de núcleo do complemento nominal.

• Núcleo do complemento nominal: um substantivo.

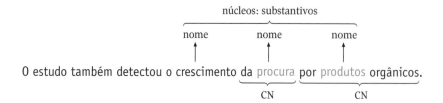

núcleos: substantivos

nome   nome   nome

O estudo também detectou o crescimento da procura por produtos orgânicos.

CN   CN

• Núcleo do complemento nominal: um numeral.

Tanto o jovem como a criança devem evitar consumir frituras. Isso é importante para a saúde de ambos.

núcleo: numeral

CN

nome

• Núcleo do complemento nominal: um pronome.

verbo substantivado

núcleo: pronome

Art. 70 — É dever de todos prevenir a ocorrência de ameaça ou violação dos direitos da criança e do adolescente.

CN

(*Estatuto da criança e do adolescente*. Em: www.unicef.org/brazil/estum.htm.)

• Núcleo do complemento nominal: uma palavra ou expressão substantivada.

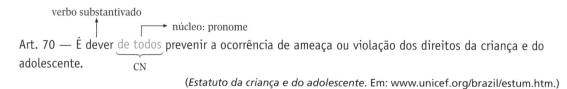

núcleo: verbo com valor de substantivo

Crianças e adolescentes brasileiros vivem na esperança de um novo alvorecer, com tempos sem violência.

CN

nome

• Núcleo do complemento nominal: uma oração.

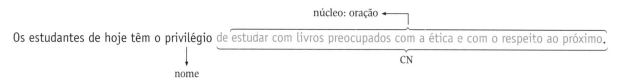

núcleo: oração

Os estudantes de hoje têm o privilégio de estudar com livros preocupados com a ética e com o respeito ao próximo.

CN

nome

ATENÇÃO!

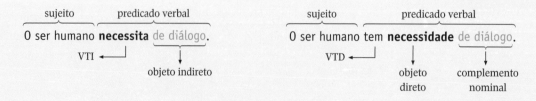

Não se deve confundir complemento nominal com objeto indireto. Leia estas duas frases:

sujeito   predicado verbal

O ser humano **necessita** de diálogo.

VTI

objeto indireto

sujeito   predicado verbal

O ser humano tem **necessidade** de diálogo.

VTD

objeto direto   complemento nominal

Tanto o objeto indireto como o complemento nominal exigem o uso de preposição. A diferença entre eles é que o objeto indireto completa o sentido de um **verbo transitivo indireto** e o complemento nominal completa o sentido de um **nome**. Por isso, para identificar corretamente o complemento nominal, é preciso identificar qual é o termo que exige esse complemento.

Agente da passiva

Para entender a definição de agente da passiva, vamos recordar as vozes do verbo, que são três: **ativa**, **passiva** e **reflexiva**.

Voz ativa

Quando é o sujeito quem pratica a ação expressa pelo verbo (**sujeito agente**).

Veja este exemplo:

Rembrandt, um cronista dos pincéis

Ao dedicar-se à pintura de temas históricos, Rembrandt reinventou o cotidiano, retratando cenas inusitadas, como a dissecação de um cadáver.

(Revista *História Viva*, n. 41, mar. 2007, p. 5.)

O sujeito da oração destacada é a palavra Rembrandt e o verbo que expressa a ação por ele praticada é reinventou.

Voz passiva

Quando é o sujeito quem sofre a ação expressa pelo verbo (**sujeito paciente**).
Leia a ficha do Snoopy:

FICHA

Título original: *Snoopy*, Estados Unidos, 1947.
Criador: Charles Schulz

Se o sucesso pode ser traduzido em números, o das tirinhas de Snoopy, que completou 50 anos em 2000, é incontestável. O *beagle* e sua turma têm 355 milhões de tiras impressas em 2 600 jornais de todo o mundo (traduzidas para 26 idiomas distintos), seus desenhos animados são

assistidos por 6,6 milhões de crianças apenas no canal pago Nickelodeon, nos Estados Unidos, e o *site* de Snoopy recebe uma média de 2 milhões de visitas diárias.
***Site* do criador:** www.snoopy.com

(http://www.anos80.com.br/desenhos/snoopy.html, acessado em 11 dez. 2008. Texto adaptado.)

"(...) seus desenhos animados são assistidos por 6,6 milhões de crianças (...)"
sujeito paciente

A **voz passiva** pode ser de dois tipos:

• **analítica** — formada pelo verbo auxiliar **ser** mais o particípio do verbo principal.

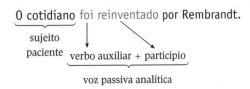

• **sintética** — formada pelo pronome apassivador **se** e um verbo na 3ª pessoa, do singular ou do plural, de acordo com o sujeito.

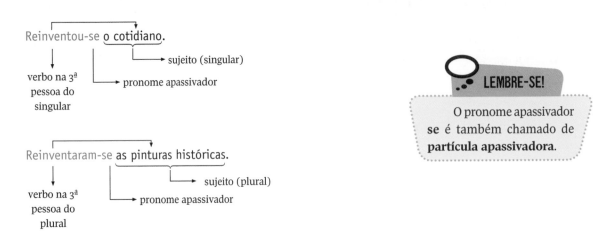

LEMBRE-SE!

O pronome apassivador **se** é também chamado de **partícula apassivadora**.

Voz reflexiva

Quando o sujeito pratica e sofre a ação do verbo, ao mesmo tempo (**sujeito agente e paciente**). Observe:

Agora, veja a voz passiva analítica, em que aparece o **agente da passiva**. Vamos retomar o exemplo:

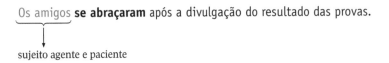

Nessa frase, o sujeito não pratica a ação expressa pelo verbo; pelo contrário, ele recebe a ação (é um **sujeito paciente**). O agente é a expressão por Rembrandt.

Como a oração está na voz passiva, o termo que pratica a ação do verbo é chamado de **agente da passiva** e, quase sempre, é precedido da preposição **por** e das suas contrações (**pelo**, **pela**, **pelos**, **pelas**). Embora mais raramente, a preposição **de** também pode preceder o agente da passiva.

> **Agente da passiva** é o termo da oração que pratica a ação do verbo na voz passiva.

Veja outros exemplos de agente da passiva destacados na tira a seguir:

Joaquin Salvador Lavado (Quino)
Toda Mafalda, Martins Fontes, 1991.

Observe a correspondência de termos entre a voz passiva e a voz ativa:

Nas duas orações, quem pratica a ação é sempre os adultos. Na primeira delas, os adultos exercem a função de agente da passiva; na segunda, de sujeito. Da mesma maneira, as histórias para crianças é que sofrem a ação (de serem escritas) nas duas orações. O sentido é o mesmo — o que muda é a função sintática dos termos.

Nem sempre o agente da passiva aparece na oração. Observe:

As tirinhas do Snoopy foram criadas em 1950. ⟶ voz passiva sem agente da passiva
sujeito paciente

Nesse exemplo, não aparece quem foi o agente, ou seja, quem praticou a ação de criar. Isso é possível porque, na voz ativa, também não é sempre que o sujeito aparece. Veja:

Criaram em 1950 as tirinhas do Snoopy. ⟶ voz ativa com sujeito indeterminado
objeto direto

O **núcleo do agente da passiva** pode ser:

• um substantivo

núcleo: substantivo

As histórias do Snoopy e dos seus amigos também são admiradas pelos adultos.

agente da passiva

• um numeral

núcleo: numeral

Snoopy e Charlie Brown: as situações mais engraçadas da turma são garantidas pelos dois.

agente da passiva

• um pronome

núcleo: pronome

Os desenhos da turma do Snoopy são admirados por todos.

agente da passiva

1 Leia a tira abaixo e responda às questões:

INVENTEI O FOGO! ELE VAI ACELERAR O AQUECIMENTO GLOBAL E ACABAR COM A IDADE DO GELO!

a) Quantas orações e quantos períodos há na tira?

b) Identifique e classifique os verbos e os complementos verbais da fala.

c) Classifique o predicado das orações.

Leia, a seguir, o texto que narra uma partida de futebol e resolva as questões de **2** a **6**.

Mataram nosso zagueiro

O grupo, unido no centro do gramado, saudou a torcida. Repórteres se aproximaram:

— Bruno, Bruno, por favor, uma palavra para a Rádio Mundo. O que você espera dessa partida?

— Primeiramente o meu boa tarde aos ouvintes, especialmente aos corintianos. Jogo duro, o...

Bruno sempre dizia as mesmas frases: todos os jogos eram difíceis, todos os adversários mereciam respeito, a equipe estava sempre unida, sempre treinavam bem, estavam bem preparados. Não tinha importância, o público ouvia e se emocionava. Em todas as entrevistas os jogadores diziam quase as mesmas palavras.

O juiz foi esvaziando o gramado. Ficaram os vinte e dois jogadores sob os olhares da multidão. Um silêncio elétrico encheu o estádio. O jogo começou e Bruno enfrentou trabalho duro: Tomás, o atacante palmeirense, era alto e rápido. Corria para o lado esquerdo do campo, onde havia mais espaço, e partia para cima dele com a bola dominada. Bruno acertou-lhe o tornozelo esquerdo para sossegá-lo e Alexandre, o meia-esquerda, quase fez o gol de falta. O Corinthians também atacava, principalmente pela direita, com Cláudio e Luizinho.

(...)

Aos quarenta e cinco minutos, Laércio tocou por cima para Tomás, que cabeceou leve atrás de Bruno, que lhe deu uma rasteira. O juiz apitou e mostrou-lhe o cartão amarelo. O zagueiro, cabisbaixo, foi para a barreira.

(Cloder Rivas Martos. *Mataram nosso zagueiro*, São Paulo, Saraiva, 2002, p. 20-21.)

2 Classifique os verbos destacados nos parágrafos iniciais e indique os seus respectivos complementos.

3 No quinto parágrafo, identifique e classifique o sujeito dos seguintes verbos:

a) ficaram

b) encheu

c) começou

d) enfrentou

e) havia

4 Classifique os verbos do exercício **3**. Quais são transitivos? Quais são seus complementos?

5 Leia a frase retirada do quinto parágrafo e classifique os verbos destacados e os seus complementos:

> "Bruno **acertou**-lhe o tornozelo esquerdo para **sossegá**-lo e Alexandre, o meia-esquerda, quase **fez** o gol de falta."

6 No último parágrafo:

a) Identifique um verbo transitivo direto e um indireto e os seus respectivos complementos;

b) Qual é a classificação morfológica do núcleo dos complementos desses verbos?

7 Leia a frase:

> Falei-lhes a verdade sobre o ocorrido.

a) Qual é a predicação do verbo?

b) Quais são os complementos? Identifique-os e classifique-os.

c) Reescreva a oração retirando o objeto indireto.

d) O que houve com a predicação verbal? Explique.

Leia o texto a seguir e resolva as questões **8** e **9**.

O amor de Tumitinha era pouco e se acabou

Você também deve ter alguma palavra que aprendeu na infância, achava que tinha um certo significado e aquilo ficou impregnado na sua cabeça para sempre. Só anos depois veio a descobrir que a palavra não era bem aquela e nem significava aquilo. Um exemplo clássico é a frase (...) HOJE É DOMINGO, PÉ DE CACHIMBO. Na verdade não é Pé de Cachimbo, mas sim PEDE (do verbo pedir) cachimbo. Ou seja, pede paz, tranquilidade, moleza, pede uma cervejinha. E a gente sempre a imaginar um pé de cachimbo no quintal, todo florido, com cachimbos pendurados, soltando fumaça. E, assim, existem várias palavras. Por exemplo:

(...)

SULFECHANDO – Meu primo Hugo Prata um dia perguntou ao pai dele o que significava o verbo Sulfechar. O pai alegou que esse verbo não existia e teve que provar com o dicionário e tudo. Como o garoto insistia em conjugar o verbo, o pai lhe perguntou onde ele tinha ouvido tal disparate. E ele disse e cantarolou aquela música do Tom Jobim: "São as águas de mar sulfechando o verão"...

TUMITINHA – Todo mundo conhece a música Ciranda-Cirandinha. Uma amiga minha me confessou que, durante anos e anos, entendia um verso completamente diferente. Quando a letra fala "o amor que tu me tinhas era pouco e se acabou", ela achava que era "o amor de Tumitinha era pouco e se acabou". Tumitinha era um menino, coitado. Ficava com dó do Tumitinha toda vez que cantava a música, porque o amor dele tinha se acabado. E mais, achava que o Tumitinha era um japonesinho. Devia se chamar, na verdade, Tumita. Quando ela descobriu que o Tumitinha não existia, sofreu muito. Faz análise até hoje.

(...)

(Mário Prata. *100 crônicas*, São Paulo, Cartaz Editorial/*O Estado de S. Paulo*, 1997, p. 154-155.)

8 Classifique sintaticamente os termos e as expressões destacados nas frases extraídas do texto:

a) Você também deve ter **alguma palavra** que aprendeu na infância (...)

b) (...) achava **que tinha um certo significado** (...)

c) (...) e aquilo ficou **impregnado** na sua cabeça para sempre.

d) (...) a palavra não era bem aquela e nem significava **aquilo**.

e) E a gente sempre a imaginar um pé de cachimbo no quintal, **todo florido** (...)

f) E, assim, existem **várias palavras**.

g) (...) um dia perguntou **ao pai** dele o que significava o verbo Sulfechar.

h) O pai alegou **que esse verbo não existia** (...)

i) Como o garoto insistia **em conjugar o verbo**, o pai **lhe** perguntou onde ele tinha ouvido tal disparate.

j) Uma amiga minha **me** confessou **que** (...) **entendia um verso completamente diferente**.

k) Quando ela descobriu **que o Tumitinha não existia**, sofreu muito.

9 Identifique os verbos ou os nomes a que se referem os mesmos elementos do exercício **8**, ou que são complementados por eles.

10 Escreva orações seguindo as orientações a seguir:

a) sujeito simples + predicado verbo-nominal (verbo transitivo direto + objeto direto + predicativo do objeto)

b) sujeito indeterminado + predicado verbal (verbo transitivo indireto + objeto indireto)

c) sujeito simples + predicado verbal (verbo transitivo direto + agente da passiva)

d) sujeito simples + complemento nominal + predicado verbal (verbo intransitivo)

11 Leia o poema e classifique sintaticamente os pronomes destacados:

Roberto Weigand

XLVIII

Da mais alta janela da minha casa
Com um lenço branco digo adeus
Aos meus versos que partem para a Humanidade.

E não estou alegre nem triste.

Esse é o destino dos versos.
Escrevi-os e devo mostrá-los a todos

(...)
Quem sabe quem os lerá?
Quem sabe a que mãos irão?

(...)

(Fernando Pessoa. *O Eu profundo e os outros Eus*,
Rio de Janeiro, Nova Fronteira, 1991, p. 164-165.)

12 Com base no verso do exercício **11**, faça o que se pede:

"Escrevi-os e devo mostrá-los a todos"

a) Qual é a transitividade do verbo **escrever**?

b) Qual é a transitividade do verbo **mostrar**?

c) Qual é a classificação de **a todos**? Essa expressão completa qual verbo?

13 Leia a frase:

Infelizmente, há pessoas que não têm nenhum respeito pelo próximo, mas sim um lamentável apego pelas coisas.

a) Nessa frase, há dois complementos nominais. Quais são eles?

b) Quais os nomes que eles completam?

14 Agora, releia a frase do exercício **13**.

a) Reescreva-a utilizando os verbos **respeitar** e **apegar-se**. Faça as alterações necessárias para manter o mesmo sentido do período original.

b) Qual é a predicação dos verbos **respeitar** e **apegar-se**?

c) Destaque o complemento desses verbos, na frase que você escreveu. Classifique-os.

15 Leia o texto:

Qual foi o primeiro vídeo do YouTube?

Foi um passeio feito pelo jovem Yakov Lapitsky no jardim zoológico de San Diego, na Califórnia (EUA). O filme tem apenas 18 segundos e foi intitulado *Me at the Zoo* ("Eu no Zoológico"). O vídeo foi colocado no *site* no dia 23 de abril de 2005 por Jawed Karim, um dos criadores do YouTube (...). Não fosse o fato de ter sido a gravação inaugural do mais importante *site* de compartilhamento de vídeos do planeta, o filminho passaria despercebido — qual a graça de ver alguém na frente da

Nid Studio

jaula dos elefantes? Mal sabia Lapitsky que o YouTube seria eleito a melhor invenção do ano em 2006 pela revista *Time*. O *site* foi fundado em fevereiro de 2005 por Karim e outros dois colegas (Steve Chen e Chad Hurley) que trabalhavam no PayPal, serviço *on-line* para pagamentos e doações. Os fundadores nem imaginavam a "mina de ouro" que estavam criando. Pouco mais de um ano depois, em outubro de 2006, o YouTube foi comprado pelo Google pela extraordinária quantia de US$ 1,65 bilhão. Em abril de 2008, estimava-se que o *site* já tinha 83,4 milhões de vídeos armazenados.

(Yuri Vasconcelos. Em: Revista *Mundo Estranho*, out. 2008, p. 43. Texto adaptado.)

a) Retire do texto as orações que se encontram na voz passiva.

b) Identifique, nessas orações, os agentes da voz passiva.

c) Reescreva as frases passando-as para a voz ativa. Faça as adaptações necessárias para que elas mantenham o sentido original.

16 Na frase a seguir, o verbo está na voz passiva:

> Durante a tempestade, muitos carros foram arrastados.

a) Qual é a classificação do termo **muitos carros**?

b) Qual é o agente da passiva? Justifique, passando a frase para a voz ativa.

c) Na frase que você escreveu, qual é a classificação do termo **muitos carros**?

17 Na frase a seguir, o verbo está na voz passiva:

> A plantação foi atacada por nuvens de gafanhotos.

a) Qual é a função sintática do termo **por nuvens de gafanhotos**?

b) Passe a oração para a voz ativa.

c) Reescreva a oração na voz ativa, de modo que o sujeito fique indeterminado.

d) Agora, reescreva a oração do item **c** na voz passiva.

e) Explique o que houve com o agente da passiva.

18 Leia a tira e faça o que se pede:

a) Classifique morfologicamente os pronomes destacados.

b) Classifique sintaticamente os pronomes destacados.

c) Classifique sintaticamente os verbos sublinhados das falas dessa tira.

Termos acessórios da oração e vocativo

Termos acessórios da oração

Já estudamos os **termos essenciais** e os **termos integrantes** da oração. Leia o texto abaixo, do qual serão extraídos exemplos de cada um desses termos:

Amor inventado

Numa tarde de verão, depois de um banho de piscina, olhando as verdes montanhas da cidade, no ar uma música romântica, inventei Rosa. Acho que foi invento mesmo. Ou talvez ela já existisse e andasse por aí, sem a gente perceber. Só sei que ela me fazia falta, muita falta. Eu já tenho quinze anos e nunca arrumei uma namorada. A turma de minha sala vive contando vantagens de namoradas e eu, sempre calado e com ar de sabichão, vivia dizendo que não gosto de falar de assunto particular. Mas, muitas vezes, me traía e falava mentiras, falava de uma namorada de longe e até inventava uma cidade. Como não tenho memória e não sei mentir, quando me perguntavam de novo, talvez pra me testar, eu dizia outra cidade. Já tinha me esquecido da anterior e era um desastre. Aí um cara me falava: "Mas você não disse que ela era de Varginha?" Aí eu me mordia de raiva, enrolava tudo e não dava pra enganar. Tava na cara que era mentira.

Agora não; se me perguntam, tenho resposta firme para dar: tenho uma Rosa. Mora aqui mesmo. É magrinha, loira, tem cabelos longos e olhos grandes. Está no mesmo ano que eu, só que em outra escola. Mora em outra rua, em outro bairro.

Quando não apareço prum bate-bola ou pra rodar de moto na praça, logo alguém me pergunta: "Como é, estava com a sua Rosa?" Não digo que sim nem que não, deixo no ar, fico reticente, para criar mais suspense.

(Elias José. *Primeiras lições de amor*, São Paulo, Formato, 1994, p. 12.)

Lucia Hiratsuka

- **Termos essenciais** — sujeito e predicado.

"Eu já tenho quinze anos (...)"
    ↓
sujeito   predicado

"A turma de minha sala vive contando vantagens de namoradas (...)"
sujeito   predicado

- **Termos integrantes** — complementos verbais (objeto direto e objeto indireto), complemento nominal e agente da passiva.

"(...) falava de uma namorada de longe e até inventava uma cidade."
VTI   objeto indireto   VTD objeto direto

Minha namorada inventada morava longe de minha casa.
nome   complemento
nominal
(advérbio)

Por não ter namorada, eu era muito criticado pelos meus amigos.
agente da passiva

Vamos conhecer, agora, os **termos acessórios** da oração.

A palavra *acessório*, segundo o *Novo Dicionário Aurélio da Língua Portuguesa*, designa tudo que "não é fundamental, o que é secundário, o que se acrescenta a uma coisa sem fazer parte integrante dela".

Portanto, numa oração, **termos acessórios** são aqueles que não são tão importantes e necessários para estabelecer o sentido da frase e a comunicação. A função desses termos é acrescentar informações secundárias aos nomes e aos verbos.

Leia a tira:

Se eliminarmos as palavras que não são as mais importantes nas orações do primeiro e do segundo quadrinhos, e deixarmos apenas o núcleo de cada termo, teremos:

Tudo renasce!
Vida ganha vigor!

As palavras eliminadas, consideradas de importância secundária, são acrescentadas à informação principal.

367

São três os termos acessórios, que veremos a seguir: **adjunto adnominal**, **adjunto adverbial** e **aposto**. O **vocativo**, embora estudado entre os termos acessórios, é um termo sem função sintática, à parte da estrutura da oração.

Adjunto adnominal

Leia mais um trecho da história sobre o adolescente que inventou uma namorada:

Márcia Széliga

Engraçado, sempre gostei do nome Rosa. Acho que é por causa da flor. Vai ser flor bonita assim lá na Turquia! Rosa branca, amarela, vermelha, vinho, rosa mesmo. Qualquer rosa é uma beleza. Eu queria uma mulher com nome de Rosa pra ser minha primeira namorada. Não achei, então inventei a Rosa que já mora na parede do meu quarto, num pôster bonito que eu fiz. É a coisa mais bonita, que ninguém nunca desenhou; falo e todo mundo concorda. O pôster só falta falar, mas aí já seria exigir muito de uma mulher feita de papel e lápis. Rosa, sim, fala de mansinho, muito baixinho em meus ouvidos. Fala coisas de amor, faz planos pro nosso amor durar sempre. Cada dia ela me conta um pedacinho de sua vida, como se fosse um capítulo de novela de televisão. Fala de sua infância, da família e dos estudos. De outros amores não fala, pois sou também o primeiro dela. Tem hora que até fico pensando se não sou também uma invenção de Rosa, se não somos personagens de um romance famoso, de um quadro célebre. Sei lá, não entendo muito a vida...

Só sei que Rosa me ergueu, fiquei até mais bonitão. Mamãe nem me chama mais de desajeitado. Ando rindo à toa, por qualquer bobagem. Até meu pai falou outro dia que tou com cara de bobo alegre. Só porque chegou com rosas pra mamãe, e fiquei olhando pra elas e ria que ria. Mal sabe que eu tava ligando as rosas à minha Rosa. Mal sabe que ele vai ter uma nora muito bonita e com nome de flor.

(Elias José. *Primeiras lições de amor*, São Paulo, Formato, 1994, p. 14-15.)

Observe a análise da frase abaixo:

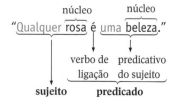

núcleo núcleo
"Qualquer rosa é uma beleza."
verbo de ligação · predicativo do sujeito
sujeito · predicado

O núcleo do sujeito — o substantivo **rosa** — é acompanhado pelo pronome qualquer, e o núcleo do predicativo do sujeito — o substantivo **beleza** — é acompanhado pelo artigo indefinido uma. Essas palavras fornecem informações acessórias aos núcleos, que são representados por **nomes** (nesse exemplo, substantivos). Como os termos qualquer e uma estão junto a esses nomes, caracterizando-os, diz-se que essas palavras, nesse caso, são **adjuntos adnominais**.

> **Adjunto adnominal** é o termo da oração que determina e caracteriza o substantivo.

Veja outros exemplos de adjunto adnominal com destaque colorido:

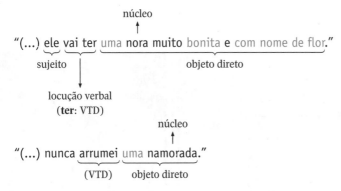

As palavras uma, bonita e com nome de flor acompanham o núcleo do objeto direto — o substantivo **nora**. Já na segunda frase, a palavra uma acompanha **namorada**, que é o núcleo do objeto direto.

A **função de adjunto adnominal** pode ser exercida por:

• um artigo.

```
adjunto adnominal: artigo  ←      núcleo
                                    ↑
          "Eu queria uma mulher com nome de Rosa (...)."
                        └──────────────────────────┘
                              objeto direto
```

• um adjetivo ou uma locução adjetiva.

```
    núcleo   adjunto adnominal: locução adjetiva
      ↑            ┌──────────┐
"Fala coisas de amor (...)."
      └──────────┘
       objeto direto
```

• um numeral.

```
adjunto adnominal: numeral  núcleo
            ↑         ↑
"Eu já tenho quinze anos (...)."
             └──────────┘
              objeto direto
```

```
adjunto adnominal: numeral      núcleo
              ↑                   ↑
O garoto imaginava alguém para ser sua primeira namorada."
                                  └──────────────────────┘
                                  predicativo do sujeito
```

• um pronome adjetivo.

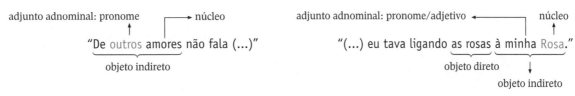

• uma oração que tem função adjetiva.

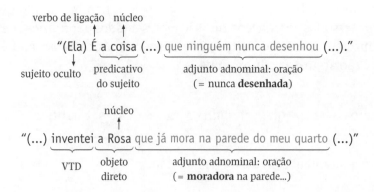

verbo de ligação   núcleo

"(Ela) É a coisa (...) que ninguém nunca desenhou (...)."

sujeito oculto   predicativo
do sujeito   adjunto adnominal: oração
(= nunca **desenhada**)

núcleo

"(...) inventei a Rosa que já mora na parede do meu quarto (...)"

VTD   objeto
direto   adjunto adnominal: oração
(= **moradora** na parede...)

Veja outros exemplos de adjunto adnominal na tira abaixo:

• o → adjunto adnominal de **médico**
• saudáveis → adjunto adnominal de **alimentos**
• sem sal, sem açúcar, sem gordura e sem gosto → adjuntos adnominais de **comida**

OBSERVAÇÃO

Muitas vezes, o núcleo do adjunto adnominal é um substantivo que também pode ser acompanhado de outros adjuntos adnominais. Veja nas frases abaixo os adjuntos adnominais em destaque:

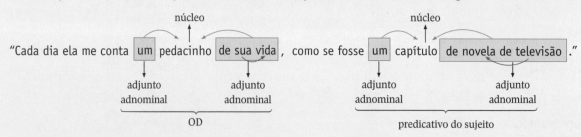

núcleo   núcleo

"Cada dia ela me conta um pedacinho de sua vida , como se fosse um capítulo de novela de televisão ."

adjunto   adjunto   adjunto   adjunto
adnominal   adnominal   adnominal   adnominal

OD   predicativo do sujeito

• um e de sua vida — adjuntos adnominais de **pedacinho**
• sua — adjunto adnominal de **vida**
• um e de novela de televisão — adjuntos adnominais de **capítulo**
• de televisão — adjunto adnominal de **novela**

"(...) não somos personagens de um romance famoso, de um quadro célebre."

predicativo do sujeito

• de um romance famoso e de um quadro célebre — adjuntos adnominais de **personagens**
• um e famoso — adjuntos adnominais de **romance**
• um e célebre — adjuntos adnominais de **quadro**

Adjunto adverbial

Leia a tira e observe os advérbios destacados:

Rogério Marcus Pessoa

Esses advérbios referem-se aos verbos devesse e habilita e acrescentam uma informação acessória à ação por eles expressa: indicam a circunstância em que a ação ocorre:

• talvez — circunstância de dúvida;
• não — circunstância de negação;
• aí — circunstância de lugar.

Como os advérbios aparecem sintaticamente relacionados aos verbos, eles são chamados de **adjuntos adverbiais**.

Leia agora estas frases:

É um sentimento bem ruim ter pena de si mesmo.
Ter pena de si mesmo faz muito mal.
Quem se lamenta demais acaba tendo pena de si mesmo.

Os advérbios destacados nas frases intensificam o sentido de:

• um adjetivo
• um advérbio
• um verbo

bem ruim
↓
adjetivo

muito mal
↓
advérbio

lamenta demais
↓
verbo

Nessas orações, os advérbios exercem a função de adjunto adverbial.

> **Adjunto adverbial** é o termo que indica a circunstância em que a ação ocorre ou que intensifica o sentido de um adjetivo, de um advérbio ou de um verbo.

Veja outros exemplos, destacados na tira abaixo:

Glauco/Folha Imagem

Na tira, pra onde e pra banda dos feios são adjuntos adverbiais de lugar da locução verbal **vou olhar**.

Os **adjuntos adverbiais** podem expressar várias circunstâncias:

- **tempo**

  Hoje começa o outono no hemisfério sul.

- **modo**

  As folhas caem suavemente das árvores.

- **intensidade**

  O outono, assim como a primavera, é uma das mais apreciadas estações.

- **lugar**

  Aqui e ali se veem folhas secas trazidas pelo vento.

- **afirmação**

  Decerto que depois do outono vem o inverno.

- **negação**

  Da próxima vez, João não passará as férias na praia.

- **dúvida**

  Talvez chova bastante durante este outono.

- **companhia**

  As crianças foram com os adultos assistir ao último eclipse do ano.

A **função de adjunto adverbial** pode ser exercida por:

- um advérbio.

> "No centenário de sua morte, o autor de *D. Casmurro* [Machado de Assis] continua instigando críticos, historiadores, leitores. O mulato de origem humilde que nunca frequentou uma universidade e quase nunca saiu do Rio de Janeiro é o mais universal dos escritores brasileiros."
>
> (*Veja*, ed. 2079, ano 41, n. 38, 24 set. 2008, p. 160.)

Cibele Queiroz

- uma locução adverbial.

> "No centenário de sua morte, o autor de *D. Casmurro* [Machado de Assis] continua instigando críticos, historiadores, leitores. O mulato de origem humilde que nunca frequentou uma universidade e quase nunca saiu do Rio de Janeiro é o mais universal dos escritores brasileiros."
>
> (*Veja*, ed. 2079, ano 41, n. 38, 24 set. 2008, p. 160.)

• uma oração que tem função adverbial.

© 2009 King Features Syndicate/Ipress

"O banheiro sempre está ocupado quando a gente precisa dele."

1ª oração   2ª oração: adjunto adverbial
de tempo da 1ª oração

Aposto

Leia o texto:

Yabba dabba doo!

Quem nunca se divertiu com desenhos animados que jogue a primeira torta! Sim, vamos falar dos mais clássicos dos clássicos: os seriados Hanna-Barbera. Lembra como a gente torcia pelos competidores da *Corrida Maluca*? E aquela resmungona hiena, o Hardy, como era irritante, não?

(...) Bons tempos. Mas o bom mesmo é nos lembrarmos deles...

HANNA-BARBERA/NBC/ABC/WARNER BROS TV /
Album/Album Cinema/LatinStock

A dupla

Durante mais de 60 anos de parceria, William Hanna e Joseph Barbera, verdadeiros deuses da animação, criaram uma igualmente famosa coleção de desenhos animados. Curiosamente, nenhum deles começou no ramo da animação — Hanna era engenheiro e Barbera, banqueiro.

(*Superinteressante*, ed. 181, out. 2002, p. 102.)

Agora, releia o trecho acima observando a expressão em destaque. Ela se refere ao sujeito, porém não se trata propriamente de um adjunto. A sua função é esclarecer e explicar quem são William Hanna e Joseph Barbera, embora não seja fundamental para a compreensão da frase, como se pode confirmar a seguir.

Durante mais de 60 anos de parceria, William Hanna e Joseph Barbera criaram uma igualmente famosa coleção de desenhos animados.

A esse termo acessório dá-se o nome de **aposto**.

Aposto é uma palavra ou expressão que explica outro termo da oração.

Veja outros exemplos:

Respeito e adoração aos animais no Antigo Egito

Animais domésticos já foram até idolatrados pelos seres humanos.

Especialista em cultura egípcia garante que na época dos faraós cães e gatos eram tratados como representantes dos deuses na Terra. Maltratar animais podia levar à pena de morte.

Alvo de mimos, carinho e dedicação na atualidade, os animais domésticos já foram até idolatrados pelos seres humanos. (...)

Segundo Gomes, cada animal era dedicado a uma divindade e por isso nenhum deles era sacrificado. O Deus da Escrita, Toth, era representado como um íbis, ave de bico e patas longas, ou por um homem com cabeça de íbis.

O cão era outra figura especial naquela cultura. Considerado como o animal sagrado do Deus Anúbis na Terra, muitos eram mumificados ao lado dos donos para atrair proteção. (...)

Um mito curioso é o da deusa da alegria e do lar, Bastet, simbolizada por uma gata, por seu apego e proteção domiciliar. "O povo egípcio era um excelente observador da natureza e isso colaborou muito na estrutura de sua religião. O desenho do leão, por exemplo, era usado na mobília e representava força e coragem. Também trazia a ideia de realeza e poder", explica Gomes. "A Esfinge, um dos principais símbolos históricos do Egito, denota a ideia de um leão deitado com a cabeça de um ser humano", complementa.

Visitantes em frente ao templo de Ramsés, no Egito.

Goran Tomasevic/Reuters/LatinStock

(Agência Estado. Em: http://jovempan.uol.com.br/blogs/animaisecia/2008/08/19/respeito-e-adoracao-aos-animais-no-antigo-egito/, acessado em 21 mar. 2009.)

O aposto aparece geralmente entre vírgulas ou precedendo a vírgula. No entanto, existe um tipo de aposto em que não se usa a vírgula e que não aparece separado do nome a que se refere. É o aposto que individualiza um nome comum.

Leia estas frases:

nome comum   aposto

"Engraçado, sempre gostei do nome Rosa."

nome comum   aposto

Um estudo concluiu que o rio Amazonas é o maior do mundo.

nome comum   aposto

Comemorou-se em 2008 o centenário da morte do escritor Machado de Assis.

O aposto também pode aparecer precedido por dois-pontos ou entre travessões. Veja os apostos destacados nas frases abaixo:

"Sim, vamos falar dos mais clássicos dos clássicos: os seriados Hanna-Barbera."

Vários desenhos famosos — Wally Gator, Os Impossíveis, A Formiga Atômica e Carangos e Motocas — foram escritos por Hanna e Barbera.

Vocativo

O vocativo é um termo isolado dentro da oração, que não se liga a nenhum outro. Ele não pertence nem ao sujeito nem ao predicado. Leia a tira:

Nos quadrinhos, as personagens usam as expressões mãe e Suriá para chamar a atenção uma da outra. Essas expressões no texto são chamadas de **vocativos**.

> **Vocativo** é o termo que serve para interpelar ou chamar aquele com quem se fala.

Geralmente, o vocativo aparece separado por vírgula e pode vir acompanhado de interjeições como **oh**, **eh**, **ó**, **ô**. Após o vocativo, é comum o emprego de ponto de exclamação.

Leia as tiras a seguir e observe os vocativos destacados:

Maurício de Sousa Produções – Brasil/2009

Observe a presença das interjeições ô e oh em alguns dos vocativos destacados nas tirinhas reproduzidas.

A **função de vocativo**, em um texto, pode ser exercida pelas seguintes classes de palavras:

• um substantivo ou uma expressão com valor de substantivo.

"Criança diz cada uma..."

(...) E tinha um garotinho que era infernal. Brigava todo dia na escola. Um dia, no almoço, o pai, para testar seus conhecimentos bíblicos (ele estudava num colégio de padre), perguntou:

— Meu filho, me diz quem foi que jogou a pedra no Golias.

O garoto desatou a chorar.

— Tá vendo, mãe? Tudo eu. Tudo eu. Juro, pai, juro pelo que é de mais sagrado que eu nem conheço esse menino.

(Mário Prata. *100 crônicas*, São Paulo, Cartaz Editorial/*O Estado de S. Paulo*, 1997, p. 48.)

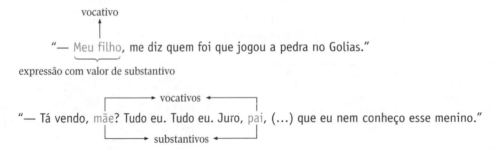

vocativo

"— Meu filho, me diz quem foi que jogou a pedra no Golias."

expressão com valor de substantivo

vocativos

"— Tá vendo, mãe? Tudo eu. Tudo eu. Juro, pai, (...) que eu nem conheço esse menino."

substantivos

• um pronome de tratamento.

vocativo

Senhoras e senhores, apresento-lhes nosso artista nessa noite.

pronomes de tratamento

Exercícios

Leia o texto a seguir para responder às questões de **1** a **4**.

Revolução dos idosos

Cientistas vivem procurando explicações para o sucesso evolutivo dos humanos em relação a outros primatas, e parte da resposta está num estudo recente da antropóloga Rachel Caspari, da Universidade de Michigan (EUA).

Analisando centenas de fósseis de hominídeos, ela descobriu que o porcentual de idosos subiu vertiginosamente por volta de 30 mil anos atrás, quando a população humana total também aumentava.

Segundo estudo de Caspari na revista PNAS, a capacidade de cuidar dos anciãos permitiu aos humanos acumularem mais conhecimento e transmiti-lo melhor, por meio do contato entre avós e netos.

O sucesso do *Homo sapiens*, afinal, parece ser mais fruto da sabedoria dos velhos do que do vigor físico dos jovens.

(*Galileu*, n. 157, ago. 2004, p. 21.)

1 Na frase destacada no primeiro parágrafo:

a) Identifique os adjuntos adnominais.

b) Em seguida, identifique as palavras às quais esses adjuntos adnominais estão relacionados.

2 Na frase destacada no segundo parágrafo:

a) Identifique os adjuntos adnominais.

b) Classifique morfologicamente esses adjuntos adnominais.

3 No terceiro e no quarto parágrafos, identifique a função sintática dos termos e expressões destacados.

4 Localize um aposto no texto.

Leia a história em quadrinhos abaixo para responder às questões de **5** a **9**.

377

5 Identifique os adjuntos adverbiais e classifique-os de acordo com as circunstâncias por eles expressas.

6 Escreva uma oração com a palavra **mais** na função de adjunto adnominal.

7 Analise sintaticamente a fala do primeiro quadrinho, na seguinte ordem:

a) termos essenciais

b) termos integrantes

c) termos acessórios e vocativo

8 Analise sintaticamente a fala do sexto quadrinho, na seguinte ordem:

a) termos essenciais

b) termos integrantes

c) termos acessórios e vocativo

9 Analise sintaticamente os pronomes **você**, **nada**, **minhas**, **qual** e **meu**.

10 Copie duas orações da história em quadrinhos de Adão e reescreva-as, alterando a circunstância expressa pelos adjuntos adverbiais. Classifique os novos adjuntos adverbiais empregados.

11 Escreva orações com as seguintes palavras:

a) adjunto adverbial de modo

b) adjunto adverbial de afirmação

c) adjunto adverbial de negação

Leia os cartuns e a charge a seguir e resolva os exercícios de **12** a **15**.

C

D

Allan Sieber

Jean Galvão/Folha Imagem

12 Identifique, nas falas dos personagens, os apostos e os vocativos.

13 Em relação ao aposto, identifique a que termo ele se refere.

14 Dê a função sintática dos termos destacados nos cartuns e na charge.

15 Escreva uma oração em que a palavra **meio(a)(s)** seja adjunto adnominal.

16 Acrescente às frases a seguir um adjunto adnominal e um adjunto adverbial.

   a) Árvores estavam sendo derrubadas.

   b) Poluição ameaça cidades.

   c) Os castelos de areia são levados pelas ondas.

   d) Choveu o dia todo.

17 Escreva frases de acordo com as seguintes orientações:

   a) sujeito simples (com adjunto adnominal) + predicado verbal (verbo intransitivo + adjunto adverbial)

   b) vocativo + sujeito simples + predicado nominal (verbo de ligação + predicativo do sujeito)

   c) sujeito composto + aposto + predicado verbo-nominal (verbo intransitivo + predicativo do sujeito + adjunto adverbial)

18 Acrescente um aposto ao termo destacado nas frases a seguir:

Você sabia que...

a) A palavra macarrão vem de *maccari*, que em um dialeto da Sicília significa achatar?

b) Espaguete vem do italiano e quer dizer barbante?

c) Segundo um livro italiano do século 15, a massa tem de ser cozida pelo tempo de se rezar três padres-nossos?

d) O Brasil é o terceiro maior produtor de macarrão do mundo? Cada brasileiro come, por ano, mais de 5 quilos de massa.

e) O garfo de quatro dentes foi inventado em Nápoles para se comer espaguete?

f) No Oriente, o macarrão mais comum é o lamen, feito com legumes e carne ou em forma de sopa?

(*Recreio*, ano 5, n. 239, 7 out. 2004, p. 18.)

Leia as histórias em quadrinhos de Garfield e resolva as questões de **19** a **22**.

A

B

19 Leia novamente a história em quadrinhos **A** e identifique:

a) um complemento nominal de um substantivo;

b) um complemento nominal de um advérbio;

c) uma oração sem sujeito;

d) um adjunto adverbial de lugar;

e) um objeto indireto;

f) um verbo transitivo direto e indireto e o seu complemento.

20 Destaque os adjuntos adnominais e os substantivos que eles acompanham.

21 Classifique morfologicamente os adjuntos adnominais do exercício **20**.

22 Na história em quadrinhos **B**, identifique a função sintática de:

a) "simpático";

b) "com os cães";

c) "ser mais simpático com os cães";

d) "comer menos lasanha";

e) "menos lasanha";

f) "menos".

23 Escreva uma frase em que a palavra **menos** seja adjunto adverbial.

24 Agora responda:

a) Qual é a diferença sintática entre a palavra **mais** nestas duas construções: "**mais** tempo" (história em quadrinhos **A**) e "**mais** simpático" (história em quadrinhos **B**)?

b) Qual é a diferença sintática entre a palavra **melhor** nestas duas construções, extraídas do texto *Revolução dos idosos*, no início dos Exercícios, e da tira **B**?

> "(...) a capacidade de cuidar dos anciãos permitiu aos humanos acumularem mais conhecimento e transmiti-lo melhor (...)."
>
> "Talvez comer menos lasanha seja melhor."

Agora que já estudamos o período simples, vamos estudar o período composto, começando pelo **período composto por coordenação**.

Leia o texto:

O braço

Alberto de Stefano

Seis homens sobreviveram a um naufrágio, usando a balsa do navio. Durante as primeiras horas, tudo correu, na medida do possível, muito bem: havia alimentos e água, o mar estava calmo. Até que, subitamente, a barbatana de um tubarão começou a circular em torno da frágil balsa. Não demorou muito e o "monstro" deu sua primeira investida. O bote quase virou com o safanão.

A cada novo ataque, os homens defendiam-se como podiam, utilizando remos, boias, em total pânico e desespero. O tubarão farejara carne e não desistia, faminto. Até que um deles, médico cirurgião, teve a ideia salvadora: amputaria o braço do primeiro voluntário e o daria à fera, para afastá-la dali.

(Ângela Leite de Souza. *Charadas para qualquer Sherlock*, São Paulo, Saraiva, 2007, p.10.)

Observe esta frase:

"Não demorou muito e o 'monstro' deu sua primeira investida."

Na frase acima, existem dois verbos: demorou e deu. Temos, portanto, duas orações:

- 1ª oração — Não demorou muito
- 2ª oração — e o "monstro" deu sua primeira investida.

As duas orações são ligadas pela conjunção e, que estabelece entre elas uma relação de adição, de soma. Uma oração é independente da outra; isso significa que elas são sintaticamente completas — o que as une é a sequência ordenada das ideias.

A esse tipo de oração damos o nome de **coordenada**, e o período formado por elas é chamado de **período composto por coordenação**.

Oração coordenada é aquela que é independente das demais orações que formam a frase.

Período composto por coordenação é aquele formado por orações coordenadas.

Classificação das orações coordenadas

As orações coordenadas podem vir ligadas entre si por conjunção, como no exemplo da página anterior, ou separadas apenas por vírgula ou ponto e vírgula, sem conjunção.

Leia atentamente este texto:

Ervas

O caule das ervas (plantas herbáceas) é geralmente verde, sem casca rígida, ao contrário do das árvores e arbustos. Algumas plantas herbáceas são chamadas de anuais, pois crescem, florescem, produzem sementes e morrem no intervalo de um ano. Outras são bianuais, ou seja, tudo isso ocorre em dois anos. E há também as perenes, que vivem por muitos anos.

(*Enciclopédia Ilustrada do Estudante*, São Paulo, Abril Cultural.

Stockxpert/ImagePlus

Manjericão, erva perene muito utilizada na culinária.

Agora, observe este período:

"Algumas plantas herbáceas são chamadas de anuais, / pois crescem, / florescem, / produzem sementes / e morrem no intervalo de um ano."

Esse período é composto por coordenação. Ele contém cinco orações, algumas com conjunção e outras sem. Veja:

- 1ª oração — Algumas plantas herbáceas são chamadas de anuais (sem conjunção)
- 2ª oração — pois crescem (com conjunção: pois)
- 3ª oração — florescem (sem conjunção)
- 4ª oração — produzem sementes (sem conjunção)
- 5ª oração — e morrem no intervalo de um ano (com conjunção: e)

Às orações coordenadas separadas por vírgula ou ponto e vírgula, sem conjunção, damos o nome de **coordenadas assindéticas**.

Às orações coordenadas introduzidas por uma conjunção damos o nome de **coordenadas sindéticas**.

> **OBSERVAÇÃO**
>
> A palavra **síndeto**, de origem grega, significa "ligado a", "unido a"; **assíndeto** significa "não unido".

> **Oração coordenada assindética** é aquela que não contém conjunção.
> **Oração coordenada sindética** é aquela que é introduzida por conjunção.

Muitas vezes, as orações coordenadas aparecem separadas por outro sinal de pontuação, como o ponto-final ou o travessão. Veja os exemplos destacados no texto abaixo:

O fim do começo

Como se sabe, a Idade da Pedra não acabou por falta de pedra. **Portanto**, esqueça as previsões de que logo o mundo estará sem petróleo. (...) Não se vislumbra o fim da era do petróleo. Não se está talvez nem mesmo no começo do fim — **mas** claramente se encerrou o fim do começo do domínio dos combustíveis fósseis como matriz energética primordial da civilização.

(*Veja*, 9 jun. 2004, p. 117.)

No primeiro caso, a relação estabelecida é de conclusão de um raciocínio, iniciado na frase anterior. Observe:

1ª oração: início do raciocínio

"Como se sabe, a Idade da Pedra não acabou por falta de pedra. Portanto, esqueça as previsões de que logo o mundo estará sem petróleo."

conjunção conclusiva:
conclusão do raciocínio

Nesse caso, embora separada da 1ª oração por ponto-final, a 2ª oração estabelece com ela uma relação de conclusão.

Já no segundo caso, a relação estabelecida entre as orações é de adversidade, de oposição. Elas estão separadas por meio do uso de um travessão:

conjunção adversativa: oposição à ideia
apresentada na oração anterior

1ª oração

"Não se está talvez nem mesmo no começo do fim — mas claramente se encerrou o fim do começo do domínio dos combustíveis fósseis como matriz energética primordial da civilização."

Classificação das coordenadas sindéticas

As orações coordenadas sindéticas classificam-se de acordo com as ideias que expressam. Elas podem ser: **aditivas**, **adversativas**, **alternativas**, **conclusivas** e **explicativas**.

Vamos estudá-las separadamente.

Aditivas

Observe a charge ao lado:

"Viemos, vimos e vencemos!"

Lewis Hamilton, campeão mundial de Fórmula 1, parafraseando Júlio César, imperador romano.

Batistão

(*Veja*, ano 41, n. 45, 12 nov. 2008, p. 61.)

A frase que acompanha a charge é um período composto, formado por três orações:

"Viemos, / vimos / e vencemos!"

1ª oração   2ª oração   3ª oração

Observe que temos três verbos — viemos, vimos, vencemos —, portanto, três orações. As duas primeiras são coordenadas assindéticas; a terceira — "e vencemos" — é uma **oração coordenada sindética aditiva**, uma vez que expressa um fato adicionado ao anterior. Estabelece-se, por intermédio da conjunção e, uma relação de soma, de adição.

As orações anteriores, "viemos" e "vimos", são classificadas como assindéticas, já que não são introduzidas por conjunção.

Veja este outro exemplo:

Com um segundo lugar, Lewis Hamilton não só subiu ao pódio no GP do Brasil de 2008, como também garantiu nessa ocasião o título mundial de Fórmula 1.

- Com um segundo lugar, Lewis Hamilton não só subiu ao pódio no GP do Brasil de 2008: oração coordenada assindética
- como também garantiu nessa ocasião o título mundial de Fórmula 1: oração coordenada sindética aditiva

> **Oração coordenada sindética aditiva** é aquela que exprime uma adição. É introduzida geralmente pelas conjunções **e**, **nem**, **mas**, **também**.

Adversativas

Leia o bilhete abaixo:

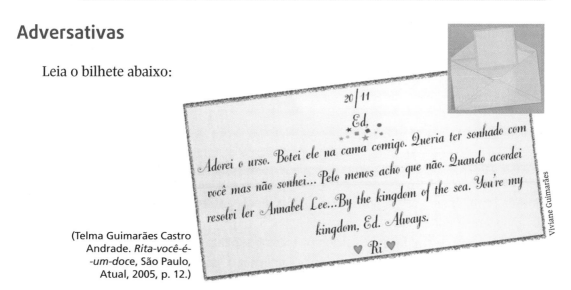

(Telma Guimarães Castro Andrade. *Rita-você-é-um-doce*, São Paulo, Atual, 2005, p. 12.)

Observe que, na terceira frase do bilhete, a conjunção mas estabelece uma relação de adversidade entre o "querer sonhar" e "não sonhar".

A oração "mas não sonhei" recebe o nome de **oração coordenada sindética adversativa**, porque encerra uma ideia de oposição, de adversidade em relação à primeira.

> **Oração coordenada sindética adversativa** é aquela que exprime uma oposição em relação à ideia anterior. É introduzida geralmente pelas conjunções **mas**, **porém**, **todavia**, **contudo**, **entretanto**, **no entanto** etc.

Alternativas

Leia a tira ao lado e observe a primeira fala:

Observe que o segundo fato — "ou é minha imaginação?" — é uma ideia alternativa ao primeiro. Ambos se excluem e não podem ocorrer ao mesmo tempo. A primeira oração é uma coordenada assindética e a segunda, uma **oração coordenada sindética alternativa**.

Às vezes, a conjunção aparece nas duas orações. Veja:

Ou você está mais gordo, ou é a minha imaginação.

Nesse caso, as duas orações são coordenadas sindéticas alternativas, pois exprimem uma alternância entre dois fatos, e a conjunção aparece em ambas.

Veja outro exemplo desse tipo de oração:

Ora os alunos entram rapidamente na sala de aula, ora se atrasam no pátio após o intervalo.

> **Oração coordenada sindética alternativa** é aquela que expressa uma ideia de alternância, de escolha ou de exclusão. É introduzida pelas conjunções **ou... ou**, **ora... ora**, **quer... quer**, **seja... seja**.

Conclusivas

Observe:

Hades e seu reino

No limite da terra, onde o sol se põe e o oceano começa, abria-se o império dos mortos, no qual reinava o poderoso Hades.

O mundo subterrâneo era rodeado de todos os lados por pântanos e rios. Portanto, as sombras dos defuntos tinham que passar pelas águas lamacentas do Estige e do Aqueronte para entrar nos domínios de Hades.

(...)

Hades era o soberano onipotente de lá, porém não demorou para que o poder deixasse de compensar sua profunda solidão. Cansado de reinar sozinho sobre aquele povo de sombras, quis se casar. Infelizmente, as noivas eram muito raras. Nenhuma deusa e nenhuma mortal queriam adotar aquela vida debaixo da terra, privada para todo o sempre da luz do sol. Logo, ele se viu obrigado a raptar uma noiva. Sua escolha recaiu em Perséfone, uma das moças mais bonitas da Sicília.

(Claude Pouzadoux. *Contos e lendas da mitologia grega*, São Paulo, Cia. das Letras, 2001, p. 71-76.)

As orações introduzidas pelas conjunções portanto e logo indicam uma dedução, uma conclusão quanto à ideia anterior. Tanto uma como a outra recebem o nome de **oração coordenada sindética conclusiva**. A oração que as antecede é classificada como coordenada assindética.

> **Oração coordenada sindética conclusiva** é aquela que exprime uma conclusão. É introduzida geralmente pelas conjunções **logo, por isso, portanto** e **pois** (depois do verbo).

Explicativas

Leia o texto:

As rosas russas

Nunca dê uma dúzia de rosas a uma russa: flores devem ser presenteadas sempre em números ímpares, pois os pares são para funerais. E jamais amarelas, pois isso significa infidelidade. Se você saiu de casa e esqueceu algo, não entre de novo, pois vai se dar mal na rua. Se tiver mesmo de voltar, dê uma olhada no espelho antes de deixar a casa.

(*Época*, n. 406, 30 jul. 2007, p. 134.)

Márcia Széliga

Nesse texto, observe que as orações introduzidas pela conjunção pois são o motivo ou a explicação de afirmações anteriores, feitas pelo autor:

| 1ª oração | 2ª oração |

"(...) flores devem ser presenteadas sempre em números ímpares, pois os pares são para funerais."

conjunção que introduz uma explicação à 1ª oração

| 1ª oração | 2ª oração |

"(...) E jamais (devem ser) amarelas, pois isso significa infidelidade."

conjunção que introduz uma explicação à 1ª oração

| 1ª oração | 2ª oração |

"(...) não entre de novo, pois vai se dar mal na rua."

conjunção que introduz uma explicação à 1ª oração

Temos, nesses três exemplos, **orações coordenadas sindéticas explicativas**.

IMPORTANTE!

Observe que a conjunção pois foi empregada **antes** dos verbos – e isso é que caracteriza o seu uso como **conjunção explicativa** –, diferentemente do que acontece nas orações conclusivas, em que ela aparece **depois** do verbo ou no **meio** de uma locução verbal.

Veja o exemplo:

Algumas mulheres russas são supersticiosas; não se deve, pois, dar-lhes rosas amarelas.
        1ª oração   2ª oração

A 2ª oração indica uma ideia conclusiva em relação à 1ª oração.

Oração coordenada sindética explicativa é aquela que traz uma explicação à oração anterior. É introduzida geralmente pelas conjunções **que**, **porque** e **pois**, antes do verbo.

Exercícios

1 Leia a tirinha e identifique as conjunções coordenativas:

a) Agora, indique que tipo de relação essas conjunções coordenativas estabelecem entre as orações.

b) Copie as orações nas quais aparecem conjunções coordenativas e classifique-as.

2 Estabeleça a relação de sentido (adição, adversidade, alternância, conclusão, explicação) entre as orações coordenadas destacadas no poema de José Régio, a seguir:

Quando eu nasci

Roberto Weigand

Quando eu nasci,
ficou tudo como estava,
Nem homens cortaram veias,
nem o Sol escureceu,
nem houve Estrelas a mais...
Somente,
esquecida das dores,
a minha Mãe sorriu e agradeceu.
Quando eu nasci,
não houve nada de novo
senão eu.

As nuvens não se espantaram,
não enlouqueceu ninguém...
P'ra que o dia fosse enorme, bastava
toda a ternura que olhava
nos olhos de minha Mãe...

(http://sol.sapo.pt/blogs/cintia12/archive/2008/10/28/Quando-eu-nasci_2E00_.aspx, acessado em 18 dez. 2008.)

Leia o texto e responda às questões de **3** a **5**.

Por que o urso polar dorme seis meses?

O urso polar não dorme, hiberna. Nesse período, todo o seu organismo muda. A temperatura do corpo cai, a respiração diminui e os batimentos do coração ficam quase imperceptíveis. Isso é necessário para que ele economize energia e consiga sobreviver, pois durante as épocas mais frias há pouca comida nas regiões onde vive. O período de hibernação não dura sempre seis meses, varia de acordo com o clima e com as condições físicas do animal. Existem outros bichos que hibernam, como os esquilos do Ártico e as marmotas.

Roberto Weigand

(*Recreio*, ano 5, n. 223, jun. 2004, p. 4.)

3 Identifique as orações existentes em cada um dos períodos a seguir, extraídos do texto.

a) "**O urso polar não dorme**, hiberna".

b) "A temperatura do corpo cai, a respiração diminui **e os batimentos do coração ficam quase imperceptíveis**".

c) "**Isso é necessário** para que ele economize energia **e consiga sobreviver, pois durante as épocas mais frias há pouca comida nas regiões** onde vive".

d) "O período de hibernação não dura sempre seis meses, **varia de acordo com o clima e com as condições físicas do animal**".

4 Classifique apenas as orações destacadas em coordenadas assindéticas e coordenadas sindéticas.

5 Quando houver conjunção, indique a relação que ela estabelece entre as orações.

6 Construa períodos compostos por coordenação utilizando as palavras a seguir. Considere as relações de sentido que deve haver entre as orações coordenadas.

a) relação de conclusão ⟶ médico, acidente, hospital;

b) relação de alternância ⟶ adoecer, sair;

c) relação de adição ⟶ infelicidade, desentendimento;

d) relação de explicação ⟶ viagem, sorriso;

e) relação de adversidade ⟶ problema, solução.

7 Leia o trecho abaixo:

DESAFIO

Como se regenera o rabo da lagartixa?

Primeiro, é importante saber que os lagartos e as lagartixas se desfazem da cauda por vontade própria. Não se trata de nenhuma crise masoquista de autoflagelação e, sim, de uma estratégia espertíssima que ajuda o bicho a salvar a vida. Quando perseguido, ele corta um pedaço do próprio rabo, que continua se movimentando por um tempo, o suficiente para distrair o predador e ele poder fugir.

(...) a cauda será regenerada, porém nunca mais será a mesma. O novo rabo será menor e mais grosso ou torto. A parte óssea também não se recupera.

Fabio Colombini

(...) A energia gasta para a regeneração do rabo tem um alto preço: indivíduos jovens crescem mais demoradamente e fêmeas em fase reprodutiva produzem menos ovos.

(Revista *Mundo Estranho*, ano 1, n. 6, ago. 2002, p. 51.)

Na frase destacada no texto, como se classifica a conjunção *e*, de acordo com a relação que ela estabelece entre as orações?

Período composto por subordinação

Capítulo 24

Leia o texto abaixo e observe o período destacado:

Quando jovens e crianças trocam brinquedos de guerra

(...)

A violência é um dos grandes problemas enfrentados, atualmente, pelas pessoas no mundo inteiro. Quando se fala em violência, geralmente as pessoas pensam nas agressões físicas. Mas existem outras formas de violência, igualmente graves, mas escondidas ou silenciadas.

Os estudiosos, hoje, chegaram à conclusão de que vivemos numa cultura de violência. Isto é, os valores, os modos de comportamento, os costumes, muito do dia a dia das pessoas está marcado pela violência. Nossa sociedade violenta criou uma cultura violenta, produzida e, ao mesmo tempo, difundida por vários setores da sociedade: os meios de comunicação, a escola, a família, as instituições religiosas, os partidos políticos, os clubes, os sindicatos etc.

(...)

(Marcelo Rezende Guimarães. *Cidadãos do presente*, São Paulo, Saraiva, 2002, p. 38.)

Canhão de brinquedo.

Esse período é constituído por duas orações:

• 1ª oração — Os estudiosos, hoje, chegaram à conclusão
• 2ª oração — de que vivemos numa cultura de violência

Nenhuma delas tem sentido completo: o significado de uma depende do da outra. São orações dependentes, unidas pela conjunção subordinativa que. Por isso, dizemos que esse período é um **período composto por subordinação**.

A 1ª oração é chamada de **principal**, à qual a 2ª oração está vinculada. Essa 2ª oração, que é introduzida pela conjunção que, é uma **oração subordinada**.

Observe:

"Os estudiosos, hoje, chegaram à conclusão / de que vivemos numa cultura de violência."

oração principal   oração subordinada

A palavra da oração principal conclusão tem sentido incompleto e pede um complemento que, sintaticamente, chama-se complemento nominal. No período acima, a 2ª oração é que complementa o sentido da palavra conclusão. Assim, nesse exemplo, a oração subordinada exerce uma **função sintática** em relação a um termo da oração principal.

Oração subordinada é aquela que completa o sentido de outra — chamada de **principal** —, da qual é dependente. Em relação à oração principal, a subordinada exerce uma função sintática. É introduzida por uma conjunção subordinativa.

Período composto por subordinação é aquele formado por uma oração principal e por uma (ou mais) oração subordinada.

Veja outro exemplo de período composto por subordinação:

"Quando se fala em violência, / geralmente as pessoas pensam nas agressões físicas."

       oração subordinada   oração principal

Classificação das orações subordinadas

Dependendo da função sintática que exercem em relação à oração principal, as orações subordinadas classificam-se em **substantivas**, **adjetivas** e **adverbiais**.

Vamos estudá-las separadamente.

Orações subordinadas substantivas

Compare os dois períodos:

oração principal   oração subordinada substantiva

Espero / que você se recupere rapidamente.
período composto por subordinação (dois verbos: duas orações)

→ núcleo: substantivo

Espero a sua rápida recuperação.
período simples (um verbo: uma oração)

> **OBSERVAÇÃO**
>
> Para facilitar a identificação das orações subordinadas substantivas, basta trocá-las pelo pronome **isso**. Veja:
>
>   É preciso que estudemos.
>   É preciso isso.

Veja que a oração "que você se recupere rapidamente" equivale à expressão "a sua rápida recuperação", cuja palavra principal (núcleo) é um substantivo: recuperação.

> A **oração subordinada substantiva** tem o valor e a função de um substantivo. É introduzida por uma conjunção integrante (**que**, **se** e outras).

Ela é classificada conforme a função sintática que exerce em relação à oração principal.

A oração subordinada substantiva pode ser: **subjetiva**, **objetiva direta**, **objetiva indireta**, **predicativa**, **completiva nominal**, **apositiva**.

Subjetiva

Exerce a função de sujeito da oração principal. Leia mais um trecho do texto anterior:

> (...)
> Os meios de comunicação, sobretudo a televisão, apresentam diariamente um quadro de violência e de destruição. Ali, os grandes heróis se destacam pelos atos violentos que realizam. As estatísticas revelam que um jovem de 14 anos já assistiu, pela televisão, a cerca de 11.000 assassinatos. Calcula-se que um desenho animado apresenta mais de cem atos de violência por hora.
> (...)
>
> (Marcelo Rezende Guimarães. *Cidadãos do presente*, São Paulo, Saraiva, 2002, p. 38.)

oração principal

"**Calcula**-se / que um desenho animado apresenta mais de cem atos de violência por hora."

                oração subordinada substantiva subjetiva

predicado

Calcula-se a apresentação de mais de cem atos de violência por hora em um desenho animado.

                                   sujeito

predicado

Calcula-se isso.
       ↓
       sujeito

Objetiva direta

Exerce a função do objeto direto da oração principal. Observe:

oração principal

O autor do artigo **denunciou** / que a nossa sociedade violenta criou uma cultura violenta.

oração subordinada substantiva objetiva direta

O autor do artigo **denunciou** a criação de uma cultura violenta pela nossa sociedade violenta.

VTD   objeto indireto

O autor do artigo **denunciou** isso.

VTD ←————→ objeto direto

Objetiva indireta

Exerce a função de objeto indireto da oração principal. Veja estes exemplos:

oração principal

As estatísticas **informam**-nos / de que os meios de comunicação contribuem para o aumento da violência.

oração subordinada substantiva objetiva indireta

As estatísticas **informam**-nos da contribuição dos meios de comunicação para o aumento da violência.

VTDI objeto   objeto indireto
       direto

As estatísticas **informam**-nos disso.

VTDI

objeto ——→ objeto indireto
direto

Predicativa

Exerce a função de predicativo. Veja:

oração principal

A notícia alarmante **é** / que os meios de comunicação contribuem para o aumento da violência.

oração subordinada substantiva predicativa

A notícia alarmante **é** a contribuição dos meios de comunicação para o aumento da violência.

VL   predicativo do sujeito

A notícia alarmante **é** essa.

VL   predicativo do sujeito

Completiva nominal

Exerce a função de complemento nominal. Observe os exemplos:

oração principal

Recebemos a **notícia** / de que os meios de comunicação contribuem para o aumento da violência.

oração subordinada substantiva completiva nominal

Recebemos a **notícia** da contribuição dos meios de comunicação para o aumento da violência.

nome   complemento nominal

Recebemos a **notícia** disso.

nome   ——→ complemento nominal

393

Apositiva

Exerce a função de aposto de um termo da oração. Veja:

oração principal

As estatísticas descobriram um **fato**: / que os meios de comunicação contribuem para o aumento da violência.

oração subordinada substantiva apositiva

As estatísticas descobriram um **fato**: a contribuição dos meios de comunicação para o aumento da violência.

aposto

termo

As estatísticas descobriram **isso**: a contribuição dos meios de comunicação para o aumento da violência.

aposto

termo

OBSERVAÇÃO

Muitas vezes, as orações aparecem introduzidas pelos advérbios interrogativos onde, quando, como e por que. São as orações interrogativas indiretas. Entretanto, como essas orações exercem funções próprias do substantivo, são classificadas como **orações substantivas**. Observe:

Especialistas descobriram onde estavam obras-primas da literatura e da filosofia perdidas há muitos anos.

oração substantiva

Não se sabe quando os especialistas iniciaram as escavações.

oração substantiva

Os especialistas também descobriram como tais obras foram perdidas.

oração substantiva

Não entendo por que os antigos egípcios jogavam os papiros no lixão.

oração substantiva

Todas as orações subordinadas substantivas acima são **objetivas diretas**.

ATENÇÃO!

Para classificar corretamente uma oração subordinada substantiva, observe qual é o termo da oração anterior cujo sentido ela completa ou explica.

Veja a tabela a seguir:

Se a oração subordinada completar (ou explicar) o sentido de um...	... ela será uma oração subordinada substantiva...
predicado	subjetiva
verbo transitivo direto	objetiva direta
verbo transitivo indireto	objetiva indireta
nome	completiva nominal
verbo de ligação	predicativa
aposto	apositiva

Exercícios

1. Transforme os períodos compostos por subordinação em períodos simples. Veja o modelo:

> Meu desejo era que o inverno terminasse logo.
> Meu desejo era o término do inverno.

a) Convém que os alunos se dediquem aos esportes.

b) O zoológico recomenda que não se ofereça alimento aos animais.

c) Desejamos que todos tenham sorte na vida.

d) Esperamos que os jovens se transformem em bons cidadãos.

2. Leia o texto e faça o que se pede:

Reinventando as asas
Os bichos-paus e seus incertos períodos alados

Há uma novidade sobre os insetos fasmídeos, mais conhecidos como bichos-paus: os cientistas acham que eles perderam e recuperaram suas asas várias vezes ao longo de 300 milhões de anos, abalando a tradicional suposição de que sua asa surgiu de uma vez só.

Capazes de mimetizar gravetos, os bichos-paus dividem-se em dois tipos: alados e parcialmente alados ou sem asas. O biólogo Michael Whiting analisou o DNA de 37 espécies, e descobriu que seus ancestrais incapazes de voar tinham asas há 250 milhões de anos. "Depois as perderam, mas voltaram a desenvolvê-las pelo menos quatro outras vezes", diz.

Bicho-pau, sem asas, pousado em galho.

Fabio Colombini

(Revista *National Geographic Brasil*, out. 2003, p. 20.)

a) Classifique as orações destacadas, retiradas do texto:

- "(...) os cientistas acham **que eles perderam e recuperaram suas asas várias vezes** (...)"

- "(...) abalando a tradicional suposição **de que sua asa surgiu de uma vez só**".

- "O biólogo (...) analisou o DNA de 37 espécies, e descobriu **que seus ancestrais** (...) **tinham asas** (...)"

b) Crie frases com esses tipos de oração subordinada.

395

3 Leia as tiras e classifique as orações indicadas a seguir:

Tira A

Tira B

a) "que aquela nuvem parece um elefante."

b) "que ela parece com um bife."

c) "que, para mim, todas se parecem com um bife."

d) "que temos, e muitos."

4 Leia esta frase:

> Hagar disse a Eddie Sortudo isto: que ele achava a nuvem parecida com um bife.

a) Qual é a classificação da oração introduzida pela conjunção integrante **que**?

b) Transforme essa oração em subordinada substantiva objetiva direta.

c) Na oração que você escreveu, qual é a predicação do verbo **dizer**?

d) Quais termos representam o objeto indireto?

5 Leia a tira abaixo e faça o que se pede:

a) Classifique a oração subordinada destacada na tira.

b) Transforme o período composto por subordinação em período simples.

6 Leia o texto sobre o trabalho dos professores na Grécia antiga. Em seguida, classifique as orações subordinadas destacadas.

Outros tempos

Saiba como era o trabalho dos professores de antigamente

Seus professores estão sempre ensinando coisas novas, sugerindo que você leia , pesquise na internet, e muitas vezes até levam a turma para passeios divertidos e educativos. Nem sempre os professores trabalharam assim. Faça uma viagem no tempo e veja como era o trabalho deles no passado.

Curso completo

Vários professores ensinariam um pouco de tudo para você na Grécia antiga. As aulas de leitura e escrita aconteciam em tendas ou praças e todos tinham de decorar e declamar poemas e saber de cor as fábulas de Esopo. Já o professor de música mostrava como os alunos deviam cantar e tocar instrumentos como a lira, a flauta e a cítara . Você poderia ter ainda professores filósofos, que ensinavam os alunos a observar o mundo e a pensar sobre ele. Já imaginou como seria legal estudar com os grandes pensadores gregos Sócrates, Platão ou Aristóteles ? Por fim, ninguém era considerado bem formado sem um instrutor físico. Ele orientava os exercícios e as competições de corrida, salto, arremesso de disco e lançamento de dardo. O chato é que tudo isso valia apenas para os garotos . As meninas ficavam em casa, onde aprendiam os trabalhos domésticos.

(*Recreio*, n. 239, ano 5, out. 2004, p. 29.)

Leia o texto a seguir para responder às questões de **7** a **10**.

O espirro também é "atchim" em outros países?

Não. Cada língua tem uma forma própria de representar o som do espirro. Por exemplo, na França é *atchoum*, na Alemanha *hatschi* e nos Estados Unidos *atchoo*, *achoo* ou *achew*. O atchim costuma ser provocado por uma irritação no nariz, na garganta, no pulmão ou nas vias aéreas superiores. Pode também ser uma defesa do organismo contra partículas invasoras, como poeira ou pólen — num espirro, o ar é expulso numa velocidade incrível: 150 km/h! E você já reparou como a maioria das pessoas involuntariamente fecha os olhos ao espirrar? Uma das razões é que, ao cerrarmos as pálpebras, reduzimos o risco de que as partículas expelidas entrem em contato com os olhos durante o atchim. Saúde!

(Yuri Vasconcelos. Em: http://mundoestranho.abril.uol.com.br/saude/pergunta_407146.shtml, acessado em 4 jan. 2009. Texto adaptado.)

7 Observe a oração destacada no texto acima:
   a) Classifique-a.
   b) Escreva a oração principal.
   c) Indique a categoria gramatical da palavra **como**.

8 Analise as orações retiradas do texto:

a) "uma das razões é"

b) "que reduzimos o risco"

c) "de que as partículas expelidas entrem em contato com os olhos durante o atchim"

9 Qual é a categoria gramatical da palavra **que** nas orações dos itens **b** e **c** do exercício **8**?

10 Reescreva o item **c** da questão **8**, transformando o verbo em substantivo:

"de que as partículas expelidas entrem em contato com os olhos durante o atchim."

11 Leia o texto e resolva as questões:

Fatos que você não sabe sobre SAPOS... e que está na hora de aprender

Superolhos

Sua visão noturna é excelente e são muito sensíveis ao movimento. Os olhos esbugalhados permitem que vejam objetos na frente, nos lados e parcialmente atrás da cabeça, além de descerem até o limite com o céu da boca para empurrar a comida goela abaixo.

(Revista *Galileu*, n. 157, ago. 2004, p. 22.)

Sapo-de-chifre.

Michael&Patrícia Fogden/Minden Pictures/LatinStock

a) Classifique a oração destacada.

b) Reescreva o período, transformando-o em um período simples.

12 Leia o cartum:

DESSE JEITO, DOUTOR, NÃO SEI ONDE A HUMANIDADE VAI PARAR!

Geandré

a) Analise as orações da fala do cartum.

b) Dê a função sintática da palavra **doutor**.

c) Indique a classe gramatical da palavra **onde**.

Orações subordinadas adjetivas

Observe:

Você sabia que...

Existem meias elétricas? Elas são feitas com uma lã criada na Nova Zelândia que pode ser aquecida por baterias parecidas com as dos telefones celulares.

(*Recreio*, ano 5, n. 223, jun. 2004, p. 4.)

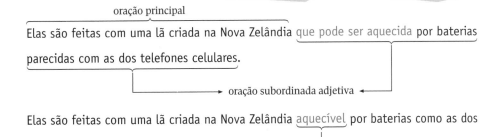

oração principal

Elas são feitas com uma lã criada na Nova Zelândia que pode ser aquecida por baterias parecidas com as dos telefones celulares.

oração subordinada adjetiva

Elas são feitas com uma lã criada na Nova Zelândia aquecível por baterias como as dos telefones celulares.

adjetivo

A oração **que pode ser aquecida** corresponde à palavra **aquecível**, que é um adjetivo. Sintaticamente, esse adjetivo é um adjunto adnominal de **lã**. Portanto, trata-se de uma oração que equivale a um **adjunto adnomina**l e que é introduzida pelo pronome relativo que.

> A **oração subordinada adjetiva** tem o valor e a função de um adjetivo. É introduzida por um pronome relativo (**que, o qual**, **quem**, **onde**, **cujo** e outros) e equivale a um adjunto adnominal.

IMPORTANTE!

> As várias funções morfológicas exercidas pela palavra **que** serão estudadas no Capítulo 30, Estudos diversos.
> Por enquanto vale lembrar que, nas orações subordinadas substantivas, o **que** exerce a função de conjunção integrante; nas adjetivas, atua como pronome relativo.

A oração subordinada adjetiva não deve ser confundida com a oração subordinada substantiva. Compare:

Oração adjetiva	Oração substantiva
É introduzida por um pronome relativo (**que, o qual, a qual, os quais, as quais, quem**, entre outros).	É introduzida por uma conjunção integrante (**que, se**).
Sintaticamente, representa um adjunto adnominal, ou seja, está junto a um nome (substantivo).	Sintaticamente, representa um nome (substantivo), que é o núcleo de um termo da oração (sujeito, objeto direto ou indireto, complemento nominal etc.).

Leia este outro trecho do texto sobre sapos e observe as orações destacadas:

Fatos que você não sabe sobre SAPOS... e que está na hora de aprender

Toxinas do bem

A pele do sapo possui toxinas que o defendem de predadores e que previnem o crescimento de fungos e bactérias. Algumas delas possuem propriedades médicas, como a epibatidina, encontrada no *Epibpedobates tricolor*, sapo que vive no Equador e no Peru. (...)

(Revista *Galileu*, n. 157, ago. 2004, p. 22.)

oração subordinada adjetiva: adjunto adnominal

"A pele do sapo possui **toxinas** / que o defendem de predadores / e que previnem o crescimento de fungos e bactérias."

pronome relativo

Nesse exemplo, as orações subordinadas são introduzidas pelo pronome relativo que e desempenham a função sintática de um adjunto adnominal do substantivo **toxinas**, da oração principal. O pronome relativo pode ser substituído por as quais, a 1ª oração subordinada pode ser substituída pelo adjetivo **defensoras**, e a 2ª, pelo adjetivo **preventivas**. Veja:

A pele do sapo possui **toxinas** / as quais o defendem de predadores / e as quais previnem o crescimento de fungos e bactérias.

A pele do sapo possui **toxinas** defensoras contra predadores e preventivas contra o crescimento de fungos e bactérias.

adjetivos (adjuntos adnominais de **toxinas**)

As orações subordinadas adjetivas podem ser **restritivas** ou **explicativas**.

Restritiva

Este tipo de oração adjetiva é **indispensável** ao entendimento de todo o período e desempenha a função sintática de um **adjunto adnominal**. A oração subordinada adjetiva restritiva não aparece entre vírgulas.

Leia o texto abaixo e observe as frases destacadas na página seguinte:

Como são feitos os fogos de artifício?

Primeiro, são misturados mais de 80 produtos químicos, como cobre, enxofre, alumínio e goma arábica. Essa mistura vira um pó colorido que é jogado numa máquina e transformado em "bolinhas", chamadas de baladas. As baladas são postas no sol para secar e misturadas a um pouco de pólvora. Depois, elas são colocadas dentro de uma meia-lua feita de papel ou plástico. Do lado de fora da meia-lua, cola-se mais pólvora e o estopim, que é um cordão que leva a chama até a pólvora. Quando se acende o estopim, o fogo corre pelo fio, atinge a pólvora e faz a meia-lua estourar. As baladas pegam fogo e, dependendo de seu tamanho e de sua composição, consegue-se um efeito diferente no céu. Assim, o efeito que vemos no céu são as baladas acesas.

(*Recreio*, ano 5, n. 258, p. 5.)

Jupiter Unlimited/Other Images

oração principal

"Essa mistura vira um pó colorido que é jogado numa máquina e transformado em "bolinhas",

oração subordinada adjetiva restritiva

chamadas de baladas."

oração principal

"Assim, o efeito que vemos no céu são as baladas acesas."

oração subordinada adjetiva restritiva

Observe que a oração adjetiva faz uma **restrição**, isto é, limita o tipo de pó colorido que aparece na oração principal. Isso significa que **não são todos** os tipos de pó colorido que são transformados em bolinhas, **mas apenas** aquele "que é jogado numa máquina". O mesmo tipo de raciocínio se aplica ao segundo exemplo: **somente** o efeito "que vemos no céu" é que são as baladas acesas.

Estas são as razões por que orações desse tipo são chamadas de **adjetivas restritivas**:

• **têm valor de adjetivo**, referem-se a outro termo da oração principal, exercendo a função sintática de adjunto adnominal;
• **restringem** os seres a que se referem, limitando-os dentro de uma classificação.

Veja outros exemplos de **oração subordinada adjetiva restritiva** destacados nas frases a seguir:

oração principal

Os jovens que estudam têm mais chance de bons resultados.

oração subordinada adjetiva restritiva

oração principal

Pedras que rolam não criam limo.

oração subordinada adjetiva restritiva

Explicativa

A oração subordinada adjetiva explicativa **não é essencial** para a compreensão do período e exerce função de um **aposto**. Ela sempre aparece entre vírgulas. Veja um exemplo:

O que é o chá de jasmim?
Quais suas características?

É um chá feito com as flores secas de certas espécies dessa planta, uma trepadeira nativa da Índia. Existem mais de 300 espécies de jasmim e algumas não podem ser ingeridas e servem apenas para enfeitar e para fazer perfumes e óleos. Entre as que são usadas para fazer chá, está o jasmim-dos-poetas, que tem flores brancas. Na China, é comum tomar chá de jasmim-chinês, que dá flores amarelas.

(*Recreio*, ano 5, n. 250, p. 5.)

Stockxpert/Image Plus

Observe que as orações subordinadas adjetivas destacadas no exemplo apenas fornecem uma explicação sobre o **jasmim-dos-poetas** e o **jasmim-chinês**, sem no entanto restringi-los ou limitá-los. Trata-se somente de mais uma informação.

Veja outros exemplos:

oração principal

O jasmim-da-noite, que também é conhecido como dama-da-noite, é um arbusto muito perfumado à noite.

oração subordinada adjetiva explicativa

oração principal

O jasmim-de-leite, que é cultivado como ornamento, possui flores alvas e aromáticas.

oração subordinada adjetiva explicativa

Como você percebeu no texto anterior, a oração subordinada adjetiva — restritiva ou explicativa — também pode ser introduzida pelo pronome relativo **onde**, que pode ser substituído por **em que**, **no qual**, **na qual**.

Veja o exemplo a seguir:

oração principal

O jasmim é uma trepadeira nativa da Índia e da China, onde se fazem perfumes, óleos e chás com suas folhas secas.

oração subordinada adjetiva explicativa

Frequentemente, o pronome relativo aparece precedido de preposição:

preposição   pronome relativo

Este é o chá **de** que preciso para me acalmar.

Fiquei encantada com a exposição de orquídeas **a** que fui semana passada.

Foi **por** esse motivo que comprei várias delas!

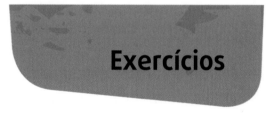

Exercícios

1 Classifique as orações destacadas e indique a função que a palavra **que** exerce nelas:

Há gosto para tudo

Os tubarões-filtradores (*Cetorhinus maximus*) medem 8 metros e alimentam-se de plâncton na baía de Fundy, no Canadá. No ano passado, o fotógrafo Jonathan Bird descobriu que vários desses monstros marinhos carregavam hóspedes curiosos: as lampreias. De acordo com estudos pioneiros dos pesquisadores Michael Wilkie e Stephen Turnbull, esses peixes tornam-se parasitas dos tubarões e devoram seus tecidos, que contêm alta concentração de ureia tóxica. Como elas resistem a essa dieta tão indigesta? "Achamos que as lampreias eliminam a ureia com rapidez", diz Wilkie.

(Revista *National Geographic Brasil*, jul. 2000, p. 15.)

2 Leia o texto e faça o que se pede:

Contos de vacinação

Segundo os vacinadores que trabalham nas campanhas, os cachorros que mais dão medo são os menores, como vira-latas, *poodles* e os minúsculos *chihuahuas*.

Entre as histórias contadas estão passagens bizarras como carroceiros querendo que o seu cavalo seja vacinado, donos bêbados que ao invés de levar o cão, é o cão que estava a levá-los, pessoas que chegam com caixas ou sacos e não param de tirar bicho de dentro...

(http://jovempan.uol.com.br/blogs/animaisecia/2008/08/19/contos-de-vacinacao, acessado em 1º fev. 2009. Texto adaptado.)

a) Dê a classificação das cinco orações destacadas.

b) Classifique a oração "que o seu cavalo seja vacinado".

c) Qual é a classificação da última oração do texto: "e não param de tirar bicho de dentro..."?

3 Leia o texto sobre o Monte Kilimanjaro:

A prova do efeito estufa

A cobertura de neve do Kilimanjaro, cartão-postal da África, desaparece no mesmo ritmo do aquecimento global

O Monte Kilimanjaro, na Tanzânia, é a montanha mais alta do continente africano e também um de seus mais conhecidos cartões-postais. Mesmo se situando numa região de clima tropical, seus 5 895 metros de altitude permitiram que nos últimos 11 000 anos o cume permanecesse coberto de neve. (...)

A notícia chocante é que as famosas neves do Kilimanjaro, um maciço vulcânico, praticamente desapareceram, depois de definhar a olhos vistos nos últimos vinte anos. Tudo indica que por trás do fenômeno está o aquecimento global causado pela

Sharna Balfour; Gallo Images/Corbis/LatinStock

concentração na atmosfera de dióxido de carbono (CO_2), o gás poluente emitido pela fumaça de fábricas e automóveis em todo o mundo. A camada de CO_2 impede que parte da radiação solar que chega à Terra volte ao espaço e se disperse, criando-se assim o efeito estufa, que já elevou em 1 grau a temperatura média do planeta nas últimas décadas.

(...) o Monte Kilimanjaro, cujo nome em *swahili*, o idioma local, significa "a montanha que brilha", se transformou num dos símbolos dos ambientalistas.

(...)

(*Veja*, ano 38, n. 12, p. 58-59.)

Identifique nesse texto:

a) três orações subordinadas substantivas objetivas diretas;

b) uma oração subordinada substantiva predicativa;

c) duas orações subordinadas adjetivas explicativas;

d) uma oração subordinada adjetiva restritiva.

4 Leia o texto e classifique as orações destacadas:

Escravidão foi abolida, mas ainda é praticada no Brasil
Morte de fiscais chama a atenção para abusos

Oficialmente abolida pela Lei Áurea, em 1888, a escravidão ainda é praticada nas regiões mais remotas do Brasil rural. Ao contrário do que ocorria no período colonial, a escravidão do século 21 não é baseada em questões raciais — e pode até ser considerada mais barata para os fazendeiros que a exploram atualmente.

Os escravos de hoje não precisam ser comprados pelos fazendeiros. São trabalhadores rurais arregimentados em regiões miseráveis, geralmente do Maranhão e do Piauí, sob a promessa de trabalho temporário em fazendas do sul do Pará e do norte do Mato Grosso, onde esse tipo de exploração é mais comum.

Ao chegar ao local, os peões descobrem que não há salário e que vão trabalhar para saldar sua dívida com o fazendeiro ou com seu "gato", o homem que recruta a mão de obra.

(...)

OIT — Organização Internacional do Trabalho
(Mauro Albano. Em: http://www.ilo.org/public/portugue/region/
ampro/brasilia/trabalho_forcado/index.htm)
(Edson Gabriel Garcia. *Cidadania agora*,
São Paulo, Saraiva, 2004, p. 49.)

5 Transforme os adjetivos destacados em orações subordinadas adjetivas:

a) Viajamos para um lugar **maravilhoso**.

b) Admiro o aluno **dedicado** ao estudo.

c) Teve uma reação **inesperada** à notícia.

d) Ganhei um cachorro **saudável** e **brincalhão**.

e) Tenho filhos **falantes**.

Orações subordinadas adverbiais

Leia um trecho do diário de Joana, personagem de *Agenda inventada*:

Terça-feira

(...)

Os meninos ficaram bobos quando uma tal de Duda entrou na pista de dança. Ela é da nossa idade, mas disseram que é modelo, que já fez várias fotos legais. Eu nunca vi. Ela estava vestindo uma roupa toda escandalosa, de salto alto e tudo. E o jeito que ela dançava? Mais escandaloso ainda!

Mas foi tão legal, que eu esqueci de tudo, de tudo mesmo. Trouxe um dos desenhos da tartaruga com chifres pra casa. Até que, se ela não tivesse chifres, era uma tartaruga bem fofa.

(Luiz Antonio Aguiar. *Agenda inventada*, 9. ed. São Paulo, Atual, 1993, p. 21.)

Nesse texto, a oração "quando uma tal de Duda entrou na pista" corresponde ao adjunto adverbial "no momento da entrada de uma tal de Duda na pista de dança", indicando uma circunstância de tempo do verbo **ficaram** da oração principal. A oração poderia, então, ser assim:

Os meninos ficaram bobos no momento da entrada de uma tal de Duda na pista de dança.

A **oração subordinada adverbial** exerce a função sintática que um advérbio exerceria, ou seja, de **adjunto adverbial**.

As orações adverbiais são sempre introduzidas por uma conjunção subordinativa — com exceção das integrantes, que introduzem orações substantivas.

> **OBSERVAÇÃO**
>
> Para rever as conjunções subordinativas, consulte o Capítulo 17, Conjunção, na parte de Morfologia.

Veja outros exemplos, retirados do texto:

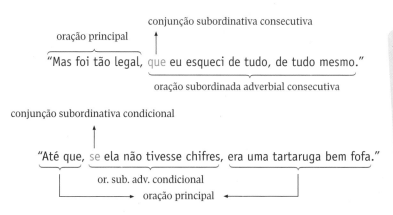

> A **oração subordinada adverbial** tem o valor e a função de um advérbio. É introduzida por uma conjunção subordinativa (exceto a integrante) ou por uma locução conjuntiva subordinativa.

Como equivalem a adjuntos adverbiais da oração principal, as orações adverbiais exprimem circunstâncias de tempo, condição, finalidade, causa etc. e são classificadas de acordo com as conjunções que as introduzem.

> ✎ **IMPORTANTE!**
>
> No estudo das orações subordinadas adverbiais, não basta decorar as conjunções: é preciso analisar e compreender as circunstâncias que elas transmitem, pois uma mesma conjunção pode introduzir orações adverbiais diferentes.

As orações subordinadas adverbiais podem ser **causais**, **condicionais**, **comparativas**, **concessivas**, **consecutivas**, **conformativas**, **finais**, **proporcionais** e **temporais**.

Leia o texto abaixo, por meio do qual elas serão exemplificadas.

As constelações do céu

Numa noite muito estrelada, a quantidade de estrelas no céu é tão grande que fica até difícil identificar alguma estrela, a não ser que se tenha bastante experiência. Para facilitar a localização de objetos celestes, os povos antigos dividiram o céu em áreas, chamadas de constelações.

Para entender o que é uma constelação, vamos fazer uma comparação com um país — o Brasil, por exemplo. Seu território foi dividido em estados,

Alberto de Stefano

e cada um recebeu um nome: Rio Grande do Sul, Amazonas, Bahia, São Paulo, Acre etc. Eles têm formas e áreas diferentes porque foram divididos conforme seus limites naturais, como rios e montanhas. Do mesmo modo, o céu foi dividido em 88 áreas chamadas constelações. Elas também têm formatos e áreas diferentes, porque a divisão obedeceu a critérios naturais de separação.

Assim, se duas estrelas aparecem juntas no céu, lembrando dois irmãos gêmeos, a essa região se deu o nome de constelação de Gêmeos. Outra lembrava um escorpião: criou-se a constelação do Escorpião. Outra, ainda, com o formato de uma cruz, foi chamada de constelação do Cruzeiro do Sul, e assim por diante.

(César, Sezar e Bedaque. *Ciências. Entendendo a natureza*. *A matéria e a energia*, São Paulo, Saraiva, 2002, p. 198.)

Causais

Expressam causa, motivo.

oração principal

"Elas (as constelações) também têm formatos e áreas diferentes, / porque a divisão obedeceu a critérios naturais de separação."

or. subord. adverbial causal

Condicionais

Expressam condição para a ocorrência de um fato.

or. subord. adverbial condicional

"Assim, / se duas estrelas aparecem juntas no céu, (...) / a essa região se deu o nome de constelação de Gêmeos."

oração principal

Comparativas

Expressam comparação.

As estrelas foram divididas em constelações / como (foram) os estados de um país.

oração principal   or. subord. adverbial comparativa

Concessivas

Expressam concessão (consentimento, permissão).

oração subordinada adverbial concessiva

Embora existam muitos objetos celestes em noite estrelada,
sem experiência fica difícil identificar alguma estrela.

oração principal

Consecutivas

Expressam consequência.

oração principal   or. subord. adverbial consecutiva

"(...) a quantidade de estrelas no céu é tão grande / que fica até difícil identificar alguma estrela, (...)"

Conformativas

Estabelecem que a ação verbal acontece dentro de certos limites.

oração principal

Os estados têm formas e áreas divididas / conforme limites naturais que possuem.

or. subord. adverbial conformativa

Finais

Expressam finalidade.

or. subord. adverbial final

Para que se facilitasse a localização de objetos celestes, / os povos antigos dividiram o céu em

áreas, chamadas de constelações.

oração principal

Proporcionais

Expressam proporção.

oração principal

Os nomes das constelações foram dados pelos antigos / à medida que eles viam / semelhanças com

algumas formas, como a constelação do Cruzeiro do Sul.

or. subord. adverbial proporcional

Temporais

Expressam ideia de tempo.

oração principal

Quando olhamos para o céu numa noite muito estrelada, / fica difícil identificar alguma estrela.

or. subord. adverbial temporal

1 Leia a tira e faça o que se pede:

"SEUS OLHOS SÃO LINDOS", DISSE ELE.

"DEVO COMPARÁ-LOS A UM DIA DE VERÃO? NÃO, ISSO É POUCO."

"SEUS OLHOS SÃO COMO DUAS TIGELAS TAMANHO GIGANTE."

a) No terceiro quadrinho da tira, quantas orações existem no período? Separe-as.

b) Classifique as orações do item **a**.

c) Crie uma frase usando a mesma conjunção subordinativa empregada na tira.

2 Leia esta tira:

AI, AI... É SEMPRE ASSIM...

O BANHEIRO ESTÁ SEMPRE OCUPADO QUANDO A GENTE PRECISA DELE!

a) No segundo quadrinho da tira, quantas orações existem no período? Separe-as.

b) Classifique as orações do item **a**.

c) Crie uma frase usando a conjunção subordinativa empregada na tira.

3 Leia o texto:

> ELES GOSTARAM TANTO DO CARRO NOVO QUE, SE PUDES-SEM, IAM DIRIGINDO ATÉ A EUROPA PARA ASSISTIR AO JOGO DOS SEUS SONHOS.

(*Época*, 30 jul. 2007, p. 61, detalhe de propaganda da Fiat.)

a) Divida o período em orações e classifique-as.

b) Classifique o período do texto.

c) Faça uma pesquisa e reescreva a 2ª oração, substituindo a conjunção por outra de mesmo sentido.

4 Leia o poema e faça o que se pede:

XIV

Não me importo com as rimas. Raras vezes
Há duas árvores iguais, uma ao lado da outra.
Penso e escrevo como as flores têm cor
Mas com menos perfeição no meu modo de exprimir-me
Porque me falta a simplicidade divina
De ser todo só o meu exterior

Olho e comovo-me,
Comovo-me como a água corre quando o chão é inclinado,
E a minha poesia é natural como o levantar-se vento...

(Fernando Pessoa. *Ficções do interlúdio/1.*
Poemas completos de Alberto Caeiro, Rio de Janeiro,
Nova Fronteira, 1980, p. 54.)

a) Classifique as orações destacadas.

b) Que outras conjunções subordinativas podem introduzir orações desse tipo?

c) Qual é a oração principal da oração: "Porque me falta a simplicidade divina"?

d) Classifique a oração citada no enunciado do item **c**.

Para as questões **5** e **6**, leia o texto abaixo:

Por que, quando descemos a serra, nosso ouvido tampa?

Dentro da orelha, temos uma membrana muito fina chamada tímpano. Quando descemos uma serra, ela é empurrada para o fundo devido ao aumento da pressão da atmosfera nos pontos mais baixos da Terra. Essa sensação desaparece logo porque no fundo da orelha há também um canal que se comunica com a faringe e o nariz. O ar entra por ele e empurra o tímpano no sentido contrário, ajudando a equilibrar a pressão. Para melhorar o desconforto é bom mastigar ou engolir algo, pois esses movimentos ajudam a levar ar até esse canal.

(*Recreio*, ano 6, n. 274, p. 5.)

5 Identifique no texto:
a) uma oração subordinada adverbial final;
b) uma oração subordinada adverbial temporal;
c) uma oração subordinada adverbial causal;
d) uma oração subordinada adjetiva restritiva;
e) uma oração coordenada sindética explicativa.

6 Classifique a oração destacada no trecho abaixo. Justifique sua resposta.

DESAFIO

> "Quando descemos uma serra, ela é empurrada para o fundo **devido ao aumento da pressão da atmosfera nos pontos mais baixos da Terra.**"

Leia o texto a seguir para resolver as questões de **7** a **10**.

O homem que não conhecia Deus

O rio passava nas correntezas fracas, as águas ficavam empoçadas nas estações sem chuva, as pedras de fora em muitos trechos. O areal vidrilhava à noite com a prata que a lua derramava. O homem nunca havia sido incomodado por uma enchente forte do rio, desde que foi viver na ilha anos atrás. Morava com a mulher numa casa que parecia uma barraca grande. Ela tinha criatório de galinha e pato. Ele, de porcos e algumas vacas. O homem fazia manteiga e requeijão de uma parte do leite tirado das vacas. Ia vender na feira da vila aos sábados. Os porcos eram vendidos no matadouro da vila quando estavam gordos, o toicinho fazendo dobras no couro.

O homem parava para comprar alguma coisa numa venda em beira de estrada, geralmente ao cair da tarde, quando retornava da vila. Na saída, o dono da venda dizia para ele: "Vá com Deus...". O homem não gostava do que o vendeiro dizia e respondia zangado: "Não conheço este homem e não é agora que vou ter tempo pra conhecê-lo nesta vida que é bem curta".

Numa noite fria de inverno, nuvens escuras apagaram as estrelas, o céu ficou de repente com o teto todo preto. E uma chuva forte caiu a noite inteira, fazendo um grande barulho na terra centenária. Quanto mais relampejava e a trovoada ribombava, a chuva caía mais intensa na terra enlameada. Havia um pressentimento geral de que o rio estava para ter uma grande enchente como nunca havia acontecido. Nas cabeceiras do rio as águas da chuva desciam num volume grande e rolavam pelas serras num ímpeto impressionante.

(Cyro de Mattos. *Histórias do mundo que se foi (e outras histórias)*, 3. ed., São Paulo, Saraiva, 2003, p. 68-69.)

7 Como você classifica a oração "e a trovoada ribombava", no terceiro parágrafo?

8 Qual é a classificação do período "Quanto mais relampejava e a trovoada ribombava, a chuva caía mais intensa na terra enlameada", no terceiro parágrafo?

9 Analise o seguinte período, classificando as suas orações:

> "Na saída, o dono da venda dizia para ele: 'Vá com Deus'."

10 Faça a análise sintática completa dos termos da oração principal da questão anterior.

Leia o texto a seguir para responder às questões de **11** a **14**.

Como os peixes dormem? Por que não fecham os olhos?

Quando dormem, os peixes diminuem o ritmo de suas atividades e ficam parados no fundo do mar ou abrigados em tocas, entre rochas ou algas. Enquanto estão dormindo, permanecem de olhos abertos porque não têm pálpebras. Assim, apesar de estarem em repouso, permanecem em estado de alerta e percebem se há algum perigo por perto.

(*Recreio*, ano 6, n. 274, p. 5.)

11 Quantas orações subordinadas adverbiais temporais há nesse texto? Indique-as, assim como as conjunções subordinativas que as introduzem.

12 Qual a classificação da frase destacada abaixo?

"Enquanto estão dormindo, permanecem de olhos abertos **porque não têm pálpebras**."

13 Identifique, no texto, um período composto por coordenação. Em seguida, classifique as orações encontradas.

14 Qual a classificação da oração "apesar de estarem em repouso"?

Exercícios Gerais

Leia o texto a seguir para resolver as questões de **1** a **6**.

(*Veja*, 26 nov. 2008, p. 127. Detalhe de anúncio publicitário.)

1 Classifique as orações extraídas do anúncio que aparecem destacadas a seguir:

a) "Convencer os pais **de que eles são parte da escola**."

b) "As pesquisas mostram **que, além de um bom professor, nada melhora mais o desempenho escolar do que o envolvimento dos pais no processo educacional**."

c) "É uma guerra cultural **que pode ser vencida com as armas certas: a internet (...) e os cursos para pais**."

2 Transforme a seguinte oração subordinada adjetiva em frase nominal:

> "40 propostas que o Brasil não pode esquecer."

3 Classifique sintaticamente os termos: "**a internet e os cursos para pais**."

4 Transforme o seguinte trecho em oração subordinada e depois classifique-a:

> "do que o envolvimento dos pais no processo educacional."

5 Indique a função morfológica (ou classe gramatical) da palavra **que** nas seguintes orações:

a) "de **que** eles são parte da escola"

b) "**que** o Brasil não pode esquecer."

6 Classifique as seguintes orações e períodos:

a) Pais educam.

b) Escolas ensinam.

c) O provérbio caducou.

Leia as charges abaixo e responda às questões de **7** a **11**.

Charge A

Charge B

7 Na charge **A**, dê a classificação das orações: "Se eleito for, prometo acabar com a pobreza e melhorar os recursos..."

8 Indique, na charge **A**, a função sintática dos termos:

a) "...lá de casa!"   **b)** "...da casa dele"   **c)** dele (do item **b**)

9 Na charge **B**, classifique as orações do balão de pensamento.

10 Faça a análise sintática completa dos termos da oração:

> "que meu novo visual de trancinhas ia fazer sucesso."

11 Indique a denominação da formação de **Rê! Rê!** (na charge **A**), que você estudou no Capítulo 7, Formação das palavras.

Leia os textos abaixo sobre o frio e responda às questões de **12** a **14**.

Soninho bom

É importante dormir bem no inverno para economizar energia. Além disso, sentimos mais sono porque as noites são mais longas e o corpo se programa para dormir mais.

Colchão de ar

Quando sentimos frio, nosso corpo ativa músculos que fazem os pelos ficarem em pé. Assim, eles formam um escudo para manter o calor. O truque funciona muito bem com bichos peludos, como gatos e cachorros.

E a neve?

Em grandes altitudes, é muito frio e o vapor das nuvens forma cristais de gelo.

Se a temperatura na superfície da Terra é alta, eles caem em forma de chuva. Se está muito frio, caem em forma de neve. Quanto mais perto dos polos, mais chance de nevar. No Brasil, isso acontece em poucas cidades.

(*Recreio*, ano 6, n. 276, p. 18-19.)

12 No texto Soninho bom, identifique:
   a) uma oração subordinada substantiva subjetiva;
   b) uma oração subordinada adverbial causal;
   c) uma oração coordenada sindética aditiva;
   d) duas orações subordinadas adverbiais finais.

13 No texto Colchão de ar, classifique as seguintes orações:
   a) "Quando sentimos frio"
   b) "que fazem os pelos ficarem em pé"
   c) "para manter o calor"

14 Leia as orações destacadas, extraídas do texto E a neve?:

> "Se a temperatura na superfície da Terra é alta, eles caem em forma de chuva."
> "Se está muito frio, caem em forma de neve."

   a) Qual é a classificação das orações destacadas acima?
   b) Nas orações do item **a**, se utilizássemos a conjunção subordinativa **quando** no lugar da conjunção **se**, como ficaria a classificação?
   c) Classifique as orações do seguinte período: "Quanto mais perto dos polos, mais chance de nevar".

Leia o texto e responda às questões de **15** a **17**.

Como funciona o protetor solar?

Janaina Lofiego, Lambari, MG

Impedir que os raios solares UVA, que alcançam a derme (camada interna da pele), e UVB, que atingem a epiderme (a mais externa), prejudiquem a pele é a função desse produto. O efeito se dá de acordo com o tipo de fórmula. Os chamados filtros físicos fazem com que a pele não absorva os raios porque contêm substâncias refletoras. Já nas formulações químicas, a atuação dos ingredientes é mais complexa.

Quando os raios atingem o corpo, encontram moléculas do produto que absorvem a energia do Sol. A absorção agita as moléculas, que ficam em estado de excitação, voltando em seguida ao estado natural, o que faz com que a pele receba uma fração de energia solar menos agressiva e reflita o restante. A ação do produto também varia de acordo com o fator de proteção solar (FPS), expresso por um número no rótulo. A aplicação de um filtro com FPS 8, por exemplo, permite que uma pessoa permaneça exposta ao sol por um período oito vezes maior sem que a pele fique avermelhada.

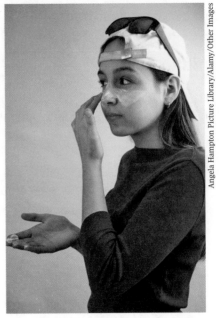

Angela Hampton Picture Library/Alamy/Other Images

(Revista *Nova Escola*, ago. 2008, p. 10. Texto adaptado.)

15 Quantas orações há no trecho abaixo? Classifique-as.

> "Quando os raios atingem o corpo, encontram moléculas do produto que absorvem a energia do Sol."

16 No período abaixo, há várias orações que estão intercaladas. Separe-as e classifique-as.

> "Impedir que os raios solares UVA, que alcançam a derme (camada interna da pele), e UVB, que atingem a epiderme (a mais externa), prejudiquem a pele (...)."

17 Reescreva a oração destacada a seguir, de modo que ela se transforme em coordenada à anterior.

> "A absorção agita as moléculas, que ficam em estado de excitação, **voltando em seguida ao estado natural** (...)."

Regência

Leia o texto:

9/fevereiro (quarta-feira)

Descobri que a professora Dilma é legal à beça, Diário! É que hoje ela deu uma bronca na classe por minha causa, só pra me defender. Falou umas coisas bonitas que só vendo. Sobre amizade, solidariedade, sinceridade, igualdade e mais um monte de ade que ajudam a fazer a felicidade da gente!

Sabe por que ela fez isso? É que durante a aula de laboratório a classe foi dividida em grupos para fazer algumas experiências. Eu estava todo animado, pois nunca tinha tido aula de laboratório antes. Foi então que aconteceu uma coisa muito chata, que me magoou bastante. Nenhum grupo queria me aceitar. Meio disfarçando, sem falar claramente, cada um ia me empurrando para outro. Deram uma gelada em mim, entende? Mais ou menos como fizeram ontem à tarde no treino. Só o Juca ficou do meu lado. E depois também o Antônio, que é muito amigo do Juca. Mas os grupos tinham que ser formados por cinco ou seis alunos, e não só por três! A professora percebeu a situação e foi por isso que ela deu o maior sermão na turma.

(Sônia Barros. *Diário ao contrário*, 8. ed., São Paulo, Atual, 1997, p. 28.)

Analisando os complementos dos verbos destacados nesse texto, temos:

verbo transitivo direto (VTD)

"Falou umas coisas bonitas que só vendo."

objeto direto (OD)

verbo transitivo direto (VTD) — verbo transitivo direto e indireto (VTDI)

"A professora percebeu a situação e foi por isso que ela deu o maior sermão na turma."

objeto direto (OD) — objeto direto (OD) — objeto indireto (OI)

Observe nos exemplos que um verbo pode relacionar-se com o seu complemento diretamente ou com o auxílio de uma preposição.

A parte da Gramática que estuda a relação entre um termo e o seu complemento é a **sintaxe de regência**.

> **Regência** é o processo sintático em que um termo depende gramaticalmente de outro.

A palavra que precisa de outra para completar o seu sentido é a que exerce a regência, e é chamada de **termo regente**.

A palavra dependente, que completa o sentido de outra, é chamada de **termo regido**.

Veja o anúncio ao lado:

(*Superinteressante*, n. 40, jun. 2007, p. 35. Detalhe.)

Observe o seguinte período:

"Nós podemos criar novas realidades."

termo regente

termo regido

Nesse exemplo, o termo regente é um verbo (ou locução verbal). Transformando o verbo em um nome, teríamos a seguinte frase:

Nós podemos ter a criação de novas realidades.

termo regente

termo regido

A relação de dependência entre os termos permaneceu a mesma, mas a categoria gramatical do termo regente mudou: passou de verbo para nome.

Quando o termo regente é um **verbo**, ocorre **regência verbal**, e quando o termo regente é um **nome** (substantivo, adjetivo ou advérbio), ocorre **regência nominal**.

Veja outros exemplos:

Observe que, no texto do primeiro balão, encontramos exemplos de regência verbal e de regência nominal:

"Se eu não fiz nada, por que é que eu sou condenado a viver ao relento no inverno?"

termo regente (verbo)   termo regido   termo regente (nome)   termo regido

Agora, leia estes outros exemplos de regência nominal:

termo regente (adjetivo)

Todo cidadão deve se mostrar interessado pelo bem-estar da sociedade de que faz parte.

termo regido

termo regente (advérbio)

A população se posicionou desfavoravelmente ao aumento do preço da cesta básica.

termo regido

Regência verbal

Leia o texto:

Os mandamentos do turista responsável

1. Respeitar outras culturas
2. Não perturbar a vida selvagem
3. Ser eficiente no uso da água e energia
4. Não introduzir ou retirar plantas ou animais exóticos
5. Dar preferência a alimentos e artigos produzidos localmente
6. Deixar o lugar tão ou mais limpo do que quando chegou
7. Obedecer aos regulamentos locais e seguir as normas de segurança
8. Usar veículos apenas em caminhos designados para isso
9. Escolher guias que respeitem o ambiente e a cultura local
10. Ao voltar, difundir a compreensão da cultura do lugar visitado
11. Dar preferência a hotéis e empresas de transporte responsáveis
12. Não usar sabão ou detergente em fontes naturais de água

(*Época*, 27 out. 2008, p. 96. Texto adaptado.)

Nesse texto, há duas maneiras com as quais os verbos podem ligar-se aos seus complementos:

• diretamente — sem o auxílio de preposição, o complemento será **objeto direto** e o verbo será **transitivo direto**.

"Não perturbar a vida selvagem"

VTD — OD

"Escolher guias que respeitem o ambiente e a cultura local"

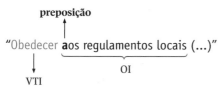

VTD — OD — VTD — OD

• indiretamente — com o auxílio de preposição, o complemento será **objeto indireto** e o verbo será **transitivo indireto**.

preposição

"Obedecer **a**os regulamentos locais (...)"

VTI — OI

417

Muitos verbos admitem mais de uma regência porque podem ter mais de um significado, variando de acordo com o contexto.

A seguir, apresentam-se alguns verbos e as suas regências, segundo as normas gramaticais — que nem sempre, porém, são utilizadas na linguagem oral.

Aspirar

1 É transitivo direto quando significa "atrair para os pulmões".

> Toda pessoa que vive em uma metrópole aspira o ar poluído devido às fábricas e ao excesso de carros na rua.

2 É transitivo indireto no sentido de "pretender".

> Todo aluno aspira à sua aprovação ao término do período escolar.

Assistir

1 É transitivo indireto no sentido de "presenciar, ver".

> Os torcedores assistiam ansiosos à final do Campeonato Brasileiro de Futebol.

2 É transitivo direto no sentido de "ajudar".

> O médico do clube assistiu o jogador que se machucou durante a partida.

Chegar

É intransitivo no sentido de "atingir o ponto para onde se dirige". Nesse caso, o adjunto adverbial pede a preposição **a**.

> Débora perguntou quando chegaremos a nosso destino.

Esquecer

No sentido de "não ter lembrança ou memória", admite duas regências:

1 Transitivo direto; neste caso, não é pronominal.

> Os amigos queriam ir ao cinema, mas esqueceram o dinheiro em casa.

2 Transitivo indireto; neste caso, é pronominal.

> Os amigos queriam ir ao cinema, mas se esqueceram do dinheiro em casa.

Obedecer

É transitivo indireto.

> Há cachorros que não obedecem aos comandos do seu dono.

É comum, na linguagem cotidiana, o emprego do verbo **obedecer** como transitivo direto.

Oferecer

É transitivo direto e indireto.

Os alunos oferecerem todo o seu esforço para esclarecer a comunidade sobre a reciclagem do lixo.
        ⎵   ⎵
    objeto direto   objeto indireto

Pagar

1 É transitivo direto quando o complemento é aquilo que é pago. Nesse caso, normalmente refere-se a coisas.

Os estudantes pagaram a sua promessa de se empenhar mais na leitura dos livros.

2 É transitivo indireto quando o complemento é pessoa, exigindo a preposição **a**.

Minha mãe esteve no consultório e já pagou ao dentista.

3 É transitivo direto e indireto quando se refere a coisas e a pessoas.

Os estudantes pagaram aos professores a promessa de se empenhar mais na leitura dos livros recomendados.

Perdoar

É transitivo direto e indireto no sentido de "desculpar a falta a alguém". Refere-se a coisas (objeto direto) e a pessoas (objeto indireto), e a preposição usada é **a**.

Os bancos não perdoam as dívidas aos clientes, que veem os juros subir e subir.

Precisar

1 É transitivo direto no sentido de "especificar, indicar com certeza".

O professor precisou os capítulos que iam cair na avaliação.

2 É transitivo indireto no sentido de "ter necessidade", exigindo a preposição **de**.

Os alunos precisam de concentração para estudar os capítulos que irão cair na avaliação.

Preferir

É transitivo direto e indireto, exigindo a preposição **a**.

No jantar, há quem prefira uma comida leve a massas e carne.

OBSERVAÇÃO

De acordo com a norma-padrão, são incorretas as construções com o verbo **preferir** em que aparece a forma **mais ... do que**:

Prefiro ~~mais~~ filmes de aventura ~~do que~~ filmes de terror.

Prefiro ~~mais~~ ler suspense ~~do que~~ ler ficção científica.

Ainda conforme a norma-padrão, o correto é:

Prefiro filmes de aventura a filmes de terror.

Prefiro ler suspense a ler ficção científica.

Querer

1 É transitivo direto no sentido de "desejar".

Todos queremos um verão quente e ensolarado.

2 É transitivo indireto no sentido de "gostar, ter afeto". Neste caso, usa-se a preposição **a**.

Era uma criança que queria bem a todos os animais.

Visar

1 É transitivo direto no sentido de "mirar" ou "pôr o visto".

Os competidores de arco e flecha visaram o alvo a muitos metros de distância.
O professor visou todas as provas antes de devolvê-las aos alunos.

2 É transitivo indireto no sentido de "desejar, ter em vista".

Os competidores de arco e flecha de todos os países visam à conquista da medalha de ouro.

> **OBSERVAÇÃO**
>
> Atualmente há uma tendência na língua portuguesa de empregar este verbo sempre como transitivo direto.
>
> Os alunos visam boas notas.

Regência nominal

Leia a resenha do filme *Crepúsculo* e observe os substantivos e adjetivos destacados com as respectivas regências:

Crepúsculo

A saga da humana Bella e de seu amor pelo vampiro Edward Cullen já conquistou milhões de fãs pelo mundo. O sucesso da série "Twilight" ultrapassou as fronteiras dos livros e chegou às telas de cinema. O filme *Crepúsculo*, baseado na primeira obra da série, arrecadou 70 milhões de dólares em seu final de semana de estreia e virou sucesso absoluto até mesmo entre aqueles que não leram os romances da série.

Os atores Robert Pattinson e Kristen Stewart em cena do filme *Crepúsculo*.

Antes mesmo de estrear nos cinemas o filme já era febre no meio adolescente devido a diversos virais, clipes, *hype* nas *interwebs*, *trailers* e videoclipes lançados para promover a história juvenil.

A história de *Crepúsculo* começa quando Isabela Swan vai morar com seu pai em uma nova cidade, depois que sua mãe decide casar-se novamente. No colégio, ela fica fascinada por Edward Cullen, um garoto que esconde um segredo obscuro, conhecido apenas por sua família. Eles se apaixonam, mas Edward sabe que quanto mais avançam no relacionamento, mais ele está colocando Bella e aqueles à sua volta em perigo. Quando ela descobre que Edward é, na verdade, um vampiro, ela age contra todas as expectativas e não tem medo da sede de sangue de seu grande amor, mesmo sabendo que ele pode matá-la a qualquer momento.

(http://ijovem.com.br/tag/filme-o-crepusculo, acessado em 6 jan. 2009.)

"A saga da humana Bella e de seu amor pelo vampiro Edward Cullen (...)"

    ↓   ↓

preposição (**de** + **a**)   preposição (**por** + **o**)

"(...) o filme já era febre no meio adolescente devido a diversos virais, clipes (...)"

          ↓   ↓

preposição (**em** + **o**)   preposição

Veja, a seguir, outros substantivos e adjetivos e as suas respectivas regências, segundo as normas gramaticais.

- **Acesso** — a, de, para

    O acesso a/para alguns municípios do interior do estado fora prejudicado pelas fortes chuvas.
    Não permitiram o acesso dos alunos às quadras em reforma.

- **Acostumado** — a, com

    Os alunos já estão acostumados ao/com o jeito de cada professor.

- **Adaptado** — a

    Os alunos já estão adaptados à nova professora.

- **Agradável** — a, de

    A música brasileira é agradável aos ouvidos.
    Eram palavras agradáveis de se dizer e de se ouvir.

- **Amor** — a, por

    Desde pequena queria ser veterinária: ela tinha amor aos/pelos animais.

- **Ansioso** — para, por

    Nos feriados, a população fica ansiosa para viajar e aproveitar os dias de descanso.
    Todos os leitores daquele livro estavam ansiosos pela exibição do filme baseado no livro.

- **Apto** — a, para

    Segundo a lei, os jovens estão aptos a/para votar a partir dos dezesseis anos.

- **Atenção** — com, para com

    A maioria dos brasileiros demonstra pouca atenção com/para com a necessidade de reciclar o lixo.

- **Aversão** — a, por

    É grande a aversão da população à/por violência nos dias de hoje.

- **Capacidade** — de, para

    Alguns alunos demonstram capacidade de/para resolver rapidamente problemas de Matemática.

- **Curioso** — de, para

    Os turistas estavam todos curiosos das belezas do verão brasileiro.
    Alguns lugares do Brasil são curiosos para os turistas.

- **Devoto** — a, de

    Os apreciadores de ficção científica são todos devotos a/de filmes como *Guerra nas estrelas*.

Cataratas do Parque Nacional do Iguaçu.

- **Essencial** — para

    Estudar é essencial para quem quer se dar bem na vida.

- **Falta** — a, contra

    O goleiro brasileiro cometeu falta contra o atacante espanhol.
    As diversas faltas às aulas causaram a reprovação de Luís.

- **Fiel** — a

    Devemos ser fiéis àquilo em que acreditamos.

421

- **Horror** — a, de

  Sentíamos horror à guerra, à miséria, ao preconceito.

  Os horrores da guerra ainda estavam visíveis na expressão das suas vítimas.

- **Impróprio** — para

  Ele fez um comentário impróprio para o momento.

- **Imune** — a

  No Brasil, estamos imunes ao vírus da varíola desde a década de 1970, quando a doença foi declarada extinta do planeta.

- **Incompatível** — com

  Jogar lixo no chão é incompatível com o que se espera de cidadãos educados e conscientes.

- **Jeito** — para

  Alguns alunos têm jeito para desenhar, outros para escrever.

- **Medo** — a, de

  O frio estava intenso; estávamos com medo de estar pouco agasalhados.

  Mariana não conseguia controlar seu medo a baratas e a outros insetos.

- **Obediência** — a

  Todos devemos obediência às leis.

- **Opinião** — a respeito de, sobre

  Na prova, o professor queria saber a opinião dos alunos sobre o livro indicado para leitura.

  Na prova, o professor queria saber a opinião dos alunos a respeito do livro indicado para leitura.

- **Orgulhoso** — de, por

  Os brasileiros estão orgulhosos das/pelas conquistas de Daiane dos Santos na competição de ginástica.

- **Preferível** — a

  No calor, é preferível sorvete a chá quente.

- **Pronto** — a, para

  A população estava pronta a/para reivindicar seus direitos.

- **Propenso** — a, para

  Em fins de semana chuvosos, ficamos propensos a/para dormir mais.

- **Próximo** — a, de

  Nem todos os alunos moram próximo à/da escola.

- **Semelhante** — a

  É importante saber o que as pessoas pensam, pois nem todas têm o pensamento semelhante ao nosso.

- **Vinculado** — a

  Boas notas estão vinculadas a um estudo dedicado.

- **Vizinho** — a, de

  Minha casa é vizinha a/de um estádio de futebol.

Exercícios

1 Leia abaixo um trecho da letra da música Sereia, da banda gaúcha Chimarruts:

Márcia Széliga

(...)
Eu corro contra o vento só pra poder aspirar
o cheiro de romance que você deixa no ar,
cheiro de amor, cheiro de luau,
cheiro de amor, cheiro de luau.

Uma sereia anseia ao meu amor,
e o meu desejo já não é segredo,
eu quero lhe amar.

(http://letras.terra.com.br/chimarruts/99720/, acessado em 6 jan. 2009.)

a) Explique a regência do verbo **aspirar** no primeiro verso, de acordo com o seu significado nesse trecho.

b) Construa uma frase usando o verbo **aspirar** com outra regência e explique-a.

c) Faça uma pesquisa e comente a regência dos verbos **ansiar** e **amar** nos seguintes versos, retirados do texto:

> "Uma sereia **anseia** ao meu amor,
> e o meu desejo já não é segredo,
> eu quero lhe **amar**."

2 Complete as frases com preposições de forma que a regência nominal e a verbal fiquem corretas:

a) Tenho aversão ★ bolachas de morango, pois são muito doces.

b) Precisamos ser fiéis ★ nossos valores. Isso é essencial ★ termos uma vida equilibrada.

c) O paciente precisava ★ cuidados especiais, mas ele desobedeceu ★ recomendações do seu médico.

d) O programa visa ★ esclarecimento da população sobre a proliferação da dengue.

e) Aspirava ★ ocupar um cargo de confiança na empresa.

f) Restabeleceu-se rapidamente quando se mudou para o interior e passou a aspirar ★ ar do campo.

g) Esquecia sempre ★ livros na escola.

h) Esquecia-se sempre ★ livros na escola.

3 Observe as frases **g** e **h** do exercício **2**. Qual a diferença entre elas com relação à regência verbal?

4 Considerando a sua resposta no exercício **3**, escreva duas orações em que o verbo **lembrar** apresente regência verbal diferente.

423

5 Leia a frase a seguir:

> Os fãs **assistiam** animados à apresentação da cantora.

a) Nesta oração, qual é o significado do verbo **assistir**?

b) Qual é a predicação do verbo?

c) Qual é seu complemento?

d) Escreva outra oração com o verbo **assistir**, usando-o com outro sentido.

6 Copie e complete as frases, acrescentando ao verbo ou ao nome o complemento exigido. Observe a regência correta:

a) Era uma pessoa ansiosa ★

b) Devemos ter respeito ★

c) Os amigos tinham opiniões diferentes ★

d) Os candidatos estavam prontos ★

e) As crianças preferiam ★

f) Chegamos tarde ★

g) A comunidade quer ★

h) Todo trabalho precisa ★

7 Escreva duas frases usando o verbo **visar** com regências diferentes. Dê o sentido do verbo em cada uma das frases.

8 Escreva três frases com o verbo **pagar**, de acordo com as seguintes orientações:

a) adjunto adverbial + sujeito oculto + verbo transitivo direto + adjunto adnominal + objeto direto

b) sujeito simples + verbo transitivo indireto + objeto indireto + adjunto adverbial

c) sujeito composto + verbo transitivo direto e indireto + objeto direto + objeto indireto + adjunto adverbial

9 Nem sempre quem escreve obedece à regência determinada pela norma-padrão. Identifique os erros de regência nas frases abaixo e reescreva-as corretamente. Observe que, às vezes, a preposição aparece antes da palavra **que**:

a) Tenho medo que não dê tempo de estudar para a prova.

b) Cheguei no escritório muito tarde.

c) Embora estivesse chovendo quando saiu de casa, esqueceu de pegar o guarda-chuva.

d) Confiava demais das pessoas e sempre se dava mal.

e) Lembrava de coisas do passado, mas esquecia de fatos atuais.

f) Este é o livro que preciso.

g) Cereja é a fruta que mais gosto.

h) Só vou a lugares que estou acostumado.

10 Escreva frases com cada uma das palavras abaixo, observando sempre a regência adequada:

a) obedecer

b) perdoar

c) preferir

d) apto

e) semelhante

f) cheio

11 A oração "Cheguei no escritório muito tarde" apresenta um erro de regência. Explique esse erro, pensando no significado da oração.

12 Veja a cena e identifique o caso de regência incorreto. Em seguida, reescreva a frase corretamente:

EU ASSISTO VÁRIOS PROGRAMAS NA TELEVISÃO.

Cibele Queiroz

Capítulo 26

Crase

As informações sobre a crase completam o estudo de alguns casos de regência, aqueles em que verbos transitivos indiretos e alguns nomes exigem o uso da preposição **a**.

Leia o texto:

Mito de viagem

O que se diz sobre alguns dos destinos mais visitados do mundo frequentemente não resiste a uma abordagem mais científica.

O mito: em Londres, só chove

A realidade: a cidade apresenta índice pluviométrico em torno de 583 milímetros por ano. É menor que o de Nova York e o de Paris e um terço do de Miami, esta mais lembrada pelos dias de sol. A má fama londrina se deve à alta ocorrência de nuvens — formadas em consequência da elevada umidade local —, e não propriamente à chuva.

Nid Studio

(*Veja*, 12 nov. 2008, p. 126. Texto adaptado.)

Observe a frase:

"A má fama londrina se deve à alta ocorrência de nuvens (...) e não propriamente à chuva."

O verbo dever-se, nesse exemplo, significa "ter como causa" e exige a presença da preposição **a** para estabelecer uma relação com outro termo — no caso, as palavras ocorrência e chuva, que também exigem a presença do artigo **a** anteposto:

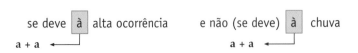

"A má fama londrina se deve [a] + [a] alta ocorrência de nuvens (...) e não propriamente [a] + [a] chuva."
preposição ← ← artigo   preposição ← ← artigo

Quando essas duas vogais se encontram, elas se fundem, ou seja, se unem em uma única vogal. Essa fusão é indicada pelo acento grave ` .

se deve [à] alta ocorrência   e não (se deve) [à] chuva
a + a ←   a + a ←

A essa fusão das vogais **a** damos o nome de crase.

> **ATENÇÃO!**
> - crase = fusão
> - ` = acento grave

> **Crase** é a fusão da preposição **a** com outro **a**. É representada na linguagem escrita pelo acento grave ` .

Casos em que ocorre a crase

1 Quando a preposição **a** se encontra diante de:

- artigo definido feminino **a** ou **as**.

Fernando Gonsales

HORA DE IR
À ESCOLA!

CONHECER NOVOS
LUGARES, NOVAS
CABEÇAS!

PIOLHOS ADORAM
A VOLTA ÀS AULAS.

Observe que a regência do verbo ir exige a preposição **a**: quem vai vai **a** algum lugar. Ao mesmo tempo, escola é precedida pelo artigo definido feminino **a**.

- **a** inicial dos pronomes demonstrativos **aquele**, **aquela** e **aquilo**.

Os estudantes estavam fazendo comentários sobre um livro de poemas. Referiam-se [**àquele**] livro recomendado pelo professor de Português.

quem se refere se refere **a** alguém ou **a** alguma coisa = referiam-se [a + aquele] livro

O professor pediu que os alunos fizessem menção [**àquelas**] estrofes de que mais gostaram.

quem faz menção faz menção **a** alguém ou **a** alguma coisa = fizessem menção [a + aquelas] estrofes

Prefiro isto [**àquilo**]

quem prefere prefere uma coisa **à** outra = prefiro isto [a + aquilo]

2 Nas locuções adverbiais, prepositivas e conjuntivas femininas em que aparece **a** ou **as**. Nesse caso, não há uma fusão de duas vogais, mas o acento grave é usado por motivos de clareza:

- Adverbiais

  à toa   à noite   à tarde

- Prepositivas

  à procura de   à direita de   em meio à

  O visual deslumbrante das serras com trilhas em meio à natureza.

- Conjuntivas

  à medida que   à proporção que

  À medida que conhecemos as belezas cearenses, mais queremos aproveitar a natureza local.

3 Nas expressões **à moda de**, **à maneira de**, mesmo quando subentendidas.

Meu prato preferido é arroz **à grega** com bife à **milanesa**.

não é à toa que até o sol
passa a maior parte do ano no Ceará.

CeaRá
Viva essa alegria

Secretaria de Turismo do Estado do Ceará

IMPORTANTE!

Se a crase é o fenômeno resultante da fusão da preposição **a** mais o artigo **a** (com exceção das locuções acima), é claro que ela ocorrerá normalmente diante de palavras femininas, desde que precedidas de artigo.

Casos em que não ocorre a crase

1 Diante de verbo.

> "Se você não é mais uma criança, vai querer voltar a ser
> uma só para ganhar um HP Pavilion"
>
> (Detalhe da propaganda da HP, *Veja*, out. 2008.)

Só existe um a na frase acima, exigido pela regência do verbo voltar. Não há artigo antes do verbo; portanto, não ocorre nenhuma fusão, ou seja, não ocorre a crase.

2 Diante de substantivo masculino.

Gosto de sair e passear por aí a pé.
└─ substantivo masculino

3 Diante de artigo indefinido.

O desejo da ave de ser a primeira a chegar a levou a uma solução inusitada.
└─ artigo indefinido

4 Diante de pronome pessoal (reto, oblíquo e de tratamento).

Eu tentei mostrar a ela todo meu amor, toda minha devoção: de nada valeu.
└─ pronome pessoal do caso reto

5 Diante de pronome indefinido.

A ninguém interessa o nosso plano.
└─ pronome indefinido

6 Diante de pronome interrogativo.

A qual parte do livro você se refere?
└─ pronome interrogativo

7 Diante dos pronomes demonstrativos **esta** e **essa**.

Não me refiro a esta situação.   Levamos muito entusiasmo a essa reunião.
└─ pronome demonstrativo   └─ pronome demonstrativo

Exercícios

1 Use o acento grave ` quando necessário:

a) Os alunos saíram a procura do livro recomendado pelo professor.

b) As vezes, canto para não chorar.

c) As crianças estavam ansiosas para ir a festa.

d) Gosto de andar a cavalo.

e) Foi entregue um pacote aquele senhor.

f) Solicitamos a V. Exa. providências imediatas.

2 Explique cada uma das suas respostas no exercício **1**.

3 Construa uma frase com cada uma das expressões relacionadas a seguir. Use o acento grave para indicar a crase. Em seguida, justifique a ocorrência ou não da crase nas frases que você criou.

a) chegar a   b) ir a   c) levar a   d) obedecer a   e) assistir

4 Leia o poema e faça o que se pede:

XIX

O luar quando bate na relva
Não sei que cousa me lembra...
Lembra-me a voz da criada velha
Contando-me contos de fadas.
E de como Nossa Senhora vestida de mendiga

Andava à noite nas estradas
Socorrendo as crianças maltratadas...
Se eu já não posso crer que isso é verdade,
Para que bate o luar na relva?

(Fernando Pessoa. *O Eu profundo e os outros Eus*, Rio de Janeiro, Nova Fronteira, 1991, p. 150.)

a) Dê a classificação morfológica das palavras destacadas no poema.

b) Explique o uso do acento grave nesta frase:

> "Andava **à** noite nas estradas"

c) Reescreva a frase do item **b**, substituindo a palavra **noite** por **pé**. Justifique as alterações ocorridas nela com relação à crase.

5 Copie corrigindo as alternativas em que é inadequado o emprego do acento grave para indicar a ocorrência de crase. Em seguida, justifique a sua resposta:

a) É preciso obedecer às leis de trânsito.

b) Os meninos voltaram à jogar bola.

c) Não gosto muito de ir à bailes. Prefiro ir à concertos.

d) Há tempos não assisto à uma boa apresentação de dança.

e) O presidente se referia àquele grave problema acerca do número de analfabetos no país.

6 Crie um anúncio de viagem para um lugar imaginário... e maravilhoso. Você deve convencer o leitor das maravilhas desse lugar. No seu texto, use no mínimo quatro termos regidos pela preposição **a**. Seja criativo e mãos à obra!

7 Explique a presença ou a ausência do acento grave indicativo da crase nos trechos retirados do texto abaixo:

(*Veja*, ed. 2086, ano 41, n. 45, 12 nov. 2008, p.127.)

a) "Uma homenagem **às** mulheres que fazem **a** diferença (...)."

b) "Parabéns **às** vencedoras do Prêmio Claudia 2008."

c) "Há mais de três décadas, a médica piauiense se dedica à pesquisa da leishmaniose (...)."

d) "(...) a executiva mineira é a primeira mulher **a** chegar **à** diretoria em 55 anos de história da empresa (...)."

Concordância

Leia o texto:

Domingo

Faltam doze dias pro meu aniversário, que vai ser também a festa de lançamento dos *posters*. Faltam dez dias pra grande festa de despedida de férias do Jingle Cat's e duas semanas pra começarem as aulas de novo. E falta um dia pra eu resolver esse rolo dos meus pais... pelo menos o que tem a ver comigo!

(Luiz Antonio Aguiar. *Agenda inventada*, 9. ed., São Paulo, Atual, 1993, p. 59.)

Jorge Zaiba

Observe as orações retiradas do texto:

"Faltam doze **dias** pro meu aniversário (...)"

verbo no plural → núcleo do sujeito no plural

"Faltam dez **dias** pra grande festa de despedida de férias do Jingle Cat's (...)"

verbo no plural → núcleo do sujeito no plural

"(...) e (faltam) duas **semanas** pra começarem as aulas de novo."

verbo no plural → núcleo do sujeito no plural

"E falta um **dia** (...)"

verbo no singular → núcleo do sujeito no singular

Como vimos nas frases acima, o verbo concorda com o sujeito: nos três primeiros exemplos, o verbo faltar vai para o plural (faltam) porque o núcleo do sujeito das duas frases está no plural: **dias** e **semanas**. Na última frase, a forma verbal falta fica no singular acompanhando o sujeito **dia**.

Além disso, outros termos concordam entre si: o substantivo **aniversário** é masculino e está no singular, fazendo com que o pronome meu, a ele relacionado, fique igualmente no masculino e no singular. Assim também o numeral duas concorda com o substantivo **semanas**: ambas as palavras estão no feminino e no plural.

"Faltam doze dias pro meu **aniversário** (...)"

pronome no masculino e singular ← → substantivo no masculino e singular

"(...) e (faltam) duas **semanas** pra começarem as aulas de novo."

numeral no feminino e plural ← → substantivo no feminino e plural

431

A essa adequação de pessoa (1ª, 2ª e 3ª), gênero (masculino e feminino) e número (singular e plural) entre os termos dá-se o nome de **concordância**.

> **Concordância** é a harmonia de flexão entre dois ou mais termos.

Quando se faz a concordância entre o sujeito e o predicado, ela é expressa na flexão do verbo e, por isso, é chamada de **concordância verbal**. Quando ela se efetua entre artigo, numeral, adjetivo e pronome em relação ao substantivo a que se referem, é denominada **concordância nominal**.

Vamos estudar separadamente os dois tipos de concordância.

Concordância verbal

O estudo da concordância verbal leva em consideração as flexões de número e pessoa entre o verbo e o sujeito.

Regras gerais

Sujeito simples

O verbo concorda em número e pessoa com o sujeito.
Leia o texto:

África do Sul apresenta a sua mascote

JOHANESBURGO (AFP) — A mascote oficial da Copa do Mundo de 2010, na África do Sul, é um leopardo de cabelos verdes chamado Zakumi, apresentado ao público na noite desta segunda-feira, em um programa de TV.

Com desenho 100% sul-africano, Zakumi representa, segundo os organizadores do Mundial, "a essência" da primeira Copa da história organizada no continente africano.

O leopardo é um dos animais selvagens que compõem a riqueza das reservas naturais do país, e a cor de sua cabeleira lembra a de um campo de futebol, explicaram os organizadores.

O nome tem o "ZA", abreviação para África do Sul em africâner e código do país nos endereços na Web, e o "kumi", que significa dez em vários idiomas africanos.

"Zakumi representa o povo, a geografia e o espírito da África do Sul e encarna a essência da Copa do Mundo de 2010", comentou o secretário-geral da Federação Internacional de Futebol (Fifa), Jérôme Valcke, citado no comunicado.

A tradição das mascotes foi introduzida na Copa de 1966, na Inglaterra, com o leão Willie.

(http://veja.abril.uol.com.br/noticia/variedade/africa-sul-apresenta-sua-mascote-348508.shtml, acessado em 13 mar. 2009.)

Christof Koepsel/Bongarts/Getty Images

Veja os exemplos retirados do texto:

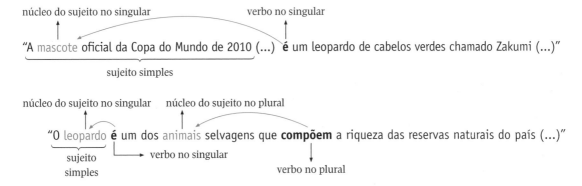

Na ordem inversa, com o sujeito após o verbo, a regra é a mesma:

Sujeito composto

1 O sujeito composto por elementos da **mesma pessoa gramatical** leva o verbo para o plural, mantendo a pessoa gramatical do sujeito.

2 O sujeito composto por elementos de **pessoas gramaticais diferentes** leva o verbo para o plural na pessoa predominante.

• A 1ª pessoa predomina sobre a 2ª e a 3ª:

```
      3ª pessoa
2ª pessoa ←   ↑   → 1ª pessoa
      Tu, ele e eu fomos assistir ao pôr do sol.
   └→ sujeito composto   └→ verbo na 1ª pessoa do plural
```

• A 2ª pessoa predomina sobre a 3ª:

433

Casos especiais

Sujeito simples

1 **Sujeito coletivo**

• O sujeito expresso por um substantivo coletivo no singular pede o verbo no singular.

Quantos animais tem em uma manada?

Uma manada é um conjunto de animais e a quantidade de bichos varia de acordo com a espécie, pois eles têm diferentes formas de se agrupar. (...)

(*Recreio*, ano 5, n. 260, 3 mar. 2005, p. 4.)

Manada de búfalos.

Hans Reinhard/Corbis/LatinStock

coletivo no singular

"Uma manada **é** um conjunto de animais e a quantidade de bichos varia de acordo com a espécie (...)"

verbo no singular

• O sujeito formado por substantivo coletivo acompanhado de nome no plural pede o verbo no singular ou no plural.

(...) Uma manada de búfalos, por exemplo, **pode ter** até 500 animais, já os antílopes vivem em turmas de cerca de 60 bichos. Os animais criados em cativeiro são agrupados pelo homem e a quantidade pode variar muito.

(*Recreio*, ano 5, n. 260, 3 mar. 2005, p. 4.)

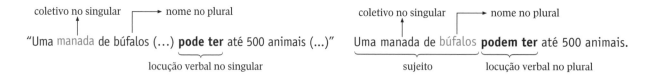

coletivo no singular ⟶ nome no plural

"Uma manada de búfalos (...) **pode ter** até 500 animais (...)"

locução verbal no singular

coletivo no singular ⟶ nome no plural

Uma manada de búfalos **podem ter** até 500 animais.

sujeito   locução verbal no plural

A escolha de uma das duas formas depende do estilo de cada falante e de qual termo se quer destacar: o grupo ou os componentes do grupo.

2 **Pronomes de tratamento**

O sujeito representado por pronome de tratamento pede o verbo na 3ª pessoa:

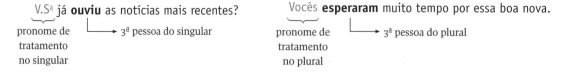

V.Sª já **ouviu** as notícias mais recentes?

pronome de tratamento no singular ⟶ 3ª pessoa do singular

Vocês **esperaram** muito tempo por essa boa nova.

pronome de tratamento no plural ⟶ 3ª pessoa do plural

3 **Palavra** *se*

O uso da palavra **se** junto ao verbo costuma oferecer alguma dificuldade na flexão do verbo em relação ao seu sujeito.

• Palavra **se** na função apassivadora.
   O verbo transitivo direto ao lado do pronome **se** concorda com o sujeito paciente:

Doa-se filhote de cachorro.   **Doam**-se filhotes de cachorro e de gato.
‾‾‾   ‾‾‾‾‾‾‾‾‾‾‾‾‾‾‾   ‾‾‾‾   ‾‾‾‾‾‾‾‾‾‾‾‾‾‾‾‾‾‾‾‾‾‾‾‾‾
VTD   sujeito paciente   VTD   sujeito paciente

• Palavra **se** na função de índice de indeterminação do sujeito.
   O pronome **se** como índice de indeterminação do sujeito leva o verbo para a 3ª pessoa do singular:

                                         ┌──→ 3ª pessoa do singular
Não é só nas grandes cidades que se **vive** bem.
Precisa-se de pessoas com dedicação e vontade de vencer.
      └──→ 3ª pessoa do singular

4 **Pronomes relativos** *que* **e** *quem*

• Quando o sujeito é o pronome relativo **que**, o verbo concorda com o termo que antecede esse pronome.

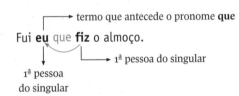

         ┌──→ termo que antecede o pronome **que**   Foi **ele** que **fez** o almoço.
Fui **eu** que **fiz** o almoço.   Fomos **nós** que **fizemos** o almoço.
      │   └──→ 1ª pessoa do singular   Foram **eles** que **fizeram** o almoço
      ↓
  1ª pessoa
  do singular

• Quando o sujeito é o pronome relativo **quem**, o verbo vai, de preferência, para a 3ª pessoa do singular, concordando com o pronome.

Fui eu quem **fez** o jantar.   Fomos nós quem **fez** o jantar.
Foi ele quem **fez** o jantar.   Foram eles quem **fez** o jantar.

Na linguagem cotidiana, é comum a concordância ser feita com o termo que antecede o pronome **quem**:

Fomos **nós** quem **organizamos** o passeio.   Não fui **eu** quem **deixei** o material escolar em casa.

Sujeito composto

Quando o sujeito composto aparece depois do verbo, este pode ir para o plural ou concordar com o núcleo mais próximo:

Estão desocupados o prédio, as casas e as lojas.   **Está** desocupado o prédio, as casas e as lojas.
      ↓   ‾‾‾‾‾‾‾‾‾‾‾‾‾‾‾‾‾‾‾‾‾‾‾‾‾   ↓   ‾‾‾‾‾‾‾‾‾‾‾‾‾‾‾‾‾‾‾‾‾‾‾‾‾
verbo no plural   sujeito composto   verbo no singular   sujeito composto

Concordâncias especiais

Haver, fazer e outros verbos impessoais

No estudo dos tipos de sujeito, você viu que os verbos **haver** e **fazer** podem ser usados de forma impessoal em certos casos, constituindo orações sem sujeito. (Veja novamente o item "Oração sem sujeito" no Capítulo 20, Termos essenciais da oração.)

1 O verbo **haver**, no sentido de "existir", é impessoal, por isso fica na 3ª pessoa do singular. Leia os textos e observe as frases destacadas:

Que apetrechos dos filmes do 007 já foram testados na vida real?
007 O mundo não é o bastante (1999)

Uma jaqueta comum se transforma em uma concha esférica acolchoada que protege Bond e a *bondgirl* quando vem uma avalanche.

Vida real: Há uma mochila que ajuda o usuário a "flutuar" acima do fluxo de neve e, assim, impedir que ele morra soterrado. O funcionamento é similar ao de um *air bag*. Dentro do aparato, há dois balões

Os atores Pierce Brosnan e Judi Dench em cena de *007 O mundo não é o bastante*.

vermelhos compactados, conectados a um tanque de nitrogênio que pode ser acionado por uma válvula ligada a um gatilho na alça da mochila. Quando o gatilho é puxado, o nitrogênio sob pressão escapa para os balões, inflando-os. A densidade do conjunto formado pelo usuário e a mochila diminui e ele flutua acima da avalanche.

(http://mundoestranho.abril.uol.com.br/cinematv/pergunta_398299.shtml, acessado em 13 mar. 2009. Texto adaptado.)

"Há uma mochila (...)"   "Dentro do aparato, há dois balões vermelhos compactados (...)"
↓   ↓
existe uma mochila   existem dois balões

IMPORTANTE!

O verbo **haver** no sentido de "existir" é transitivo direto.
Observe os exemplos do texto:

No filme *007 O mundo não é o bastante* (1999) há **uma jaqueta comum** que se transforma em uma concha esférica acolchoada.
↓   objeto direto
VTD

Nós vamos invadir sua praia!

Na disputa pela atual região Sudeste, portugueses ganharam apoio dos tupiniquins contra os franceses

No início da colonização, os portugueses enfrentam a resistência de várias tribos no Sudeste. Porém, por volta de 1540, eles se aliam aos tupiniquins. O náufrago português João Ramalho, que há anos vivia com a tribo, ajuda na aproximação.

Nid Studio

(http://mundoestranho.abril.uol.com.br/ historia/pergunta_303242.shtml, acessado em 13 mar. 2009. Texto adaptado.)

Quando indica "tempo", o verbo **haver** também é impessoal e fica na 3ª pessoa do singular.

"O náufrago português João Ramalho, que há **anos** vivia com a tribo (...)"

Quando os portugueses chegaram à região Sudeste, encontraram o náufrago português João Ramalho, que vivia com os tupiniquins havia **anos**.

❷ Em uma locução verbal, quando **haver** assume a função de verbo principal, o auxiliar também se torna impessoal:

"Dentro do aparato, deve haver dois balões vermelhos compactados (...)"

❸ O verbo **fazer**, quando indica tempo, permanece igualmente na 3ª pessoa do singular.

Faz alguns **anos** que não vou ao zoológico.

Deve fazer alguns **anos** que não vou ao zoológico.

❹ Todos os verbos que indicam **fenômenos meteorológicos** permanecem na 3ª pessoa do singular.

Amanheceu rapidamente.

Relampejava sem parar.

Trovejou a noite inteira.

437

Verbo *ser*

A concordância do verbo **ser** varia bastante, pois, às vezes, ele concorda com o sujeito e, outras vezes, com o predicativo. Veja algumas orientações.

1 Com as palavras **tudo**, **isto**, **isso** e **aquilo** representando o sujeito e com o predicativo no plural, o verbo **ser** também pode ir para o plural:

O menino, que não parava quieto na hora do discurso do padrinho, levou bronca da mãe, zangada:

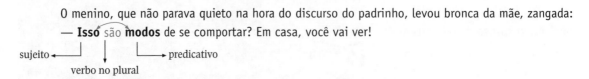

— **Isso** são **modos** de se comportar? Em casa, você vai ver!

sujeito ←——————┘ │ └——————→ predicativo
verbo no plural

2 Quando o sujeito indica preço, quantidade, peso e o predicativo é expresso por palavras como **muito**, **pouco**, **mais de**, **menos de**, **tanto**, o verbo **ser** concorda com o predicativo e permanece no singular.

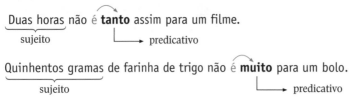

Duas horas não é **tanto** assim para um filme.
⎵⎵⎵⎵⎵⎵⎵
sujeito └——————→ predicativo

Quinhentos gramas de farinha de trigo não é **muito** para um bolo.
⎵⎵⎵⎵⎵⎵⎵⎵⎵⎵⎵⎵⎵
sujeito └——————→ predicativo

3 Em horas, datas e distâncias, o verbo **ser** é impessoal e concorda com o predicativo.

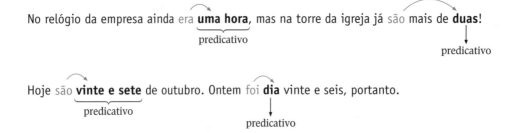

No relógio da empresa ainda era **uma hora**, mas na torre da igreja já são mais de **duas**!
⎵⎵⎵⎵⎵⎵⎵⎵
predicativo predicativo

Hoje são **vinte e sete** de outubro. Ontem foi **dia** vinte e seis, portanto.
⎵⎵⎵⎵⎵⎵⎵⎵⎵⎵
predicativo predicativo

4 Em orações interrogativas com os pronomes **que** e **quem**, o verbo **ser** concorda obrigatoriamente com o predicativo.

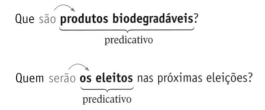

Que são **produtos biodegradáveis**?
⎵⎵⎵⎵⎵⎵⎵⎵⎵⎵⎵⎵
predicativo

Quem serão **os eleitos** nas próximas eleições?
⎵⎵⎵⎵⎵⎵
predicativo

Verbos *dar*, *bater* e *soar*

Os verbos **dar**, **bater** e **soar**, indicando horas, concordam com o sujeito:

Deram **oito horas**.   Bateu **uma hora**.
⎵⎵⎵⎵⎵⎵   ⎵⎵⎵⎵⎵⎵
sujeito   sujeito

Naquele relógio já soaram **duas horas**.
⎵⎵⎵⎵⎵⎵⎵⎵
sujeito

Concordância nominal

A concordância nominal considera as flexões de gênero e número entre o substantivo e o adjetivo, o artigo, o numeral e o pronome.

Regras gerais

Leia este trecho do relato de Robinson Crusoé, quinze anos após o naufrágio do navio em que ele se encontrava:

Jantar em família

Durante os quinze anos de residência na ilha consumi quase todo o meu estoque de pólvora. Agora, se queria comer carne de cabra, só me restava criar esse animal em cativeiro. Assim, tratei de inventar uma forma de capturar algumas para dar início à criação.

Cavei diversos buracos nos locais onde observei que costumavam pastar. E finalmente, uma manhã, encontrei num dos buracos três filhotes, um macho e duas fêmeas.

Resolvi construir um redil para eles, junto de minha casa de campo. (...) No fim de um ano e meio eu tinha uns doze animais, entre adultos e filhotes; dois anos depois, meu rebanho se compunha de quarenta e três cabeças. Era o suficiente para me abastecer de carne, leite, manteiga e queijo enquanto eu ali vivesse.

Como nosso grande Criador é misericordioso com suas criaturas, mesmo nas condições em que a destruição parece ameaçá-las! Que mesa farta eu tinha em minha ilha deserta, onde a princípio achei que só poderia morrer de fome!

(...) O Louro era a única criatura que tinha permissão de me dirigir a palavra. Meu cachorro, que agora estava muito velho e frágil, sempre sentava a minha direita; e dois gatos, um de cada lado da mesa, esperavam que de vez em quando eu lhes desse um bocado (...)

(Daniel Defoe. *Robinson Crusoé. A aventura de um náufrago numa ilha deserta.* São Paulo, Companhia das Letrinhas, 1999, p. 40-41.)

1 O adjetivo, o artigo, o pronome adjetivo e o numeral concordam em gênero e número com o substantivo.

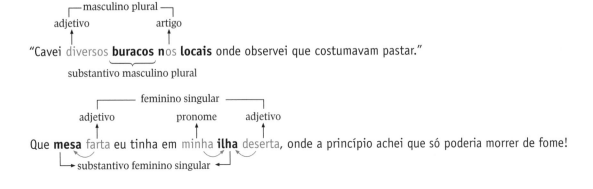

439

2 O adjetivo ligado a substantivos de mesmo gênero e número vai normalmente para o plural.

O **Louro** e o **cachorro** velhos e frágeis eram os companheiros de Robinson Crusoé.

      substantivos   adjetivos
      masculinos   masculinos plural

Carne e **manteiga** caprinas constituíam o alimento do náufrago.

      substantivos   adjetivo
      femininos   feminino plural

3 O adjetivo ligado a substantivos de gênero diferente vai normalmente para o masculino plural.

adjetivo masculino plural

Cabras e **gatos** famintos o seguiam naquele pedaço de ilha.

substantivo feminino   substantivo masculino

Casos especiais

1 O adjetivo anteposto pode concordar com o substantivo mais próximo.

adjetivo feminino singular

Na deserta **ilha** e **arredores**, Crusoé aprendeu a viver sem a companhia de outros seres humanos.

substantivo feminino singular   substantivo masculino plural

2 O adjetivo que funciona como predicativo do sujeito concorda com o sujeito.

sujeito   predicativo do sujeito

O **Louro** era privilegiado por ser a única criatura que tinha permissão de dirigir a palavra a Robinson Crusoé.

3 Quando dois adjetivos se referem a um único substantivo precedido de artigo, a concordância pode ser feita de dois modos. Considere o substantivo **vegetação** e os adjetivos **rasteira** e **altaneira**.

• O substantivo fica no singular e coloca-se um artigo na frente do segundo adjetivo.

Havia a **vegetação** rasteira e a altaneira na ilha.

substantivo singular

• O substantivo vai para o plural e não se coloca o artigo na frente do segundo adjetivo.

Havia as **vegetações** rasteira e altaneira na ilha.

            substantivo plural

artigo plural

4 A palavra **meio** concorda com o substantivo quando é numeral (significa "metade") e fica invariável quando é advérbio (significa "um pouco").

Emprega-se:

É meio-dia e meia (hora).

Nesse caso, a palavra **meia** é numeral e concorda com a palavra **hora**, que está subentendida.

"A meia-**entrada** custa cinco reais!"

numeral   substantivo

"O juiz deu meio **gol**!"

numeral   substantivo

As crianças se sentiram meio **ludibriadas** com a história do avô.

advérbio   adjetivo

5 As expressões **é proibido**, **é bom**, **é necessário** e outras semelhantes são invariáveis quando o seu sujeito não for precedido de artigo.

No caso de Robinson Crusoé, **desistir** é proibido.
           sujeito

É bom **sair em busca de comida**.
        sujeito

É necessário **bastante disposição para percorrer a ilha**.
               sujeito

Se houver artigo, a expressão deixa de ser invariável e concorda com o núcleo do sujeito:

É necessária uma boa **disposição** para percorrer a ilha.
              artigo   núcleo do sujeito

6 As palavras **anexo**, **incluso**, **só** (= sozinho), **obrigado**, **mesmo** e **próprio** concordam com o nome a que se referem.

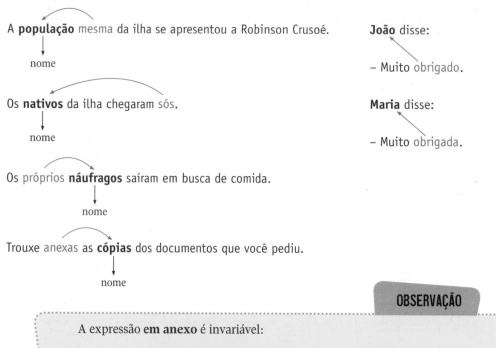

A **população** mesma da ilha se apresentou a Robinson Crusoé.
     nome

Os **nativos** da ilha chegaram sós.
     nome

Os próprios **náufragos** saíram em busca de comida.
              nome

Trouxe anexas as **cópias** dos documentos que você pediu.
                  nome

João disse:

– Muito obrigado.

Maria disse:

– Muito obrigada.

OBSERVAÇÃO

A expressão **em anexo** é invariável:

Trouxe em anexo as cópias dos documentos que você pediu.

7 Alguns adjetivos, como **alto**, **barato**, **confuso** e **falso**, que substituem advérbios terminados em **mente**, permanecem invariáveis.

O Louro de Robinson Crusoé falava alto demais.

A entrada do cinema não custava muito barato.

8 A palavra **alerta**, como advérbio, também permanece invariável.

Os animais ficaram alerta ao ouvir um barulho distante na ilha.
                     advérbio

Exercícios

1 Faça a concordância verbal adequada, usando uma das opções dos parênteses:

a) Grande parte dos congressistas ★ do sexo masculino. (é; são)

b) ★ cachorros-quentes. (vende-se; vendem-se)

c) Fui eu que ★ o *e-mail* com um poema do Mário Quintana. (enviou; enviei)

d) Fui eu quem ★ a carta. (enviou; enviei)

e) No relógio da igreja ★ onze horas. (soou; soaram)

f) Aquilo ★ as minhas malas. (é; são)

g) A nomeada para o cargo ★ eu. (fui; foi)

h) Duzentos gramas de presunto ★ pouco para uma boa lasanha. (é; são)

i) ★ vinte minutos que estamos à sua espera. (faz; fazem)

j) ★ poucas vagas para o curso. (havia; haviam)

2 Com base nas frases do exercício **1**, faça o que se pede:

a) Justifique a sua resposta para o item **a**.

b) Compare as suas respostas para os itens **c** e **d** e justifique-as.

c) Justifique as suas respostas para os itens **i** e **j**.

3 Passe o sujeito das frases para o plural, obedecendo à concordância correta:

a) Ouve-se pelo rádio a música preferida.

b) Demorou a chegar até nós a alegre notícia.

c) Começa muito tarde o programa noturno.

d) Era sempre eu o atrasado.

e) Faz-se bolo caseiro.

4 Passe para o plural os termos destacados, efetuando a concordância correta:

a) Houve **festa** durante o ano todo.

b) Haverá **feriado** este mês?

c) Existe **caso** de dengue naquela cidade.

d) Precisa-se de **auxiliar administrativo**.

e) Doa-se **brinquedo** usado.

5 Com base nas frases do exercício **4**:

a) Justifique a sua resposta para o item **c**.

b) Compare as suas respostas para os itens **d** e **e**. Justifique-as.

c) Qual é a função da palavra **se** nos itens **d** e **e**?

6 Leia estas frases:

> Existem muitos bons livros para ler. É uma pena que exista pouco tempo para lê-los.

a) Substitua o verbo **existir**, nessas frases, pelo verbo **haver**.

b) Qual é a função sintática de **muitos bons livros** na frase original e na sua resposta?

c) Justifique a concordância do verbo **haver** na sua resposta.

7 Leia a história em quadrinhos e faça o que se pede:

a) Na frase do último quadrinho, há um erro de concordância. Reescreva-a, corrigindo o erro.

b) Justifique a sua resposta para o item **a**, considerando a função do verbo **haver** nessa frase.

c) Reescreva a frase, utilizando apenas o verbo **haver**.

8 Observe os anúncios:

a) Quais são os erros de concordância nessas frases?

b) Quais seriam as formas corretas das frases?

c) É comum observar esses erros nas ruas das cidades. Na sua opinião, por que isso acontece?

9 Leia e compare as duas frases, observando a concordância dos verbos destacados. Em seguida, justifique a concordância em cada caso:

a) **Alugam-se** casas e apartamentos para temporada.

b) **Trata-se** de várias exposições e peças de teatro reunidas em um único evento para agradar adultos e crianças.

10 Observe a concordância nas frases:

> É hora de viajar.
> Há vários meios de transporte possíveis.

a) Explique a ausência de sujeito nas duas orações.

b) Reescreva a 2ª oração substituindo o verbo **haver** pelo verbo **existir**.

c) Na sua resposta, o verbo foi usado no singular ou no plural? Por quê?

11 Para completar as frases, use as palavras do quadro. Flexione-as adequadamente, de acordo com a concordância nominal.

> entusiasmado – sugerido – maravilhoso – simpático – parte – mesmo
> obrigado – meio – anexo – confuso – só

a) O garoto e as garotas ficaram ★ com a festa.

b) Encontrei os livros e as revistas ★ pelo professor.

c) A peça possui cenário e roupas ★ .

d) Sua Excelência, o ministro, é muito ★ .

e) Ouvimos apenas a primeira e a segunda ★ do discurso.

f) Elas ★ expuseram as suas ideias sobre o trabalho de História.

g) Muito ★ , disse a garota.

h) Eu não quis sair porque estava ★ indisposta.

i) ★ , estamos enviando os documentos para a nossa inscrição.

j) Ela escreve ★ .

k) Eles ★ chegaram às duas horas por causa do trânsito.

12 Com base nas frases do exercício **11**:

a) Justifique a sua resposta para o item **d**.

b) Justifique a sua resposta para o item **h**.

13 Leia a frase:

> Robinson Crusoé e Sexta-Feira **só** voltaram à Inglaterra anos depois e estavam **sós**.

a) Explique a diferença entre as duas ocorrências da palavra **só**.

b) Escreva uma frase na qual apareçam as duas ocorrências da palavra **só** (advérbio e adjetivo).

14 Use as palavras do quadro e reescreva as frases. Flexione-as quando necessário.

> anexo – incluso – mesmo – meio – mesmo – próprio – mesmo – caro

a) As fotos estão ★ aos documentos.

b) Estão ★ todas as sugestões da professora para o bom andamento da peça.

c) Ela ★ fez o cenário da peça.

d) Ela estava ★ fatigada por causa da gripe.

e) Nós ★ escrevemos nossas ★ falas na peça de teatro da escola.

f) São as ★ flores que escolhi.

g) Minha blusa de lã custou muito ★ .

15 Escreva uma oração em que os termos **anexo** e **alerta** fiquem invariáveis.

16 Complete com as expressões invariáveis **é proibido, é necessário, é preciso** e faça a concordância quando necessário.

a) ★ calma para ser motorista de ônibus.

b) ★ uma enorme paciência para suportar os barulhos da cidade.

c) ★ muita saúde para enfrentar um verão tão quente.

d) ★ a preguiça.

e) ★ virar à esquerda.

17 Justifique as suas respostas para os itens **d** e **e** do exercício **16**.

18 Leia o texto abaixo e complete-o com verbos no pretérito perfeito, imperfeito e mais--que-perfeito do indicativo, fazendo a concordância verbal adequada.

Como surgiu a escova de dentes?

O primeiro instrumento identificado como uma escova de dentes não ★ (*passar* — **imperfeito**) de um pequeno graveto, mais ou menos do tamanho de um lápis, com as pontas desfiadas formando uma escova. Com cerca de 5 mil anos, o apetrecho ★ (*ser* — **perfeito**) encontrado em uma tumba egípcia.

No final do século 15, os chineses ★ (*criar* — **perfeito**) a primeira escova com aparência semelhante à que temos hoje. O acessório ★ (*ser* — **imperfeito**) confeccionado com pelos de porco amarrados em varinhas de bambu ou pedaços de ossos e ★ -se (*tornar* — **perfeito**) muito popular na Europa. As famílias ★ (*dividir* — **imperfeito**) o uso de uma única escova entre todos os membros, o que ★ (*trazer* — **imperfeito**) problemas. Os pelos ★ (*acumular* — **imperfeito**) umidade e ★ (*mofar* — **imperfeito**), originando doenças bucais que ★ (*ser* — **imperfeito**) passadas para toda a família. Além disso, as extremidades pontiagudas das cerdas ★ (*ferir* — **imperfeito**) as gengivas.

A escova com cerdas de náilon, como as que usamos, ★ (*ser* — **perfeito**) criada em 1938, nos Estados Unidos. Desde então, elas se ★ (*tornar* — **perfeito**) amigas diárias de todos nós. Certo? Bem, uma pesquisa realizada pelo Ministério da Saúde em 1997 ★ (*mostrar* — **perfeito**) que metade da população brasileira na época, cerca de 85 milhões de pessoas, nem ★ (*ter* — **imperfeito**) escova de dentes.

(Toninha Rodrigues. Editora Abril. *Superinteressante*, n. 202, jul. 2004, p. 46.)

Colocação pronominal

Leia o texto:

Por que Asterix é bom para a leitura. E Mônica. E Homem-Aranha. E Dragon Ball. E...

Não sei ao certo a quantas andam os livros didáticos de hoje, mas quando eu estava na quinta série, meu livro de História não era nada atraente, nem para mim nem para a maioria absoluta dos meninos e meninas de 11 anos que estudavam em um ótimo colégio público de São Carlos. Talvez por isso, lembro-me com clareza do dia em que a professora da disciplina — dona Carmem — fez uma pergunta a um colega sobre o Império Romano e o garoto desandou a falar sobre César, Brutus, Marco Antônio, Pompeu, a passagem do Rubicão, decuriões, centuriões e por aí afora.

A mestra, surpresa, perguntou: como ele sabia tudo aquilo? Havia lido o livro e o que mais? De onde surgira aquele conhecimento tão inesperado quanto a paixão pelo assunto? A resposta foi tão deliciosa quanto desconcertante: Asterix. O garoto, Maurício, adorava as aventuras do baixinho gaulês criado para os quadrinhos por Uderzo e Goscinny. Depois que se divertia lendo os exemplares da coleção que o pai guardava muito sabiamente como um tesouro, tinha a curiosidade despertada e corria para os livros — não só o didático, mas todas as enciclopédias disponíveis em casa e na biblioteca — para checar informações, conferir o que era real e saber mais sobre os personagens reais que apareciam na aventura fictícia.

(D. Jota Carvalho. Em: Revista *Discutindo Literatura*, p. 55-56.)

Asterix e Obelix.

Observe as frases retiradas do texto:

"Talvez por isso, lembro-me com clareza do dia em que a professora da disciplina — dona Carmem — fez uma pergunta a um colega sobre o Império Romano (...)"

"Depois que se divertia lendo os exemplares da coleção que o pai guardava muito sabiamente como um tesouro, tinha a curiosidade despertada e corria para os livros (...)"

Na primeira frase, o pronome oblíquo me foi empregado após o verbo lembrar; na segunda, o pronome oblíquo se foi usado antes do verbo divertir.

Voltemos à primeira frase. Há outras formas em que o pronome oblíquo me poderia ser usado, como, por exemplo, com o futuro do presente do indicativo e com o futuro do pretérito do indicativo:

Talvez por isso, lembrar-me-ei com clareza do dia em que a professora da disciplina...

└─► lembrarei: futuro do presente do indicativo

Talvez por isso, lembrar-me-ia com clareza do dia em que a professora da disciplina...

└─► lembraria: futuro do pretérito do indicativo

447

Os pronomes oblíquos átonos (**me, te, se, o, a, lhe, nos, vos, os, as, lhes**) podem aparecer em três posições ao lado de um verbo. Cada uma delas recebe um nome especial:

> • **Próclise** — pronome **antes** do verbo
> • **Ênclise** — pronome **depois** do verbo
> • **Mesóclise** — pronome no **meio** do verbo

Atualmente, a mesóclise é usada somente na linguagem escrita.

Na nossa língua, admite-se certa liberdade na colocação dos pronomes na oração, especialmente na oralidade. No entanto, existem algumas normas básicas que garantem harmonia, clareza e expressividade à comunicação.

Vamos conhecê-las!

Uso da próclise

> **Próclise** é a colocação do pronome antes do verbo.

Na língua portuguesa, a próclise é a ocorrência mais comum, geralmente utilizada nos seguintes casos:

1 Quando o verbo é precedido de conjunção subordinativa, pronome relativo, pronome interrogativo, pronome indefinido, pronome demonstrativo e advérbio.

Maurício antigamente se divertia lendo os exemplares de Asterix da coleção de seu pai.
advérbio

Quem se divertia lendo os exemplares de Asterix da coleção de seu pai?
pronome interrogativo

Nem todos se interessam por história em quadrinhos durante a infância.
pronome indefinido

pronome relativo
D. Carmem, que nos questionava sobre a história do Império Romano, ficou surpresa com o conhecimento de Maurício sobre o assunto.

Quando me lembro das férias, imediatamente penso em praia ensolarada.
conjunção subordinativa

Embora eu tivesse que esperar pacientemente o resultado do teste, isso me desagradava.
pronome demonstrativo

ATENÇÃO!

Há muitas funções exercidas pela palavra **se**. Saiba mais sobre esse assunto no Capítulo 30, Estudos diversos.

2 Em orações negativas.

Não me lembro de já ter roubado no jogo!

3 Em orações optativas e exclamativas.

Deus te ilumine sempre!

Quantas coisas se aprendem quando se olha ao redor!

Uso da ênclise

Ênclise é a colocação do pronome após o verbo.

A ênclise só ocorre quando não houver motivos que exijam a próclise. Geralmente, é usada nos seguintes casos:

1 Em frase iniciada por verbo, pois não se pode iniciar uma frase com pronome átono.

Atrevo-me a afirmar que a leitura de histórias em quadrinhos incentiva a busca de outras leituras.

2 Com o verbo no gerúndio.

Maurício aprendia sobre o Império Romano divertindo-se com as aventuras de Asterix.

OBSERVAÇÃO

Quando alguma palavra que precede o gerúndio assim o exigir, usa-se a próclise. Veja este exemplo:
Não nos importando com o que há de errado na sociedade, nada estaremos fazendo para melhorá-la.

3 Com o verbo no imperativo afirmativo.

Deixem-nos aprender com as histórias em quadrinhos!

4 Com o verbo no infinitivo.

Eu e meus colegas começamos a interessar-nos por História após lermos as aventuras de Asterix.

OBSERVAÇÃO

A posição do pronome preferida dos brasileiros é a **próclise**, e não a ênclise. Isso acontece principalmente na oralidade. Na literatura, há casos nos quais os autores buscam reproduzir essas situações orais. Veja:

Me desculpe.

Te adoro!

Me liga!

Te espero!

Tarde vazia

Pela janela vejo fumaça, vejo pessoas.
Na rua os carros, no céu o sol e a chuva.
O telefone tocou.
Na mente fantasias...
Você me ligou naquela tarde vazia,
E me valeu o dia.
(...)

(*Ira! Acústico MTV*. Sony Music, 2004.)

Uso da mesóclise

Mesóclise é a colocação do pronome no meio do verbo.

A mesóclise ocorre no meio de verbos no futuro do presente e no futuro do pretérito do indicativo:

diria: futuro do pretérito do indicativo

"Dir-se-ia que o homem pode aguentar tudo (...), até a ideia de que não pode aguentar mais."

(William Faulkner. Em: http://www.pensador.info/frase/Nzc5Mg, acessado em 19 fev. 2009.)

Nid Studio

A cerimônia de casamento de Cristina Ramos e Bruno Sousa realizar-se-á no dia 18 de setembro, às 20 horas.

realizará: futuro do presente

OBSERVAÇÃO

Sempre ocorrerá próclise quando houver um elemento que a exija, ainda que o verbo esteja no futuro do presente ou do pretérito. Na frase abaixo, por exemplo, a oração negativa obriga o uso da próclise:

Não se tratará de concordância na aula de Português de amanhã: veremos colocação pronominal.

Emprego de *o, a, os, as*

Os pronomes oblíquos átonos **o, a, os, as** podem ou não sofrer alterações, quando empregados em ênclise ou em mesóclise. Veja alguns casos:

1 Em verbo terminado em vogal ou ditongo oral, os pronomes **o, a, os, as** não se alteram.

Li a coleção completa das aventuras de Asterix: comprei-a em um sebo no centro da cidade.

Crie você também as suas histórias em quadrinhos e publique-as no jornalzinho da escola!

2 Em verbos terminados em **r, s** ou **z**, há a queda dessas consoantes finais, e os pronomes **o, a, os, as** alteram-se para **lo, la, los, las**.

Um dia sem...

BANHO DEMORADO

Você volta da escola, brinca, joga bola e, quando chega em casa, só quer saber de um banho. Mas no passado isso dava um trabalhão. Primeiro era preciso pegar água no poço e aquecê-la no fogão. Em seguida, levá-la até a bacia ou banheira e usar uma canequinha para se enxaguar. Era comum uma pessoa encher a banheira e a família inteira se banhar na mesma água. Isso mudou quando foi criado o chuveiro de água quente, no começo do século XX.

SEM PERDER A HORA!

Logo de manhã, o despertador toca. Pouco depois, você olha o relógio: está na hora da escola. Durante a aula, fica de olho nele, esperando a saída. E se não existisse relógio? Antigamente todo mundo prestava atenção na posição do Sol para ter uma ideia do horário. Povos antigos inventaram ampulhetas e relógios de água e de sol para medir o tempo. Aos poucos surgiram modelos mecânicos e elétricos. A ideia de usá-los no pulso foi de Santos Dumont, que encomendou o seu em 1904.

NENHUM REFRESCO

Quando quer um suco gelado, você só tem de pegá-lo na geladeira. Mas já pensou em como era difícil conservar alimentos antes de ela ser inventada, em 1850? Carnes e peixes eram salgados e secos ao sol, ao vento ou no fogo. As frutas eram secas ou cozidas. Outro truque era temperar a comida para evitar a reprodução de bactérias.

(*Recreio*, ano 6, n. 265, p. 16-17.)

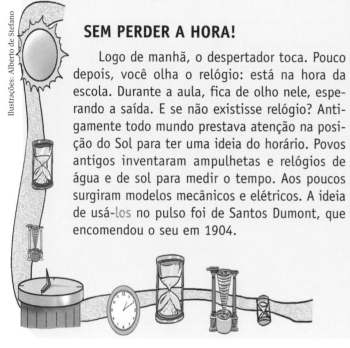

Ilustrações: Alberto de Stefano

aquecer + a ↑   levar + a ↑

"Primeiro era preciso pegar água no poço e aquecê-la no fogão. Em seguida, levá-la até a bacia ou banheira e usar uma canequinha para se enxaguar."

"Quando quer um suco gelado, você só tem de pegá-lo na geladeira."

pegar + o ↓

"A ideia de usá-los no pulso foi de Santos Dumont, que encomendou o seu em 1904."

usar + os ↓

3 Em verbos terminados em ditongos nasais (**am**, **em**, **ão**, **õe**, **õem**), os pronomes **o, a, os, as** alteram-se para **no, na, nos, nas**.

— Alguns mestres propõem-nos a leitura de histórias em quadrinhos.

propor + os ↓

As alunas retiram livros na biblioteca da escola e guardam-nos na mochila.

guardar + os ↓

Lia e a sua mãe Evani foram à feira, viram vários legumes saborosos e compraram-nos para fazer uma torta.

comprar + os ↓

Exercícios

1 Empregue adequadamente o pronome átono dado ao final de cada frase junto ao verbo destacado. Classifique a sua colocação.

a) Quando **fala** a verdade, tudo dá certo. (se)

b) O que **parecem** minhas notas? (lhe)

c) Todos **preocupam** com o meio ambiente. (se)

d) Não **importo** de sair na chuva se tenho um compromisso marcado. (me)

e) Tomara que você **convença** da necessidade de **dedicar** aos estudos. (se)

f) **Perguntaremos** se virá à nossa feira cultural. (lhe)

g) Se fôssemos até a escola, **convidariam** para a feira cultural. (nos)

h) **Aprontei** rapidamente, pois estava atrasada. (me)

i) **Trouxe** alguns livros que **pediram** para entregar. (lhe) (me)

j) Em **tratando** de amizade, tudo fica diferente. (se)

k) Se eu **contar** um segredo, você promete não contar para ninguém? (lhe)

l) A sua grande dica para **manter** jovem é estar sempre disposta para tudo. (se)

2 Com base nas orações e nas suas respostas do exercício 1, faça o que se pede:

a) Explique as ocorrências de mesóclise.

b) Quais seriam os motivos para que não ocorresse mesóclise nessas orações?

c) Justifique as suas respostas nos itens **a**, **b**, **c** e **d**.

3 Construa duas orações em que a ênclise seja obrigatória e cujas justificativas sejam diferentes.

4 Leia o texto abaixo e observe os pronomes destacados.

A última do avestruz

Não se sabe se algum dia a carne de avestruz fará parte do cardápio básico dos brasileiros, mas já há produtores vendendo essas aves compridas e desengonçadas para investidores urbanos que nunca precisarão criá-las ou mesmo encontrá-las. Algumas empresas vendem a ave e se responsabilizam pela hospedagem, pela alimentação e pela assistência médica. Após um ano, prometem recomprar o avestruz por um valor até 60% maior. Cada ave vendida recebe um microprocessador subcutâneo no  pescoço. O aparelho armazena as informações de peso, altura e linhagem do animal. A cada trinta dias, os dados são atualizados, e o dono do avestruz pode acompanhar o crescimento da ave em seu computador pessoal pela internet. Quando atinge um ano, ela já mede 2,20 metros e pesa 110 quilos. Está pronta para o abate, mas, se a ideia é a procriação, é preciso esperar até os 2 anos de idade. O Brasil já tem o quarto maior rebanho de avestruzes do mundo, com 180 000 aves, o que permitirá em breve a produção em larga escala de carne e derivados para exportação.

Como se trata de uma operação financeira, o negócio tem riscos e requer cuidados.

(Chrystiane Silva. Editora Abril. *Veja*, ano 38, n. 3, 19 jan. 2005, p. 96.)

Chad Ehlers/Image Plus

a) Agora, classifique a colocação pronominal e a justifique.

b) Identifique, no texto, os verbos que têm como complemento os pronomes átonos **o, a, os, as**. Justifique as alterações no emprego desses pronomes.

5 Leia a tira e responda às questões:

a) Comente a colocação do pronome me no primeiro quadrinho.

b) Qual o nome que se dá à colocação do pronome lhe no terceiro quadrinho?

c) Justifique a colocação pronominal da frase: "Isso lhe deixa com o 3 deste lado (...)".

d) Segundo a norma-padrão da língua portuguesa, o emprego do pronome lhe no item **c** está correto?

6 Leia o texto:

O terno de Capistrano

Comemorou-se, em outubro, o sesquicentenário de nascimento de Capistrano de Abreu. Mestre Capistrano, como também o chamavam, ilustre historiador nascido no Ceará, homem erudito, autor de clássicos como *Capítulos de história colonial*, tinha fama de, talvez por falta de tempo, descuidar da aparência. ★ (*acusar* **na 3ª pessoa do plural do pretérito imperfeito do indicativo + pronome** *o*) até de "negligência sanitária" – ou seja, falta de higiene mesmo. O folclore capistraniano registra que passou 12 anos usando o mesmo terno, sem ★ (*lavar* **no infinitivo + pronome** *o*)! Um belo dia, porém, ★ (*enviar* **na 3ª pessoa do singular do pretérito perfeito do indicativo + pronome** *o*) à lavanderia. Tempos depois, o entregador voltou com um pequeno pacote. Quando Capistrano ★ (*abrir* **na 3ª pessoa do singular do pretérito perfeito do indicativo + pronome** *o*), que surpresa e que lástima: do querido terno, ao qual parecia tão apegado, pouco sobrara. Na verdade, apenas os botões.

(Humberto de Campos. Brasil anedótico. Em: Revista *Nossa História*, ano 1, n. 1, nov. 2003, p. 87.)

a) Complete-o com os verbos mencionados entre parênteses, nos tempos indicados e com os pronomes apropriados. (Atenção para a colocação pronominal.)

b) Qual é o único caso de próclise? Justifique a sua ocorrência.

Conceito

Leia o texto:

Vírgula publicitária

O texto, a seguir, reproduz o conteúdo da campanha "Vírgula", exibida em 2008, como parte das comemorações do centenário da Associação Brasileira de Imprensa:

A vírgula pode ser uma pausa. Ou não.
"Não, espere." × "Não espere."

Ela pode sumir com seu dinheiro.
"23,4." × "2,34."

Pode ser autoritária.
"Aceito, obrigado." × "Aceito obrigado."

Pode criar heróis.
"Isso só, ele resolve." × "Isso só ele resolve."

E vilões.
"Esse, juiz, é corrupto." × "Esse juiz é corrupto."

Ela pode ser a solução.
"Vamos perder, nada foi resolvido." × "Vamos perder nada, foi resolvido."

A vírgula muda uma opinião.
"Não queremos saber." × "Não, queremos saber."

Uma vírgula muda tudo.
"ABI: 100 anos lutando para que ninguém mude uma vírgula da sua informação."

(Revista *Língua Portuguesa*, n. 36, out. 2008, p. 28)

Jorge Zaiba

O texto enfatiza o emprego da vírgula e, principalmente, a modificação da intencionalidade comunicativa, de acordo com o lugar que esse sinal de pontuação ocupa na frase.

São três as principais funções dos sinais de pontuação:

• assinalar as pausas e a entonação na leitura oral;

• separar orações, expressões e palavras que devem vir destacadas na frase;

• ajudar na compreensão do sentido da frase, evitando o duplo sentido, a ambiguidade.

Agora que você já conhece a Sintaxe, fica mais fácil entender e usar os sinais de pontuação, pois, muitas vezes, eles são utilizados com base na análise sintática das orações e dos seus termos.

Nem todos os escritores respeitam as regras quanto ao emprego dos sinais de pontuação. Há algumas normas gerais, entretanto, que precisam ser conhecidas.

Emprego da pontuação

Leia o texto abaixo, a partir do qual vamos estudar as principais regras que norteiam o uso adequado da pontuação na produção de textos.

Abelardo,

A história é muito, muito linda. Mas não sei se acredito em amores assim nos dias de hoje. Sabe aquela coisa de entrega total, de olhos nos olhos, de um fazer tudo pelo outro, de ir ao céu ou ao inferno pelo outro? Pois é, acho que não é mais possível existir um amor assim... Tão pleno, verdadeiro e corajoso. No entanto, bem lá no fundo de mim mesma (bem, escondidinho), o que eu quero é amar alguém intensamente. Engraçado, não sinto vergonha alguma de contar isso para você. Por mais incrível que possa parecer, sinto que podemos compreender um ao outro.

Preciso tanto de alguém que me aceite como sou! Que goste de mim pelo que sou, que adore a minha cara, minha cabeça, minhas piadas, meu jeito de ser.

Se eu fosse poeta, escreveria para você, que é o meu mais novo amigo. Algo assim: Abelardo e Heloísa, amigos para sempre. Tentarei algo no piano, gravarei e mandarei a fita. Depois você me conta o que achou.

Minhas amigas do colégio detestam as aulas de português. Eu as adoro, ainda mais quando a Sandra — a professora — faz análises de poemas. Adoro o lirismo. Tudo que é arte encontra eco dentro de mim. Não consigo compreender as pessoas que não enxergam essa beleza. Acho que não têm alma.

Pois bem, a minha alma anda coladinha em tudo que faz pensar e sentir. Refletir é exercitar a mente e o coração. Sabe, mesmo quando me sinto um ser de outro lugar, ainda assim prefiro essa vida. Eu só consigo me entender com as pessoas quando faço de conta que sou tão idiota quanto elas. Pareço radical? Talvez seja verdade, mas não entendo como existe gente incapaz de pensar ou de sentir. Ainda bem que você me entende. É verdade. Sei que você pode me compreender. Aposto que está sorrindo meio de lado, meio sem graça. Sua amizade está se tornando muito importante para mim. Fale-me de seus poemas.

Heloísa

(Júlio Emílio Braz e Janaína Vieira. *Só entre nós — Abelardo e Heloísa*, 12. ed. São Paulo, Saraiva, 2003, p. 21.)

Ponto .

Geralmente, é empregado:

• para indicar o final de uma frase declarativa.

"Minhas amigas do colégio detestam as aulas de português."

• para separar os períodos entre si, simples ou compostos.

"Ainda bem que você me entende. É verdade. Sei que você pode me compreender."

• nas abreviaturas.

sr. (senhor)   d.C. (depois de Cristo)   prof. (professor)

Vírgula ,

É empregada:

• em datas e nos endereços.

A novela juvenil *Só entre nós — Abelardo e Heloísa* foi publicada por Júlio Emílio Braz
e Janaína Vieira pela Editora Saraiva, São Paulo, em 2003.

A Editora Saraiva localiza-se na Rua Henrique Schaumann, n. 270, Pinheiros, São Paulo, SP.

• em termos independentes entre si, mas de mesma função sintática.

"Que goste de mim pelo que sou, que adore a <u>minha cara</u>, <u>minha cabeça</u>, <u>minhas piadas</u>, <u>meu jeito de ser</u>."

                objeto direto   objeto direto   objeto direto   objeto direto

• no vocativo, para separá-lo da frase.

vocativo
"Abelardo,
A história é muito, muito linda."

No texto que lemos, Heloísa colocou o vocativo em linha diferente por se tratar do início de uma mensagem, mas, normalmente, o vocativo aparece com o restante da frase a que pertence:

vocativo
Abelardo, sinto que poderemos ser grandes amigos.

• no aposto, para separá-lo da frase.

aposto
Abelardo e Heloísa, dois jovens recém-conhecidos, estão se tornando grandes amigos
por meio da troca de mensagens pela internet.

- em certas expressões explicativas, como **isto é**, **por exemplo**, **ou seja** etc.

A alma de Heloísa "anda coladinha em tudo que faz pensar e
sentir", **isto é**, para ela "refletir é exercitar a mente e o coração".

OBSERVAÇÃO

A vírgula, no caso dos adjuntos
adverbiais curtos, é facultativa.

- para separar adjuntos adverbiais.

"Sabe aquela coisa de entrega total, <u>de olhos nos olhos</u>, de um fazer tudo pelo outro, de ir
ao céu ou ao inferno pelo outro?"   adjunto adverbial

- com certas conjunções.

"No entanto, bem lá no fundo de mim mesma (bem, escondidinho),
o que eu quero é amar alguém intensamente."

- para separar partes de um provérbio.

"O que os olhos não veem, o coração não sente."

- para indicar a elipse de um termo.

Eu adoro as aulas de Português; minhas colegas, as de outras disciplinas.

elipse de **adoram**

- para separar orações coordenadas.

"Tentarei algo no piano, gravarei e mandarei a fita."
 oração coordenada   oração coordenada

- para separar orações subordinadas adverbiais.

"Eu as adoro, ainda mais quando a Sandra — a professora — faz análises de poemas."
oração principal   oração subordinada adverbial temporal

- para isolar a oração subordinada adjetiva explicativa do restante da frase.

"Se eu fosse poeta, escreveria para você, que é o meu mais novo amigo."
            oração principal   oração subordinada adjetiva explicativa

- para separar a oração subordinada adverbial da principal, quando esta aparece depois da adverbial.

"Se eu fosse poeta, escreveria para você, que é o meu mais novo amigo."
oração subordinada   oração principal
adverbial condicional

IMPORTANTE!

Nunca se usa a vírgula:

• entre o sujeito e o verbo (ou locução verbal) da oração, mesmo que ocorra ordem inversa.

"Sua amizade está se tornando muito importante para mim."
   sujeito   locução verbal

"Está se tornando muito importante para mim sua amizade."
   locução verbal   sujeito

• entre o verbo e os seus complementos, quando estão juntos.

"Não consigo compreender as pessoas que não enxergam essa beleza."
     locução verbal   complemento   verbo   complemento

No entanto, se esses termos estiverem separados, pode-se usar a vírgula **para isolar o termo ou expressão que os estiver separando**:

                              palavra que separa verbo e complemento

"Tudo que é arte encontra, invariavelmente, eco dentro de mim."
                    verbo   complemento

Ponto e vírgula ;

É empregado:

• para separar os itens de uma lei, de um decreto, de uma sequência.

Heloísa, respondendo ao *e-mail* de Abelardo, citou alguns de seus sentimentos e ideias: adorou a história enviada anteriormente por Abelardo; acredita não existir atualmente um amor pleno como o das personagens dessa história; gosta muito das aulas de Português, do lirismo e de todas as artes.

• para separar as partes de um período.

Cheguei em casa da escola; almocei; brinquei com meu cãozinho; assisti a um desenho; fiz a lição de casa e fui então descansar um pouco.

Dois-pontos :

São empregados:

• antes de apostos.

"Algo assim: Abelardo e Heloísa, amigos para sempre."

• depois de certos verbos declarativos (que introduzem a fala das personagens no discurso direto, como **dizer**, **perguntar** e **responder**):

Outro dia um amigo perguntou:
— Por que você anda tão sumida?
Um pesquisador me alertou:
— É preciso pensar no meio ambiente e cuidar dele.

• para indicar que algo vai ser anunciado.

Talvez seja inevitável: acabarei me afastando daqueles que não sabem apreciar o lirismo.

• para apresentar uma citação.

Leia esta frase do escritor e teatrólogo irlandês Bernard Shaw:
"Não temos o direito de consumir felicidade sem produzi-la, assim como não temos o direito de consumir riqueza sem produzi-la".

(Ruy Castro. *O amor de mau humor*, p. 79.)

Reticências ...

São empregadas:

• para indicar a supressão de palavras.

O assunto do *e-mail* de Heloísa é "L'amour..."

• para indicar a interrupção da frase ou que, ao final de uma oração, o sentido continua.

"Pois é, acho que não é mais possível existir um amor assim... Tão pleno, verdadeiro e corajoso."

• para indicar uma dúvida.

Eu estava aqui pensando... Esse desinteresse dos jovens pelo lirismo será fruto do materialismo e do consumismo na nossa sociedade atualmente?

Parênteses ( )

São empregados:

• para isolar palavras explicativas.

"No entanto, bem lá no fundo de mim mesma (bem, escondidinho),
o que eu quero é amar alguém intensamente."

• para destacar datas.

Henfil (1944-1988) foi um dos mais importantes cartunistas e humoristas brasileiros.
As suas criações incluem a Graúna, o Fradim e o Bode Orelana.

• para isolar frases intercaladas.

Tudo que é arte faz eco dentro de Heloísa; por isso, ela adora as análises
de poesias (ama o lirismo!), embora as colegas não as apreciem.

Ponto de exclamação !

É empregado:

• depois de palavras ou frases que indicam estado emocional.

"Preciso tanto de alguém que me aceite como sou!"

• depois de vocativo.

> <u>Alunos</u>! Vamos falar sobre a riqueza da língua portuguesa!
> vocativo

• depois de imperativo.

> Filha, <u>vá</u> agora para a cama!
> verbo no imperativo

• depois de interjeição.

> "<u>Cruzes</u>!! Dei mau jeito na coluna."
> interjeição

Ponto de interrogação ?

É empregado nas perguntas diretas, como nos exemplos retirados do trecho de *Só entre nós*:

"Sabe aquela coisa de entrega total, de olhos nos olhos, de um fazer tudo pelo outro, de ir ao céu ou ao inferno pelo outro?"

"Pareço radical?"

OBSERVAÇÕES

1. O ponto de interrogação não é empregado nas perguntas indiretas. Veja:

A língua portuguesa está mudando. Se é um processo bom ou ruim, tenho minhas dúvidas.

Se transformássemos essa pergunta indireta em direta, teríamos:

A língua portuguesa está mudando. É um processo bom ou ruim? Tenho minhas dúvidas.

2. O ponto de interrogação e o de exclamação podem aparecer lado a lado em frases de entonação ao mesmo tempo interrogativa e exclamativa:

Jantar numa hora dessas?!

Travessão —

É empregado:

• para indicar início e mudança de fala de personagem.

> — Vou te adicionar no msn, Adriana.
> — Que bom! Assim a gente pode conversar mais, Washington.

• para destacar expressões explicativas.

"Eu as adoro, ainda mais quando a Sandra — a professora — faz análises de poemas."

Aspas " "

São empregadas:

• para assinalar transcrições e para isolar citações.

> No seu *e-mail*, Heloísa afirma: "Tentarei algo no piano, gravarei e mandarei a fita.
> Depois você me conta o que achou".

• para colocar palavras em evidência.

> Heloísa "adora" o lirismo.

• para assinalar palavras estrangeiras, termos da gíria, nomes de obras de arte ou publicações.

> Algumas obras de Luis Fernando Verissimo são "Comédias da vida privada",
> "As mentiras que os homens contam" e "Comédias da vida pública".

OBSERVAÇÕES

1. Quando dentro de um trecho já destacado por aspas (" ") houver necessidade de novas aspas, estas serão simples (' '):
   "'Blz' é 'beleza', uma gíria para expressar concordância. 'Rs', 'risos'."

2. No caso de palavras estrangeiras, é muito comum a substituição das aspas pelo grifo ou itálico:
   Os mangás são uma verdadeira mania. No Japão, homens, mulheres e crianças leem gibis de tipos diferentes. Os *shonen* falam de esportes e grandes batalhas. O *shojo* é para meninas e traz histórias românticas.
   Já o *kodomo* tem aventuras divertidas e personagens mais fofinhos. A maioria dos astros de animês nasceu nos mangás, como é o caso de Sakura, Yu-Gi-Oh! e Cavaleiros do Zodíaco.

   (*Recreio*, ano 5, n. 260, p. 19.)

3. No caso de títulos de obras de arte e publicações, atualmente a preferência é pelo destaque com negrito ou itálico:
   Comemorou-se em 2009 a publicação da obra *Vidas secas,* de Graciliano Ramos, um marco da literatura brasileira.

Outros sinais de pontuação

Parágrafo §: É empregado, em geral, para indicar um item de um texto ou artigo de lei.

Chave { ou chaves { }: São usadas para dividir um assunto.

Colchetes [ ]: São empregados na linguagem científica.

Asterisco *: É empregado para chamar a atenção do leitor para alguma nota (observação).

Barra /: É empregada nas abreviações de datas e em algumas abreviaturas.

1 Reescreva o texto acrescentando os sinais de pontuação:

No céu e na terra

Ilhas do Paraná abrigam milhares de aves

Na costa do Paraná e ainda sem um plano de preservação oficial o arquipélago dos Currais é um dos mais importantes viveiros naturais de aves marinhas do Brasil Habitam as três ilhas Grapirá, Três Picos e Filhote por volta de 20 mil aves de cerca de 30 espécies Entre elas estão o atobá ou mergulhão *Sula leucogaster* e a fragata *Fregata magnificens* Aves migratórias como os trinta-réis-de-bico-amarelo *Sterna eurygnatha* também usam as ilhas para se reproduzir E até pinguins são vistos nos meses de inverno

(...)

(Revista *National Geographic Brasil*, jun. 2002, p. 26.)

2 Copie o texto empregando a vírgula onde for necessário. Justifique a sua resposta:

Cavalo-marinho é atração no Piauí

Muitos turistas têm ido à praia de Barra Grande no município de Cajueiro da Praia (PI) para conhecer o cavalo-marinho um animal de formato curioso. O local tem sido descoberto aos poucos por visitantes de outros estados.

Os guias proporcionam aos turistas a possibilidade de ver de perto um cavalo-marinho enquanto passeiam pelas águas dos rios da região. Segundo os guias o melhor ponto de observação é à beira de mangues quando a maré está baixa.

Os guias ao conseguir visualizar os animais os colocam em um pequeno aquário para que os turistas observem. Em seguida os animais são devolvidos à água.

(http://jovempan.uol.com.br/blogs/animaisecia/2008/08/19/cavalo-marinho-e-atracao-no-piaui/, acessado em 26 fev. 2009.)

3 Leia a tirinha e faça o que se pede:

a) Explique a fala do personagem.

b) Reescreva a frase do anúncio com outros sinais de pontuação e explique a alteração que ocorreu no seu sentido.

4 Leia as frases:

> **A** Bruno, meu vizinho, adora jogar futebol.
>
> **B** Bruno, meu vizinho adora jogar futebol.

a) Justifique o uso da vírgula em cada uma delas.

b) Explique quais podem ser os contextos ou as situações em que essas frases foram pronunciadas.

5 Leia este trecho do diário de Josimar. Em seguida, copie-o empregando os dois-pontos e o travessão:

26/9/94

Por onde será que começo? Melhor pelo começo mesmo, embora me dê vontade de atropelar as coisas. Conforme eu tinha planejado, me aprontei e passei na casa de Maria Laura. Ela se atrasou, ainda demorou um tempão. Mas veio toda bonitinha. Não exagerou como eu. Tanto que comentou

Cibele Queiroz

Se soubesse que você vinha assim, tinha me arrumado melhor.

Você está ótima!

Você é que está no maior perfume!

Torci para que ela estivesse gostando. Esperando não ter exagerado. Mas não deu dica nenhuma. Deu para perceber, no entanto, que ela notou minha roupa e meu cheiro.

Até a gente conseguir entrar, o jogo já tinha começado. Fomos para perto dos conhecidos. Era a torcida pessoal do Marílton. Pensava em ver a turma mais animada. Foi Maria Laura quem atentou

Não estou vendo o Marílton.

Lá no banco! Alguém apontou e eu compreendi o motivo do desânimo.

O técnico tinha deixado nosso amigo na reserva e a gente curtia a maior decepção. Muitos saíram no intervalo.

Assim não vai ter outro Romário! Não vi quem disse, mas reconheci o tom de maldade e desprezo.

(...)

(Lino de Albergaria. *Caderno de segredos*, 9. ed., São Paulo, Saraiva, 1995, p. 41-42.)

6 Leia um trecho do anúncio publicitário de uma escola de idiomas; depois, copie-o empregando a pontuação que achar conveniente. Justifique a sua resposta.

NÃO DEIXE QUE UM DIA SEU FILHO SE PERGUNTE
POR QUE MEUS PAIS NÃO ME ENSINARAM ISSO QUANDO EU ERA
MAIS NOVO

(*O Estado de S. Paulo*, 28 nov. 2008, p. C8.)

7 Recorte de jornais e revistas e cole no seu caderno orações nas quais apareçam os seguintes sinais:

a) chaves { };

b) colchetes [ ];

c) asterisco *;

d) barra /.

8 Agora junte-se a um colega e escrevam no caderno um diálogo envolvendo dois personagens (por exemplo: pai e filha; aluno e professor; um casal de namorados etc.) sem a participação do narrador. (Atenção ao uso da pontuação. Sejam criativos!)

No *e-mail* abaixo, a personagem Samara escreve para uma amiga contando-lhe como ela se interessou em trabalhar com crianças carentes. Leia o trecho que faz parte do livro *Se ele vier...*:

Para: tatianam@popstar.com.br
De: Samara Lopes Cândido
Assunto: Verdades e boas notícias

(...) um dia, por coincidência (ou não?), eu conheci a irmã do Ronaldo, aquele que é gato e que trabalha na mesma empresa que eu, lembra? Ela é supersimpática. Está de viagem marcada para a Inglaterra, vai passar 1 ano lá, estudando inglês. O Ronaldo, claro, aproveitou a presença da irmã pra tentar se aproximar de mim (eu ainda estava meio porco-espinho) e nos convidou pra tomar um café, etc. Sabe aquele velho papo de começo de paquera? Pois

Roberto Weigand

é, eu fiquei sem jeito de dizer não e fui. Foi a melhor coisa que fiz até hoje na vida, Táti!

A irmã dele se chama Bianca, tem 22 anos e é muito, mas muito legal. Bem, pra resumir, conversamos sobre o curso que ela vai fazer, sobre viagens e outras coisas. Aí, num certo momento, ela disse que estava preocupada porque faz um trabalho voluntário com crianças carentes e ainda não tinha conseguido uma substituta pro lugar dela. O Ronaldo, então, me explicou que a instituição poderia indicar uma outra pessoa porque, hoje em dia, muita gente está se dispondo a ajudar, mas que a Bianca queria poder, ela mesma, fazer a indicação. Eu perguntei por que e ela me respondeu que esse é um trabalho muito sério, que as crianças se apegam muito, que ela queria indicar alguém que demonstrasse um desejo real e sincero pelas crianças. Eu argumentei que, com certeza, a instituição poderia fazer uma boa triagem dos candidatos. Ela disse que sim, mas que até o último momento iria tentar, porque queria olhar nos olhos dessa pessoa e ter a certeza de que deixaria "suas" crianças em boas mãos.

Táti, na hora em que ela disse isso eu senti como se fosse uma luz vindo do céu na minha direção. Olha, foi tão estranho, que por uns minutos eu me esqueci deles, de onde estava, de quem eu era e viajei. Parece loucura, mas eu me vi num outro lugar, longe dali e estava feliz. Acho que eles pensaram que eu estava passando mal, até porque os meus olhos estavam úmidos. Quando eu "voltei pra Terra", a única coisa que eu consegui dizer foi: Eu quero ficar no seu lugar.

Olha, ela levou um susto e tanto, o Ronaldo nem se fala. Se ela começasse a fazer mil perguntas, eu juro que não saberia responder. Mas ainda bem que ela teve a sensibilidade de perceber que não precisava. O que eu queria e por que queria estava escrito na minha testa. A única coisa que ela fez foi segurar as minhas mãos e sorrir. Não sei o que foi que ela entendeu, mas o que importa é que deu certo.

(Janaina Vieira. *Se ele vier...* 2. ed., São Paulo, Saraiva, 2001, p. 85-86.)

A palavra **se** exerce, em língua portuguesa, várias funções. Você conheceu algumas delas quando foram estudados os tipos de sujeito e a voz passiva.

Observe a frase retirada do texto e a função que o **se** executa nela:

"O Ronaldo, claro, aproveitou a presença da irmã pra tentar se aproximar de mim (...)."

OD VTDI OI

Além de objeto direto, o **se** desempenha outras funções. Vamos conhecê-las neste capítulo.

A palavra *se*

Índice de indeterminação do sujeito

"Olha, ela levou um susto e tanto, o Ronaldo nem se fala."

índice de indeterminação do sujeito ← → VTI (... nem se fala do susto do Ronaldo)

Nesses casos, o verbo aparece sempre na 3ª pessoa do singular, e o se indica que o sujeito é indeterminado. Os verbos mais usados são os intransitivos (VI) e os transitivos indiretos (VTI).
Veja os exemplos:

Precisava-se de uma substituta para um trabalho voluntário.

VTI → índice de indeterminação do sujeito

Vivia-se muito bem naquela instituição.

VI → índice de indeterminação do sujeito

Partícula apassivadora

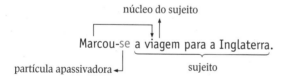

Marcou-se a viagem para a Inglaterra.

partícula apassivadora ← núcleo do sujeito / sujeito

Nessa oração, o verbo está na voz passiva sintética e concorda com o sujeito. O se é a partícula apassivadora, usada sobretudo com os verbos transitivos diretos (VTD).

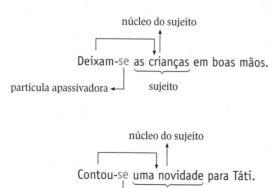

Deixam-se as crianças em boas mãos.

partícula apassivadora ← núcleo do sujeito / sujeito

Contou-se uma novidade para Táti.

partícula apassivadora ← núcleo do sujeito / sujeito

As três frases dos exemplos da página anterior poderiam ser transpostas para a voz passiva analítica, não havendo, nesses casos, o agente da passiva:

A viagem para a Inglaterra foi marcada.

As crianças são deixadas em boas mãos.

Uma novidade foi contada para Táti.

Pronome reflexivo

Samara via-se como uma possível substituta de Bianca.
sujeito VTD OD

Na frase acima, a palavra se é um pronome pessoal oblíquo átono e acompanha um verbo na voz reflexiva. Sintaticamente, trata-se de um objeto direto, pois o verbo ver é transitivo direto.

Nesse caso, o se é um pronome reflexivo que exerce a função de objeto direto e que se refere ao sujeito da oração: Samara.

Veja outro exemplo:

Ela me respondeu que as crianças se apegam muito.
sujeito OD VTD

Nesse caso, como nos anteriores, o se é objeto direto e faz referência ao sujeito: as crianças.

O pronome reflexivo pode também exercer a função de objeto indireto:

objeto indireto ←   VTDI   → objeto direto
Atualmente as pessoas se deram conta dos vários benefícios obtidos pelos exercícios físicos.

No exemplo acima, o se funciona como objeto indireto.

A condição para que a palavra se desempenhe a função de objeto indireto é que o verbo seja transitivo direto e indireto.

Há também o pronome recíproco, quando o sujeito é composto e a ação acontece concomitantemente: ambos os núcleos a praticam e a recebem. Observe:

Samara e Tatiana não se viam nem se escreviam há muito tempo.

pronome recíproco ←   → pronome recíproco

Partícula expletiva *ou* de realce

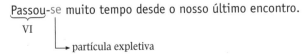

Passou-se muito tempo desde o nosso último encontro.
VI
└→ partícula expletiva

A palavra se atua como partícula expletiva ou de realce quando se junta a um verbo intransitivo apenas para reforçar-lhe o significado.

Leia este poema de Alberto Caeiro:

XIII

partícula de realce ←⎤

Leve, leve, muito leve,
Um vento muito leve passa,
E vai-se, sempre muito leve.
E eu não sei o que penso
Nem procuro sabê-lo.

⎣→ verbo intransitivo

(Fernando Pessoa. *Ficções do interlúdio/*
1. Poemas completos de Alberto Caeiro,
Rio de Janeiro, Nova Fronteira, 1991, p. 53.)

Em ambos os casos, não haveria prejuízo para o sentido da frase se a palavra se fosse suprimida, mas ela perderia a sua força poética. Por isso, o se é chamado de **partícula de realce** ou **expletiva**. É desnecessária, mas usada como recurso estilístico, ou seja, por opção do autor do texto.

Os exemplos ficariam assim, se retirássemos a partícula de realce:

Passou muito tempo desde o nosso último encontro.

Um vento muito leve passa,
E vai sempre muito leve.

Partícula integrante do verbo

As crianças queixaram-se de suas notas baixas ao professor.

Bianca alegrou-se com o interesse de Samara em cuidar das "suas" crianças.

Nos exemplos, é possível verificar o que o professor Domingos Paschoal Cegalla afirma, em sua *Novíssima gramática da língua portuguesa*: "o pronome **se** aparece na frase como parte integrante de verbos que exprimem sentimentos, mudança de estado, movimento etc., como **queixar-se**, **arrepender-se**, **alegrar-se**, **converter-se**, **afastar-se** e outros verbos pronominais".

Conjunção subordinativa

"Se ela começasse a fazer mil perguntas, eu juro que não saberia o que responder."

Bianca ficaria satisfeita com o meu trabalho, se me aceitasse como a sua substituta.

Nesses casos, a palavra **se** une orações subordinadas que expressam incerteza.

A palavra *que*

Assim como o **se**, a palavra **que** exerce diversas funções, tanto sintáticas como morfológicas, que veremos separadamente.

Funções sintáticas

Sujeito

1ª oração   2ª oração

"(...) ela queria indicar alguém / que demonstrasse um desejo real e sincero pelas crianças."

sujeito do verbo **demonstrar** (substitui **alguém**)

Se a expressão alguém é o sujeito de demonstrasse e a palavra que a substitui na frase, então essa palavra assume a função de sujeito, quando unimos as duas frases.

1ª oração   2ª oração

Samara iria substituir Bianca, / que viajaria para a Inglaterra.

sujeito do verbo **viajar** (substitui **Bianca**)

Objeto direto

1ª oração   2ª oração

"Foi a melhor coisa / que fiz até hoje na vida, Táti!"

objeto direto de **fiz**: eu fiz **a melhor coisa**

1ª oração   2ª oração   1ª oração   3ª oração

"A única coisa / que ela fez / foi segurar as minhas mãos / e sorrir."

objeto direto do verbo **fazer**: ela fez **a única coisa**

Objeto indireto

1ª oração   2ª oração

Samara era a substituta / **de** que a instituição precisava.

objeto indireto do verbo **precisar**: a instituição precisava **da substituta**

1ª oração   2ª oração   3ª oração   4ª oração

Ela sorriu, / segurou minhas mãos / e essas são as únicas coisas / **de** que me lembro.

objeto indireto do verbo **lembrar**: me lembro **das únicas coisas**

> **LEMBRE-SE!**
>
> Nesses casos, a palavra **que** aparece precedida de uma preposição.

Adjunto adverbial

1ª oração   2ª oração   1ª oração   3ª oração

"Táti, na hora / **em** que ela disse isso / eu senti /como se fosse uma luz vindo do céu na minha direção."

adjunto adverbial de tempo (substitui **na hora**)

1ª oração   2ª oração

Eu iria ajudar na instituição / **em** que Táti trabalhava.

adjunto adverbial de lugar (substitui **na instituição**)

Muitas vezes, o adjunto adverbial vem expresso pelo pronome relativo **onde**, como nestes exemplos:

1ª oração   2ª oração
Eu iria ajudar na instituição / onde Táti trabalhava.

adjunto adverbial de lugar (substitui **na instituição**)

1ª oração   2ª oração
Bianca viajaria para a Inglaterra, / onde faria um curso de inglês.

adjunto adverbial de lugar (substitui **a Inglaterra**)

> **IMPORTANTE!**
>
> O pronome relativo **onde** só deve ser usado na indicação de lugares, portanto não substitui o relativo **em que** (e as suas variações) quando este não indicar lugar, como no primeiro exemplo.

Funções morfológicas

Pronome relativo

"Quando eu 'voltei pra Terra', a única coisa que eu consegui dizer foi: Eu quero ficar no seu lugar."

tem o valor de **a qual** (substitui **a única coisa**)

"Bem, pra resumir, conversamos sobre o curso que ela vai fazer, sobre viagens e outras coisas."

tem o valor de **o qual** (substitui **o curso**)

Pronome interrogativo

No primeiro quadrinho, o que exerce a função de pronome interrogativo. No segundo, é conjunção integrante.

Conjunção integrante

"Eu argumentei que, com certeza, a instituição poderia fazer uma boa triagem dos candidatos."

"Acho que eles pensaram que eu estava passando mal, até porque os meus olhos estavam úmidos."

"(...) e (queria) ter a certeza de que deixaria 'suas' crianças em boas mãos."

Conjunção subordinativa

"Olha, foi tão estranho, que por uns minutos eu me esqueci deles (...)."

Assim que Bianca me falou da instituição, entusiasmei-me por essa atividade.

No caso acima, a palavra que faz parte de uma locução conjuntiva (assim que).

Conjunção coordenativa

Eu pensava que pensava sem parar em meus novos projetos.

tem o valor de **e**

Táti, em outras ocasiões, que não esta, hesitei em lhe escrever, pois sei de seus muitos compromissos.

tem o valor de **mas**

Substantivo

Aquele trabalho voluntário com crianças carentes teve um quê de momento especial para mim.

"Piqueniques têm um quê de romântico e literário. Como um buquê de flores."

(Ivan Angelo. *Veja*, 23 fev. 2005, p. 174.)

Interjeição

Quê! Você não acredita como estava envergonhada por não lhe escrever.

OBSERVAÇÃO

Nesses dois últimos usos, o quê deve ser acentuado.

Porque, por que, por quê, porquê

Observe alguns usos das palavras **por quê**, **por que**, **porquê** e **porque**:

Saiba por que é tão legal ser criança.

no sentido de **o motivo pelo qual**

Mas por quê?

advérbio interrogativo no fim de frase

Por que chove?

advérbio interrogativo

As crianças querem saber o porquê de tudo para entenderem o mundo.

conjunção substantivada, no sentido de **motivo**, **razão**

Ser curioso é interessante porque faz as pessoas pensarem.

conjunção subordinativa causal

Porque

Escrito em uma única palavra, é empregado, em geral, como:

• conjunção coordenativa explicativa depois de oração com verbo no imperativo.

Venha brincar, porque você exercita o corpo e faz descobertas sobre o mundo.

• conjunção subordinativa causal.

"Aí, num certo momento, ela disse que estava preocupada porque faz
um trabalho voluntário com crianças carentes (...)."

"O Ronaldo, então, me explicou que a instituição poderia indicar uma outra pessoa porque,
hoje em dia, muita gente está se dispondo a ajudar (...)."

Por que

É empregado, em geral:

• como advérbio interrogativo.

Por que a minha vida está mudando tanto?

• no sentido de **o motivo pelo qual**.

"Eu perguntei por que e ela me respondeu que esse é um trabalho muito sério,
que as crianças se apegam muito (...)."

O que eu queria e por que queria estava escrito na minha testa.

• no sentido de **pelo(a) qual, pelos(as) quais**.

Eis alguns motivos por que Bianca estava tão preocupada:
era um trabalho muito sério e as crianças se apegavam muito.

Por quê

É empregado nos mesmos casos anteriores, mas no final de frase.

As crianças do instituto eram muito importantes para Bianca. Mas por quê?

Porquê

É empregado, em geral, como conjunção substantivada, no sentido de **motivo**, **razão**.

Já se sabe o porquê de as crianças serem tão curiosas.

Já falamos sobre os porquês de a infância ser um período tão bom.

Exercícios

1 Nas orações a seguir, a palavra **se** aparece em duas funções distintas: partícula apassivadora e índice de indeterminação do sujeito. Reescreva as frases, substituindo a ★ pelos verbos entre parênteses e usando a palavra **se** adequadamente.

a) Durante horas, ★ com prazer. (brincar – pret. perfeito do ind.)

b) Na porta da floricultura, ★ flores e vasos expostos. (ver – pret. imp. do ind.)

c) É preciso que ★ as flores. (regar – pres. do subj.)

d) ★ que as crianças adoram brincar. (saber – pres. do ind.)

e) Não ★ em outra coisa que não fosse o novo filme. (falar – pret. imp. do ind.)

f) O Brasil é um país em que ★ vários esportes; apesar disso, ainda ★ futebol em cada esquina. (praticar – pres. do ind.; jogar – pres. do ind.)

g) Os ossos dos adultos ★ mais devagar que os das crianças. (colar – pres. do ind.)

h) Nesta escola, ★ em grupo. (trabalhar – pres. do ind.)

2 Releia as orações do exercício **1** e classifique o **se** em PA (partícula apassivadora) ou IIS (índice de indeterminação do sujeito).

3 No exercício **1**, há três orações em que se usou o pronome proclítico. Justifique.

4 Relacione as funções da palavra **se**, dadas no quadro, a cada uma das frases:

> índice de indeterminação do sujeito – partícula apassivadora – partícula de realce
> pronome reflexivo – partícula integrante do verbo

a) O autor da crônica alegra-**se** de ser uma pessoa com sorte.

b) Acabou-**se** a hora do recreio, vamos voltar às aulas!

c) Há pessoas que **se** deixam levar pela ambição.

d) Deseja-**se** uma saída satisfatória para todos os envolvidos no problema.

e) Procura-**se** cãozinho perdido. Recompensa-**se** bem.

f) Precisa-**se** de muita sorte nesta vida.

Para as questões de **5** a **7**, leia o texto abaixo.

Como se determina a data do Carnaval?

Primeiro a fórmula, depois a explicação. O Carnaval acontece sete semanas antes da Páscoa, que por sua vez ocorre no domingo seguinte à primeira lua cheia posterior ao equinócio do outono. Equinócio é o nome dado à data em que o dia e a noite têm exatamente a mesma duração (...). Embora de origem pagã, o Carnaval sempre foi tolerado pela Igreja Católica, que adotou essa forma de determinar sua data nos primórdios do cristianismo. Antes disso, havia Carnavais em datas que variavam entre dezembro e janeiro, conforme o costume de cada povo. Nos anos em que a festa acontece no início de fevereiro, caso de 2005 e de 2008, por exemplo, as escolas de samba queixam-se da perda de milhões de reais, porque realizam menor quantidade de ensaios – mas não há discussão sobre fixar uma data para a festa.

(*Veja*, ano 38, n. 6, p. 90.)

5 Identifique as funções sintáticas exercidas pela palavra **que**, destacada no texto.

6 Identifique no texto um verbo de que a palavra **se** é partícula integrante. Em seguida, crie uma frase com outro verbo em que o **se** exerça a mesma função.

7 Justifique o emprego de **porque** na frase:

> "(...) as escolas de samba queixam-se da perda de milhões de reais, porque realizam menor quantidade de ensaios (...)."

8 Leia a história em quadrinhos e faça o que se pede:

- Justifique o uso de **por que** e **por quê** no penúltimo quadrinho.

9 Copie as frases completando-as com **porque**, **porquê**, **por que** ou **por quê**. Justifique as suas respostas.

   a) ★ chove tanto?

   b) Chove tanto ★?

   c) Não se sabe o ★ de tanta chuva.

   d) Ainda não se sabe ★ choveu tanto no feriado.

   e) Choveu muito ★ uma massa de ar frio chegou à região.

Apêndice

O sentido das palavras

Leia estas frases:

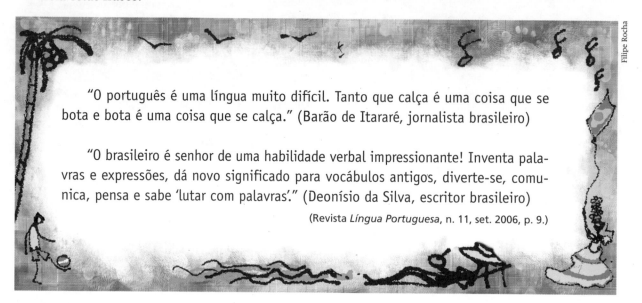

"O português é uma língua muito difícil. Tanto que calça é uma coisa que se bota e bota é uma coisa que se calça." (Barão de Itararé, jornalista brasileiro)

"O brasileiro é senhor de uma habilidade verbal impressionante! Inventa palavras e expressões, dá novo significado para vocábulos antigos, diverte-se, comunica, pensa e sabe 'lutar com palavras'." (Deonísio da Silva, escritor brasileiro)

(Revista *Língua Portuguesa*, n. 11, set. 2006, p. 9.)

Para esses escritores, a língua portuguesa é difícil, diversificada, rica.

Uma mesma palavra pode ter vários sentidos, dependendo da situação em que é empregada e da intenção de quem fala.

Semântica é o estudo do sentido das palavras de uma língua.

No estudo da Semântica, incluem-se basicamente os seguintes aspectos:
- família de ideias;
- sinonímia, antonímia, homonímia e paronímia;
- palavras empregadas com o sentido denotativo ou com o sentido conotativo;
- polissemia.

Família de ideias

Família de ideias é aquela formada por palavras que mantêm relações de sentido ou significado e que representam basicamente uma mesma ideia.

Veja a relação:

casa	moradia	lar	abrigo
residência	sobrado	apartamento	cabana

Essas palavras representam a mesma ideia: lugar onde se mora. Logo, trata-se de uma família de ideias.

Sinonímia

Sinonímia é a relação que se estabelece entre palavras que apresentam sentido igual ou semelhante.

Observe:

- cômico — burlesco, engraçado; ridículo

- demolir — abater, aniquilar, arrasar, arruinar, destruir

- comida — alimento, refeição, repasto

- distante — afastado, remoto

- magro — estreito e comprido; esguio, fino

- raio — radiação ou partícula emitida por um corpo irradiante, por uma fonte luminosa; luz emitida por um astro; descarga elétrica que ocorre na atmosfera, acompanhada de trovão e relâmpago

- terreno — espaço não construído de uma propriedade; terra, solo, chão

OBSERVAÇÃO

Muitas vezes, a relação de sinonímia entre as palavras acontece apenas em textos, e não quando se observam as palavras isoladas do seu contexto. Dependendo do contexto em que estão inseridas, elas podem apresentar somente sentidos próximos, sem serem equivalentes.

Compare:

Natal, no Rio Grande do Norte, é bem distante de Florianópolis, em Santa Catarina.

Meu amigo parecia distante, mesmo enquanto conversávamos.

Na primeira frase, distante tem o sentido de "afastado", "remoto". Na segunda, significa "alheio, "desligado".

É importante saber quais palavras podem ser usadas como sinônimas, pois, na escrita, isso evita repetições e enriquece o vocábulário, tornando o texto mais interessante.

Antonímia

Antonímia é a relação que se estabelece entre duas palavras de sentido oposto, contrário.

Exemplos:

perto — longe   perder — achar

caro — barato   concordar — discordar

Homonímia

> **Homonímia** é a relação que se estabelece entre palavras de sentidos diferentes, mas com mesma estrutura fonológica.

As palavras homônimas podem ser: **homógrafas heterofônicas**, **homófonas heterográficas** e **homófonas homográficas**.

Homógrafas heterofônicas

São palavras iguais na escrita e diferentes na pronúncia:

- almoço (1ª pessoa do singular do verbo almoçar) — almoço (substantivo)

- transtorno (2ª pessoa do singular do verbo transtornar) — transtorno (substantivo)

Homófonas heterográficas

São palavras iguais na pronúncia e diferentes na escrita:

- acento (sinal gráfico com que se indica a pronúncia de uma vogal) — assento (superfície ou coisa sobre a qual se senta)

- expectador (aquele que permanece na expectativa) — espectador (aquele que assiste a um espetáculo)

Homófonas homográficas

São palavras iguais na pronúncia e na escrita:

- tacha (marca de sujeira, tinta) — tacha (pequeno prego de cabeça redonda, larga e chata)

- manga (parte da vestimenta) — manga (fruto da mangueira) — manga (3ª pessoa do singular do verbo **mangar** no sentido de "caçoar")

Paronímia

> **Paronímia** é a relação que se estabelece entre palavras de sentidos diferentes, mas semelhantes na pronúncia e na escrita.

Observe:

- comprimento (extensão)
  cumprimento (saudação)

- descrição (ato ou efeito de descrever)
  discrição (qualidade de ser discreto)

- flagrante (que não pode ser contestado; evidente)
  fragrante (cheiroso, perfumado)

- inflação (desvalorização da moeda)
  infração (violação da lei)

- tráfego (trânsito)
  tráfico (comércio desonesto)

Palavras empregadas com o sentido denotativo ou com o sentido conotativo

Diz-se que uma palavra está em **sentido denotativo** quando ela aparece empregada em seu sentido principal, convencional, dicionarizado.

Observe os dois primeiros períodos destacados no parágrafo abaixo, que estão em sentido denotativo:

"Entregou-lhe o bilhete no final das aulas do dia. Não falou nada e se foi. Esperou como pôde, comendo aflição, bebendo ansiedade, dormindo e sonhando esperança."

(Edson Gabriel Garcia."Enfim...". *Contos de amor novo*, 13. ed., São Paulo, Atual, 1991, p. 48.)

A **linguagem denotativa** é muito usada para a comunicação no cotidiano.

Releia agora a continuação do parágrafo anterior:

"Esperou como pôde, comendo aflição, bebendo ansiedade, dormindo e sonhando esperança."

As orações destacadas estão no **sentido conotativo**, ou seja, comendo aflição, bebendo ansiedade, dormindo e sonhando esperança apresentam um sentido diferente daquele usualmente empregado. A sua compreensão depende do contexto, do leitor ou do ouvinte. Por isso, dizemos que a **linguagem conotativa** é aquela que tem sentido figurado, representativo e que sugere a ideia de forma indireta.

Veja:

O humor está na diferença entre o sentido denotativo e o conotativo do verbo bater, se compararmos a situação ilustrada e a fala do segundo balão.

Polissemia

> **Polissemia** é a propriedade que algumas palavras têm de apresentar vários significados, mantendo inalterada a escrita e a pronúncia.

Leia o poema:

Quem tem razão?

Carlos chega
e fala cara a cara:
— Cara Cora,
não vou com sua cara,
Mora?
Cora ouve e cala,
sabe que o papo
de Carlos
não cola.
Sabe que tá na cara
que ela é muito cara
pr'aquele cara.

(Elias José. *Cantigas de adolescer*,
19. ed., São Paulo, Atual, 1999, p. 41.)

Roberto Weigand

Releia estes versos destacados do texto, observando os significados da palavra cara:

- "e fala cara a cara:" ⟶ e fala de frente para ela
- "— Cara Cora," ⟶ querida Cora
- "não vou com sua cara," ⟶ não gosto de você
- "Sabe que tá na cara" ⟶ sabe que é evidente
- "que ela é muito cara" ⟶ que ela é muito importante
- "pr'aquele cara" ⟶ para aquele garoto

Nos exemplos acima, a palavra cara apresenta a propriedade semântica da polissemia, porque tem significados variados. Em todos esses versos, o contexto criado altera o sentido original da palavra cara. Veja mais alguns exemplos:

Depois das denúncias, o prefeito não tinha cara para olhar os munícipes.
↓
coragem

Depois de dois meses de estudo incessante, você não está com uma cara boa.
↓
aparência

Exercícios

1 Leia um trecho da letra desta canção e identifique os antônimos ou os sinônimos nele presentes:

A revolta dos dândis

Entre um rosto e um retrato
O real e o abstrato
Entre a loucura e a lucidez
Entre o uniforme e a nudez
Entre o fim do mundo e o fim do mês
Entre a verdade e o *rock* inglês
Entre os outros e vocês
Eu me sinto um estrangeiro
Passageiro de algum trem
Que não passa por aqui
Que não passa de ilusão
(...)

(Engenheiros do Hawaii. *O essencial de Engenheiros do Hawaii*, BMG Brasil, 1999.)

2 No quadro **1**, existem palavras que se relacionam com as do quadro **2** por serem sinônimas ou antônimas. Copie-as, formando pares, e identifique com **S** os sinônimos e com **A** os antônimos:

Quadro 1	
começar	degustar
debate	fim
abandonar	aceitar
apreciar	paulatino
construir	estupendo

Quadro 2	
recusar	demolir
amparar	provar
princípio	formidável
gostar	rápido
discussão	iniciar

3 Escolha dois pares de antônimos e dois de sinônimos do exercício **2**. Depois escreva uma frase com cada par.

4 Pesquise em jornais e revistas frases nas quais sejam usadas palavras homófonas e cole-as no seu caderno.

5 Identifique cada par de palavras, classificando-as de acordo com o código:

> 1. homógrafas heterofônicas
> 2. homófonas heterográficas
> 3. homófonas homográficas

a) sede (verbo) — sede (subst.)

b) cela (subst.) — sela (verbo)

c) morro (verbo) — morro (subst.)

d) verão (verbo) — verão (subst.)

e) relevo (verbo) — relevo (subst.)

f) concerto (subst.) — conserto (subst.)

g) conserto (verbo) — conserto (subst.)

h) cura (verbo) — cura (subst.)

i) providencia (verbo) — providência (subst.)

j) censo (subst.) — senso (subst.)

k) cedo (verbo) — cedo (adv.)

l) jogo (verbo) — jogo (subst.)

m) cerrar (verbo) — serrar (verbo)

n) cessão (subst.) — sessão (subst.)

o) apoio (verbo) — apoio (subst.)

p) caminha (verbo) — caminha (subst.)

q) canto (verbo) — canto (subst.)

r) venda (verbo) — venda (subst.)

s) vão (verbo) — vão (subst.)

6 Em cada item, identifique se as palavras em destaque são parônimas ou polissêmicas:

a) O meu irmão **ficou** triste porque o time dele perdeu o jogo.
Ele **ficou** esperando por mim para que assistíssemos ao jogo juntos.
A camisa do time preferido dele **ficou** em trinta reais.

b) Na minha redação, fiz uma **descrição** completa das minhas férias.
É preciso ser educado e agir sempre com **discrição**.

c) Muitos brasileiros **infringem** as leis de trânsito.
O juiz **infligiu** ao réu uma pena bastante severa.

d) Os professores **saíram** mais tarde da escola ontem.
Os alunos do 7º ano **saíram** com os alunos do 8º ano.
Os filhos **saíram** ao pai.

e) A costureira enganou-se no **comprimento** do vestido.
Os alunos receberam os **cumprimentos** pelo bom trabalho realizado.
Todos os trabalhadores devem visar ao **cumprimento** do dever.

f) Almejo ocupar um alto **posto** na empresa em que trabalho.
Sempre abasteço o meu carro no mesmo **posto**.

g) O diretor do concurso não **deferiu** as inscrições que não atendiam ao regulamento.
A sua opinião sobre o filme **diferiu** muito da minha.

7 Leia o poema e faça o que se pede:

A flor do maracujá

Pelas rosas, pelos lírios,
Pelas abelhas, sinhá,
Pelas notas mais chorosas
Do canto do sabiá,
Pelo cálice de angústias
Da flor do maracujá!

Pelo jasmim, pelo goivo,
Pelo agreste manacá,
Pelas gotas de sereno
Nas folhas do gravatá,
Pela coroa de espinhos
Da flor do maracujá.

Pelas tranças da mãe-d'água
Que junto da fonte está,
Pelos colibris que brincam
Nas alvas plumas do ubá,
Pelos cravos desenhados
Na flor do maracujá.

Pelas azuis borboletas
Que descem do Panamá,
Pelos tesouros ocultos
Nas minas do Sincorá,
Pelas chagas roxeadas
Da flor do maracujá!

Pelo mar, pelo deserto,
Pelas montanhas, sinhá!
Pelas florestas imensas
Que falam de Jeová!
Pela lança ensanguentada
Da flor do maracujá!

Por tudo que o céu revela!
Por tudo que a terra dá
Eu te juro que minh'alma
De tua alma escrava está!!...
Guarda contigo este emblema
Da flor do maracujá!

Não se enojem teus ouvidos
De tantas rimas em — a —
Mas ouve meus juramentos,
Meus cantos ouve, sinhá!
Te peço pelos mistérios
Da flor do maracujá!

(Casimiro de Abreu. Em: http://
www.secrel.com.br/jpoesia/
fvarela.html#flor, acessado
em: 4 fev. 2009.)

Márcia Széliga

a) Crie frases com homônimas homógrafas utilizando as palavras destacadas no texto.

b) Cite algumas palavras da família de ideias dos termos **flor de maracujá** e **abelhas**.

c) Identifique se foi usada a linguagem denotativa ou a conotativa nos versos abaixo.

- "Pelas azuis borboletas / Que descem do Panamá,"
- "Pelo cálice de angústias / Da flor do maracujá!"
- "Por tudo que o céu revela! / Por tudo que a terra dá"
- "Pelas gotas de sereno / Nas folhas do gravatá,"
- "Pelas chagas roxeadas / Da flor do maracujá!"

Figuras de linguagem

Conceito

Leia o texto:

O cego e o publicitário

Havia um cego sentado na calçada, com um boné aos seus pés e um pedaço de madeira que, escrito com giz branco, dizia:

"Por favor, ajude-me, sou cego."

Um publicitário que passava em frente a ele parou e viu umas poucas moedas no boné. Sem pedir licença, pegou o cartaz, virou-o, pegou o giz e escreveu outro anúncio. Colocou novamente o pedaço de madeira aos pés do cego e foi embora.

Ao cair da tarde, o publicitário voltou a passar em frente ao cego. Agora, o seu boné estava cheio de notas e moedas.

O cego reconheceu as pisadas e lhe perguntou se havia sido ele quem reescrevera o seu cartaz, sobretudo querendo saber o que havia escrito ali.

O publicitário respondeu:

— Nada que não esteja de acordo com o seu anúncio, mas com outras palavras.

Sorriu e continuou o seu caminho.

Mais tarde, o cego soube o que seu novo cartaz dizia:

"Hoje é primavera em Paris, e eu não posso vê-la".

(Texto adaptado de diversos *sites*.)

Nesse texto, a frase criada pelo publicitário sensibilizou os transeuntes, que passaram a contribuir com o cego. O que o publicitário fez foi apenas empregar recursos que tornaram mais expressiva a mensagem anterior, realçando a ideia que o cego queria transmitir.

A esses recursos linguísticos dá-se o nome de **figuras de linguagem**, que são estudadas por uma parte da Gramática chamada **Estilística**.

> **Figuras de linguagem** são recursos expressivos que emprestam ao pensamento mais energia e vivacidade, que, por sua vez, conferem à frase mais elegância e graça e permitem ao leitor captar mais efetivamente a mensagem pretendida pelo autor.

Principais figuras de linguagem

As **principais figuras de linguagem** são:

- antítese
- prosopopeia
- ironia
- eufemismo
- hipérbole
- comparação
- metáfora

- catacrese
- metonímia
- gradação
- pleonasmo
- aliteração
- assonância
- onomatopeia

Vamos estudar cada uma, separadamente.

Antítese

Consiste na oposição entre duas ideias, lado a lado, em uma mesma frase.

Leia o trecho inicial do conto "O amor e as diferenças", do livro *De amora e amor*:

Realmente, parece que a gente não combina, não tem nada a ver com o outro. Somos como dia e noite, sol e lua, santo e demônio. Mariana toca piano clássico, eu curto só música brega, toco guitarra, *rock* pauleira ou música de caminhoneiro. Ela foi educada nas melhores escolas. Fez cursos de inglês na Inglaterra e de francês na França. Fala um português sem nenhum desvio gramatical, nem parece uma garota de quinze anos. Eu só tropeço na gramática. Estudo em curso noturno de escola pública. Já levei três bombas e não sei mais o número de recuperações. A família dela é toda burguesa, gente rica, de viajar para o exterior, ter casa na praia e no campo, endereço em bairro de uma minoria, com mansão ocupando o quarteirão. A minha gente não tem onde cair morta. Todo mundo trabalha, e vivemos amontoados em um apartamento de quarto e sala nas bibocas da cidade. A gente não mora, se esconde. (...)

(Elias José. *De amora e amor*, 14. ed., São Paulo, Atual, 2004, p. 23.)

Quem narra o conto é o filho da empregada da casa de Mariana. Nesse trecho, o narrador aponta aos leitores — como o próprio título do texto indica — as diferenças entre a vida dele e a de Mariana, devido ao padrão econômico muito distinto das duas famílias — o que não o impede de amá-la imensamente.

Esse parágrafo é repleto de antíteses, representadas por palavras ou ideias que se opõem. Eis algumas delas:

- dia × noite; sol × lua; santo × demônio;
- piano clássico × música brega, guitarra, *rock* pauleira ou música de caminhoneiro;
- "Fala um português sem nenhum desvio gramatical" × "Eu só tropeço na gramática".

Além do emprego literário, é muito comum o uso das antíteses nas mensagens publicitárias, conforme mostram estes exemplos:

As melhores marcas, com maior qualidade, a preços mais baixos!

Pague menos e leve mais!

Prosopopeia

Consiste na atribuição de características humanas, comumente o pensamento ou a fala, a seres inanimados.

Leia este trecho:

> E o canto daquela guitarra estrangeira era um lamento choroso e dolorido, eram vozes magoadas, mais tristes do que uma oração em alto-mar, quando a tempestade agita as negras asas homicidas, e as gaivotas doudejam assanhadas, cortando a treva com os seus gemidos pressagos, tontas como se estivessem fechadas dentro de uma abóbada de chumbo.
>
> (Aluísio Azevedo. *O cortiço*, p. 61.)

Observe que a seres inanimados — a guitarra, o lamento, as vozes, a tempestade e as gaivotas — foram atribuídas ações e qualificações próprias do ser humano:

• a guitarra canta;
• o lamento é choroso e dolorido;
• as vozes eram magoadas, tristes;
• a tempestade possui negras asas homicidas;
• as gaivotas doudejam assanhadas;
• as gaivotas gemem pressagos.

A prosopopeia, nesse trecho, confere maior riqueza ao cenário descrito pelo autor e permite ao leitor apreender a intensidade das ações.

Ironia

Consiste na declaração do contrário do que se pensa, em geral com o propósito de fazer zombaria.

No cartum, a ironia está no fato de a imagem contradizer a fala do personagem, pois a poluição produzida pelos cigarros, aparentemente, é igual ou superior à poluição dos automóveis.

A ironia, nesse caso, é uma maneira direta que o autor, Geandré, encontrou para fazer a sua crítica.

— NADA COMO UM BARZINHO LONGE DA POLUIÇÃO DOS AUTOMÓVEIS.

Eufemismo

Consiste em dizer algo desagradável por meio de palavras que abrandem o impacto causado por essa situação. Veja estes exemplos:

Eufemismo	O que se pretende dizer
Empurrão facial	Tapa na cara
Ocupação do Iraque	Invasão do Iraque
Colaboradores	Funcionários
Descontinuar o negócio	Falir
Defensivos agrícolas	Agrotóxicos

(Revista *Língua Portuguesa*, n. 39, jan. 2009, p. 20. Texto adaptado.)

Hipérbole

Consiste no exagero de expressão.

Leia alguns trechos da letra desta canção e preste atenção nos versos destacados:

Eu nasci há dez mil anos atrás

Eu nasci há dez mil anos atrás
E não tem nada nesse mundo que eu não saiba demais
(...)
Eu vi a arca de Noé cruzar os mares
Vi Salomão cantar seus salmos pelos ares
Vi Zumbi fugir com os negros pra floresta
Pro Quilombo dos Palmares, eu vi
(...)
Eu fui testemunha do amor de Rapunzel
Eu vi a estrela de Davi brilhar no céu
E pr'aquele que provar que eu estou mentindo
Eu tiro o meu chapéu

Jorge Zaiba

(Composição: Raul Seixas e Paulo Coelho. Em: Raul Seixas. *Eu nasci há 10 mil anos*. Universal Music, s/d.)

Nesses versos, encontramos duas hipérboles:

• "Eu nasci há dez mil anos atrás" — exagero relacionado ao tempo;

• "E não tem nada nesse mundo que eu não saiba demais" — exagero relacionado ao conhecimento que alguém pode deter.

A hipérbole é um recurso muito usado na nossa linguagem do dia a dia. Observe os exemplos:

As tiras deste cartunista são tão engraçadas que eu quase morro de rir quando as leio.

Depois de praticar esportes na escola, fico morto de fome.

Comparação

Estabelece um termo de comparação entre dois elementos por meio de uma qualidade comum a ambos. Os dois aparecem no enunciado ligados por conectivo subordinativo.

Observe a comparação entre ideias e pulgas na frase de Bernard Shaw (1856-1950), dramaturgo e crítico inglês:

"Ideias são **como** pulgas: saltam de uns para os outros, mas não mordem a todos."

(Revista *Língua Portuguesa*, n. 37, nov. 2008, p. 9.)

Em outro exemplo, destacado do texto *O cortiço*, compara-se o voo das gaivotas na treva a um voo em abóbada de chumbo:

"(...) e as gaivotas doudejavam assanhadas, cortando a treva com os seus gemidos pressagos, tontas como se estivessem fechadas dentro de uma abóbada de chumbo."

(Aluísio Azevedo. *O cortiço*, São Paulo, Saraiva, 2008, p. 61.)

Metáfora

Relaciona dois seres por meio de uma qualidade comum atribuída a ambos.

Leia estes versos da canção "A namorada", de Carlinhos Brown:

A namorada

Eeeh! Bicho!
O broto do seu lado
Já teve um namorado
E teme um compromisso
Gavião
Há sempre um do seu lado
Se diz gato malhado
Mas não é nada disso...
(...)

(http://letras.terra.com.br/carlinhos-brown/44865/, acessado em 10 jan. 2009.)

Na metáfora, a comparação é implícita e não se usa a conjunção como. Na palavra broto (planta ainda pequena), temos a relação de semelhança com uma jovem (ainda não mulher adulta); já os termos gavião e gato malhado remetem-nos à ideia de um conquistador parecido com um gavião (que rodeia a sua presa), mas que se diz dócil como um gato malhado.

Catacrese

Dá um novo sentido a uma palavra, fazendo com que ela passe a dar nome a outro ser semelhante.

Veja o uso da palavra pé neste trecho de uma crônica:

Frutas no pé

No canteiro central da grande avenida, pessoas de várias idades, condições e ocupações esticam-se na ponta dos pés e puxam galhos das pitangueiras e amoreiras, que ladeiam a pista de *cooper*, para colher frutas maduras. Não foram ali com esse propósito, são passantes que ao vê-las vermelhas e roxas no pé não conseguiram resistir à tentação. Nem ligam para os olhares dos que passam de automóveis, estão momentaneamente entregues à natureza, parceiros dos sabiás e bem-te-vis da região. (...)

(Ivan Angelo, *Veja*. Veja São Paulo, 10 nov. 2004, p. 186.)

ImagePlus

O primeiro uso da palavra pé relaciona-se com a anatomia humana e designa, segundo o *Dicionário Houaiss*, "extremidade do membro inferior abaixo da articulação do tornozelo e terminada pelos artelhos, assentada por completo no chão, e que permite a postura vertical e o andar". A catacrese está no segundo uso da palavra pé, com o significado de "cada unidade de uma determinada planta".

Veja outros exemplos, nos quais a catacrese é usada na falta de um termo que dê a mesma ideia:

As costas da cadeira estão quebradas.

Os braços da poltrona são macios.

Metonímia

Consiste em substituir um termo por outro com o qual tenha relação de contiguidade ou causalidade. A metonímia ocorre comumente quando se substitui:

• o nome do autor pela obra

Ler Miguel de Cervantes é como sonhar acordado.

Nesse caso, a referência é a novela de cavalaria *Dom Quixote*, a obra maior do espanhol Miguel de Cervantes.

• o substantivo concreto pelo abstrato

A fé remove montanhas.
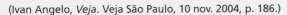
dificuldades

489

• o lugar pelos seus habitantes ou produtos

Na hora mais difícil de Santa Catarina,
o Brasil inteiro se uniu.

Obrigado, Brasil, pela ajuda aos milhares
de catarinenses atingidos pelas enchentes.
Agradecemos de coração o carinho e a
solidariedade vindos de todos os cantos do país.

(*Veja*, 14 jan. 2009, p. 10.)

Como lemos na parte inferior do anúncio, a intenção foi apontar o agradecimento dos catarinenses a todos os brasileiros que lhes prestaram ajuda em um momento muito difícil: a catástrofe natural ocorrida no final de 2008. Mas, na construção de sentido do texto, nas duas frases, os publicitários preferiram usar o lugar (Brasil e Santa Catarina) a seus habitantes (**os brasileiros** e **os catarinenses**).

Gradação

Consiste em uma sequência de ideias em ordem crescente ou decrescente de intensidade:

Quando te vi (Till there was you)

Nem o sol, nem o mar, nem o brilho das estrelas.
Tudo isso não tem valor sem ter você.
Sem você, nem o som da mais linda melodia,
Nem os versos dessa canção iam valer.
Nem o perfume de todas as rosas é igual
à doce presença do seu amor.
O amor estava aqui, mas eu nunca saberia
o que um dia se revelou quando te vi.

(Meredith Willson. Versionista: Ronaldo Bastos Ribeiro.
Em: *Beto Guedes*. Série Meus Momentos,
EMI-Odeon, 1983, EMI Music Brasil Ltda.)

Repare também que há, na letra desta canção, uma comparação:

"Nem o perfume de todas as rosas é igual / à doce presença do seu amor."

comparação

Pleonasmo

Consiste na repetição de termos de mesmo significado, com o intuito de dar ênfase a uma expressão. Bons escritores o usam como recurso de estilo; nesses casos, é chamado de **pleonasmo literário**.
Releia o título da canção que usamos como exemplo de hipérbole:

Eu nasci há dez mil anos atrás.

Tanto o verbo haver como o advérbio atrás, nesse caso, dão a ideia de algo que se realizou no passado; trata-se, portanto, de um pleonasmo literário.

Veja este outro exemplo:

Mar português

Ó mar salgado, quanto do teu sal
São lágrimas de Portugal!
Por te cruzarmos, quantas mães choraram,
Quantos filhos em vão rezaram!
(...)

(Fernando Pessoa. *Mensagem*, p. 53.)

A água do mar é salgada — motivo pelo qual seria desnecessário o uso do adjetivo salgado para caracterizá-la. No entanto, por meio de uma belíssima metáfora e do pleonasmo, o eu lírico revela ao leitor que o mar está salgado em consequência das lágrimas das mães derramadas por causa dos homens que partiram em busca de novas terras.

Aliteração e assonância

Consistem, respectivamente, na repetição de um fonema consonantal e na repetição de um fonema vocálico. São em geral usadas em textos poéticos, em que a importância dos recursos sonoros é maior.

Veja, nos versos de Eugênio de Castro, escritor português, exemplos de aliteração e de assonância:

Um sonho

Na messe, que enlourece, estremece a quermesse...
O sol, celestial girassol, esmorece...
E as cantilenas de serenos sons amenos
Fogem fluidas, fluindo a fina flor dos fenos...
(...)

(Eugênio de Castro. Em: William Cereja. *Obras poéticas de Eugênio de Castro*, p. 58-61.)

Esse poema foi escrito no final do século XIX. Nesses versos, percebemos a aliteração na repetição dos fonemas consonantais:

- /s/ → em quase todas as palavras dessa estrofe, em que o fonema é representado pelas letras **ss**, **c**, **s** (estremece, quermesse, girassol, entre outras);
- /m/ → em messe, estremece, quermesse, esmorece, amenos;
- /f/ → em fogem, fluidas, fluindo, fina, flor, fenos;
- /ℓ/ → em enlourece, celestial, cantilenas, fluidas, fluindo, flor.

Já a assonância se dá, nesse trecho, na repetição dos fonemas vocálicos /e/ e /o/, principalmente.

Onomatopeia

Ocorre quando uma palavra ou um conjunto de palavras imita um ruído ou um som.

Leia os versos e observe a importância da onomatopeia para a construção de sentido do texto:

Era na voz dos sinos
que minha cidade sabia cantar
melhor que qualquer outra cidade
Chamando à missa
registrando a morte
em repiques e dobres
rompendo a madrugada
nas alvoradas
da festa da padroeira

dim... dim... dim/dim... dim...
dim... dim, ... dim/dim..., dim...
dlém!
dão... dão/dão, dlém!
Dim/dão, dim/dão
dim/dão, dim/dão...
(...)

Alberto de Stefano

(Manoel Cardoso. *Translúcido silêncio*, São Paulo, Scortecci Editora, 2003, p. 49.)

Vícios de linguagem

Os vícios de linguagem são causados por descuido ou desconhecimento linguístico por parte de quem fala ou escreve.

Os **principais vícios de linguagem** são:

- ambiguidade ou anfibologia
- barbarismo
- cacofonia ou cacófato
- estrangeirismo
- pleonasmo vicioso
- solecismo

Ambiguidade ou anfibologia

É o uso de uma frase com sentido duplo.

Ele me tratou como um irmão.

Como se eu fosse um irmão? ou como um irmão me trataria?

Para evitar a ambiguidade, a frase poderia ser construída assim:

Ele me tratou como a um irmão.

Barbarismo

Consiste no uso errado da pronúncia, da forma ou da significação de uma palavra. Estes exemplos são considerados barbarismos:

- (casas) germinadas — em vez de **geminadas**

- (quantia) vultuosa — em vez de **vultosa**

- cidadões — em vez de **cidadãos**

- proporam — em vez de **propuseram**

Quando o uso indevido se refere à acentuação tônica, o barbarismo é conhecido como **silabada**:

- rúbrica — em vez da forma **rubrica**
- arquetipo — em vez da forma **arquétipo**
- púdico — em vez da forma **pudico**
- gratuíto — em vez da forma **gratuito**

Cacofonia ou cacófato

É o uso de palavras que formam som desagradável ou sentido ridículo, quando unidas numa frase:

- cinco cada um
- a boca dela
- mande-me já
- por cada mil habitantes

Estrangeirismo

É o uso de palavras ou expressões estrangeiras.

Leia a tira, em que as personagens empregam com naturalidade algumas palavras da língua inglesa.

Jean Galvão

Pleonasmo vicioso

Consiste no uso de formas redundantes:

A bola saiu para fora do campo.

O menino subiu para cima já faz tempo.

Solecismo

É o uso inadequado de concordância, regência ou colocação:

Fazem dez anos que trabalho aqui.
→ a forma correta é faz

Estimo-lhe muito.
→ a forma correta é o ou a

Contarei-a para os alunos.
→ a forma correta é contá-la-ei

1 Leia os textos abaixo e identifique as figuras e os vícios de linguagem neles presentes.

a)

Lua e flor

(...)
Eu amava
Como amava um pescador
Que se encanta mais
Com a rede que com o mar
Eu amava, como jamais poderia
Se soubesse como te encontrar...
(...)

(Composição de Oswaldo Montenegro.
Em: http://letras.terra.com.br/oswaldo-
montenegro/73964/,
acessado em 10 jan. 2009.)

Alberto de Stefano

b)

Tomar a folha, manuseá-la
inserir-se nela, ser palavra!

Traduzir a dor e a alegria
proferir o canto, a súplica e o louvor
gravando-se em signos!

Existir seguro na dimensão do verbo
verdade invulnerável
ser ideia, ou máxima, ou pensamento
e, de boca em boca
de mente em mente,
substância, tornar-se alimento!

(Manoel Cardoso. *Translúcido silêncio*, São Paulo,
Scortecci Editora, 2003, p. 81.)

c)

Nau à deriva

(...)
meu coração é um porta-aviões
perdido no mar esperando alguém pousar
meu coração é um porto sem endereço certo
é um deserto em pleno mar

(Composição de Engenheiros do Hawaii. Em: Engenheiros do Hawaii.
O essencial de Engenheiros do Hawaii, BMG, 1999.)

d)

e)

f)

Soneto de fidelidade

De tudo, ao meu amor serei atento
Antes, e com tal zelo, e sempre, e tanto
Que mesmo em face do maior encanto
Dele se encante mais meu pensamento.

Quero vivê-lo em cada vão momento
E em seu louvor hei de espalhar meu canto
E rir meu riso e derramar meu pranto
Ao seu pesar ou seu contentamento.

E assim, quando mais tarde me procure
Quem sabe a morte, angústia de quem vive
Quem sabe a solidão, fim de quem ama

Eu possa me dizer do amor (que tive):
Que não seja imortal, posto que é chama
Mas que seja infinito enquanto dure.

2 Crie três mensagens publicitárias usando figuras de linguagem que não foram exploradas nessas atividades.

ALMEIDA, Napoleão Mendes de. *Gramática metódica da língua portuguesa*. 32. ed. São Paulo, Saraiva, 1983.

ARAÚJO, J. A. dos Santos. *Pequeno dicionário de regras práticas de português*. Rio de Janeiro, Record, s/d.

AZEVEDO FILHO, Leodegário A. *Gramática básica da língua portuguesa*. 2. ed. Rio de Janeiro, Fundo de Cultura, 1969.

_____. *Para uma gramática estrutural da língua portuguesa*. Rio de Janeiro, Gernasa, 1971.

BECHARA, Evanildo. *Moderna gramática portuguesa: cursos de 1º e 2º graus*. 20. ed. São Paulo, Nacional, 1976.

BILAC, Olavo & PASSOS, Guimarães. *Tratado de versificação*. Rio de Janeiro, Francisco Alves, 1956.

BORBA, Francisco da Silva. *Introdução aos estudos linguísticos*. São Paulo, Nacional, 1975.

CABRAL, Leonor Scliar. *Introdução à linguística*. 3. ed. Porto Alegre, Globo, 1976.

CÂMARA JR., J. Mattoso. *Dicionário de filosofia e gramática*. 14. ed. Rio de Janeiro, J. Ozon, 1988.

_____. *Dicionário de linguística e gramática*. 14. ed. Petrópolis, Vozes, 1988.

_____. *Estrutura da língua portuguesa*. 5. ed. Petrópolis, Vozes, 1975.

CAMARGO, Alberto Mesquita de. *A chave da língua portuguesa e da estilística*. São Paulo, Edições IAMC, s/d.

CEGALLA, Domingos Paschoal. *Novíssima gramática da língua portuguesa*. 30. ed. São Paulo, Nacional, 1988.

COELHO, Nelly Novaes. *Literatura & linguagem*. São Paulo, Quiron, 1986.

COUTINHO, Ismael de Lima. *Pontos de gramática histórica*. 6. ed. Rio de Janeiro, Acadêmica, 1968.

CRUZ, José Marques da. *Português prático: gramática*. 29. ed. São Paulo, Melhoramentos, s/d.

CUNHA, Antônio Geraldo da. *Dicionário etimológico Nova Fronteira da língua portuguesa*. 2. ed. Rio de Janeiro, Nova Fronteira, 1991.

CUNHA, Celso Ferreira da. *Gramática da língua portuguesa*. 2. ed. Rio de Janeiro, FENAME, 1975.

_____. *Gramática de base*. Rio de Janeiro, FENAME, 1979.

_____. *Gramática moderna*. 2. ed. Belo Horizonte, Bernardo Álvares, 1970.

_____. *Língua portuguesa e realidade brasileira*. Rio de Janeiro, Tempo Brasileiro, 1972.

CUNHA, Celso Ferreira da & CINTRA, Luís F. Lindley. *Nova gramática do português contemporâneo*. Rio de Janeiro, Nova Fronteira, 1985.

Dicionário escolar da Língua Portuguesa/Academia Brasileira de Letras. 2. ed. São Paulo: Companhia Editora Nacional/Academia Brasileira de Letras, 2008.

FERNANDES, Francisco. *Dicionário de regimes de substantivos e adjetivos*. 2. ed. Porto Alegre, Globo, 1972.

_____. *Dicionário de verbos e regimes*. 36. ed. Rio de Janeiro, Globo, 1989.

GARCIA, Othon Moacyr. *Comunicação em prosa moderna*. 2. ed. Rio de Janeiro, Fundação Getúlio Vargas, 1973.

GENOUVRIER, Emile & PEYTARD, Jean. *Linguística e ensino do português*. Coimbra, Almedina, 1974.

GIANNINI, Nicola. *Conjugação de verbos portugueses*. São Paulo, s/e, 1972.

GÓES, Carlos & PALHANO, Herbert. *Gramática da língua portuguesa*. 5. ed. São Paulo, Francisco Alves, 1963.

HALLIDAY, M. A. K. *et alii*. *As ciências linguísticas e o ensino de línguas*. Petrópolis, Vozes, 1974.

HOUAISS, Antônio. *Elementos de bibliologia*. São Paulo/Brasília, HUCITEC/INL — Fundação Pró-Memória, 1983.

KRISTEVA, Julia. *História da linguagem*. Lisboa, Edições 70, 1969.

KURY, Adriano da Gama. *Português básico*. Rio de Janeiro, Agir, 1960.

_____. *Pequena gramática: para a explicação da nova nomenclatura gramatical*. 8. ed. Rio de Janeiro, Agir, 1962.

LANGACKER, Ronald W. *A linguagem e sua estrutura: alguns conceitos linguísticos fundamentais*. 3. ed. Petrópolis, Vozes, 1977.

LAPA, Manuel Rodrigues. *Estilística da língua portuguesa*. São Paulo, Martins Fontes, 1982.

LUFT, Celso Pedro. *Gramática resumida: explicação da nomenclatura gramatical brasileira*. 8. ed. Porto Alegre, Globo, 1978.

_____. *Moderna gramática brasileira*. Porto Alegre, Globo, 1976.

_____. *Novo guia ortográfico*. 19. ed. Rio de Janeiro, Globo, 1987.

MATEUS, Maria H. Mira *et alii*. *Gramática da língua portuguesa*. Coimbra, Almedina, 1983.

MELO, Gladstone Chaves de. *Gramática fundamental da língua portuguesa*. 3. ed. Rio de Janeiro, Ao Livro Técnico, 1978.

MESQUITA, Roberto Melo. *Gramática da língua portuguesa*. 8. ed. São Paulo, Saraiva, 1999.

NASCENTES, Antenor. *Nomenclatura gramatical brasileira*. Texto comentado. Rio de Janeiro, Acadêmica, 1959.

_____. *Pequeno dicionário ortográfico da língua portuguesa*. Rio de Janeiro, Academia Brasileira de Letras/Imprensa Nacional, 1943.

PERINI, Mário A. *A gramática gerativa*. Belo Horizonte, Vigília, 1985.

PRETI, Dino. *Sociolinguística: os níveis da fala*. São Paulo, Nacional, 1975.

RIBEIRO, Ernesto Carneiro. *Serões gramaticaes*. Salvador, Progresso, 1955.

RIBEIRO, João. *Gramática portuguesa*. 19. ed. Rio de Janeiro, Francisco Alves, 1920.

ROCHA LIMA, Carlos Henrique da. *Base de português*. Rio de Janeiro, Tecnoprint, 1967.

_____. *Gramática normativa da língua portuguesa*. 18. ed. Rio de Janeiro, José Olympio, 1976.

SAID ALI, M. *Gramática elementar da língua portuguesa*. 9. ed. São Paulo, Melhoramentos, 1966.

SILVEIRA, Regina Célia Pagliuchi. *Estudos de fonética do idioma português*. São Paulo, Cortez, 1982.

SOUZA E SILVA, M. Cecília P. de & KOCH, Ingedore Villaça. *Linguística aplicada ao português: morfologia*. 4. ed. São Paulo, Cortez, 1987.

_____. *Linguística aplicada ao português: sintaxe*. 2. ed. São Paulo, Cortez, 1986.

TORRES, Artur de Almeida. *Estudos linguísticos*. Rio de Janeiro, FAHUPE, 1978.

TRAVAGLIA, Luiz Carlos. *Gramática e interação: uma proposta para o ensino de gramática no 1º e 2º graus*. São Paulo, Cortez, 1996.